Daniela Hammer-Tugendhat

Das Sichtbare und das Unsichtbare

Zur holländischen Malerei des 17. Jahrhunderts

2009 BÖHLAU VERLAG KÖLN WEIMAR WIEN

Gedruckt mit freundlicher Unterstützung
der Universität für angewandte Kunst Wien
dı:'ʌngewʌndtə

Bibliografische Information der Deutschen Nationalbibliothek:
Die Deutsche Nationalbibliothek verzeichnet diese Publikation in der
Deutschen Nationalbibliografie; detaillierte bibliografische Daten sind
im Internet über http://dnb.ddb.de abrufbar.

Umschlagabbildung:
Samuel van Hoogstraten, Die Pantoffeln
um 1658–60, Paris, Louvre
akg-images/Erich Lessing

Abbildung Seite 5:
Rembrandt, Eine Frau im Bett, um 1645–49
Edinburgh, National Gallery of Scotland
Foto: Antonia Reeve

Ursulaplatz 1, D-50668 Köln, www.boehlau.de

Visuelles Konzept und Gestaltung: Martina Gaigg, Wien
Druck und Bindung: Finidr s.r.o., Český Těšín
Gedruckt auf chlor- und säurefreiem Papier
Printed in the Czech Republic

ISBN 978-3-412-20446-4

Inhalt

Einleitung

Die Kunst kann Unsichtbares sichtbar machen. Sie hat aber auch das Vermögen, Dinge, Menschen, Vorstellungen oder Ideen in bestimmten Zusammenhängen unsichtbar werden zu lassen, sie aus dem Feld der Repräsentation und damit auch aus unserem Bewusstsein zu löschen. Holländische Malerei galt und gilt mitunter noch immer als Paradigma einer Kunst, deren Ziel die möglichst getreue Abbildung natürlicher oder gesellschaftlicher Wirklichkeit und die Beschreibung optischer Phänomene ist. Die Bedeutung des Unsichtbaren ausgerechnet in dieser scheinbar so naturalistischen Malerei zu untersuchen, ist somit von besonderer Brisanz.

Die Kunstgeschichte geht im Allgemeinen von einem vorgegebenen Material aus: Gegenstand der Analyse ist das Sichtbare. Bilder werden dann durchaus auf Metaphern hin, nach ihrem symbolischen Gehalt, also nach Verweisen auf Nichtsichtbares untersucht. Auch sind wir gewohnt zu fragen, *wie* etwas dargestellt ist. Nicht gewohnt sind wir zu fragen, wer oder was in bestimmten Zusammenhängen überhaupt nicht Gegenstand der Repräsentation wird. Die Frage nach dem Unsichtbaren kann aber grundsätzliche Strukturen unserer Vorstellungswelt erhellen, die – weil unsichtbar – unbewusst bleiben und dennoch verinnerlicht werden. Diese Problematik wird exemplarisch für die Kategorie *Gender* diskutiert. Fokussiert wird dabei auf das Werk von Rembrandt. Rembrandt deswegen, weil er, selbst nach Aussagen radikaler Feministinnen, ein alternatives ‚positives' Bild von Weiblichkeit entworfen hat. Somit geht es auch um die Frage nach den Grenzen, nach dem historisch Möglichen innerhalb unserer Kultur. Weiblichkeit beziehungsweise Männlichkeit wird in Rembrandts Werk in je spezifischen Zusammenhängen aus dem Feld der Repräsentation ausgegrenzt, obwohl ihre Anwesenheit vom thematischen Motiv her jeweils erforderlich wäre. Durch solche Form der Ausgrenzung entsteht eine Asymmetrie, die wesentlich zur Konstruktion von Geschlechterdifferenz beigetragen hat. Dadurch dass der oder die *Andere* gar nicht ins Bild kommt, wird *Differenz* als solche nicht benannt, somit wird die Konstruktion von Differenz nicht bewusst. Vielmehr suggeriert der Naturalismus holländischer Malerei, die Kunst-Konstruktionen als getreue Abbilder von Natur und als Garanten von Natürlichkeit zu lesen. Die Bewusstseinsproduktion durch Unsichtbar-Machen ist von hoher Aktualität; sie spielt heute in den Medien, etwa in der Berichterstattung über politische Ereignisse, eine entscheidende Rolle innerhalb ideologischer Auseinandersetzungen. Die Medien, insbesondere das Fernsehen, bewirken – durchaus analog zur holländischen Malerei – diesen Augenzeugen-Effekt, der uns suggeriert, mit eigenen Augen die ‚Wahrheit' zu sehen. Diejenigen, die nicht ins Bild kommen, die keine Stimme haben, nehmen wir nicht zur Kenntnis, weil sie unsichtbar bleiben.

Bis heute hat sich die Vorstellung gehalten, dass Bilder von der Renaissance bis zur Moderne sichtbare Wirklichkeit abbilden oder dies zumindest intendieren. Erst die Avantgarde habe mit der Malerei als *Mimesis* gebrochen. Dieses Vorurteil gilt in besonderem Maße für die holländische Malerei des 17. Jahrhunderts. Aber der scheinbar so mimetischen holländischen Malerei ging es nicht nur um die Erfassung optischer, sondern gerade auch um die Visualisierung unsichtbarer Phänomene. Holländische Maler haben *im Medium der Malerei* deren Status und deren Verhältnis zur sichtbaren Wirklichkeit selbst reflektiert. Auf unterschiedliche Weise demonstrieren viele (durchaus nicht alle) holländischen Künstler, dass Malerei nicht *Mimesis* ist: Mieris etwa, der durch den Einsatz des Spiegels, in dem sich die Abgebildete als eine *Andere* spiegelt und so, fast wie eine Vorwegnahme Lacans, die Frage nach Selbstwahrnehmung und -verkennung thematisiert. Vermeer wiederum lässt durch einen spezifischen Einsatz des *Bildes im Bild* bewusst werden, dass unser Denken durch Bilder geprägt ist. Bilder bilden nicht bloß (Sichtbares) ab, sondern produzieren Bedeutung (von Unsichtbarem) – wie die Sprache. Im Verhältnis von Bild und Sprache hat die Eigensemantik der Bilder ebenso Gewicht wie ihre Vernetzung mit der Sprache. Die Untersuchung der Text-Bild-Beziehung in der holländischen Malerei führt zu einer Auseinandersetzung mit der methodischen Kontroverse innerhalb der Kunstgeschichte zwischen Ikonologen und Abbildtheoretikern, ebenso wie zu einer Diskussion aktueller Theoriedebatten innerhalb der Kulturwissenschaften. Ausgehend von einer repräsentationstheoretisch orientierten Herangehensweise können die polaren Interpretationen zu Gunsten einer neuen Sichtweise überwunden werden.

Im 17. Jahrhundert liegt ein Höhepunkt der Affektdiskussion. In diesem Zusammenhang ergeben sich erstaunliche Parallelen zur Gegenwart, in der, nach lang anhaltender Vernachlässigung der Gefühle im Wissenschaftsdiskurs, diese aktuell wieder in aller Munde sind. Damals wie heute geht es auch um Fragen der Sichtbarkeit: wird das psychische Innenleben eines Menschen in seiner Mimik, Gestik, am Körper kenntlich? Ter Borch, Vermeer, Hoogstraten und andere holländische Künstler der zweiten Hälfte des 17. Jahrhunderts haben, ganz im Gegensatz zu ihren barocken Zeitgenossen, Emotionen als nicht sichtbar und damit als intim, individuell und subjektiv interpretiert. Diese Künstler thematisieren mit der Malerei, also mit Mitteln der Sichtbarkeit, die Unsichtbarkeit. Im Rahmen einer Psychohistorie geht es dabei nicht nur um die Frage der Repräsentation von Emotion, sondern auch um die Produktion von Imagination bei den RezipientInnen. Die Malerei hat einen aktiven Beitrag zur Generierung von Subjektivität in der frühbürgerlichen holländischen Gesellschaft geleistet. Diese Bedeutung von Imagination in der holländischen Malerei ist von der Forschung bislang nicht gesehen worden.

Der hier vorgelegte Versuch versteht sich als Plädoyer für eine Kunstgeschichte als Kulturwissenschaft. Kulturwissenschaften gehen davon aus, dass alles von Menschen Produzierte als von Menschen Produziertes anzusehen ist. Dieser Satz ist nicht so banal wie er klingt, denn gemeint sind nicht nur materielle Objekte, sondern durchaus auch sämtliche Wissenssysteme, Religionen und Vorstellungen. Wir können die Welt nur medial vermittelt erkennen, über sprachliche und bildliche Zeichen. Die bildende Kunst ist Teil dieses Zeichensystems, wenn auch von besonderer Art. Kunst ist Produkt *und* Produzent von Diskursen, eingebunden in nicht-sprachliche Erfahrungen und Praktiken der Gesellschaft und damit involviert in Konflikte und Machtkonstellationen. Im Unterschied zur Sozialgeschichte gehe ich jedoch davon aus, dass Bilder nicht lediglich Widerspiegelungen einer gesellschaftlichen Realität sind; sie sind vielmehr aktiv an der Bildung von Vorstellungen über die ‚Wirklichkeit' beteiligt, etwa der Vorstellung sozialer oder geschlechtsspezifischer Differenzen. Dabei sollte immer im Bewusstsein bleiben, dass wir die Fragen von heute aus stellen. Die historische Tiefendimension kann unsere aktuelle Sichtweise verändern. Es ist mir wichtig, das semantische Potenzial von visuellen Medien, in diesem Fall das der Malerei, bewusst zu machen. Bilder tragen wesentlich dazu bei, die Wahrnehmung unserer eigenen Identität und des/der Anderen – auch der Welt – zu formen. Den Kulturwissenschaften sei nahegelegt, ihre Sprachfixiertheit endlich aufzugeben und das semantische Vermögen der *bildenden* Kunst ernst zu nehmen. Eine Kunstgeschichte als Kulturwissenschaft wiederum muss antiessentialistisch sein, sie wendet sich gegen jegliche Form einer Autonomisierung von Kunst wie auch gegen Personalisierungen im Sinne einer Genievorstellung. Aber Kunst ist auch keine Illustration von (normativen) Texten; darin grenze ich mich von der Ikonologie ab. Bedeutung liegt nicht nur in bestimmten Motiven, sondern auch in der Form selbst, der ästhetischen Inszenierung. Es geht darum, die Semantik von ästhetischen Strukturen lesen zu lernen. Die Kunst hat die besondere Fähigkeit, Ambivalenzen und Widersprüche, die im normativen Diskurs zumeist ausgespart werden, zu visualisieren und damit zu thematisieren. Gerade wenn die bildende Kunst in ihrer Ästhetik ernst genommen wird, kann deren Analyse im Kontext mit anderen gesellschaftlichen Praxen und Diskursen unser Verständnis einer bestimmten Zeit wesentlich vertiefen beziehungsweise auch verändern. Sie kann, wie wir sehen werden, zu einer Korrektur an der etablierten Chronologie führen.

Ein Buch hat viele Väter, Mütter und Großeltern. Es sind Menschen, es sind Bücher von Menschen, die mir nahe sind und mit denen ich in wissenschaftlichem Austausch stehe, aber es sind auch Publikationen, deren VerfasserInnen ich nicht kenne. Am Anfang dieses Bandes steht meine Mutter, Grete Tugendhat (1903–70), die Bauherrin des Tugendhat-Hauses von Mies van der Rohe in Brünn, die mir in vielen Gesprächen, gemeinsamen Museumsbesuchen und Reisen die Liebe zur Kunst vermittelt hat, die Erfahrung, dass Kunst ein Lebens-Mittel ist. Professionalisieren konnte ich diese Liebe in meinem Studium bei Otto Pächt in Wien, von dem ich lernte, die Kunst in ihrer ästhetischen Struktur ernst zu nehmen, sie nicht zu instrumentalisieren und immer in der Bildtradition zu historisieren. Die Generation der Achtundsechziger half mir dann, die auf kunstimmanente Belange reduzierte Kunstgeschichte auf gesellschaftlich relevante Problemstellungen hin zu öffnen. Ich hätte dieses Buch nie schreiben können ohne den Austausch mit Kolleginnen, die sich im deutschsprachigen Raum vor allem bei den diversen Kunsthistorikerinnen-Tagungen um eine feministische Kunstgeschichte bemühten und die ersten waren, die Semiotik, poststrukturalistische Theorie, Diskursanalyse und Psychoanalyse in dieses konservative Fach einbrachten. Hier habe ich auch von meinen schärfsten Kritikerinnen gelernt, die methodisch zum Teil anders vorgingen: Silke Wenk, Sigrid Schade, Kathrin Hoffmann-Curtius u.a. Für die Hinwendung zur Kulturwissenschaft waren viele Kolleginnen und Kollegen wichtig, insbesondere im Zusammenhang mit dem IFK (Internationales Forschungszentrum Kulturwissenschaften) und den KulturwissenschaftlerInnen an der Universität Wien. Ein ganz spezieller Dank geht an Gotthart Wunberg, der sich mit besonderer Intensität mit meinem Text auseinandergesetzt hat. Ohne die jahrelange Diskussion mit Horst Wenzel wäre ich nicht da, wo ich jetzt bin: dabei geht es zunächst um ein anderes Mittelalterbild und damit um eine differenziertere Einschätzung des ‚Neuen' der Neuzeit, vor allem aber um die Klärung der komplexen Text-Bild-Beziehungen. Ebenso produktiv waren die gemeinsamen Gespräche und Workshops mit Ludwig Jäger, der mich mit seiner linguistischen Kompetenz in die Lage versetzt hat, meine eigene Vorgehensweise theoretisch präziser zu fassen. Mein Mann, Ivo Hammer, war nicht nur mein bester Kritiker, sondern hat mir als Kunsthistoriker und Restaurator einen anderen und genaueren Blick auf die Objekte ermöglicht, der konsequent von der Materialität des konkret Gegebenen ausgeht. Viktoria Schmidt-Linsenhoff hat mich mit ihren Kommentaren inspiriert und motiviert. Karin Gludovatz, Schülerin, Lehrerin und Freundin hat von Beginn an das Projekt begleitet. Dank für kritische Lektüre und Anregungen geht auch an Marie-Luise Angerer, Helga Kämpf-Jansen, Christina Lutter, Elisabeth Nemeth und Agnes Sneller. Ein ganz großer Dank an Renate Reisinger für die so sorgfältige Lektorierung und an Martina Gaigg für die wunderbare Arbeit als Grafikerin und Layouterin. Die Zusammenarbeit mit dem Boehlau-Verlag war dank Frau Elena Mohr überaus erfreulich. Bücher kosten (erstaunlich) viel Geld. Ein ganz besonderer Dank geht an meine Hochschule, die Universität für angewandte Kunst Wien, und ihren Rektor Gerald Bast, der die Publikation finanziell großzügig unterstützt und somit ermöglicht hat.

Daniela Hammer-Tugendhat
September 2009

Teil I: **Sichtbares wird unsichtbar**

Geschlechterkonstruktionen bei Rembrandt

1 Zur Darstellung von Weiblichkeit
oder:
Zum Verschwinden der männlichen Protagonisten aus dem Feld der Repräsentation

Mein Interesse gilt dem subversiven Potenzial von bildender Kunst, den alternativen, wenn auch marginal gebliebenen Diskursen, den Brüchen und Widersprüchen sowie den Grenzen in unserer Kultur. Warum dann ausgerechnet Rembrandt? Weil Rembrandt von der Forschung bezüglich der Repräsentation von Weiblichkeit zu Recht eine alternative Haltung zugestanden wird.

> Rembrandt's portrayals of women have become some of the most famous images in the history of Western art, prompting emotive reactions amongst his strongest critics and enthusiastic admirers alike,

lautet der erste Satz des Vorwortes der Ausstellung *Rembrandt's Women,* die 2001 in London stattgefunden hat.[1] Rembrandts Weiblichkeitsbilder, insbesondere seine Aktkunst, haben bei Klassizisten seit der zweiten Hälfte des 17. Jahrhunderts bis in unsere Zeit erbitterte Kritik provoziert.[2] Umgekehrt sind seine Weiblichkeitsentwürfe sehr positiv rezipiert worden, insbesondere bei *gender*-kritischen ForscherInnen wie John Berger, Mary Garrard oder Mieke Bal.[3] Ich möchte dieser Faszination nachgehen, die Rembrandts Frauenbilder hervorgerufen haben und werde im Folgenden an einigen exemplarischen Werken die Repräsentation von Weiblichkeit in seinem Oeuvre untersuchen. Befassen wir uns zunächst mit dem Sichtbaren. Danach wird uns die Frage beschäftigen, was in diesen Bildern ausgegrenzt, was unsichtbar gemacht wird. Diese Frage wird den Blick auch auf das Sichtbare verändern.

Alternative zum traditionellen Weiblichkeitsmuster? – *Bathseba*

Ausgangspunkt der Überlegungen ist das Bild der Bathseba von 1654 im Louvre **(Taf. 1)**.[4] Keine andere Darstellung von Weiblichkeit in Rembrandts Oeuvre hat die Forschung, insbesondere in den letzten Jahren, so beschäftigt wie dieses Gemälde. 1994 und 1998 sind zwei Monografien zu diesem Werk erschienen: der von

1 Rembrandt's Women, Ausstellungskatalog, hrsg. von Julia Lloyd Williams, National Gallery of Scotland, Edinburgh, Royal Academy of Arts, London 2001, München, London, New York 2001.

2 Diese Kritik von Sandrart (1675) über Pels (1681) und Houbraken (1718) bis zu Kenneth Clark u.a. (1966) ist so gut dokumentiert, dass sie hier nicht wiederholt zu werden braucht, siehe u.a.: Jan A. Emmens, Rembrandt en de regels van de kunst, Utrecht 1968; Eric Jan Sluijter, ‚Horrible Nature, Incomparable Art': Rembrandt and the Depiction of the Female Nude, in: AK Edinburgh, London 2001, S. 37–45; Anat Gilboa, Images of the Feminine in Rembrandt's Work, Delft 2003, S. 12–17; Eric Jan Sluijter, Rembrandt and the Female Nude, Amsterdam 2006.

3 John Berger, Sehen. Das Bild der Welt in der Bilderwelt, Hamburg 1979 (1974), S. 54 f; Mary Garrard, Artemisia Gentileschi. The Image of the Female Hero in Italian Baroque Art, Princeton 1989, insbes. S. 238 f; Mieke Bal, Reading Rembrandt. Beyond the Word-Image Opposition, Cambridge University Press 1991.

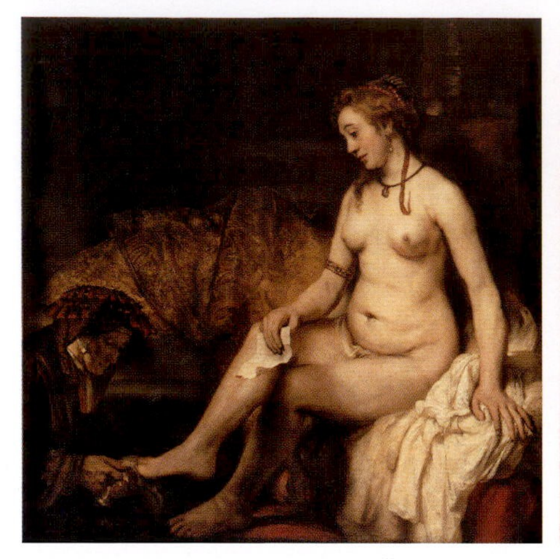

Taf. 1: Rembrandt, Bathseba, 1654, Öl/Leinwand, Paris, Louvre
Abb. 1: Bible Moralisée, David und Bathseba, 15. Jhdt., Paris, Bibli. nat. de France, Ms. 166, fol. 76v

Ann Jensen Adams herausgegebene Sammelband *Rembrandt's Bathseba Reading King David's Letter* und die Magisterarbeit von Petra Welzel *Rembrandt's Bathseba – Metapher des Begehrens oder Sinnbild zur Selbsterkenntnis? Eine Bildmonographie.*[5] Meine eigene Beschäftigung mit diesem Bild reicht in das Jahr 1993 zurück.[6] Es ist aufschlussreich und erfreulich sich klar zu machen, wie sich die kunsthistorische Forschung zumindest teilweise verändert hat: Als ich mit meiner Arbeit begonnen habe, galten Fragen nach den Geschlechterkonstruktionen innerhalb der Rembrandtforschung noch als Tabubruch.

Zur Erinnerung kurz die Geschichte, wie sie im Alten Testament im zweiten Buch Samuel Kapitel 11 und 12 erzählt wird: Zur Abendzeit sieht König David von seinem Palast aus ein Weib sich waschen, eine schöne Frau beim Bade. Er erkundigt sich nach ihr und erfährt, dass es Bathseba, die Ehefrau des Urias, sei. David lässt sie durch einen Boten holen und schläft mit ihr. Als Bathseba schwanger wird, ruft der König ihren Gatten Urias, der im Kriege ist, zu sich und befiehlt ihm, seine Frau zu besuchen, um so seinen Ehebruch verheimlichen zu können. Da dieser sich weigert und die Nacht mit den Soldaten vor des Königs Palast verbringt, sendet David ihn wieder in den Krieg, allerdings mit einem Brief an seinen Vorgesetzten mit dem Inhalt, Urias an die vorderste Front zu schicken, damit er umkomme. Urias fällt. Nach Ablauf der Trauerzeit macht David Bathseba zu seiner Frau. Von Bathseba wird lediglich berichtet, dass sie Totenklage um ihren Mann hielt. Gott aber straft David und lässt den im Ehebruch gezeugten Sohn sterben.

Die Ikonografie dieser Episode ist eine Geschichte der Umdeutungen und Umkehrungen, in der aber eines konstant bleibt: der Objektcharakter der Bathseba.[7] Im Frühmittelalter diente die Erzählung zur Illustration des Bußgedankens und damit zur Forcierung der Einführung der Beichte. In der Bildtradition begegnet sie uns vor allem als Illustration des 50. Psalms, der die Strafpredigt Nathans an David zum Inhalt hat. Die Tatsache, dass ausschließlich David und nicht Bathseba die Schuld zugewiesen wird, darf nicht zur Annahme einer besonderen Wertschätzung der Frau in der alttestamentarischen Geschichte führen. Aufschlussreich ist das erläuternde Gleichnis vom reichen und vom armen Mann, das der Prophet Nathan David vor Augen hält: So wie der reiche Mann dem Armen sein einziges Schäfchen geraubt hat, habe David Urias sein Weib genommen. Bathseba wird somit wie ein Stück Vieh zum Tauschobjekt, das den Besitzer wechselt.[8] Die hochmittelalterliche Darstellung basiert im Wesentlichen auf den Auslegungen Augustins. In dessen typologischen Spekulationen, die zur Beweisführung der Richtigkeit des Neuen Testaments das Alte Testament zitieren, wird König David zum Vorbild Christi und Bathseba, in Anlehnung an das Hohe Lied, zum Typus der Ecclesia. Folgerichtig wird Urias zu Satan, bei Isidor von Sevilla zum Sinnbild des jüdischen Volkes. Dies ist die erste Umkehrung: Ehebruch und Mord werden geleugnet, der Betrogene zum Teufel erklärt. Dieser typologischen Auslegung folgen die Bibles Moralisées, in denen jeweils Szenen des Neuen Testaments analoge Motive des Alten Testaments zugeordnet sind.[9] Die Taufe der Ecclesia wird mit Bathseba im Bade verbunden, Bathseba vor König David wird Christus gegenübergestellt, der seine Gläubigen (seine Kirche) zu sich kommen lässt.

In der spätmittelalterlichen Literatur kann die Allegorie der Bathseba als Ecclesia der allgemeinen Profanisierung nicht standhalten: Bathseba wird (wieder) eine Frau. In dieser Rolle wird sie abermals Opfer einer Umkehrung, diesmal einer Umkehrung der moralischen Werte. Nicht mehr David ist schuld an der tragischen Entwicklung, sondern Bathsebas verführerische Schönheit. In dieser veränderten Bedeutung erscheint sie in den Bibles Moralisées des 15. Jahrhunderts **(Abb. 1)**. Paradoxerweise wird nun die Bathsebageschichte auch Teil der sogenannten *Weiberlisten*.[10] Durch die Einbindung in diesen Bedeutungskontext wird Bathseba zur Schuldigen

4 Öl auf Leinwand, 142/142 cm. Das Bild ist links und oben sehr wahrscheinlich beschnitten. Zu Fragen der Erhaltung und Malweise siehe: Ernst van de Wetering, Rembrandt's Bathseba: The Object and its Transformations, in: Ann Jensen Adams, Rembrandt's Bathseba Reading King David's Letter, Cambridge University Press 1998, S. 27–47. Über die Umstände der Entstehung des Bildes – ob es ein Auftrag war, verkauft wurde oder aber in des Künstlers Besitz verblieb – und über die zeitgenössische Rezeption ist nichts bekannt. Zur seit 1811 überlieferten Rezeptionsgeschichte: Gary Schwartz, Though Deficient in Beauty. A Documentary History and Interpretation of Rembrandt's 1654 Painting of Bathseba, in: Ebd. S. 176–203.

5 Ann Jensen Adams (Hg.), Rembrandt's Bathseba Reading King David's Letter, Cambridge University Press 1998; Petra Welzel, Rembrandt's Bathseba – Metapher des Begehrens oder Sinnbild zur Selbsterkenntnis? Eine Bildmonographie 1994, Europäische Hochschulschriften, Reihe 28, Kunstgeschichte, 204, Frankfurt a. M., Wien u. a. 1994. Siehe auch Sluijter 2006, S. 333–368. Zur Forschungsliteratur siehe ebd.

6 Publiziert habe ich die Ergebnisse in einer Kurzfassung erst Jahre später: Geschlechter-Differenz. Die *Bathseba* von Rembrandt, in: Ingrid Bennewitz (Hg.), Lektüren der Differenz, gewidmet Ingvild Birkhan, Bern, Berlin u. a. 2002, S. 125–141.

7 Zur Ikonografie der Bathseba: Elisabeth Kunoth-Leifels, Über die Darstellungen der „Bathseba im Bade". Studien zur Geschichte des Bildthemas 4. bis 17. Jahrhundert, Essen 1962; Welzel 1994; Eric Jan Sluijter, Rembrandt's Bathseba and the Conventions of a Seductive Theme, in: Adams 1998, S. 48–99; Daniela Hammer-Tugendhat, Judith und ihre Schwestern. Konstanz und Veränderung von Weiblichkeitsbildern, in: Annette Kuhn, Bea Lundt (Hg.), Lustgarten und Dämonenpein. Konzepte von Weiblichkeit in Mittelalter und früher Neuzeit, Dortmund 1997, S. 343–385, insbes. S. 367–373; Sluijter 2006, S. 333ff.

8 So erscheint sie beispielsweise im karolingischen Utrecht Psalter. Utrecht, Universitätsbibliothek, Ms. 484, fol. 29r. Abb. siehe: E. T. De Wald, The Illustrations of the Utrecht Psalter, Princeton, Univ. Press, o. J., Abb. 47.

9 Bible Moralisée, 13. Jh., Oxford, Bodl. Libr. 270b, fol. 152 und 153v. A. De Laborde, La Bible Moralisée Illustrée, Paris 1911–27, Bd. 1, Abb. 152 und 153.

10 So beispielsweise bei Dürers Entwurf des Nürnberger Ratssaales von 1521 (New York, Pierpont Morgan Library.) Der Topos der *Weiberlist* war in der bildenden Kunst ursprünglich auf die Paare *Aristoteles und Phyllis* und *Samson und Dalilah* beschränkt: Der größte aller Philosophen und der stärkste aller Männer fielen der Verführungskunst der Frauen zum Opfer. Grundlegend für die *Weiberlist:* Susan Louise Smith, The Power of Women: A Topos in Medieval Art and Literature, University of Pennsylvania Press 1995; siehe auch: Hammer-Tugendhat 1997, S. 367–373.

Abb. 2: Adam Elsheimer, Bathseba, 1600–1610, Gouache, Wien, Albertina
Abb. 3: Cornelis Cornelisz. van Haarlem, Bathseba, 1594, Öl/Leinwand, Amsterdam, Rijksmuseum

und David zum Opfer. Analog zur bildenden Kunst wird in der spätmittelalterlichen Literatur wie in dem viel gelesenen *Livre de la Tour pour l'enseignement de ses filles*, das dem deutschen Publikum in einer Paraphrase von Marquart von Stein bekannt war, die Sünde des Ehebruchs der Hoffart Bathsebas zugeschrieben.[11] Diese Umdeutung entsprach den städtischen Schichten und deren Aufwertung der Ehe und der damit einhergehenden unbedingten Anforderung an weibliche Keuschheit. Die angeblich verderbliche Schönheit der Frauen und der ‚dadurch' verursachte Ehebruch waren auch bei Rembrandts Zeitgenossen wesentliche Momente der Erzählung. Die Episode von Bathseba im Bade wurde im 16. Jahrhundert etwa in einer Stichfolge nach Maarten van Heemskerck als Illustration des sechsten Gebots *Du sollst nicht ehebrechen* eingesetzt, nicht aber, was näher gelegen hätte, für das neunte Gebot *Du sollst nicht begehren deines Nächsten Weib*. Hierzu wurde vielmehr die Geschichte von Potiphars Weib, die vergeblich versucht hatte, Josef zu verführen, verwendet.[12] Die Misogynie geht so weit, dass gegen den Wortlaut des biblischen Textes verstoßen wird. Bei den Calvinisten und Moralisten in Rembrandts Zeit diente die Bathseba-Geschichte als Warnung vor der verführerischen Schönheit der Frauen und vor dem Ehebruch; bezüglich der Schuldfrage gab es unterschiedliche Einschätzungen; sie reichen von einer nahezu ausschließlichen Zuschreibung an Bathseba bis zu einer Mitschuld. Schuldig wurde Bathseba jedenfalls, da sie nicht Sorge getragen hatte, zu verhindern, dass sie nackt gesehen werden könne.[13] Hier lässt sich eine Verschärfung der Disziplinierung ablesen: Wurde Bathseba in den spätmittelalterlichen Schriften noch vorgeworfen, sich Davids Blicken keck gezeigt zu haben, wird jetzt die Unmoral bereits darin festgemacht, dass Bathseba nicht verhindert habe, überhaupt beobachtet werden zu können. So urteilt etwa Calvin in einer seiner siebenundachtzig Wochenpredigten zu diesem Thema:

Was also Bathseba betrifft, ist sie nicht einfach für das Sich-Waschen zu verurteilen; aber es hätte größere Diskretion geben müssen, auch wenn sie dachte, dass sie nicht gesehen würde. Weil eine ehrbare und keusche Frau sich nicht auf diese Art zeigt, um die Männer weder zu verführen noch um ein Teufelswerk zu sein, um das Feuer zu entfachen; Bathseba war also unkeusch, was das betrifft.[14]

Die Ikonografie von Rembrandts *Bathseba* kombiniert traditionelle Elemente, es gibt kein einziges neues Motiv.[15] Das Motiv der Badenden, der eine Magd die Füße wäscht, hat eine lange Tradition; sie lässt sich, basierend auf antiken Quellen, über die mittelalterliche Buchmalerei wie den Psalter des Hl. Ludwig aus dem 13. Jahrhundert bis zu den deutschen Meistern des fünfzehnten Jahrhunderts Lucas Cranach und Altdorfer zurückverfolgen, wird aber auch von den Niederländern Maarten van Heemskerck und bei Rembrandts Lehrer Pieter Lastman aufgegriffen. In der radikalen Reduktion auf den weiblichen Akt und die Füße waschende Magd stehen einige Zeichnungen von Elsheimer Rembrandt besonders nahe **(Abb. 2)**. Sogar die Eliminierung von König David, der biblischen Hauptfigur, haben bereits Künstler vor Rembrandt vollzogen, so Buytewech in seiner Radierung von 1615, Elsheimer in den genannten Zeichnungen und Cornelis Cornelisz. van Haarlem in seinem Tafelbild von 1594 **(Abb. 3)**. Auch die Zuspitzung des Gegensatzes von Jugend und greisem Alter und damit eine Anspielung auf die Vergänglichkeit weiblicher Schönheit ist in einer weiteren Grafik von Buytewech von 1616 vorweggenommen, der diesen Aspekt durch die Einfügung des Wortes *Vanitas* bewusst betont.[16]

Auch die Einfügung des Briefes ist nicht Rembrandts Erfindung. Obwohl im biblischen Text von keinem Brief an Bathseba die Rede ist – David ließ Bathseba durch einen Boten holen – wurde der Brief im 17. Jahrhundert geradezu zu einem Erkennungsmerkmal der Geschichte.[17] Das Wissen um die Geschichte wird durch bildliche Medien ebenso tradiert wie durch den geschriebenen Text. Die Bilder, die die Geschichte

11 Edith Wenzel, David und Bathseba. Zum Wandel der Weiblichkeit im männlichen Blick, in: Bulletin des Zentrums für interdisziplinäre Frauenforschung der Humboldt-Universität Berlin, Bd. 11, 1995, S. 41–55.

12 Siehe hierzu Sluijter 1998, S. 83f, Abb. Heemskerck Fig. 6, S. 50; s. u. im 2. Kap.: Die unmögliche Umkehrung I – Frauen als ‚Vergewaltiger' oder *Potiphars Weib*.

13 Zu den unterschiedlichen Positionen: Sluijter 1998, S. 83f und Welzel 1994, S. 48–65. Zur Gefährlichkeit des Blicks siehe unten: *Susanna*.

14 „Quant est donc de Bethsabée, elle n'est point condamnée simplement de s'estre lauee; mais il y devoit auoir plus grande discretion en elle, qu'elle pensast bien de n'estre point veue. Car une femme chaste et pudique ne se monstera point en telle sorte, pour allecher les hommes ny pour estre comme ung filet du diable, afin d'allumer le feu; Bethsabée donc a esté impudice, quant a cela." Jean Calvin, Predigten über das 2. Buch Samuelis, hrsg. von Hanns Rückert, Neukirchen-Ubyn 1936, S. 281.

15 Die Forschung geht im Allgemeinen davon aus, dass Rembrandt vor der monumentalen Fassung von 1654 bereits zwei Bathseba-Versionen gemalt hat: eine Version von etwa 1632 ist nur noch in Kopien erhalten, deren beste sich heute in Rennes, Musée des Beaux-Arts, befindet und auch als Radierung von einem Rembrandt-Schüler überliefert ist, siehe RRP Bd. 2, 1986, Nr. C45, S. 591–594. Bathseba sitzt hier mit entblößtem Oberkörper in einer Landschaft, in deren Hintergrund Davids Schloss zu sehen ist; eine alte Magd schneidet ihr die Fußnägel, Bathseba hält ein Blumensträußchen in der Hand. Die zweite Version ist ein Tafelbild von 1643, das sich im Metropolitan Museum of Art in New York befindet. Die Zuschreibung an Rembrandt ist umstritten, meist wird zumindest an der Erfindung der Komposition durch Rembrandt festgehalten, siehe dazu Sluijter, Rembrandt's Bathseba, 1998, S. 65f, ders. 2006, S. 341ff. Ich halte das Werk für eine Schülerarbeit, die insbesondere in der koketten Wendung zum Betrachter Rembrandt widerspricht und durch das Bathseba-Bild von Lastman inspiriert ist.

16 Zu den entsprechenden Abbildungen siehe Kunoth-Leifels 1962: Abb. 6, 19, 22–25, 36–38, 43, 58, 59, 60.

17 Welzel 1994, S. 37.

Abb. 4: Peter Paul Rubens, Bathseba, Zeichnung, 1613/14, Berlin, Staatliche Museen, Kupferstichkabinett
Abb. 5: Simon Bening, Hennessy-Stundenbuch, frühes 16. Jhdt., Brüssel, Bibliothèque Royale, Ms. II, 158

erinnern, werden aber durch aktuelle Elemente vergegenwärtigt, und somit verändern die Bilder die kanonischen Texte. Dass der Königsbote zu einem Boten mit Brief oder gar zum Brief selbst mutiert ist, lässt sich nur medienhistorisch verstehen. Horst Wenzel hat gezeigt, wie in einer weitgehend oralen Kultur der Bote den Herrn vertritt.[18] Mit der zunehmenden Schriftkultur ersetzt allmählich der Brief den physischen Stellvertreter des Herrn, der dadurch an Bedeutung verliert. Analog zur Geschichte der Bathseba lässt sich dieser Wandel an Darstellungen der Verkündigung ablesen, bei der im späten Mittelalter der Engel oft einen Brief an Maria übergibt.[19] Das Wort des Herrn hat sich aus dem Körper des Boten exkorporiert und in die Schrift verlagert. Wie nah im Bild-Gedächtnis die *Verkündigung an Maria* und die *Botschaft an Bathseba* lagen, zeigt eine Zeichnung von Rubens, in der eine kniende engelartige Gestalt mit wallendem Gewand einer nackten *Bathseba* einen Brief überbringt **(Abb. 4)**. Das Motiv der Briefübergabe in der Bathseba-Ikonografie ist seit dem frühen 16. Jahrhundert überliefert **(Abb. 5)**. Einhergehend mit der Bedeutungslosigkeit des Boten als Stellvertreter des Königs und seiner Reduktion auf einen reinen Transfer einer verschrifteten und somit von ihm unabhängigen Botschaft wechselt das Geschlecht des Boten: *er* wird weiblich. Bei Simon Bening überbringt eine Frau den Brief. In der niederländischen Malerei des 16. und 17. Jahrhunderts sind es nun meist alte und hässliche Frauen, Kupplerinnen, oder, wie bei Rubens, Schwarze, die als Boten dienen **(Abb. 6)**. Dadurch verändert sich die Auffassung der Botschaftsübergabe. Nicht mehr der königliche Auftrag steht im Vordergrund, sondern dessen ehebrecherischer Inhalt.

Der Brief kommt aus der Ikonografie der Botschaftsübergabe, somit einem handlungsorientierten Kontext. In der mittelalterlichen Erzählkunst wurde meist die zeitliche Szenenabfolge gezeigt, so auch in den Miniaturen der *Bibles moralisées,* die zuerst David

Abb. 6: Peter Paul Rubens, Bathseba, um 1635, Öl/Holz, Dresden, Staatliche Kunstsammlungen, Gemäldegalerie

Abb. 7: Jan Lievens, Bathseba, um 1631, Öl/Leinwand, Studio City (Cal.), Coll. Mr. and Mrs. Cooney

ins Bild bringen, wie er die schöne Bathseba beim Bade beobachtet, und dann den Boten zeigen, der Bathseba zu David holt. In der Malerei seit der Renaissance, die durch die perspektivische Konstruktion Raum und Zeit im Bild zu vereinheitlichen suchte, werden die beiden Szenen häufig zusammengezogen: man sieht Bathseba beim Bade, der eine Kupplerin oder ein Bote einen Brief überbringt, im Hintergrund ist das Schloß mit König David zu sehen. Bereits Jan Lievens, der mit Rembrandt zusammen bei Lastman in Amsterdam lernte und dann mit ihm in Leiden einen regen Austausch pflegte, eliminierte das dramatische Handlungselement der Botschaftsübergabe, das Requisit der Übergabe, den Brief, behielt er jedoch bei. Es scheint zumindest zwei Versionen des Themas von Lievens aus den dreißiger Jahren gegeben zu haben; eine wird von Philip Angel in seinem Werk *Lof der Schilderkonst*, das 1642 in Leiden erschienen ist, erwähnt, wobei die Tatsache, dass die Botschaft nicht lediglich mündlich durch die Kupplerin, sondern durch einen Brief überbracht worden ist, von Angel besonders betont wird.[20] Dieses Bild, das auch einen Amor mit Pfeil zeigte, ist verschollen. Eine andere Version von etwa 1631 präsentiert die bekleidete Bathseba mit dem Brief in der Hand und dem Blick zum Betrachter, links hinter ihr ist die Kupplerin im Profil zu sehen **(Abb. 7)**.[21] Die Szene spielt in einem Interieur. Es hat in den dreißiger und vierziger Jahren des 17. Jahrhunderts im Rembrandt-Umkreis mehrere verwandte Versionen gegeben, wobei bemerkenswert ist, dass oft die thematische Zuordnung zu *Bathseba*, *Esther* oder einer anderen biblischen Heroine unklar ist.[22] Diese Erfindungen müssen in einem größeren Zusammenhang gesehen werden: dem der Briefkultur, die etwa

18 Horst Wenzel, Hören und Sehen. Schrift und Bild. Kultur und Gedächtnis im Mittelalter, München 1995, insbesondere S. 287–291.

19 Beispielsweise die Verkündigung um 1460 eines oberdeutschen Meisters, Abb. Wenzel 1995, S. 289, Abb. 38.

20 Philips Angel, Lof der Schilderkonst, Leiden 1642, S. 48–51.

21 Werner Sumowski, Gemälde der Rembrandt-Schüler, 5 Bde, Landau/Pfalz, 1983–1990, Bd. 3, Nr. 1189, S. 1779, dort noch „Kunsthandlung Stern", vielleicht lediglich eine Kopie.

22 Sluijter 1998, S. 62ff. Zu ähnlichen Bildern bei Lievens, Salomon Koninck und Philip Koninck siehe Sumowski Bd. 3 Nr. 1188, Bd. 3 Nr. 1086, Bd. 3 Nr. 1002.

seit den dreißiger Jahren in Holland eine eminente Rolle zu spielen begann und mit der wir uns im zweiten Teil dieses Buches ausführlicher beschäftigen werden.

Alle ikonografischen Elemente waren somit bereits vor Rembrandt ausgebildet. Neu und anders ist bei ihm jedoch die spezifische Verknüpfung der Motive und die Art und Weise der ästhetischen Inszenierung und damit die inhaltliche Aussage. Rembrandt legt die Handlung still. Er eliminiert sogar die Kupplerin; die Alte spielt nur noch den Part der Füße-waschenden Magd. Die Alte bei Lievens, obwohl bereits stillgestellt, wird auf den Brief bezogen und damit als Kupplerin interpretiert, umgekehrt wird der Brief wiederum durch sie definiert: der Brief in Bathsebas Händen wurde eben von der Kupplerin überbracht, der Inhalt des Briefes ist Davids Botschaft. Bezeichnenderweise wurde in der Forschung gerätselt, um welchen Brief es sich denn in Rembrandts Bild handeln könne. Freise hatte die Behauptung aufgestellt, es sei eine spätere Episode in der Geschichte, nach dem Tode des Urias, nur so ließe sich der traurige Ausdruck von Bathseba erklären.[23] Diese Interpretation wurde von der Forschung mit Recht zurückgewiesen, allerdings mit der Fixierung des Bildes auf den Anfang der Geschichte. Mieke Bal hingegen hat in ihrer semiotischen Analyse den Brief als „sign of textuality“ zum Ausgangspunkt ihrer Interpretation gemacht; sie sieht zu Recht in dem Brief auch jenes andere Schriftstück konnotiert, das David Urias mitgegeben hatte und das indirekt dessen Todesurteil enthielt.[24] Bemerkenswert scheint mir, dass in der Tat durch die Eliminierung konkretisierender Hinweise wie auf die Kupplerin die Fixierung des Bildes auf einen bestimmten Moment innerhalb der Erzählung aufgehoben wird, die Erzählung gleichsam entgrenzt wird. Gerade weil jede Handlung eliminiert ist, lässt der Brief die gesamte Bathseba-Geschichte assoziieren. Rembrandts Bild ist keine Textillustration, in welcher eine konkrete Textstelle und somit ein zeitlich definierter Teil einer Erzählung wiedergegeben wird. Das Bild ist selbst ein Text, der allerdings nicht wie ein geschriebener Text gelesen werden kann, sondern in dem gleichsam verschiedene Textteile synoptisch wahrnehmbar sind. Dass Historienbilder von Rembrandts Zeitgenossen nicht als Illustrationen bestimmter zeitlich begrenzter Episoden interpretiert worden sind, belegt unter anderem eine Passage in *De pictura veterum* von Franciscus Junius, ein Traktat, das 1637 in Amsterdam erschien. Hier plädiert Junius in Hinblick auf die Historienmalerei für die Verknüpfung von Elementen der Gegenwart mit solchen der Vergangenheit und der Zukunft in einem Bild.[25] Die Rembrandt-Forschung wäre gut beraten, diese zeitgenössische Quelle zur Kenntnis zu nehmen. Bei vielen Rembrandt-Bildern gibt es den unsinnigen Streit über die Frage, welche Episode innerhalb einer Geschichte genau gemeint sei; damit wird der Kern der Darstellungsform bei Rembrandt verfehlt.[26]

Rembrandts Verzicht auf jedes äußere Handlungsmoment ist radikal. Sogar eine Ausschmückung oder genauere Konkretisierung des Umraums wird vermieden. Die Szene ist auf Bathseba und ihre Magd reduziert, reliefhaft sind die beiden in die Fläche gebaut. Jede Bewegung wird unterbunden. Die Magd bückt sich nicht zu Bathsebas Füßen wie bei Elsheimer oder bei der Version von Rembrandts Lehrer Lastman; halbfigurig und vom Bildrand überschnitten wird sie in die Bildfläche gesetzt, ja sogar ihre räumliche Position bleibt undefiniert. Bathseba sitzt aufrecht, ihre Glieder werden gleichsam einem System von Horizontalen und Vertikalen eingepasst, das auch durch die Andeutungen der Sitzgelegenheit, der Brüstung, auf der ihr goldschimmerndes Gewand liegt, und der Architektur geschaffen wird. Bathsebas nackter Körper ist zwar dem Betrachter in vollem Licht zugewandt, die Strenge und Monumentalität aber fordern Distanz. Obgleich Rembrandt somit nicht der Ikonografie der handlungsbetonten Botschaftsübergabe folgt, lässt er das Bild doch nicht zum idyllischen Stimmungsbild werden, in welchem dem Betrachter lediglich ein schöner Akt zur Ansicht geboten wird. Im Gegensatz zu Elsheimers Zeichnungen, die ihm in der Reduktion auf die Magd und den Akt so nahe stehen, setzt Rembrandt den Brief in das Zentrum des Bildes. Der Brief ist in der Tat fast im Mittelpunkt des Bildes angebracht, am Schnittpunkt der beiden Beine und der darüber gelegten Hand, auf gleicher Höhe wie Bathsebas Schoß, dem seine beschriebene Seite zugewandt ist. Der Text des Briefes bleibt für uns unsichtbar, dennoch überschwemmt dieser Brief das Bild mit Text, mit Bedeutung. Bathseba ist nicht im Akt des Lesens gezeigt, sie hat den Brief offensichtlich bereits gelesen. Ihr leicht geneigter Kopf und der gesenkte Blick signalisieren Nachdenklichkeit. Bathsebas Gesichtsausdruck und der Brief kontextualisieren sich gegenseitig. So wird der dunkle leere Raum gleichsam zu einem Assoziationsraum für die BetrachterInnen, die, im Rahmen der überlieferten Geschichte, Gedanken und Gefühle entfalten können – analog der sinnenden Bathseba. Durch die Abwesenheit des Boten/der Kupplerin wird die Macht des Königs auf den Brief reduziert. Die Entscheidung, entweder Ehebruch zu begehen oder dem Befehl des Königs nicht Folge zu leisten, wird so ganz in das Innere der Bathseba verlegt. Wenn David Bathseba von einem Boten holen lässt, sie somit physisch abgeholt wird, wird ihr keinerlei Entscheidungsspielraum zuerkannt. So aber öffnet der Brief einen Reflexions- und Zeitraum, in dem über mögliche Handlungen und deren Konsequenzen überhaupt erst nachgedacht werden kann. Hier zeigt sich die

23 Kurt Freise, Bathsebabilder von Rembrandt und Lastman, in: Monatshefte für Kunstwissenschaft, 2, 1909, S. 302–313.

24 Bal 1991, insbes. S. 228 ff; dies., Reading Bathseba: From Mastercodes to Misfits, in: Adams 1998, S. 119–146, hier S. 128f. Ähnlich auch Wetering 1998, S. 40f.

25 1637 lateinische, 1638 englische und 1641 holländische Ausgabe. Franciscus Junius, De pictura veterum libri tres. Englische Übersetzung: The Painting of the Ancients von 1638 in: The Literature of Classical Art, hrsg. von Keith Aldrich, Philipp Fehl und Raina Fehl, 2 Bde, Berkeley 1991, Bd. 1, S. 275. Hier zitiert nach Ernst van de Wetering 1998, S. 40f: „[...] onely that the methode of a painted history must not alwayes be tyed to the lawes of a penned historie: an historiographer discourseth of affaires orderly as they were done, according as well the times as the actions: but a Painter thrusteth himselfe into the very middest, even where it most concerneth him: and recoursing from thence to the things fore-past, preventing (foreshadowing) likewise the things to come, he maketh his Art all at once represent things alreadie done, things that are adoing, and things which are as yet to be done."

26 Beispielhaft sei hier die Diskussion genannt, die zu dem späten Werk *Hamans Schmach* (St. Petersburg, Eremitage, Abb. 131) geführt worden ist. Hier, wie in vielen anderen seiner Werke, verallgemeinert Rembrandt die Quintessenz des Narrativs soweit, dass selbst das Thema nicht mehr eindeutig bestimmbar ist. So besteht Uneinigkeit, welcher Zeitpunkt innerhalb der Erzählung gemeint ist bzw. ob es sich überhaupt um eine Episode aus dem Buch Esther handelt. Siehe u. a.: Madlyn Kahr, A Rembrandt Problem: Haman or Uriah?, in: Journal of the Warburg and Courtauld Institutes, Bd. 28, 1965, S. 273ff; dies., On the Evaluation of Evidence in Art History, in: Burlington Magazine, Bd. 114, 1972, S. 551–553; Christian Tümpel, Ikonogaphische Beiträge zu Rembrandt. Zur Deutung und Interpretation seiner Historien, in: Jahrbuch der Hamburger Kunstsammlungen, Bd. 13, 1986, S. 95–126; ders., Rembrandt. Mythos und Methode, Antwerpen 1986, S. 316, 392; H. van de Waal, Rembrandt and the Feast of Purim, in: Oud Holland, Bd. 84, 1969, S. 199–223.

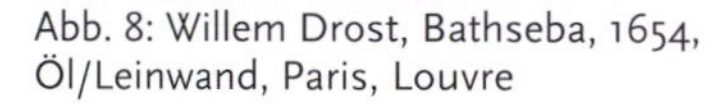

Abb. 8: Willem Drost, Bathseba, 1654,
Öl/Leinwand, Paris, Louvre

Abb. 9: Govert Flinck, Bathseba, 1659,
Öl/Leinwand, St. Petersburg, Eremitage

Verbindung von Briefkultur und Innerlichkeit, die uns im zweiten Teil weiter beschäftigen wird. Die gesamte Handlung wird in das Innere von Bathseba verlegt, wird zu einer Angelegenheit von Bathsebas Psyche gemacht. Die ästhetische Inszenierung bewirkt diesen Effekt psychischer Aufladung: die radikale Reduktion der Erzählung auf Bathseba und ihre Magd, die Still-legung jeglicher äußeren Handlung und die bedeutungsvolle Verbindung von Brief und sinnendem Blick. Da wir den Inhalt des Briefes kennen und wissen, dass er Bathseba vor eine Entscheidung stellt, interpretieren wir (mittels des unlesbaren Briefes) Bathsebas Gesichtsausdruck als über diese Entscheidung reflektierend. *Nachsinnen* lässt sich schwer darstellen, das Objekt der Reflexion, in unserem Fall der Brief, unterstützt die Deutung von Bathsebas Gesichtsausdruck. Das sinnende, melancholische Nach-Innen-Schauen Bathsebas wird auch durch den geneigten Kopf, die leicht hochgezogenen Brauen und vor allem durch die gesenkten, abgedunkelten Augen und den so inszenierten verlorenen Blick erreicht. Die spezifische Lichtführung unterstreicht die Verinnerlichung: Die Rot- und Ockertöne, insbesondere bei dem goldschimmernden Gewand, die aus dem schattigen Dunkel aufleuchten, tauchen das Bild in ein geheimnisvolles Licht. Dieses Licht scheint von den Körpern und den Gegenständen selbst auszustrahlen.

Die gesamte ästhetische Inszenierung ist somit darauf angelegt, die Erzählung in das Innere von Bathseba zu verschieben. Der Effekt dieser Inszenierung ist gleichsam die Veranschaulichung der Psyche von Bathseba. Die Betrachter des Bildes sollen Bathsebas Gefühle und Gedanken bei dieser schwierigen Entscheidung imaginieren können. Die Transformation des Narrativs in das Innere von Bathseba bewirkt gleichzeitig die

Aktivierung der Phantasie der Betrachter; durch die Repräsentation von Reflexion werden die Betrachter animiert, selbst zu reflektieren.

Bathseba wird somit als Individuum dargestellt, das über eine Entscheidung nachdenkt. Soll das heißen, dass Bathseba bei Rembrandt als entscheidungsfähiges Subjekt repräsentiert wird? Um dies und somit auch die Konzeption von Weiblichkeit in diesem und anderen Werken von Rembrandt zu klären, muss mehreren Fragen nachgegangen werden. Ich werde erst nach Umwegen auf diese Frage zurückkommen.

Vorab soll das Bild nochmals innerhalb der Tradition positioniert werden. Rembrandt suggeriert keine Schuldzuschreibungen, weder an David noch an Bathseba, vielmehr regt er zum Nachdenken an über unlösbare und tragische Konflikte. Rembrandts Bathseba ist weder Schäfchen und Tauschobjekt (wie in der frühmittelalterlichen, eng an das Alte Testament angelehnten Tradition), noch Allegorie der Kirche (wie in Buchmalereien der Bibles moralisées des Hochmittelalters), nicht gefährliche Verführerin oder Objekt voyeuristischer männlicher Begierde wie in der herrschenden Tradition seit der Renaissance. So verwandt das Bild Rembrandts dem Werk von Cornelisz. van Haarlem von 1594 ist **(Abb. 3**, S. 18**)**, unterscheidet es sich doch durch eine gänzlich andere Auffassung. Cornelisz. inszeniert weibliche Nacktheit und Schönheit in dreifacher Variation. Bei Rembrandt wird dem Betrachter verunmöglicht, lediglich die Schönheit dieses Frauenkörpers zu genießen. Die Betonung des nachdenklichen Gesichtsausdruckes Bathsebas appelliert an den Betrachter, nicht nur einen schönen Körper, sondern auch ein Individuum wahrzunehmen. Im selben Jahr 1654 malte der Rembrandt-Schüler Willem Drost, sicher nicht ohne den Einfluß seines Lehrers, ebenfalls eine Bathseba **(Abb. 8)**. Die noch weiter gehende Reduktion auf die Figur der Bathseba allein wird aber nicht zu einer inhaltlichen Vertiefung genützt, im Gegenteil: Drost stellt Bathsebas Schönheit aufreizend zur Schau mit dem wie zufällig von der Schulter geglittenen Hemd, das den Blick auf ihren weißen Busen lenken soll, und ihrem schmachtenden Blick zum Betrachter. Den Brief hält sie nur als Attribut in der Hand. Bei den zeitgenössischen Malern, sogar bei Rembrandts Schülern, beispielsweise bei Govert Flinck oder Cornelis Bisschop, wird auf die Problematisierung des inneren Konfliktes von Bathseba zu Gunsten der Präsentation ihrer verführerischen Schönheit verzichtet **(Abb. 9)**.

Das Außergewöhnliche an Rembrandts *Bathseba* ist in der Tat diese Verbindung einer erotischen weiblichen Aktfigur mit einem individuell gestalteten Gesicht, das Nachdenklichkeit signalisiert.[27] Der sinnende Blick Bathsebas wurde auch von der Forschung immer wieder hervorgehoben. So schrieb Ann Jensen Adams:

> One of the most consistent observations about the painting is Bathseba's sober emotional tenor: she sits lost in deep, apparently melancholic, thought.[28]

27 Zur Bedeutung des Gesichts bei Rembrandt s. u. Teil II, 5. Kap.: Emotion – Rembrandt.
28 Adams 1998, S. 10.

Sie werde nicht als anonymes Objekt männlicher Begierde wahrgenommen, sondern

> as an individual who is experiencing her own subjectivity and with whom the viewer can empathize.[29]

Auch Sluijter beschreibt den Unterschied von Rembrandts Umgang mit dem Briefmotiv gegenüber seinem Kollegen Lievens mit ähnlichen Worten:

> In Lieven's painting, the letter and the longing gaze of this courtesan-like Bathseba merely seem to anticipate the meeting with her lover. Rembrandt turns our attention instead to Bathseba's reflecting on the content of the letter.[30]

Bereits die erste schriftliche Beschreibung des Bildes in dem Auktionskatalog von Christies 1811 legt die Betonung auf den melancholischen Ausdruck in Bathsebas Gesicht – wenngleich in der für die normativen Schönheitsvorstellungen des frühen 19. Jahrhunderts charakteristischen Abwertung Rembrandtscher Aktkunst:

> Though deficient in beauty, the head of Bathseba is not wanting in expression; she is just informed of the passion of David, and her countenance is clouded with the melancholy forebodings of its fatal consequences.[31]

Es gab in der zeitgenössischen holländischen Malerei durchaus Bilder von Personen weiblichen Geschlechts, die als Individuen charakterisiert wurden, allerdings in der Gattung des Porträts, manchmal in narrativen Darstellungen, aber keinesfalls in der Aktmalerei, in der – entsprechend der Tradition der italienischen, insbesondere der venezianischen Malerei – ein Ideal von Weiblichkeit entworfen wurde, das Schönheit, Keuschheit und Erotik einschloß, nicht aber Individualität und Subjektivität. Rembrandt verband die Repräsentation des nackten erotischen weiblichen Körpers mit einem individualisierten Gesicht, das Nachdenklichkeit signalisiert. Die Forschung hat dieses Phänomen lediglich konstatiert, ohne es aber zu analysieren oder historisch zu positionieren, geschweige denn nach der Bedeutung für die Auffassung von Weiblichkeit innerhalb des Geschlechterdiskurses in Rembrandts Zeit zu fragen. So bleibt die *Bathseba* bloß ein Zeichen für die Größe der Kunst Rembrandts. Einzig Svetlana Alpers und Margaret D. Carroll haben versucht, diese ungewöhnliche Bathsebadarstellung zu begründen.[32] Alpers erklärt die Individualität und Subjektivität der Bathsebafigur kurzerhand durch das Modell. Sie greift die oft geäußerte Vermutung auf, Rembrandts langjährige Lebensgefährtin Hendrickje Stoffels habe Rembrandt Modell gesessen. Die Verknüpfung des Bildes mit der konkreten biografischen Situation des Künstlers ist eine alte Geschichte: 1654, im

Jahr der Entstehung des Bildes, wurde die im fünften Monat schwangere Hendrickje vor den evangelischen Kirchenrat zitiert; es wurde ihr vorgeworfen, unehelich mit Rembrandt zusammenzuleben, sie wurde vom Abendmahl ausgeschlossen. Neu bei Alpers ist, dass sie das Modell, und zwar ganz konkret Hendrickje, für die beschriebene Spezifik der Malerei verantwortlich macht. Der eigenartig gedrehte Körper – Bauch- und Brustpartie fast frontal, Kopf hingegen im Profil – die ungeklärte Positionierung der Beine und die so und durch den Gesichtsausdruck vermittelte Unzugänglichkeit sprechen, nach Alpers, von der Widerspenstigkeit Hendrickjes:

> Against the evidence of her bodily pose and the anecdotal letter in her hand, she resists the role.[33]

Die anatomisch falsche Drehung des Körpers ist jedoch ästhetisch bedingt. Sie bewirkt, dass einerseits der Kopf Bathsebas fast im Profil situiert, ihr Blick damit ins Leere gerichtet ist, anderseits aber ihr nackter Körper in voller Schönheit ausgebreitet werden kann. Auch die größten ‚Realisten' haben nie naturalistisch gearbeitet, die Abweichungen von der ‚richtigen' anatomischen Darstellung haben immer ästhetische Gründe. So hat Rubens, ein Meister der Körperdarstellung, solche ästhetisch begründeten Veränderungen eingebracht, man denke etwa an die Verdrehung der Aktfigur seiner Frau Hélène Fourment im *Pelzchen*. Die Art und Weise der Repräsentation des Körpers ist auch eine Frage des Mediums: bei einer spontanen Zeichnung können Bewegungen des Modells einfließen; bei einem monumentalen Ölbild, das sorgfältig geplant wird und, wie wir ja sahen, in einer klar bestimmbaren Bildtradition steht, ist dies wohl schwer denkbar. Die Unmöglichkeit, dass im 17. Jahrhundert eine Frau, auch wenn sie mit dem Künstler nicht offiziell verheiratet gewesen ist, Modell für eine Aktfigur gesessen habe, wurde von der Forschung bereits belegt.[34] Aktmodelle waren Prostituierte oder wurden als solche angesehen. Aus Rembrandts Biografie geht hervor, dass er Hendrickje als Lebensgefährtin wie seine Ehefrau ansah und die 1654 geborene Tochter Cornelia offiziell als sein Kind akzeptierte. Er konnte rechtlich nicht wieder heiraten, da er über das Vermögen, das Saskia

29 Ebd. S. 10.
30 Sluijter 1998 S. 58f. Diesen „[…] Ausdruck der resignativen Melancholie, welche die Lust des vorgängigen Blicks, des bemächtigenden Blicks des Königs entwertet, durch die Reflexion, welche die Botschaft des Briefes durchkreuzt" hat auch der Philosoph Wolfgang Pircher hervorgehoben. (Wolfgang Pircher, Artemis, Bathseba und Susanna im Bade. Verletzte Intimität, in: Herbert Lachmayer, Sylvia Mattl-Wurm und Christian Gargerle (Hg.), Das Bad. Eine Geschichte der Badekultur im 19. und 20. Jahrhundert, Salzburg, Wien 1991, S. 9–18, hier S. 18.)
31 Zitiert und kommentiert bei Schwartz 1998 S. 176–203, hier S. 179f.
32 Svetlana Alpers, Not Bathseba. I: The Painter and the Model, in: Ann Jensen Adams 1998, S. 147–159; Margaret D. Carroll, Not Bathseba. II: Uriah's Gaze, in: Ebd. S. 160–175. Auf die absurde These von Carroll, Rembrandt identifiziere sich nicht mit David, sondern mit Urias und versuche seine Verlustangst zu sublimieren, indem er postuliere, Hendrickje sei eben nicht Bathseba, gehe ich nicht ein.
33 Ebd. S. 157.
34 Zur Widerlegung der Modell-These siehe insbesondere: Volker Manuth, ‚As stark naked as one could possibly be painted…': The Reputation of the Nude Female Model in the Age of Rembrandt, in: AK Edinburgh, London 2001, S. 48–53. Zum Verhältnis von Rembrandt zu seinen Frauen: Simon Schama, Rembrandt and Women, in: Bulletin of the American Academy of Arts and Sciences, Bd. 38, April 1985, S. 21–47; ders., Rembrandt's Eyes, London 1999; S. A. C. Dudok van Heel, Rembrandt: his Life, his Wife, the Nursemaid and the Servant, in: AK Edinburgh, London 2001, S. 19–27. Allgemein zu den Quellen in Rembrandts Biografie: ders., Archival Investigations and the Figure of Rembrandt, Amsterdam 1987–88; W. L. Strauss, M. van der Meulen (Hg)., The Rembrandt Documents, New York 1979.

Titus vermacht hatte, nicht mehr verfügte und er ohne die Einwilligung von Saskias Familie sich nicht wieder verehelichen konnte.

Bilder sind immer Bilder, Konstruktionen und somit keine Abbilder einer vorgängigen Realität, der ‚Realismus' spiegelt nicht eine reale, lebende Person. Alpers ist hier offensichtlich, wie viele andere KunsthistorikerInnen auch, Rembrandts Realismus-Effekt auf den Leim gegangen. Ein Charakteristikum Rembrandtscher Kunst ist eben dieser Effekt von greifbarer Realität und Individualität. Wir sollen glauben, einen Menschen aus Fleisch und Blut vor uns zu haben. Es ist nicht die Mächtigkeit des Modells, sondern eine bestimmte Form der Repräsentation, in welcher Individualität, Emotionalität und Subjektivität die zentralen Kategorien sind, die den BetrachterInnen so vermittelt werden sollen, als handle es sich bei den Dargestellten um lebende Menschen. Dies bewirkt den Effekt der Identifikation. Selbst wenn Rembrandt von den Erscheinungen seiner jeweiligen Frauen und Geliebten inspiriert war, wäre weniger die konkrete Identifikation mit einer dieser Frauen von Interesse als vielmehr die Tatsache, dass überhaupt das private Umfeld des Künstlers in seine Kunst Eingang findet. Es wird zu zeigen sein, dass und wie diese Bilder im bürgerlichen Holland des 17. Jahrhunderts zu neuen Formen der Wahrnehmung von Individualität und Subjektivität beigetragen haben.

Ich möchte aber vorerst an einem anderen Beispiel zeigen, zu welchen Paradoxien die (Sehn)sucht geführt hat, die Dargestellten mit den Frauen in des Meisters Leben zu identifizieren.

Umkehrungen – *Die Frau im Bett* (Taf. 2)[35]

Dieses Bild ist signiert und datiert. Jedoch – Ironie des Schicksals – ausgerechnet in diesem Bild ist die letzte Ziffer der Datierung nicht mehr lesbar. Wir lesen nur noch: 164 . In den vierziger Jahren haben nun alle drei Frauen, für die in Rembrandts Leben eine Bedeutung überliefert ist, in seinem Haus gelebt: Rembrandts Gemahlin Saskia van Uylenburgh starb 1642, von 1642 bis 1649 war Geertje Dircx aus Ransdorp im Hause, vor allem um sich um Rembrandts Sohn Titus zu kümmern und um im Haushalt nach dem Rechten zu sehen. Es gibt kein überliefertes Porträt von Geertje. Diese Beziehung ist gleichsam ein Schandfleck in Rembrandts Leben. Die Rembrandt-Forschung war so schockiert über das unmoralische Verhalten des großen Meisters, dass sie die entsprechenden Quellen verheimlichte; erst in den 1960er Jahren tauchte diese Figur wieder auf.[36] Rembrandt hatte mit Geertje ein Verhältnis, hatte ihr ihren Behauptungen zufolge ein Heiratsversprechen gegeben, sie dann aber, nachdem Hendrickje ins Haus kam, davongejagt. Geertje klagte Rembrandt, dieser musste zahlen. Nach vielen Zwistigkeiten schaffte es Rembrandt, sie 1650 ins Spinhuis in Gouda, eine Art Besserungsanstalt beziehungsweise Gefängnis, einweisen zu lassen, aus dem sie erst 1655 wieder herauskam.

1649 ist Hendrickje erstmals mit Sicherheit in Rembrandts Haushalt erwähnt. Sie wurde Rembrandts Lebensgefährtin bis zu ihrem Tode 1663. Je nachdem welche Ziffer an die letzte Stelle in der Datierung gesetzt wird, ändert sich auf wunderbare Weise die Identität der Dargestellten. Von der Forschung wurden denn auch alle drei Frauen als angebliches Modell reklamiert. François Tronchin, der das Bild im 18. Jahrhundert besessen hatte, datierte es auf 1641, damit war die Dargestellte natürlich Saskia. Saskia war möglicherweise Modell für verschiedene Zeichnungen, die Rembrandt anfertigte, die jeweils eine Frau im Bett zeigen. Aus stilistischen Gründen wird das Bild von der Forschung heute in die zweite Hälfte der vierziger Jahre datiert. Die verbleibenden Rivalinnen Hendrickje und Geertje wurden nun von der Forschung zum jeweiligen Modell erkoren.[37] Würde es sich um ein Bildnis von einer von Rembrandts Frauen handeln, könnten doch – angesichts der Porträttreue seiner Kunst – keine Zweifel an einer Identifizierung auftreten. Das Beispiel belegt, dass Rembrandt mit seinem Realismus den *Effekt* von Individualität erzeugt; die KunsthistorikerInnen sind ihm in die Falle gegangen.[38] Diesen Effekt von Individualität erreicht Rembrandt durch eine gewisse Derbheit der Figur, die sich in der Schwere des Körpers, den großen Händen, dem fast fehlenden Hals, der rauen Hautoberfläche, den geröteten Wangen und der dicklichen Nase zeigt. Es ging Rembrandt um das *Prinzip Individualität*. Diese Konstruktion von Individualität ist nicht auf die Mächtigkeit des Modells zurückzuführen und auch nicht lediglich biografisch oder durch die Größe Rembrandtscher Kunst zu erklären, sondern nur historisch als Teil eines Diskurses im frühbürgerlichen Holland. Ich möchte gar nicht ausschließen, dass Rembrandts Frauen ihn zu gewissen Bildfiguren und -erfindungen anregten; aber auch wenn dies der Fall war, war es ein historisches Novum, dass das intime Leben eines Malers in dieser Weise in seine Kunst einfloss.[39]

Das Ungewöhnliche und Irritierende des Bildes ist ähnlich wie bei der *Bathseba* die Verbindung von einem individualisierten Gesicht mit einer offensichtlich erotischen Thematik.

Der Wunsch, die Thematik des eigentümlichen Bildes zu greifen, hat sich nicht in dem Versuch einer Fixierung auf eine biografisch bestimmbare Person erschöpft. Ebenso wurde versucht, einen manifesten Inhalt in einer konkreten Erzählung zu (er-)finden. Ein Großteil der Forschung folgt der Interpretation von Christian Tümpel, es handle sich bei Rembrandts Bild um Sarah, die ihren Bräutigam Tobias

35 National Gallery of Scotland, Edinburgh, Öl auf Leinwand, 81,1/67,8cm. Zur Bibliografie siehe: AK Edinburgh, London 2001, Nr. 100, S. 182–184; RRP, Bd 3, A146.

36 Dudok van Heel 2001, S. 19.

37 Für Geertje haben sich beispielsweise Albert Blankert (Rembrandt. A Genius and his Impact, Ausstellungskatalog, National Gallery of Victoria, Melbourne, Canberra, Zwolle 1997, Nr. 14, S. 130–133) und Alpers (Rembrandt's Enterprise. The Studio and the Market, London 1988, S. 64) ausgespochen, bei Alpers als „generally accepted". Für Hendrickje plädierten u. a. Horst Gerson (Rembrandt's Paintings, Amsterdam 1986, Kat. 227, S. 497) und L. J. Slatkes (Rembrandt, Catalogo Completo, Florenz 1992, Kat. 292, S. 442).

38 Als weiterer Beleg für die These, dass Rembrandts Realismus nicht Abbild einer vorgängigen Wirklichkeit ist, sondern bewusst eingesetzter Effekt und damit Bedeutungsproduktion, sei auf die *Diana im Bade* von 1630/31 verwiesen (Zeichnung und Radierung: London, British Museum): Die Radierung ist ‚realistischer' als die Zeichnung, in der Radierung werden die nicht-idealen Züge wie etwa die betonten Bauchfalten herausgearbeitet.

39 So hat etwa Eddy de Jongh vorsichtig in Erwägung gezogen, das Auftauchen der Flora-Darstellungen mit Rembrandts Biografie in Verbindung zu bringen: Die Flora-Bilder koinzidieren mit den Schwangerschaften von Saskia und Hendrickje. Eddy de Jongh, The Model Woman and the Woman of Flesh and Blood, in: AK Edinburgh, London 2001, S. 29–35, hier S. 35.

Taf. 2: Rembrandt, Eine Frau im Bett, um 1645–49, Öl/Leinwand, Edinburgh, National Gallery of Scotland

Abb. 10: Pieter Lastman, Tobias und Sarah, 1611, Öl/Holz, Juliana Cheney Edwards Coll., Boston, Museum of Fine Arts

erwarte.[40] In dem apokryphen Buch *Tobias* wird die Geschichte von Sarah erzählt, wie der Dämon Aschmodei jeden der sieben ihr angetrauten Ehemänner in der Hochzeitsnacht tötet. Als schließlich Tobias mit Sarah getraut wird, befolgt er den Rat des Engels Raphael und legt auf ein Becken mit glühenden Kohlen ein Stück der Leber und des Herzens von einem Fisch, den er gefangen hatte (der ihm später auch bei der Heilung seines blinden Vaters hilfreich sein sollte). Das Zaubermittel half und Tobias kann die Hochzeitsnacht mit Sarah verbringen. Rembrandts Lehrer Lastman hat 1611 dieses höchst seltene Thema illustriert **(Abb. 10)**. In Lastmans Bild sehen wir Sarah mit aufgestützten Armen im Bett liegen mit Blick auf Tobias, der am Boden kniet und ein Stück der Leber und des Herzens des Fisches verbrennt. In den Lüften über Sarahs Bett kämpft der Engel Raphael mit dem Drachen. Tümpel meint nun, Rembrandt habe die Figur der Sarah aus der Szene *herausgelöst*. Feststeht, dass Rembrandts Bild in seiner Ikonografie einzigartig ist. Ich halte es für ausgeschlossen, dass ein Zeitgenosse Rembrandts beim Anblick einer Frau im Bett an die kaum bekannte Szene von Tobias und Sarah denken konnte. Die Frau in unserem Bild hat gar keine besondere Ähnlichkeit mit Sarah in Lastmans Werk; bei Lastmann hebt sie keinen Vorhang hoch und sie blickt nicht aus dem Bild, sondern in Richtung Boden auf Tobias. Warum ist es für die Forschung notwendig, das Bild in einen klar definierten Erzählzusammenhang einzugliedern?[41] In vielen Bildern Rembrandts kann gezeigt werden, dass Themen nicht eindeutig bestimmbar sind beziehungsweise sich nicht einfach auf (biblische) Erzählungen rückführen lassen. Sinnvoller als krampfhaft nach einem konkreten Vorbild Ausschau zu halten und Rembrandts Bild durch eine (biblische) Historie zu erklären scheint es mir, die ästhetische Inszenierung des Bildes zu analysieren und nach der Herkunft und spezifischen Funktion der Bildmotive zu fragen.

Eine Quelle für die Bilderfindung war wohl neben den vielen Zeichnungen von Frauen im Bett, die Rembrandt von der Mitte der dreißiger bis in die frühen vierziger Jahre

Taf. 8: Rembrandt, Danaë, 1636 begonnen, um 1643–49 überarbeitet, Öl/Leinwand, St. Petersburg, Eremitage

Abb. 11: Rembrandt, Mädchen am Fenster, 1645, Öl/Leinwand, London, Dulwich Picture Gallery

gefertigt hat, die *Danaë*, die Rembrandt 1636 begann und in den vierziger Jahren vollendete **(Taf. 8)**.[42] *Die Frau im Bett* wirkt wie ein seitenverkehrter Ausschnitt aus der großen Aktkomposition.[43] Hier sind jedenfalls mehrere Motive bereits entwickelt: die weibliche Figur im Bett, aufgestützt auf einem großen weiß-bestickten Kissen, bekrönt mit einem ungewöhnlichen Haarschmuck, eine dezidierte Blickrichtung, hier freilich auf ein zwar unsichtbares, aber aus der Mythologie bekanntes männliches Wesen, nämlich Jupiter; sogar das Vorhangmotiv ist vorgebildet, allerdings schiebt diesen die Alte zur Seite. Insgesamt ist es die Inszenierung von *Erwartung*, welche die beiden Bilder miteinander verbindet.

Im gleichen Zeitraum, in dem unser Bild entstand, entwickelte Rembrandt ein Motiv, das ihn selbst über Jahre hinaus beschäftigte und das viele seiner Schüler in unterschiedlichster Weise variierten: *Frau am Fenster* oder genauer gesagt: eine Frau, die sich aus einer Fensteröffnung gleichsam in den Betrachterraum wendet.[44] Rembrandts *Mädchen am Fenster,* 1645 datiert, heute in der Dulwich Picture Gallery in London, darf als Kernstück dieser Gruppe angesehen werden **(Abb. 11)**. Die Figur entzieht sich einer genauen Bestimmbarkeit: Von der Forschung wurde sie als Dienstmagd, Kurtisane oder biblische Figur angesprochen, keine dieser

40 Christian Tümpel, Studien zur Ikonografie der Historien Rembrandts. Deutung und Interpretation der Bildinhalte, in: Nederlands Kunsthistorisch Jaarboek Bd. 20, 1969, S. 107–198, hier 176–178.

41 Zu den Absurditäten, zu denen die Sucht der KunsthistorikerInnen führen kann, Bilder immer durch konkrete Vorbilder zu erklären: Leo Steinberg, An Incomparable Bathseba, in: Adams 1998, S. 100–118.

42 Zur *Danaë* s. u.

43 So bereits Richard Hamann, Rembrandt, Berlin 1969, S. 95 und auch: Rembrandt und seine Werkstatt, Ausstellungskatalog, hrsg. von Christopher Brown, Jan Kelch und Pieter van Thiel, Gemäldegalerie Berlin, München, 1991, Nr. 36, S. 230–232, hier 232.

44 *Die Küchenmagd* von 1651 im Nationalmuseum in Stockholm gehört zu dieser Gruppe und auch *Eine Frau an der offenen Tür* von etwa 1656/57 in der Gemäldegalerie, Berlin, Staatliche Museen. Ein m. E. offenes und schwer zu klärendes Problem ist das Werk *Mädchen im Bilderrahmen*, das anscheinend von Rembrandt signiert und auf 1641 datiert ist. Ehemals in der Sammlung Lanchoronski war es bis 1990 verschollen, heute befindet es sich im Königlichen Schloss in Warschau. Ein Mädchen in rotem Kleid und übergroßem Samthut steht vollkommen frontal in einem Bilderrahmen, die Hände über den Rahmen gelegt. Hier handelt es sich um ein explizites Trompe l'oeil. Die Eigenhändigkeit und somit auch die Datierung scheinen mir, nachdem ich das Bild in der Berliner Ausstellung 2006 im Original gesehen habe, zweifelhaft. (Rembrandt. Genie auf der Suche, Ausstellungskatalog, Berlin, Staatliche Museen, Gemäldegalerie, Ernst van de Wetering, Jan Kelch, Köln 2006, Kat. Nr. 33, Abb. S. 308.)

Abb. 48: Rembrandt, Selbstporträt, 1640, Öl/Leinwand, London, National Gallery

Abb. 11: Rembrandt, Mädchen am Fenster, 1645, Öl/Leinwand, London, Dulwich Picture Gallery

divergierenden Benennungen lassen sich belegen, zu unbestimmt ist die Kleidung des Mädchens, das in keinem wie immer gearteten narrativen Kontext steht: das einfache weiße Hemd lässt an eine Magd denken, die goldene Halskette hingegen kaum.[45] Diese Erfindung erfuhr im Rembrandt-Kreis viele Variationen bezüglich des Alters – vom noch kindlichen Mädchen wie bei Rembrandt bis zur alten Frau etwa bei van der Helst und bezüglich der sozialen Charakterisierung von einer Magd mit Besen bei Fabritius bis zur phantastisch elegant gekleideten Dame bei Jan Victors und vielen sozial nicht bestimmbaren Figuren wie der jungen Frau bei Hoogstraten **(Abb. 12)**.[46] Einziges Bildmotiv ist jeweils eine weibliche Figur, die sich aus einer Fenster- oder Türöffnung aus einem dunklen, unbestimmten Bildraum in den Betrachterraum wendet. Rembrandt hat diesen Trompe l'oeil-Effekt, der durch die Überschreitung der Bildgrenze durch die Bildfigur erzeugt wird, bereits in seinen Porträts aus den frühen vierziger Jahren entwickelt: seinem Selbstporträt mit 34 Jahren von 1640 **(Abb. 48)**, der Radierung von Cornelisz. Sylvius von 1646, den Porträts von Nicolaas van Bambeek von 1641 oder von Agatha Bas aus demselben Jahr. Bemerkenswert sind die Versionen seines Schülers Jan Victors, die bereits 1640 und 1642 datiert sind.[47] Voraussetzungen für diesen Trompe l'oeil-Effekt liegen bei Gerrit van Honthorst, etwa bei dem *Violinspieler mit Glas* von 1623, in dem ein lachender Musiker, einen Vorhang beiseite schiebend aus einer Fensteröffnung dem Betrachter ein Weinglas entgegenhält **(Abb. 13)**. Figuren, die einen gemalten Rahmen und damit gleichsam den Bildraum übertreten, gibt es ansatzweise bereits im 15. und 16. Jahr-

45 Zu den unterschiedlichen Zuordnungen: AK Edinburgh, London 2001, Nr. 104, S. 188. Im Katalog wird eine Zuordnung offen gelassen.

46 Früher auf Grund der Signatur Rembrandt zugeschrieben, heute m. E. zu Recht als Hoogstraten angesehen. Weitere Beispiele: Carel Fabritius, Mädchen mit Besen, Washington, National Gallery of Art; Jan Victors, Mädchen am Fenster, 1642, Amsterdam, Salomon Liliaan Gallerie, Abb: Ausstellungskatalog Edinburgh, London 2001, S. 188 Fig. 137; Jan Victors, Junges Mädchen am Fenster, 1640, Paris, Louvre, Abb.: Sumowski 1983–95, Bd. 4, Nr. 1785. Philipp Koninck, Mädchen mit Perlenkette im Fenster, 1664, ehem. Den Haag, Kunsthandlung S. Nystad, Abb.: Sumowski Bd. 3, Nr. 1021, S. 1571; Gerard Dou, Mädchen mit brennender Kerze am Fenster, ca. 1660–65, Slg. Thyssen-Bornemisza, Abb.: Sumowski Bd. 1, Nr. 291, S. 588; Ferdinand Bol, Frau am Fenster, eine Blüte in der Linken, Vaduz, A.F. Studer, Abb: Sumowski Nr. 123, S. 362. Das Bild von Bartholomeus van der Helst (Leipzig, Museum der Bildenden Künste, Abb. in: AK Edinburgh, London 2001, S. 61, Abb. 71) ist ein ganz besonders faszinierendes Beispiel dieser Gruppe: Die Frau öffnet einen Fensterflügel und blickt von draußen – hinter ihr ist ein Landschaftsaus-

Abb. 12: Samuel van Hoogstraten, Junge Frau an einer Tür, um 1645, Öl/Leinwand, Chicago, Art Institute

Abb. 13: Gerrit van Honthorst, Violinspieler mit Glas, 1623, Öl/Leinwand, Amsterdam, Rijksmuseum

hundert, man denke an das Porträt der Jacqueline von Burgund von Gossaert von 1520 in der Londoner National Gallery oder das Porträt von Maria Magdalena Portinari von Memling im Metropolitan Museum in New York; Ahne dieser Bildillusion ist aber natürlich der in Untersicht gemalte Fuß des Adam im Genter Altar von Jan van Eyck. Thematisiert wird in den holländischen Bildern mit einer Frau am Fenster die Grenze von drinnen und draußen und dies in doppeltem Sinn: In einer sozialen Lesart ist es die Grenze zwischen privatem (weiblich definierten) Haus und einer (männlich definierten) Öffentlichkeit; medial gelesen ist es die Grenze zwischen Bild- und Betrachterraum.[48] Victor Stoichita hat gezeigt, dass für das 17. Jahrhundert *die ästhetische Grenze* eine Obsession war und der Rahmen als das Grundproblem einer jeden Definition des Bildes betrachtet wurde.[49] Der Rahmen trennt die beiden Welten: die Welt des Bildes von der wirklichen Welt. Die Thematisierung des Rahmens durch einen gemalten Rahmen problematisiert das Verhältnis von Repräsentation und Realität. Anders als bei den von Stoichita vorgeführten Beispielen blicken nicht *wir* in das Bild hinein, wo unser Blick dann durch ein Fenster in die Landschaft oder durch eine Tür in andere Bildräume geleitet wird, nein, eine Bildfigur wendet sich gleichsam aus dem Bild- in den Betrachterraum. Es ist eine Umkehrung des gewohnten Bild-Betrachterverhältnisses. Die meisten Schüler von Rembrandt thematisieren dabei den Rahmen in Form einer definierten Fenster- oder Türöffnung. Bei dem Beispiel von Hoogstraten von 1645 fallen Fenster, Tür und Bildrahmen in eins **(Abb. 12)**. Bei Rembrandts *Mädchen am Fenster* **(Abb. 11)** lässt sich

blick zu sehen – scheinbar zu uns in den Innenraum. Ausnahmsweise sind es junge Männer, die aus dem Fenster schauen: Samuel van Hoogstraten, Junger Mann an einer offenen Tür, ca. 1647, St. Petersburg, Eremitage, Abb.: Schama 1999, S. 524.

47 Abb. siehe: AK Edinburgh, London 2001, S. 188, Fig. 137; eine andere bereits 1640 entstandene Version von Victors im Louvre, Paris, Sumowski 1983–95, Bd. 4, Nr. 1785.

48 Zur Positionierung von Frauen an Fenstern und Schwellen zwecks Thematisierung der Grenze von häuslich-privatem und öffentlichem Raum: Heidi de Mare, Die Grenze des Hauses als ritueller Ort und ihr Bezug zur holländischen Hausfrau des 17. Jahrhunderts, in: kritische berichte 1992/4, S. 64–79. Zu den Vorläufern von Rahmen überschreitenden Bildfiguren: Ivo Hammer, Typologie und frühbürgerlicher Realismus. Die Biblia Pauperum Weigel Felix, Pierpont Morgan Library N.Y. Ms. 230, (unpublizierte) Dissertation, Universität Wien 1975.

49 Victor I. Stoichita, Das selbstbewusste Bild. Vom Ursprung der Metamalerei, München 1998, S. 46. Erstaunlicherweise erwähnt Stoichita diese Bildgruppe, die für die von ihm dargelegte Problematik paradigmatisch ist, nicht.

Abb. 14: Rembrandt, Die Heilige Familie, 1646, Öl/Holz, Kassel, Schloss Wilhelmshöhe, Gemäldegalerie Alte Meister und Antikensammlung

die Örtlichkeit nicht genau rekonstruieren, es gibt weder einen Fenster- noch einen Türrahmen. Rembrandt markiert nicht die Grenze zwischen Bild- und Betrachterraum, er verwischt sie. Die Unschärfe der medialen Grenze, verbunden mit der Individualisierung der Bildfigur, erzeugt diesen Eindruck von Verlebendigung, eben den *Realismus-Effekt*. Quellen bezeugen, dass die Zeitgenossen durchaus auf diese Trompe l'oeil-Effekte reagierten. Roger de Piles, der französische Maler und Theoretiker (1635–1709) notierte, wie Rembrandt das Bild einer Magd, die aus dem Fenster schaut, an seinem Haus anbrachte, um die Passanten zu täuschen, die erst, als sie beobachteten, dass das Mädchen sich nicht bewegte, die Augentäuschung erkannten.[50] Auch wenn diese Geschichte wohl sicherlich erfunden ist und auch einem traditionellen Kunstlob entsprach, spricht die Anekdote doch von einer spezifischen Form der Rezeption.

Dieser illusionistische Effekt trifft nun auch für *Die Frau im Bett* zu. Auch hier ist das Bild mit dem bogenförmigen oberen Abschluss auf die Darstellung einer halbfigurigen weiblichen Figur reduziert, die aus einem dunklen Bildraum in den Raum des Betrachters blickt. Auch hier wird der Betrachter ganz nah an die weibliche Figur herangeführt, kein (gemalter) Rahmen erinnert ihn an die Grenze zwischen ihm und der Bildfigur. Die räumliche und mediale Distanz zwischen Betrachter und der gemalten weiblichen Figur soll gelöscht werden. Diese Illusion wird vor allem durch die extreme Nähe evoziert, die das Bild suggeriert. Die Vorstellung von Nähe erreicht Rembrandt durch verschiedene Kunstgriffe: durch den knappen Bildausschnitt, durch die Zuweisung des Betrachterstandpunktes unmittelbar am Bett (wir blicken auf den rechten Arm herab, aber die Hand, die den Vorhang hebt, ist in Untersicht gemalt), sowie durch die raue Malweise.[51] Neben Fenstern, Türen und Rahmen können auch Vorhänge die Grenze von Bild- und Betrachterraum signalisieren. In seiner bezeichnenderweise fast gleichzeitig entstandenen *Heiligen Familie (*Kassel) benennt Rembrandt die mediale Differenz zwischen Bild- und Betrachter-

Abb. 15: Francesco Colonna, Hypnerotomachia Poliphili: Nymphe und Satyr, Venedig 1499, Holzschnitt
Abb. 16: Pablo Picasso, Faun, eine schlafende Frau aufdeckend, 1936, Lithographie/Aquatinta, Canberra, National Gallery of Australia

raum durch den gleichsam vor dem Gemälde gemalten Vorhang **(Abb. 14)**.[52] Wolfgang Kemp hat gezeigt, dass und wie Rembrandt durch den gemalten Vorhang die *Heilige Familie* als Bild ausweist und damit den sakralen Charakter des Bildes zerstört. Dieses Wissen um die Medialität des Bildes hat bei der Repräsentation eines Andachtsbildes (der Heiligen Familie) den Effekt der Distanzierung. Rembrandt erprobt sein Medienwissen, das Wissen um die Macht der Malerei nun auch bei der *Frau im Bett*, allerdings mit entgegengesetztem Ziel. Bei der Darstellung einer profanen, erotisch inszenierten weiblichen Figur soll der Betrachter das Wissen um die Medialität des Bildes vergessen; ‚die Frau' soll aus dem Bildraum gleichsam in seinen, den realen Raum kommen. Die Taktilität der Rembrandtschen Malweise erhöht diesen Pygmalioneffekt, sodass wir das Gefühl haben, die Frau fast berühren zu können.

In der *Frau im Bett* ist der Vorhang anders als in der *Heiligen Familie* bildimmanent als Bettvorhang zu lesen. Die Frau hebt selbst den Vorhang hoch und gibt damit den Blick auf sich frei. Auch dies ist eine Umkehrung. Aus der ikonografischen Tradition seit der Renaissance sind wir gewohnt, dass männliche Wesen – Satyrn oder Götterfiguren – weibliche nackte Wesen, meist Nymphen, durch Aufdecken eines Vorhanges ihren und den Blicken des Betrachters darbieten; eines der frühesten und wirkmächtigsten Beispiele ist die Illustration in der Holzschnittfolge der *Hypnerotomachia Poliphili*, die 1490 in Venedig herausgegeben worden ist **(Abb. 15)**. Diese Enthüllung weiblicher Nacktheit durch männliche Protagonisten ist in der Renaissance und im Barock ein beliebtes erotisches Motiv[53], es hat sich bis weit ins 20. Jahrhundert gehalten, man denke an die Werke von Picasso **(Abb. 16)**.

50 AK Edinburgh, London 2001, S. 188.

51 Der Rembrandtschüler Samuel van Hoogstraten empfiehlt in seinem Malereitraktat *Inleyding tot de hooge schoole der schilderkonst,* die 1678 in Rotterdam publiziert worden ist, Dinge, die im Vordergrund erscheinen, in einer raueren und offeneren Manier zu malen als Dinge, die im Hintergrund platziert sind. Siehe dazu: Ernst van de Wetering, Rembrandt: The Painter at Work, Amsterdam 1997, S. 184.

52 Siehe Stoichita 1998, S. 79–82; Wolfgang Kemp, Rembrandt. Die Heilige Familie oder die Kunst, einen Vorhang zu lüften, Frankfurt a. M. 1986. Zur Bedeutung des Vorhangs siehe auch Anm. 600, 634–638.

53 Rembrandt hat dieses Motiv in seinen beiden Versionen von *Jupiter und Antiope* auch verwendet, s. u.

Rembrandt hat die Frau durchaus erotisch inszeniert: im Bett liegend, aufgestützt auf einem großen weißen Kissen, den Vorhang lüftend und sich damit entblößend. Sie trägt ein ‚unmögliches' Gewand, ein Nachtgewand mit nur einem Ärmel, es ist ein Ärmel und kein Tuch, das lediglich über eine Seite geworfen wäre. Die partielle Bekleidung macht die Ent-kleidung deutlich. Ihre Nacktheit wird nur angedeutet, auch die uns zugewandte Brust ist nicht vollkommen entkleidet. Ihre rechte Hand vor der Brust erinnert an die Pudica-Geste, das Händepaar evoziert das dialektische Spiel von Aufdecken und Verdecken. Der bizarre Goldschmuck im Haar erhöht den erotischen Reiz, es ist kein Kopfputz, mit dem sich eine Frau ins Bett legt. Die Verknüpfung von Aufmerksamkeit bei der weiblichen Figur mit der erotisierenden Inszenierung erzeugt in den Betrachtern die Phantasie der Existenz eines männlichen Wesens als Ziel dieser Aufmerksamkeit.

Fassen wir die Beobachtungen zusammen: Das gewohnte Verhältnis von Betrachter und weiblichem Akt wird gleichsam umgedreht: Nicht der (männlich gedachte) Betrachter penetriert mit dem Blick den perspektivisch geordneten Bildraum und schaut auf eine nackte Schönheit[54], und keine männliche Bildfigur entblößt sie stellvertretend. Vielmehr deckt eine erotisch inszenierte weibliche Figur selbst den Vorhang auf und blickt in den Betrachterraum. Die Frau ist keine idealisierte Schönheit, sondern trägt individuelle Züge; Körper, Hände, Haut und Gesichtszüge sind in realistischer Manier gemalt. Die Frau blickt von links nach rechts, also in die aktive Blickrichtung. Sie blickt in den Betrachterraum – aber nicht auf den Betrachter. Ihre Aufmerksamkeit gilt nicht uns. Dies hat eine irritierende Wirkung. Die Inszenierung extremer Nähe und Intimität bei gleichzeitiger Ausgrenzung verbunden mit dem Realismus-Effekt hat vielleicht auch den Wunsch erzeugt, die weibliche Figur zu benennen und sie damit auf Rembrandt beziehen zu können oder aber eine männliche Bildfigur zu erfinden. Diese ist aber in der Tat nicht dargestellt; das Objekt *ihres* Begehrens ist unsichtbar, sie wiederum für den Betrachter nicht zu haben. Man könnte von einer Triangulierung sprechen: der (reale) Betrachter vor dem Bild, die Frau im Bild und eine zweite, *fingierte* (wohl männlich gedachte) Figur außerhalb des Bildes, auf die sie ihre Aufmerksamkeit richtet. Was hier inszeniert wird, ist Erwartung und Begehren und dies in doppelter Hinsicht: die Entfachung von Begehren im Betrachter und die Repräsentation einer weiblichen Figur, die begehrt. Das Begehren kann nie gestillt werden, ebenso wenig das Verlangen zu wissen, auf wen die Frau ihren Blick richtet. Der imaginierte Konkurrent im Off steigert das Begehren des Betrachters.[55]

Die weibliche Figur lässt sich also weder auf eine von Rembrandts Frauen noch auf eine konkrete Figur innerhalb einer tradierten Erzählung und Ikonografie zurückführen; vielmehr bewirken die irreale Kostümierung und die ambivalente Charakterisierung der doch eher derb gezeichneten Frau in dem eleganten Bett, diese Vermischung von realistischen mit märchenhaft-phantastischen Elementen, den Effekt von Unbestimmbarkeit. Dies, verbunden mit dem Blick der weiblichen Figur ins Off, setzt die Phantasien der BetrachterInnen in Gang: Wir fangen alle zu rätseln an. Da keine Geschichte erzählt wird, entstehen unterschiedliche Geschichten in unserem Kopf. Die verschiedenen Deutungs-Versionen innerhalb der Forschung sind das Ergebnis dieser Inszenierung. Rembrandt entwirft gleichsam einen unsichtbaren Raum, den wir mit unseren Assoziationen füllen.[56] Wir begegnen hier einem Phänomen, das im Verlauf dieses Buches genauer aufgezeigt werden soll: dem Beitrag der holländischen Malerei zur Bildung von Subjektivität.

Ähnlich wie bei der *Bathseba* verknüpft Rembrandt in dieser Figur Zeichen für Individualität und Subjektivität mit Zeichen für Erotik. In eben dieser Verbindung liegt eine Irritation des herkömmlichen Weiblichkeitsdispositivs. Da ich bei Vorträgen immer wieder die Erfahrung gemacht habe, dass KollegInnen Rembrandts Frauenbilder, insbesondere die *Bathseba* und *Die Frau im Bett,* als unerotisch empfunden haben, sei hier kurz zur Frage der aktuellen Rezeption Stellung genommen. Ob das Bild eines Menschen als erotisch wahrgenommen wird, ist eine subjektive Angelegenheit, die ebenso wenig objektivierbar ist wie die erotische/unerotische Ausstrahlung einer lebenden Person. Aber es lassen sich für einen bestimmten historischen Kontext Themen, Motive und Zeichen benennen, die für erotische Codes eingesetzt und so wahrgenommen worden sind, wie die Aktfigur der Bathseba oder eine halbnackte Frau im Bett in der oben beschriebenen Inszenierung. Das Außergewöhnliche an Rembrandts weiblichen Figuren ist eben gerade diese Verbindung von Individualität mit traditionell erotischen Themen und Zeichen. Dies ist eine Störung beziehungsweise eine Verschiebung des herkömmlichen Weiblichkeitsmusters, in dem Erotik gleichsam jenseits eines konkreten Individuums als idealisierte und purifizierte Schönheit definiert worden ist, so wie wir dies etwa aus der venezianischen Aktmalerei der Renaissance, auf die sich Rembrandt bezog, kennen. Auch bei den zeitgenössischen holländischen Malern lässt sich die Differenz zwischen individualisierten weiblichen Porträts und entindividualisierten, idealisierten weiblichen Figuren im Genre der Aktkunst beobachten. Der Umstand, dass heutige BetrachterInnen Rembrandts Weiblichkeitsentwürfe als unerotisch empfinden, verweist auf die fest verankerten Wahrnehmungsmuster bei Männern und Frauen, die offensichtlich bis heute wirksam sind.

Bei *Bathseba* ist es vor allem die Nachdenklichkeit, die in ihrer Verbindung mit der Aktdarstellung als höchst ungewöhnlich gelten kann, bei der *Frau im Bett* ist es die Verbindung einer erotischen Inszenierung mit der Repräsentation von weiblicher Individualität in einer nicht mythologisch oder biblisch überhöhten, sondern vielmehr häuslich wirkenden Szene. Die Geste des Vorhang-Aufdeckens und der dezidierte Blick signalisieren weibliche Aktivität; im Kontext der erotischen Inszenierung lässt sich dies vielleicht als die Repräsentation von weiblichem Begehren lesen. Da die dargestellte Frau

54 Linda Hentschel, Pornotopische Techniken des Betrachtens. Raumwahrnehmung und Geschlechterordnung in visuellen Apparaten der Moderne, Marburg 2001.

55 Zur Produktion von Begehren durch den Anderen im Bereich der Literatur: René Girard, Figuren des Begehrens. Das Selbst und der Andere in der fiktionalen Realität, Münster, Hamburg, London 1999.

56 Bei einem Vortrag zu diesem Bild im IFK in Wien (Internationales Forschungszentrum Kulturwissenschaften) im September 2004 wurde von einigen TeilnehmerInnen geäußert, die Frau vermittle eher den Eindruck eines melancholischen Nachschauens beim Abschied und nicht den von Erwartung. In der kontroversen Diskussion darüber wurde deutlich, dass und wie Rembrandt mit diesem Bild unterschiedliche Reaktionen geradezu herausfordert.

nicht auf eine konkrete (etwa biblische) Figur zurückgeführt werden kann und nicht in einem narrativen Kontext eingebunden ist, ist ihr Begehren auch nicht durch eine Erzählung negativ konnotiert, wie dies etwa bei der Darstellung von Potiphars Weib der Fall ist. Unsere Frage, in wieweit Rembrandt seinen weiblichen Figuren Subjektstatus zugesteht, können wir noch nicht beantworten. Aber wir können festhalten, dass diese Repräsentation von Weiblichkeit innerhalb der Entwicklung der Malerei höchst ungewöhnlich ist.

Weiblichkeits-Diskurse

Wie ungewöhnlich ist diese bildliche Repräsentation von positiv besetztem weiblichem Begehren innerhalb des zeitgenössischen Diskurses über Weiblichkeit? Die Kunst ist nur im Rahmen der damals aktuellen Diskurse intelligibel beziehungsweise ist selbst Teil dieser Diskurse. Wenn ich auf die Notwendigkeit einer Kontextualisierung verweise, müssen die damit verbundenen Schwierigkeiten benannt werden: Zum einen gibt es kaum Forschungsarbeiten bezüglich der Repräsentation von weiblicher Subjektivität und weiblichem Begehren in der holländischen Literatur.[57] Die holländische Literatur des 17. Jahrhunderts ist, ganz im Gegensatz zur Malerei, außerhalb Hollands kaum bekannt, obwohl nachweislich in Holland eine besonders enge Beziehung zwischen bildenden Künstlern und Rederijkers/Literaten bestand.[58] Das Sprachproblem ist hier ein beachtliches Hindernis.[59] Des weiteren muss man sich die Unterschiedlichkeit verschiedener Textsorten bewusst machen[60] und schließlich ist die Frage nach dem Verhältnis zur sozialen Praxis eine prekäre und kaum beantwortbare. Am leichtesten fassbar und am besten aufgearbeitet sind normative Texte, Texte die Normen aufstellen und tradieren, soziale Praxen bewerten, affirmieren, legalisieren oder aber diffamieren. Im engeren Sinn gehören zu dieser Textsorte theologische und juristische Schriften oder Benimmbücher. Die normativen Vorstellungen bezüglich des Verhältnisses der Geschlechter bündeln sich im Holland des 17. Jahrhunderts in der Figur von Jacob Cats.[61] Cats (1577–1660) war Jurist, Ratspensionär von Holland und durch Landbesitz und -verkauf sowie Aktien sehr reich geworden. Er war einer der einflussreichsten Männer Hollands, er gehörte zu allen Eliten: der politischen, der ökonomischen und der kulturellen. Cats schrieb mehrere

57 Ich kenne keine Arbeit, die diesen Fragenkomplex explizit thematisiert; ich stütze mich vor allem auf folgende Literatur: H. Rodney Jr. Nevitt, Art and the Culture of Love, Cambridge University Press 2003 (Cambridge Studies in Netherlandish Visual Culture); Maria-Theresia Leuker, Widerspenstige und tugendhafte Gattinnen. Das Bild der Ehefrau in niederländischen Texten aus dem 17. Jahrhundert, in: Hans-Jürgen Bachorski (Hg.), Ordnung und Lust. Bilder von Liebe, Ehe und Sexualität in Spätmittelalter und Früher Neuzeit, Trier 1991, S. 95–122; Maria-Theresia Leuker, ‚De last van't huys, de wil des mans ...' Frauenbilder und Ehekonzepte im niederländischen Lustspiel des 17. Jahrhunderts, Niederlande-Studien Bd. 2, Münster 1992; Jan Konst, De vrouwelijke personages in het toneel van Vondel, in: Neerlandica Wratislaviensia 12, 1999, S. 7–21; Els Kloek, Nicole Teeuwen, Marijke Huisman (Hg.), Women of the Golden Age. An International Debate on Women in Seventeenth-Century Holland, England and Italy, Hilversum 1994; Agnes A. Sneller, Reading Jacob Cats, in: Kloek u. a. 1994, S. 21–34; Agnes A. Sneller, Met man en macht. Analyse en interpretatie van teksten van en over vrouwen in de vroegmoderne tijd, Kampen 1996; Marijke Spies, Women and Seventeenth-Century Dutch Literature, in: Dies., Rhetoric, Rethoricians and Poets. Studies in Renaissance Poetry and Poetics, Amsterdam University Press 1999, S. 109–124; Klaske Muizelaar, Derek Phillips, Picturing Men and Women in the Dutch Golden Age: Paintings and People in Historical Perspective, New Haven and London: Yale University Press, 2003; Franits 1993. Auf meine direkte Anfrage, ob sich affirmative Beschreibungen von weiblichem Begehren in der holländischen Literatur finden ließen, schrieben mir Agnes Sneller: „ik ken jammer genoeg geen ana-

Emblembücher und didaktische Versbücher. Er kann wohl als der meistgelesene holländische Schriftsteller seiner Zeit gelten, seine Bücher waren in fast allen bürgerlichen Haushalten vertreten. Er verband calvinistische Lehren mit populären Volksweisheiten und leicht verständlichen Geschichten aus christlicher und antiker Tradition. Somit kombinierten seine Schriften normative mit narrativen Elementen. Eines seiner populärsten Werke war *Huwelyck* (*Ehe*) von 1625, ein Lehrgedicht, das die Stadien im Leben einer Frau vom Mädchen über Ehefrau und Mutter bis zur Witwe nachzeichnet. *Huwelijck* steht in der langen Tradition der Ehedidaxen vom *Menagier de Paris*, über Albertis *Della Famiglia*, Albrecht von Eybs *Ehebüchlein*, Juan Luis Vives' *Institutio foeminae christianae* von 1524 und allen voran Erasmus' *Encomium matrimonii* von 1518 und *Christiani matrimonii institutio* von 1526. Für Cats ist die Ehe die Grundlage allen menschlichen Lebens, weder Gottes Kirche noch die menschliche Gesellschaft könnten ohne Ehe existieren. Der einzig denkbare Lebensentwurf für Frauen ist die Rolle als Hausfrau und Mutter. Frauen werden nicht wirklich als eigenständige Wesen wahrgenommen, sondern nur auf den Mann und auf die Familie hin konzipiert. Cats adressiert seine Schrift direkt an weibliche Leser. In Liebessachen und Liebeswerbung wird Frauen eine dezidiert passive Rolle zugewiesen. Die *vrijster* (junge Frau im heiratsfähigen Alter) darf ihre Liebe nicht artikulieren, außer als Antwort auf die (ernstgemeinte) Liebeswerbung des Mannes. Aktives weibliches Begehren wird nur in einem sündhaften Kontext vorgestellt wie in der Geschichte von Cyprine und Probus, in der Cyprine Ehebruch begeht.[62] Die Forderung nach weiblicher Passivität in Liebessachen finden wir auch in den Benimmbüchern, wie etwa in dem 1603 aus dem Italienischen ins Holländische übersetzten Werk *La Civil Conversatione* von Stefano Guazzo. Sein Idealbild weiblicher Zurücknahme zeigt sich in Sätzen wie:

> [...] wenn sie spricht, scheint sie zu schweigen und wenn sie schweigt, scheint sie zu sprechen.[63]

Ebenso wie das Schweigen sind niedergeschlagene Augen Zeichen einer sittsamen Frau.

Interpretiert man allerdings kulturelle Äußerungen lediglich im Lichte normativer Texte, ergibt sich ein defizitäres Bild. Was Bachorski für die deutsche Literatur des 15. und 16. Jahrhunderts konstatiert, lässt sich durchaus auf die holländische Kultur des 17. Jahrhunderts übertragen:

logie van Vrouw in Bed, er zullen echter zeker teksten zijn waarin een (Nederlandse) vrouw zich als actieve liefdespartner opstelt, maar ik heb daarvan geen voorbeeld in mijn corpus" und Maria-Theresia Leuker: „Meines Wissens nicht. In der komischen und erotischen Literatur kommen solche Repräsentationen von Frauen vor, letztlich sind sie aber immer negativ konnotiert." Beiden möchte ich hier meinen herzlichsten Dank für die Unterstützung aussprechen.

58 Maria A. Schenkeveld, Dutch Literature in the Age of Rembrandt, Amsterdam, Philadelphia 1991.

59 Ralf Grüttemeier, Maria-Theresia Leuker (Hg.), Niederländische Literaturgeschichte, Weimar 2006. Der Schwerpunkt liegt allerdings auf der Literatur der Moderne.

60 Hans-Jürgen Bachorski, Diskursfeld Ehe. Schreibweisen und thematische Setzungen, in: Bachorski 1991, S. 512–545.

61 Willem Frijhoff, Marijke Spies, 1650: Hard-Won Unity. Dutch Culture in a European Perspective, Bd. I, Assen 2004, insbes. S. 19, 77–78, 531–583; Jacob Cats, Huwelijk, hrsg. von Agnes A. Sneller, Amsterdam 1993; Sneller 1994, S. 21–34; Sneller 1996, insbes. S. 170ff; Leuker 1991, S. 95–122; T. Loonen, De vrouw in het werk van Cats. Erasmiaanse inspiratie. De zeventiende eeuwse discussie, in: Bulletin van de Koninglijk zeeuwsch genootschap der wetenschappen-workgroep historie en archeologie 28, 1978, S. 26–46; Nevitt 2003.

62 In einer Bettszene sagt Cyprine: „Ich dachte: dieses noble Herz kann ich meines nennen, ich kann es genießen, wenn ich will, ich kann es sogar gebrauchen in meinem Bett." (Übers. von D. H.-T.), Sneller 1994, S. 27: „Only a wicked woman would express herself to be such an active lover." Die Geschichte steht in *Trou-Ring*, einem weiteren Buch von Cats über die Ehe.

63 Nevitt 2003, S. 73.

Was in den Traktaten nur als Triebäußerung auftaucht, die in der Ehe gedämpft werden muss, steht in einer unübersehbaren Menge von Schwänken als unbeherrschbare Lust im Mittelpunkt und triumphiert über sämtliche Regeln von Kirche, Moral und Recht.[64]

Die Komplexität des diskursiven Feldes und die Vielfalt der literarischen Formen verbieten es, nach der einen einzigen Ordnung des Diskurses zu suchen. Schwänke (*kluchten*), Fabeln, Romane und im 17. Jahrhundert insbesondere die Komödien entfernen sich weit von den abstrakten ideologischen Konzepten, auf denen sie basieren. Die Komödien des 17. Jahrhunderts stellen die Widersprüche und Konflikte performativ zur Schau; auch wenn etwa in einer Ehebruchskomödie am Ende die Ordnung wiederhergestellt ist, wird ‚nichtnormative' Realität vorgeführt und erlebbar gemacht. Die konkrete Narration kann für die (moralischen) Konzepte, die umgesetzt werden sollen, durchaus ruinös sein. Maria-Theresia Leuker hat in ihrem Buch über Frauenbilder und Ehekonzepte im niederländischen Lustspiel des 17. Jahrhunderts gezeigt, dass die differenzierteste und avancierteste Form der Auseinandersetzung mit Fragen der Geschlechterbeziehung und der Funktion der Ehe in den Komödien zu finden ist. Zu Recht schließt sie aus dem hohen Aufwand, der aufgeboten wurde, um die Unterordnung der Frau zu argumentieren, auf deren offensichtliche Notwendigkeit. Die Lustspiele verweisen auf den Normen-Verstoß als alltägliche Realität. Auch die Komödien sollten nicht als Illustration des normativen Diskurses gedeutet werden. Hier müssten m. E. stärker die widerspenstigen Aspekte, die Eigendynamik des Performativen, das Aus-dem-Ruder-Laufen im Kampf mit und gegen herrschende Normen stark gemacht werden. Auch wenn, wie Leuker zeigt, aktiv ihr Begehren artikulierende Mädchen und Frauen zurechtgewiesen und bestraft werden, sind deren Energie und Potenzial auf der Bühne sicht- und hörbar und damit für die ZuseherInnen auch nachfühlbar und erfahrbar.[65] Das Theater wurde denn auch von calvinistischen Geistlichen scharf angegriffen. Andries Pels verfasste im letzten Viertel des 17. Jahrhunderts im Auftrag des Rates eine Schrift, die das Theater zwar verteidigte, aber nur unter der Bedingung, dass es zur moralischen Anstalt werde. Pels war auch der erste scharfe Kritiker von Rembrandts Kunst, insbesondere seiner Aktkunst.

Es ist bemerkenswert, dass Kunsthistoriker dazu neigen, zur Interpretation bildender Kunst fast ausschließlich Quellen zu zitieren, die per definitionem Normativität beanspruchen: Insbesondere die Vertreter der Ikonologie haben die holländische Malerei zu einer moralischen Anstalt gemacht, Cats ist im Allgemeinen die Referenzfigur schlechthin. Die Komödien, Dramen, Gedichte und andere Bereiche nicht-normativer Texte, die doch bildender Kunst viel näher stehen, wurden kaum herangezogen. Es sei angemerkt, dass es prinzipiell keinen logisch zwingenden Zusammenhang zwischen einer ikonologischen Methode und der Vorstellung gibt, Kunst sei die Verbildlichung von Moral, also einer normativen Vorgabe. Die moralisierenden Interpretationen haben m. E. wenig mit der holländischen Malerei zu tun; aber sie haben einen hohen Aussagewert über die Denkweise mancher Kunsthistoriker.

Erst in jüngster Zeit zeichnet sich ein Wandel in der Einschätzung holländischer Malerei ab.[66] In unserem Zusammenhang sei insbesondere auf *Art and the Culture of Love in Seventeenth-Century Holland* von H. Rodney Nevitt verwiesen. Nevitt untersucht das Liedgut aus der ersten Hälfte des 17. Jahrhunderts, Gedichte, Werke der Emblematik und *ars amandi* und bringt diese Formen der Liebesliteratur in Verbindung mit der holländischen Jugendkultur. Er entthront Cats, indem er zeigt, dass es eine große Bandbreite von Stimmen gegeben hat. Neben moralisierenden und petrarkistisch orientierten Texten gab es auch sehr frivole. Schlüssig bringt Nevitt diese Liebeskultur in Zusammenhang mit Malerei und Grafik, mit den Gartengesellschaften von David Vinckboons, Esaias van de Velde und anderen.

Die Liebestexte sind (fast) ausschließlich von männlichen Autoren verfasst worden; die Stimme im Lied spricht von einer männlichen Position aus. Frauen, die die Lieder sangen, sangen von *seiner* Liebe. Aber es gibt die wenigen bemerkenswerten Ausnahmen wie das Gedicht aus der Liedersammlung *Den Nieuwen Lust-Hof* (1602) von anonymer Autorschaft, in dem eine weibliche Stimme klagt, dass sie auf Grund ihres Geschlechts ihre Liebe nicht artikulieren darf, also das Tabu ausspricht:

> Die my bemint en trouwe biet / Die sluyt ick uyt mijn herte, / En die ick min en vrijt my niet, / Ist niet een groote smerte. // Dien ick bemin en wil my niet, / Die spreeck ick also selden, / Eylaes wat leet is my geschiet, / ,Ken derf mijn Liefd' niet melden. // De Voghelkens in't groene Wout/ Gaen onbedwonghen vryen, / Daer is gheen dwangh van vrienden out/ Die haer haer lust benyen. // Wat doet die eer, die layde eer / Al vrouwen lust ontbreecken, / Dat zy niet vry na haer begheer / Van liefde moghen spreecken. // Dit doet mijn hert en mijn ghemoet / Met droevighe ooghen claghen, / Misschien mijn lijden waer gheboet / Dorst ick mijn Liefd' ghewaghen. // ... O Prins der minnen vol perty / Ghy quetst die teere vrouwen / En gheeft haer daer gheen vryheijt by / Om liefde t'onderhouwen.[67]

Bemerkenswert vor allem der zweite Teil:

64 Bachorski 1991, S. 528.1

65 In dem Stück Jan Klaaz of gewaande dienstmaagt von 1682 von Thomas Asselijn erzwingt das Mädchen Zaartije gegen den Willen der Eltern die Hochzeit mit ihrem Geliebten, indem sie ihn nachts mit List ins Haus holt und den Beischlaf vollzieht. Obwohl diese Ehe im Stück wieder geschieden wird, wurde die Komödie als Skandal empfunden und verboten. Das Skandalon ist nicht nur die Nichteinhaltung einer offiziellen Eheschließung, sondern durchaus auch die Präsentation einer Frau, die ihre Liebe aktiv und gegen die Eltern durchsetzt. Leuker unterschätzt hier das subversive Potenzial der Aufführung und überbewertet den Schluss des Stückes, der gleichsam durch Bestrafung die Ordnung wiederherstellt. Leuker 1992, S. 157.

66 S. u., insbes. 3. Kap. im Teil II: Adieu Laokoon – Die Verabschiedung eines kunsthistorischen Methodenstreits.

67 Nevitt 2003, S. 85 (englische Übersetzung) und S. 246 Anm. 189, zitiert nach A. A. Keersmaekers, Wandelend in Den Nieuwen Lust-Hof; Studie over een Amsterdams Liedboek 1602-(1604)-1607-(1610), Nijmegen 1985, S. 69–70.

> [...] Was tut die Ehre, diese leidige Ehre / allen Frauen die Lust rauben /
> dass sie nicht frei nach ihrem Begehr / von ihrer Liebe sprechen können /
> [...] / Oh Prinz der Liebe, voller Feindseligkeit / du quälst die zarten Frauen /
> und gibst ihnen gar keine Freiheit / um die Liebe leben (halten) zu können.

Ein anderes Zeugnis einer ‚weiblichen' Stimme in Liebessachen ist ein Lied aus dem Liederbuch von Brederos *Groot Lied-boeck* von 1622, das zwar in petrarkistischer Manier verfasst ist, aber von einer weiblichen Protagonistin gesprochen wird. Es stammt ursprünglich aus seinem Stück *Lucelle* (1616), in dem die weibliche Hauptfigur Lucelle mit allen Konventionen brechend als erste ihrem Geliebten ihre Liebe erklärt.[68] Weibliche Autorinnen, die Liebesgedichte verfasst haben, gab es kaum. Allerdings gab es Ausnahmen wie vor allem Tesselschade Roemers (1594–1649), eine der beiden hochgebildeten Töchter des Dichters Roemer Visscher. Ihre Liebesgedichte zeichnen sich durch die Vorstellung ebenbürtiger Partnerschaft aus.[69] Auch in der sozialen Praxis, von der wir uns nur schwer ein Bild machen können, scheint es weibliche Initiative als Ausnahme durchaus gegeben zu haben, was etwa das prominente Beispiel von Dorothea van Dorp und Constantijn Huygens belegt. Bemerkenswert ist nicht nur, dass Dorothea van Dorp offensichtlich die Initiative ergriff, sondern ebenso, dass Huygens diese eigene Erfahrung in seinen Gedichten nicht spiegelt, sondern patriarchal-konventionell wendet.[70] Aus den bisherigen mir bekannten Forschungsarbeiten lässt sich somit schließen, dass es neben dem herrschenden Diskurs, der sich gleichsam in der Figur von Cats verkörpert, die wenigen Ausnahmen gibt, in denen die weibliche Stimme des Begehrens hörbar wird, beziehungsweise die Artikulation und Repräsentation weiblichen Begehrens nicht durchwegs negativ bewertet wurde. Rembrandts affirmative Repräsentation weiblichen Begehrens in seinem Bild *Frau im Bett* kann somit als ungewöhnlich, aber historisch möglich angesehen werden.

Ebenso wichtig wie die Kontextualisierung bildender Kunst mit den zeitgenössischen Diskursen ist aber auch die Spezifik der jeweiligen Medien. So ist die Verbindung eines individualisierten Gesichts, das Nachdenklichkeit signalisiert, mit einem erotisch aufgeladenen Akt (Bathseba) eine besondere Möglichkeit bildender Kunst, die im Feld der Sprache wohl in dieser Synopsis nicht denkbar ist.

Gefährliche Blicke – *Susanna*

Bilder von Bathseba, ebenso wie Bilder der Susanna oder von Diana mit Aktaion müssen auch im Zusammenhang mit der damals heftig geführten Debatte um die Gefährlichkeit erotischer Bilder gesehen werden.[71] Bereits in der Renaissance wurde über die erotisierende Wirkung von Bildern diskutiert. Bilder wurden keineswegs einfach als ‚reine Kunst' genossen;[72] so schreibt Leonardo in seinem Malereitraktat:

> […] diese Schönheit […] wird in dir Liebe erwecken und nicht nur mit dem Auge sondern mit allen Sinnen den Wunsch nach Besitz erwecken.[73]

Erasmus und die Moralisten des 17. Jahrhunderts wie Jacob Cats oder Camphuyzen wetterten gegen Bilder mit nackten weiblichen Figuren, die die Menschen verführen und verderben würden. Die zeitgenössische Aktmalerei wiederum konzentrierte sich just auf Themen wie *Bathseba*, *Susanna* oder *Diana und Aktaion*, Geschichten, in denen der Anblick des nackten weiblichen Körpers Männer zu Verbrechen (Bathseba, Susanna) verleitete oder in den eigenen Untergang (Aktaion) führte. Der lustvolle, begehrende Blick wird durch diese Kontextualisierung moralisiert. In dieser Debatte wird immer wieder König David als Kronzeuge angeführt: Wenn sogar der alttestamentliche Held dem Anblick einer nackten Frau zum Opfer fiel, wie sollen die normalen Sterblichen dieser Macht widerstehen?

Umgekehrt priesen Schriftsteller wie Joos van den Vondel und Jan Vos bildliche Darstellungen wie beispielsweise *Bathseba* in ihren Gedichten.[74] Mit Berufung auf den griechischen Maler Apelles sahen sie in der Kreation des schönsten weiblichen Aktes die Krönung der künstlerischen Schöpfung. Auch in diesem Kunstdiskurs ist Bathseba das Motiv par exellence, mehr noch als Venus, denn ihrer Schönheit verfiel selbst der große Held des Alten Testaments.[75]

Die Lieblingsfigur für Voyeurszenarien in der Malerei aber wurde Susanna **(Taf. 3)**. Die biblische Geschichte der Susanna erzählt von der keuschen Frau des reichen Juden Joakim. Zwei alte Richter begehren die schöne Frau und stellen ihr nach. Sie verstecken sich im Garten Joakims und wollen Susanna, als diese gerade ein Bad nehmen will, zum Ehebruch zwingen. Trotz der Drohung der beiden Alten, sie zu verleumden und behaupten zu wollen, sie beim Ehebruch mit einem Jüngling erwischt zu haben, widersteht Susanna, wissend, dass sie dadurch mit ihrem Tod rechnen muss. Der Vollzug des Todesurteils wird aber durch Daniel verhindert, der die beiden Alten ins Kreuzverhör nimmt und so durch deren widersprüchliche Aussagen die Unschuld Susannas beweisen kann. Anstelle von Susanna werden nun die beiden Alten zu Tode gesteinigt.

68 Nevitt 2003, S. 86, S. 89.

69 Sneller 1996, insbes. S. 266 (S. 266–272 = english summary).

70 Nevitt 2003, S. 86. Huygens verarbeitet die Episode in seinem Gedicht *Doris oft Herder-Clacht*, in dem er selbst in Verkleidung eines Schäfers als Sprecher auftritt.

71 Eric Jan Sluijter, De ‚heydensche fabulen' in de Noordnederlandse schilderkunst circa 1590–1670. Een proeve van beschrijving en interpretatie van schilderijen met verhalende onderwerpen uit de klassieke mythologie, (proefschrift) 1986, Leiden, S. 270–281; Sluijter 1998, S. 76–83; Eric Jan Sluijter, Seductress of Sight. Studies in Dutch Art of the Golden Age, Zwolle 2000; ders. 2006; Stefan Grohé, Rembrandts mythologische Historien, Köln, Weimar, Wien, 1996, S. 216–218; Welzel 1994; siehe auch: Werner Busch, Das keusche und das unkeusche Sehen. Rembrandts Diana, Aktaion und Kallisto, in: Zeitschrift für Kunstgeschichte 52, 1989, S. 257–277. Für Sluijter liegt die Bedeutung von Rembrandts *Bathseba* vor allem in dessen Stellungnahme zu diesem Streit um die Wirkmächtigkeit und Legitimation erotischer Bilder.

72 David Freedberg, The Power of Images, University of Chicago Press 1989.

73 Leonardo da Vinci, Tratatto della Pittura, in: The Literary Works of Leonardo da Vinci, hrsg. von Jean Paul Richter, Kap. 27, 61, London, 1970 (3. Aufl.) Siehe auch: Elizabeth Cropper, The Place of Beatuy in the High Renaissance and its Displacement in the History of Art, in: Place and Displacement in the Renaissance, (Medieval and Renaissance Texts and Studies Bd. 132) hrsg. von Alvin Vos, Binghampton, New York: Center for Medieval & Early Renaissance Studies, State University of New York 1995, S. 159–205.

74 Sluijter 1998 S. 80f; ders. 2000, S. 122.

75 Zu Rembrandts Bathseba schreibt Sluijter (Ebd. S. 86): „In his *Bathseba* of 1654, then, Rembrandt portrayed her not as a selfevidently dishonorable, active seductress but, rather, as the passive victim of her own fateful beauty to which no man – least of all the viewer – is able to offer effective resistance."

Taf. 3: Rembrandt, Susanna, 1636, Öl/Holz, Den Haag, Mauritshuis

Abb. 17: Lorenzo Lotto, Susanna und die beiden Alten, 1517, Öl/Holz, Florenz, Uffizien

Abb. 18: Kapitolinische Venus, röm. Kopie nach griech. Orginal

Die Geschichte der Susanna spielt in der Zeit des jüdischen Exils in Babylon im 6. vorchristlichen Jahrhundert. Verschriftlicht wurde die Erzählung offensichtlich im ersten Jahrhundert v. Chr. Im Frühchristentum wurde der Daniel der Geschichte mit dem biblischen Daniel identifiziert. Erst das Tridentinische Konzil von 1543 hat die Erzählung als 13. Kapitel des Buches Daniel sanktioniert.[76]

In der frühchristlichen Kunst wird Susanna in den Katakomben als Orantin mit erhobenen Armen dargestellt, als die in Not geratene, gläubige Seele, die von Gott gerettet wird; sie wird zum Symbol für das gerechte Gottesurteil. In der mittelalterlichen Ikonografie wird meist die ganze Susannengeschichte narrativ ausgebreitet.[77] Die Bedeutung Susannas beruht auf ihrer absoluten Keuschheit und Opferbereitschaft. In der Renaissancemalerei erfährt die Geschichte einen radikalen Bedeutungswandel.[78] Aus den narrativen Erzählfolgen wird nun eine einzige Szene herausgelöst. Die Tatsache der Herauslösung aus einem erzählerischen Gesamtzusammenhang sowie die neue Bedeutung der Susannengeschichte hängt mit der veränderten Auftragslage und dem neuen Medium des Tafelbildes zusammen. Die Geschichte der Susanna wird nun primär nicht mehr in Freskenfolgen öffentlich präsentiert oder in Buchmalereien, die einem kontinuierlichen Text folgen, sondern sie wird als Tafelbild für eine private und profane

76 W. O. E. Oesterley, An Introduction to the Books of the Apocrypha, Their Origin, Teaching and Contents, New York 1935. Die Legende hatte offensichtlich in der jüdischen Tradition die Funktion, den Kampf zwischen Pharisäern und Saduzäern bezüglich einer strengeren Handhabung der Gesetze und einer genaueren Untersuchung von Zeugenaussagen zu illustrieren, ebd. S. 391ff.

77 Liselotte Popelka, Susanna Hebrea. Theatrum castitas sive innocentia libertas. Ein Beitrag zur alttestamentarischen Ikonografie, besonders des deutschen und niederländischen Kunstkreises, in: Mitteilungen der Gesellschaft für vergleichende Kunstforschung 16/17, Wien 1963; Lexikon der Kunst, hrsg. von Harald Olbrich, Bd. 7, *Susanna* (Artikel von Marianne Koos), Leipzig 1994; Lexikon der christlichen Ikonografie, hrsg. von Engelbert Kirschbaum, *Susanna*, Sp. 228–231, Rom, Freiburg, Basel, Wien (Herder) 1972.

78 Michaela Herrmann, Vom Schauen als Metapher des Begehrens. Die venezianischen Darstellungen der „Susanna im Bade“ im Cinquecento, Marburg 1990 (zugleich Diss. Hamburg 1985); Mary D. Garrard, Artemisia Gentileschi. The Image of the Female Hero in Italian Baroque Art, Princeton 1989; Marianne Koos, Bernadette Reinhold, Zum Bildthema ‚Susanna und die Alten‘. (Vergleichende Rezension zu Michaela Herrmann und Mary Garrard) in: FrauenKunstWissen-

Abb. 19: Tintoretto, Susanna und die beiden Alten, um 1555–1556, Öl/Leinwand, Wien, Kunsthistorisches Museum

Rezeption konzipiert.[79] Bei der Auswahl spielt das gerechte Gottesurteil, die Essenz der frühmittelalterlichen Darstellungen, überhaupt keine Rolle mehr. Im Zentrum steht vielmehr der schöne und begehrenswerte Akt der Susanna. Zwei ikonografische Stränge lassen sich unterscheiden: die Belauschungs- und die Überfallszene, wobei der Angriff physisch oder durch den Versuch der Überredung seitens der beiden Alten gezeigt werden kann. Seit der ersten Formulierung des Themas im Medium des Tafelbildes durch Lorenzo Lotto von 1517 entspricht die Darstellungsform der Susanna bezeichnenderweise der Venus-Ikonografie **(Abb. 17)**. Aus der Symbolfigur der Keuschheit wird eine begehrenswerte Liebesgöttin.

Bei den Renaissancebildern der Susanna geht es unter anderem um die Formulierung eines Blick-Verhältnisses zwischen den Geschlechtern, das prinzipiell unsere Kultur mitbestimmt hat: Der Betrachter des Bildes wird als männliches Subjekt konzipiert, das sein Begehren im Blick sublimiert. Das Ideal von Weiblichkeit besteht in der unlösbaren Ambivalenz, schön und verführerisch und zugleich absolut keusch zu sein.[80] Die kongeniale Figur der Ambivalenz zwischen Scham und Reiz ist die *Venus pudica,* die viele Susannenversionen seit der Renaissance inspirierte. Das Motiv des Verdeckens der Scham und oft auch der Brüste geht auf die Erfindung des antiken Bildhauers Praxiteles aus dem vierten vorchristlichen Jahrhundert zurück, der mit seiner *Venus pudica* ein Vorbild für die gesamte weitere Aktkunst geschaffen hat **(Abb. 18)**.[81] Es war der erste weibliche Akt der antiken Kunst. Der Pudica-Gestus (die Hand

schaft, Rundbrief, Marburg, 1993, 15, S. 127–136; Die Galerie der Starken Frauen. Die Heldin in der französischen und italienischen Kunst des 17. Jahrhunderts, Ausstellungskatalog, bearb. von Bettina Baumgärtel und Silvia Neysters, Düsseldorf 1995, S. 329–345; Jean-Claude Prêtre, Suzanne. Le procès du modèle, Paris 1990; Gaila Bonjione, Shifting Images: Susanna through the Ages. Dissertation. The Florida State University 1997. (War mir leider nicht zugänglich.)

79 Dazu s. u. im Kapitel zu *Lucretia*.

80 In der zweiten Hälfte des 16. Jahrhunderts entstehen in Italien mehrere Traktate, beispielsweise von Firenzuola, Luigini und Trissino, die eben dieses Ideal von Weiblichkeit mit seiner Vebindung von Schönheit, Keuschheit und Erotik theoretisieren. Francis Ames-Lewis, Mary Rogers, (Hg.), Concepts of Beauty in Renaissance Art, London 1997.

81 Das Original ist verloren, es gibt römische und spätere Kopien und eine Vielfalt von Varianten wie die hier gezeigte *Kapitolinische Venus*. Berthold Hinz, Knidia. Oder: Des Aktes erster Akt, in: Detlef Hofmann, Der nackte Mensch (Hg.), Marburg 1989, S. 51–79; Nanette Salomon, The Venus Pudica: Uncovering Art History's ‚Hidden Agendas' and Pernicious Pedigrees, in: Ann Olga Koloski-Ostrow, Claire L. Lyons (Hg.), Naked Truths. Women, Sexuality and Gender in Classical Art and Archaeology, London, New York 1997, S. 197–219.

Abb. 20: Govert Flinck, Susanna und die beiden Alten, um 1640, Öl/Holz, Berlin, Staatl. Museen, Gemäldegalerie
Abb. 21: Pieter Lastman, Susanna und die beiden Alten, 1614, Öl/Holz, Berlin, Staatl. Museen, Gemäldegalerie

vor dem Schoß beziehungsweise den Brüsten) ist höchst ambivalent. Er verdeckt, was nicht gesehen werden darf, und lenkt zugleich den Blick des Betrachters auf eben diesen Punkt. Der (männliche) Blick wird somit zum voyeuristischen Blick, der hinschaut, wohin er angeblich nicht schauen dürfte. Die weibliche Figur aber wird als eine inszeniert, die sich ihrer Nacktheit schämen muss; sie wird als eine sich Verdeckende den männlichen Blicken exponiert – ganz im Gegensatz zu den männlichen *Kuroi*, die selbstbewusst ihren nackten Körper tragen. So wurde bereits in der Antike eine Blick-Struktur inszeniert, die das Geschlechterverhältnis mitgeprägt hat. Tintoretto kreierte, anknüpfend an die Erfindung Lottos, in seinen Versionen des Themas das klassische Voyeurszenario, in dem der prachtvolle weibliche Akt dem Betrachter präsentiert wird und Susanna nicht realisiert, dass die Alten sie beobachten **(Abb. 19)**. Physische Gewalt wird in Blick-Macht sublimiert.[82] Durch das Mitdenken der Rahmenerzählung – der Geschichte der Susanna – wird Begehren unauflöslich mit Sünde, mit Macht und Gewalt gekoppelt. Unzählige Bilder von Susanna und anderen weiblichen Figuren werden bis zu unserer Zeit diese Blickstruktur in allen möglichen Inszenierungen variieren.

In der holländischen Kunst des 17. Jahrhunderts werden alle drei Varianten der Susannen-Ikonografie weitergeführt: das Voyeurszenario etwa in den Bildern von dem Rembrandtschüler Govert Flinck **(Abb. 20)** oder Jan van Neck **(Abb. 23)**, der Versuch zur Überredung bei Lastman **(Abb. 21)**, Jacob van Loo oder Michael Willmann[83], der gewalttätige Überfall bei zwei Versionen von Jan Lievens **(Abb. 22)** und bei Salomon Koninck.[84]

Rembrandt hat, abgesehen von einigen Zeichnungen, zwei Gemälde zu diesem Thema gemalt, eine Version von 1636, heute im Mauritshuis in Den Haag **(Taf. 3)** und eine zweite Version von 1647 (Berlin), die aber bereits in den dreißiger Jahren in den Grundzügen konzipiert war.[85] Die Version von 1636 ist höchst ungewöhnlich: Rembrandt elimi-

Abb. 22: Jan Jorisz. van Vliet nach Jan Lievens, Susanna im Bade, um 1629, Radierung
Abb. 23: Jan van Neck, Susanna und die beiden Alten, Öl/Leinwand, Kopenhagen, Staatl. Kunstmuseum

nierte zumindest einen der beiden Alten und setzt den Betrachter an dessen Stelle. Hier muss erwähnt werden, dass die Tafel ursprünglich oben rundbogig abgeschlossen war und am rechten Bildrand etwa um einen Zentimeter beschnitten wurde, danach wurde ein Streifen von viereinhalb Zentimeter angestückt. Der Kopf des Alten im Profil war also ursprünglich nicht existent. Von dem zweiten ist ohnehin nur der Turban mit einer Feder mehr zu erahnen als zu sehen. In einer Nachzeichnung von Willem de Poorter, die 1636 datiert ist, sind die beiden Alten überhaupt nicht vorhanden.[86] Susannas erschreckt gekrümmte Haltung und das Verdecken der Scham mit dem Badetuch zeigt, dass sie realisiert, beobachtet zu werden. Sie weiß, dass sie gesehen wird, sie ihrerseits kann die Alten nicht sehen. Susannas Blick ist aus dem Bild auf den (ebenfalls unsichtbaren) Betrachter gerichtet, der somit als Voyeur apostrophiert ist. In den traditionellen Belauschungs-Versionen ist Susanna entweder ganz in sich, ihr Bad und ihre Schönheit versunken (man denke an Tintorettos Wiener Bild, **Abb. 19** oder auch an Govert Flinck, **Abb. 20**) oder sie blickt unberührt oder lasziv aus dem Bild wie etwa in der Version von van Neck (**Abb. 23**), der Rembrandts Diana-Grafik adaptierte, oder Cavaliere d'Arpino von 1607 (**Abb. 24**), in welchem Susanna als sich kämmende Venusfigur inszeniert ist. Durch die gekrümmt-gequälte Haltung, das Verdecken von Scham und Brüsten und den angstvollen Blick signalisiert aber Rembrandts Susanna, dass sie nicht betrachtet werden will. Ihr fehlt das übliche Spiel von Zeigen und Verdecken, von Scham

82 Daniela Hammer-Tugendhat, Kunst/Konstruktionen, in: Lutz Musner, Gotthart Wunberg (Hg.), Kulturwissenschaften. Forschung – Praxis – Positionen, Wien 2002, S. 313–338, hier: 319–325. Zur Sexualisierung des Blicks und Skopisierung des Begehrens durch die perspektivische Raumordnung siehe: Hentschel 2001.

83 Van Loo: Glasgow, Art Gallery, Abb.: Sumowski Bd. 1, S. 159; Willmann: Nürnberg, Germanisches Nationalmuseum, Abb. Sumowski Bd. 1, S. 89.

84 Koninck: Den Haag, Kunsthandlung S. Nystad, Abb.: Sumowski 1095.

85 Für das Bild in Den Haag: RRP 1989 3. Bd. (1635–1642), S. 117, 196–201.

86 Ebd. Abb. von Poorter S. 200. Das Ergebnis der Untersuchung ist unklar, die Frage, ob Rembrandt selbst den Streifen angestückt hat, wird vom Research Team eher befürwortet. Ich kann dies nicht nachvollziehen, da der rechte Teil der Signatur (auf dem angestückten Streifen) mit Sicherheit nicht von Rembrandt stammt. Wie auch immer: konzipiert war das Bild mit nur einem Alten, der praktisch nicht sichtbar war. Es ist m. E. auch undenkbar, dass Poorter seinerseits in der Nachzeichnung die Alten, die ikonografisch gefordert und immer dargestellt worden sind, eliminiert hätte.

Abb. 24: Cavaliere d'Arpino, Susanna und die beiden Alten, um 1607, Öl/Holz, Siena, Pinakothek
Abb. 25: Jan van Noordt, Susanna und die beiden Alten, um 1670, Öl/Lwd., San Francisco, Fine Arts Museums
Abb. 26: Lucas van Leyden, Susanna und die beiden Alten, 1505–1508, Kupferstich, Amsterdam, Rijksmuseum

und Reiz wie etwa in der Version von Jan van Noordt, der Rembrandts Bild offensichtlich gekannt hat **(Abb. 25)**. Susanna wird nicht bloß als weibliches Schönheitsideal, als Objekt der Begierde gezeigt, *ihre* Reaktion auf das Beobachtetwerden wird thematisiert. Dem Betrachter wird bewusst gemacht, dass er schaut, obwohl die Betrachtete dies nicht will. Der Aspekt der Gewalt, der in den (seltenen) Überfallsszenarien wie bei Lievens kenntlich wird, aber aus den Voyeurszenarien verdrängt wurde, wird bei Rembrandt in eben dieses Voyeurszenario eingebracht. So wird die Sublimierung von Gewalt in Blickmacht als Gewaltverhältnis auf dem Feld des Sehens kenntlich gemacht.

Die Reflexion des Voyeurismus als geschlechtsspezifsches Gewaltverhältnis hat bereits Lucas van Leyden in einem Kupferstich von 1508 thematisiert **(Abb. 26)**. Soweit ich sehe, ist dieser höchst ungewöhnliche Stich in den bisherigen Forschungsarbeiten zur Susannen-Ikonografie nie berücksichtigt worden. Bereits 1508, also fast ein Jahrzehnt vor dem Tafelbild von Lorenzo Lotto, wurde in dieser Grafik die Herauslösung der Badeszene aus dem Gesamtzyklus vollzogen. Ich denke, die Bedeutung der Grafik für die Herauslösung einzelner Szenen aus den narrativen Folgen in der Buch- und Wandmalerei für das Tafelbild müsste stärker berücksichtigt werden. Lucas van Leyden hat für Rembrandt, der ja auch aus Leiden stammte, eine eminente Rolle gespielt.[87] Van Leyden geht allerdings den umgekehrten Weg: Die Hauptpersonen des Stiches sind die beiden Alten, klein im Hintergrund und vollkommen bekleidet sieht man Susanna am Ufer sitzen und die Beine ins Wasser stecken. In Anlehnung an Linda Hentschel könnte man sagen, dass gleichsam als Ersatz für den verunmöglichten Blick auf die nackte Susanna beziehungsweise den unsichtbaren Ort ihres Geschlechts das Auge in die Raumtiefe geführt wird.[88] Dort bildet die Brücke mit ihrem Spiegelbild die Form einer Öffnung, einer Öffnung ins Leere. Im Vordergrund, an der Grenze zwischen dem Ort der Alten und Susanna hat Leyden einen abgeschnittenen Baumstumpf mit einem kleinen aufwärtsweisenden Ast wachsen lassen. An dieses phallische Gebilde hat er seine Initiale „L" gehängt und sich damit in die Szene eingeschrieben. Diese großartige, Voyeurismus-kritische Erfindung van Leydens fand keine direkte Nachfolge. Der Bezug zu Rembrandt liegt nicht auf einer formalen oder ikonografischen, sondern auf einer prinzipiellen inhaltlichen Ebene, indem der dem Thema inhärente Voyeurismus explizit problematisiert wird.

Bei der Frage wie Rembrandts Version der Susanna rezipiert worden ist, stoßen wir auf die üblichen Schwierigkeiten: auf die Absenz entsprechender Quellen. VertreterInnen der Rezeptionsästhetik und semiotisch fundierter Kunstwissenschaft haben gezeigt, dass *Bedeutungen* Bildern nicht einfach inhärent, sondern kontext- und rezeptionsabhängig sind.[89] Feministisch orientierte Analysen haben in diesem Zusammenhang die Gender-Blindheit kunsthistorischer Forschungen ins Bewusstsein gehoben.[90] Der in feministischer Literatur weit verbreiteten Verabsolutierung eines *männlichen Blicks* hat Elizabeth Honig bezüglich der spezifischen Situation in Holland die Existenz eines *weiblichen Blicks,* einer weiblich bestimmten Rezeptionsform von Bildern entgegengehalten. Im Gegensatz zu katholisch und feudal regierten Ländern sei im bürgerlichen Holland der Ort der Malerei das private Heim gewesen und dieser private Raum sei weiblich bestimmt. Honig meint, dass schon bei der Produktion von Kunst ein weiblicher Rezipient antizipiert worden sei und dass Frauen zumindest mitbeteiligt waren an der Auswahl und dem Kauf der Werke, die dann in ihren häuslichen Gemächern hingen.[91] Ihrer Aufforderung, die konkrete geschlechtsspezifische Rezeption holländischer Malerei zu untersuchen, sind nun Klaske Muizelaar und Derek Phillips gefolgt; sie haben versucht über eine sozialhistorisch orientierte Durchforstung von schriftlichen Quellen, Inventaren, aber auch konkreter Inneneinrichtungen diese These zu untermauern.[92] Dieser Versuch ist gescheitert; es ließen sich keine Quellen finden, die geschlechtsspezifisch unterschiedliche Rezeptionsformen dokumentieren. Die beiden Autoren vertreten die Ansicht, dass die Rezeption der Gemälde unterschiedlich war, abhängig vom sozialen Stand, vom Bildungsniveau und vom jeweiligen Geschlecht. Sie verwehren sich gegen die Verabsolutierung des *männlichen Blicks* ebenso wie gegen die Überbetonung eines *weiblichen Blicks*. Diese Auffassung scheint durchaus plausibel, kann aber eben leider durch keine Quellen untermauert werden.[93] Wir werden somit wieder auf die Analyse der konkreten Bilder verwiesen – was die beiden Autoren konsequent vermeiden.

87 Otto Pächt, Rembrandt, München 1991, S. 126f, 155, 171f, 177, 183.
88 Hentschel 2001.
89 Siehe dazu u. a. Wolfgang Kemp, (Hg.), Der Betrachter ist im Bild. Kunstwissenschaft und Rezeptionsästhetik, Köln 1985; Wolfgang Kemp, Kunstwerk und Betrachter: Der rezeptionsästhetische Ansatz, in: Hans Belting, Heinrich Dilly, Wolfgang Kemp, Willibald Sauerländer (Hg.), Kunstgeschichte. Eine Einführung, Berlin 2003 (1985), S. 247–265; Mieke Bal, Norman Bryson, Semiotics and Art History, in: Art Bulletin 73/2, 1991, S. 176–208.
90 Stellvertretend sei hier lediglich verwiesen auf (mit weiterführender Bibliografie): Sigrid Schade, Silke Wenk, Inszenierungen des Sehens. Kunst, Geschichte und Geschlechterdifferenz, in: Hadumond Bussmann, Renate Hof (Hg.), Genus, Stuttgart 1997, S. 340–407.
91 Elizabeth Alice Honig, The Space of Gender in Seventeenth-Century Dutch Painting, in: Wayne Franits (Hg.), Looking at Seventeenth-Century Dutch Art. Realism Reconsidered, Cambridge University Press 1991, S. 187–201, insbes. 193–195.
92 Muizelaar, Phillips 2003.
93 Für die Literatur beziehungsweise das Theater hat Agnes Sneller geschlechtsspezifisch unterschiedliche Rezeptionsweisen plausibel und überzeugend dargelegt: A. Agnes Sneller, Passionate Drama. Coster's *Polyxena* re-read, in: Dutch Crossing 25/1, 2001, S. 78–88.

Kehren wir zu Rembrandts *Susanna* zurück. Im Sinne der Rezeptionsästhetik sind unterschiedliche Betrachterpositionen möglich, die sich durchaus auch in *einem* Betrachter (einer Betrachterin) vermischen können: einmal eine ‚weibliche' Betrachterposition, also eine Identifikation mit den Ängsten und der Abwehr der Susanna. Umgekehrt ist auch eine Bildwirkung denkbar, die die Lust des männlichen Betrachters an seiner Machtposition und an der Inszenierung von Scham bei der überraschten Susanna stimuliert. Eine dritte Lesart könnte eine männliche Position im Sinne einer Spiegelung sein: der Betrachter, der sich an die Stelle der Alten imaginiert im Bewusstsein, dass diese für ihr Tun anschließend zu Tode gesteinigt worden sind. Die Plausibilität dieser Form der Rezeption wird durch zeitgenössische Quellen gestützt. Jacob Cats reflektiert anhand eines Bildes mit Diana und Aktaion das Erschrecken des Betrachters, der realisiert, dass er eigentlich in der gleichen Position ist wie Aktaion.[94] Das Bild kann so gelesen werden, dass die in unserer Kultur übliche Blickkonstellation und die darin implizierte Machtstruktur bewusst wird und somit auch kritisch reflektiert werden kann.

Gelächter über das Blick-Karussell – *Das Bad der Diana mit Aktaion und Kallisto*

Die Komplexität des Blicks in der Spannung zwischen lustvollem und verletzendem, ja todbringendem Sehen hat Rembrandt immer wieder beschäftigt, so bereits in seinem Frühwerk *Das Bad der Diana mit Aktaion und Kallisto* von 1634 **(Taf. 4)**.[95] Die beiden Geschichten Diana und Aktaion und Diana entdeckt die Schwangerschaft von Kallisto sind in Ovids Metamorphosen zwei unabhängige Erzählungen und wurden in der Bildtradition üblicherweise nicht zu einem Bild verbunden.[96] Die Geschichte von Aktaion erzählt von einem Jäger, der zufällig ohne eigenes Zutun Diana und ihre Gefährtinnen nackt beim Bade überrascht; als Rache, weil er als Sterblicher sie nackt gesehen hat, bespritzt ihn die Göttin mit Wasser und verwandelt ihn dadurch in einen Hirsch, der anschließend von seinen eigenen Hunden zerfleischt wird. In der anderen Geschichte geht es um Kallisto, eine Nymphe in Dianas Gefolge, die von Jupiter in Verkleidung der Diana vergewaltigt worden war. Als sie sich beim gemeinsamen Bad nicht ent-

94 Busch 1989, S. 274.

95 RRP 2. Bd., 1986 S. 487–494; Sluijter 1986, S. 90–94, 195–197; Busch 1989, S. 257–275; Grohé 1996, S. 195–223; Janicek 2004; Sluijter 2006, S. 165–193; Daniela Hammer-Tugendhat, Alterität und Persistenz. Rembrandt und die antiken Geschichten, in: Jan Bloemendal, Agnes Sneller, Mirjam de Baar (Hg.) Bronnen van inspiratie. Recepties van de klassieken in de vroegmoderne Nederlanden in muziek, literatuur en beeldende kunst, Hilversum 2007, S. 77–97.

96 Aktaion: Ovid Met. III, 155–257, Kallisto: Ovid Met. II, 401–495. Busch (1989, S. 271) sieht in Sandrarts Schilderung eines (verlorenen) Bildes von Lanfranco, in dem beide Szenen verbunden gewesen sein sollen, eine mögliche Anregung für Rembrandt; Grohé (1996 S. 213f) verweist auf eine Silberkanne und Schüssel von Paulus van Vianen, auf der beide Episoden verbildlicht wurden, jedoch nicht in einer Szene, sondern jeweils auf unterschiedlichen Seiten. Es gibt allerdings ein Beispiel, das von der Forschung bislang nie mit Rembrandt in Zusammenhang gebracht worden ist: es ist ein Kupferstich von Nicaise de Ruyter von 1688, in welchem tatsächlich beide Episoden verknüpft sind, allerdings haben sie formal nichts mit dem Bild von Rembrandt zu tun. Der Entwurf der Grafik wird Cornelis Cornelisz. zugeschrieben. Wenn dies zutrifft, würde es bedeuten, dass die bildliche Verknüpfung der beiden Szenen bereits vor Rembrandt vollzogen worden ist. Ich danke Anthea Niklaus für den Hinweis auf ihren Katalogtext zu Nicaise de Ruyter in: Ausstellungskatalog, Es muß nicht immer Rembrandt sein. Die Druckgrafiksammlung des Kunsthistorischen Instituts der Universität München, hrsg. von Robert Stalla, München, Berlin 2001 S. 150, Abb. S. 151. Sluijter (1986 S. 195) hat zu Recht auf die Verwandtschaft der beiden Themen und ihrer spezifischen Schilderung bei Ovid verwiesen: „In beide beschrijft Ovidius een zeer

kleiden will, ziehen ihr die Nymphen die Kleider vom Leibe und machen ihre Schwangerschaft sichtbar. Diana verstößt sie und die eifersüchtige Juno verwandelt sie nach der Geburt ihres Sohnes Arkas in eine hässliche Bärin. Als der herangewachsene Jüngling auf die Bärin trifft, erkennt er seine Mutter nicht und will sie töten; aber da erbarmt sich Jupiter und hebt beide als Sterne in den Himmel, wo wir sie heute noch als Großer und Kleiner Bär am Himmel leuchten sehen.

In beiden Geschichten geht es unter anderem um die todbringenden Folgen des Sehens: Aktaion kostet sein (zufälliger) Blick auf die nackte Diana das Leben. Aber nicht nur lustvolles Sehen kann tödlich sein; Dianas kalter, keuscher Blick auf Kallistos Schwangerschaft bringt diese ins Verderben.

Das auffallendste Merkmal und der größte Tabubruch in diesem Bild ist bemerkenswerter Weise von der Forschung bislang kaum beachtet oder überhaupt mit Stillschweigen übergangen worden. Am rechten Bildrand in der Gruppe der Nymphen, die Kallisto gewaltsam zu entblößen versuchen, um Diana deren unerlaubte Schwangerschaft zu demonstrieren, steht aufrecht eine Nymphe, deren ganzer nackter Körper sich vor Lachen biegt **(Taf. 4, Detail)**. Ihr geöffneter Mund lässt die obere Zahnreihe sichtbar werden. Lediglich Busch geht in seiner monografischen Abhandlung zu dem Bild über eine bloße Konstatierung der ungewöhnlichen Gestik hinaus; er führt die Drastik der Gebärde auf den Einfluss des für alle nachfolgenden kunsttheoretischen Schriften maßgeblichen Textes *De pictura* von Alberti zurück.[97] Somit würde es Rembrandt lediglich darum gehen, die Gemütsbewegung, die sich im Lachen entäußert, in einer möglichst drastischen Körperbewegung zu visualisieren. Diese Interpretation greift meines Erachtens zu kurz und bleibt einem immanenten Kunstdiskurs verhaftet. Das Motiv des Lachens entspricht nicht der textlichen Vorlage der Kallisto-Geschichte und lässt sich auch ikonografisch nirgends nachweisen. Es gibt, soweit ich sehe, keine vergleichbare Figur, weder in Rembrandts eigenem Werk geschweige denn bei anderen Künstlern: eine nackte weibliche Figur in einem Historienbild (!), deren ganzer Körper durch exzessives Lachen bestimmt ist.[98]

Das Lachen der Nymphe lässt sich vielleicht als Kommentar zu dem gesamten Bild interpretieren und nicht lediglich als Schaden-

verwante, uitgesproken idyllische omgeving en is het ontkleed zijn van Diana en haar nimfen essentieel voor het verhaal; in beide verhalen wordt de idylle verstoord door een inbreuk op de kuisheid van deze maagden, die meedogenloos wordt gestraft."

97 Busch 1989, S. 263ff. Spannend wäre es, zeitgenössische Theorien zum Lachen einzubeziehen wie von Erasmus oder Juan Vives. Besonders nahe zu Rembrandts Auffassung scheint mir die Passage im *Traité sur les passions de l'âme* von René Descartes zu sein, die allerdings erst 1649 erschienen ist. Descartes sieht zwei mögliche Ursachen für das Lachen: Freude, vermischt mit der Überraschung der Verwunderung („surprise de l'admiration"), oder Hass, vermischt mit der Überraschung der Verwunderung. Lachen ist somit nicht nur Ausdruck der Freude, sondern oft auch des Hasses, verursacht durch Verblüffung, wenn man auf etwas Überraschendes stoße. (René Descartes, Traité sur les passions de l'âme. Die Leidenschaften der Seele. Französisch-Deutsch, hrsg. und übersetzt von Klaus Hammacher, Hamburg 1996, 2. Teil, Artikel 124–126, S. 189f.

98 Im Gegensatz zum Historienbild gibt es in holländischen Genrebildern häufig Darstellungen von lachenden Figuren, so bei den Utrechter Caravaggisten, bei Frans Hals oder bei Judith Leyster. Judith Leyster war geradezu spezialisiert auf die Darstellung lachender Figuren; in ihrem Werk gibt es allerdings nur eine lachende weibliche Figur und zwar lediglich im Hintergrund der *Fröhlichen Gesellschaft* von 1629–31 (London, Maastricht, Slg. Noortman). Die Lachenden in ihren Bildern sind Männer und Kinder, Frauen lächeln. (Zu diesem Ergebnis kam Christa Gattringer in ihrem Beitrag zu Judith Leyster im Rahmen meines Seminars *Affekt / Gefühl / Imagination. Der Beitrag der holländischen Malerei des 17. Jahrhunderts zur Bildung von Subjektivität in der Frühen Neuzeit* am KHI der Universität Wien im SS 2006.)

Taf. 4 + Detail: Rembrandt, Das Bad der Diana mit Aktaion und Kallisto, 1634, Öl/Leinwand, Anholt, Sammlung des Fürsten zu Salm-Salm, Museum Wasserburg

freude gegenüber Kallisto.[99] Bei Ovid als tragisches Schicksal ohne eigenes Verschulden geschildert, wird die Figur des Aktaion bei den christlichen Kommentatoren didaktisiert und moralisiert. Bei van Mander, Cats und anderen niederländischen Literaten wird die Geschichte zu einem *exemplum* für die Gefährlichkeit des Sehens. Die Figur des Aktaion wird in diesem Diskurs über die Moralisierung des Sehens zur Identifikationsfigur schlechthin für den Betrachter. Grohé hat sehr schlüssig die unterschiedlichen Blickstrukturen in dem Bild analysiert und die „Verbotene[n] Genüsse, unerlaubte Blicke und die Einbeziehung des Betrachters" als grundlegende Elemente, die beide Geschichten bestimmen und verbinden, beschrieben.[100] Auf die lachende Nymphe geht er nicht ein. Rembrandt hat ihr in der Komposition einen prominenten Platz eingeräumt: Sie bildet gleichsam den rechten äußersten Punkt des Dreiecks, das sich über die Diagonale der Nymphen zur ältesten Nymphe ergibt und dann als weitere Diagonale in die Raumtiefe von Diana zu Aktaion führt. Formal bilden die lachende Nymphe und Aktaion gleichsam die Eckpunkte der Komposition. Die Göttin Diana wendet sich Aktaion zu, den sie mit dem verwandelnden und damit todbringenden Wasser bespritzt. Durch die dadurch bedingte Drehung bietet Diana ihren nackten Körper (der bei Todesstrafe nicht gesehen werden darf) in voller Ansicht dem Betrachter dar. Diese zufällige, von Diana nicht realisierte Entblößung entbehrt nicht einer gewissen Komik.[101] Diana straft den, der sie nackt gesehen, mit dem Tode, durch eben diesen Akt der Strafe entblößt sie sich für den Betrachter. Könnte sich das Lachen der Nymphe vielleicht auch auf dieses ganze Blick-Karussell beziehen? Ein irrwitziges Gelächter über Blickverbote und Gesetze, die zum Tode führen? Lacht die Nymphe stellvertretend für den Betrachter? Aber der Betrachter wird sich wohl kaum mit diesem unverschämten Wesen identifizieren wollen. Ich denke, die Nymphe ist mehrfach lesbar: als burleske Negativfigur, die so – und nur so – herrschende Moralvorstellungen verlachen kann und somit dem Betrachter ermöglicht, dies auch zu tun; andererseits aber kann sich der Betrachter von dieser unflätigen Figur auch distanzieren. Diese Doppeldeutigkeit hat im Narren und verwandten Figuren durchaus eine Tradition, die bis ins späte Mittelalter zurückreicht. Das Lachen könnte aber auch als Kommentar zum Voyeurismus des Betrachters gelesen werden, der sich an der brutalen Entblößungsszene ergötzt. Die ganze Kallisto-Gruppe entspricht nicht der Tradition. Die Betrachter, gewöhnt, sich an den räkelnden weiblichen Akten zu erfreuen bei gleichzeitiger Häme gegenüber dem Schicksal der Kallisto, werden somit mehrfach irritiert: statt anmutiger Posen nackte Frauen, deren handgreifliche Brutalität dem Knäuel der raufenden Hunde entspricht und die in dieser Drastik so nie repräsentiert worden sind. Durch die Konfrontation mit der Nymphe und Aktaion kann der Betrachter sein eigenes (voyeuristisches, wollüstiges) Schauen erkennen, das höhnische Lachen wird ihm gleichsam als sein eigenes gespiegelt.[102] Die vielfältige Palette zu schauen und zu reagieren ermöglicht es dem Betrachter aber auch, sich mit der sitzenden Rückenfigur rechts außen zu identifizieren, die mit der lachenden Nymphe gleichsam eine Doppelfigur bildet. Sie wendet sich zurück (sie bindet formal die beiden Szenen zusammen), die Hand schützend über den Augen und blickt ruhig auf Aktaion: nicht verängstigt, nicht wertend, nicht reagierend – ein reines Schauen.[103]

Das entgrenzte Lachen zerstört allemal die traditionelle Deutung im Sinne moralischer Didaktik. Es scheint mir bemerkenswert, dass die KunsthistorikerInnen ausgerechnet diese Figur in ihren Interpretationen ausgespart haben.[104] Abgesehen davon, dass die lachende Nymphe offensichtlich nicht einzuordnen oder abzuleiten ist, verweist diese Leerstelle auf den Hang mancher Ikonologen, Bilder als Illustrationen von Texten, vorzugsweise von didaktisch-moralischen, zu deuten – wenn keine genau passende Textstelle zu finden ist, fehlt das Instrumentarium der Interpretation und die Figur ‚existiert' nicht. Die lachende Nymphe ist ein Hinweis, dass Bilder keine Morallehren sind, sondern dass in der Kunst im Unterschied zu einem Ausschließlichkeit fordernden oder gar voraussetzenden normativen Diskurs zumindest die Möglichkeit besteht, Ambivalenzen und Widersprüche ins Bild zu bringen und somit zu

99 Lachen statt Strafen als Kommentar zu einer sexuellen Übertretung könnte auch durch eine Geschichte in Homers Odyssee oder Ovids Metamorphosen inspiriert worden sein, in welcher Vulkan Mars und Venus in flagranti beim Ehebruch ertappte und sie gefangen in seinem hauchdünnen Netz dem Gelächter der Götter auslieferte, ein Lachen, das als *homerisches Gelächter* überliefert ist. Hammer-Tugendhat 2007, S. 83f.

100 Grohé 1996, S. 218.

101 Janicek (2004 S. 58) hat in ihrer Diplomarbeit in diesem Zusammenhang auf Freuds Analyse des Komischen im Sexuellen und Obszönen hingewiesen: „Eine zufällige Entblößung wirkt auf uns komisch, weil wir die Leichtigkeit, mit welcher wir den Anblick genießen, mit dem großen Aufwand vergleichen, der sonst zur Erreichung dieses Zieles erforderlich wäre." (Freud, Der Witz und seine Beziehung zum Unbewußten, Frankfurt a. M. 1992, S. 234.)

102 In dem späten Selbstporträt (ca. 1662–1669) in Köln zeigt sich Rembrandt als lachender Alter. Albert Blankert (Rembrandt, Zeuxis and the Ideal Beauty, in: Album amicorum J. G. van Gelder, Den Haag 1973, S. 32–39) hat die überzeugende These aufgestellt, dass Rembrandt sich hier als Zeuxis darstellt, der nach antiker Überlieferung eine hässliche Frau zu malen hatte und dabei so heftig lachen musste, dass er starb. Das am linken Bildrand sichtbare Profil und ein Bild des Rembrandtschülers Arent de Gelder zu diesem Thema stützen diese These. Trotz unterschiedlicher Thematik zeugt dieses späte Selbstporträt von einer spezifischen Bedeutung des Lachens in Rembrandts Werk, die für die Interpretation des Dianabildes von Relevanz sein könnte und in der Verknüpfung von Selbstreflexion, Reflexion der Malerei zwischen Repräsentation idealer Schönheit oder (hässlicher) Realität und Tod genauer untersucht werden müsste.

103 Busch 1989, S. 271ff (und ihm folgend auch Grohé 1996, S. 209ff und Janicek 2004, S. 42ff) verweisen auf die beiden Alten, die in dem stark abgedunkelten Hintergrund aus dem Wald auftauchen, und interpretieren sie als innerbildliche Spiegelung des Betrachters im Sinne des *reinen Sehens*. Sie gehen davon aus, dass es sich um einen Mann und eine Frau handelt (Busch: vielleicht Philemon und Baucis) und dass beide auf die Szene blicken. Bei genauem Studium des Originals ist mir aufgefallen, dass es sich wohl um zwei Frauen mit Tüchern um den Kopf handelt, die linke hat ihren Blick nicht auf die Szene gerichtet, sondern blickt hinauf in Richtung Himmel.

104 Zur kurzen Erwähnung bei Busch 1989 S. 263, siehe Anm. 97.

thematisieren. Im Feld der Literatur finden sich durchaus analog die *Kluchten,* die in der ersten Hälfte des 17. Jahrhunderts in Holland so beliebten Schwänke und Farcen. Van Stipriaan hat die erkenntnistheoretische Dimension des Lachens in den *Kluchten* analysiert.[105] Calvinistische Theologen verurteilten das Lachen, und mit dem wachsenden französischen Einfluss und der moralisierenden Kritik von Andries Pels wurde das Lachen ab den 1670er Jahren aus dem Amsterdamer Theater vertrieben. Die Brisanz entsprechender Bilder wurde von den Zeitgenossen durchaus realisiert; dies belegen die vielen zeitgenössischen Quellen von Erasmus, van Mander, Cats, Hoogstraten, Lairesse und anderen, die diese Werke zum Teil vehement kritisierten und ablehnten.[106] Rembrandts *Diana mit Aktaion und Kallisto* verstößt auf mehreren Ebenen gegen das *Decorum* und gegen den *Erwartungshorizont*[107] der Zeitgenossen; der Kanonverstoß bewirkt Irritation und zwingt zum Nachdenken: über die möglichen Gründe und die Bedeutung der Verknüpfung der beiden unabhängigen Geschichten, über das nicht einzuordnende und ungehörige Gelächter der Nymphe, über moralisierende Blickverbote und ihre tödlichen Folgen.

Wo sind all die Männer hin, wo sind sie geblieben?

Kehren wir abschließend zur *Bathseba* zurück. Wir konnten feststellen, dass Rembrandt eine alternative Konzeption von Weiblichkeit erarbeitet hat, in der Individualität, Subjektivität (Nachdenklichkeit) mit Nacktheit und Erotik verbunden sind. Wir konstatierten, dass dies eine Überschreitung des dichotomen Weiblichkeitsmusters darstellt und wir überprüften und erweiterten unsere Beobachtungen an dem Bild *Frau im Bett.* Auch bei der *Susanna,* traditionell ein Objekt männlicher Begierde, konnten wir eine erstaunliche Empathie mit Susanna erkennen. Ein großartiger Befund! Aber was ist mit den männlichen Protagonisten? Wo sind sie? Wo ist im Bild der Bathseba König David, der vom Text nicht nur gefordert, sondern die Hauptfigur ist und in einer jahrhundertelangen Bildtradition auch präsent war?[108] König David und seine Macht sind durchaus gegenwärtig, aber lediglich in der metonymischen Form des Briefes. David ist anwesend als unsichtbarer Text, als geschriebenes Wort, ist Logos, aber nicht Körper. Angesichts der Bedeutung, die Rembrandt der Repräsentation von Worten beimaß[109], wird die leibliche Absenz des männlichen Protagonisten noch brisanter. Der ‚leibliche' König David ist aus dem Feld der Repräsentation aus- und gleichsam vor das Bild gewandert und verschmilzt mit der Position des Betrachters. Anders ausgedrückt: der Betrachter wird zu König David; so wie dieser blickt er auf die wunderschöne Bathseba, die sich seinen Augen darbietet. Aus den Forschungen der Rezeptionsästhetik wissen wir, dass Bilder auch eine bestimmte Form der Rezeption vorgeben, einen Betrachter produzieren.[110] Da der Betrachter König David ‚ersetzt', ist dieser Betrachter dezidiert männlich gedacht.[111] Auch bei der Darstellung der Susanna wird die bildinterne männliche Figur durch den Betrachter ersetzt. Bei der *Susanna* wird im Unterschied zur *Bathseba* die prekäre voyeuristische Position des

Betrachters durch den Blick der weiblichen Bildfigur aus dem Bild auf den Betrachter problematisiert. Bei der *Frau im Bett* richtet sich der Blick der weiblichen Figur auf einen männlich gedachten Protagonisten außerhalb des Bildes, der aber nicht mit dem realen Betrachter identisch ist. Das Thema bei *Bathseba* und *Susanna* ist das Schauen. König David erblickt Bathseba, die Alten Susanna, durch den Blick wird ihr Begehren entfacht; der Betrachter wiederholt somit mit seinem Blick auf das Bild ihr Tun – mit dem entscheidenden Unterschied, dass es eben ein Bild und keine reale Frau ist. Aber die Frage nach den männlichen Protagonisten verändert auch den Blick auf die weiblichen Figuren, auch wenn die männlichen Protagonisten unsichtbar gemacht worden sind. Wenn man lediglich von einer *Frauenkunstgeschichte* ausgeht und die Analyse auf das Weiblichkeitsbild beschränkt, kommt die eigentliche Problematik nicht ins Bewusstsein. Die Frage nach dem Geschlechterverhältnis beziehungsweise nach der Geschlechterdifferenz richtet das Augenmerk auf das relationale Verhältnis zwischen den Geschlechtern. Ebenso wichtig wie die Frage, was wie dargestellt ist, ist die Frage, wer oder was in welchen Zusammenhängen unsichtbar gemacht wird, nicht mehr Gegenstand der Repräsentation ist.

Bei *Bathseba* und *Susanna* wird der männliche Protagonist vom gemalten Objekt des Bildes zum betrachtenden Subjekt vor dem Bild. Es gibt nun aber Bilder, deren Themen nicht das Schauen sind, sondern einen männlichen Protagonisten bedingen, der dennoch nicht repräsentiert wird. Die sich daraus ergebende Problematik soll am Beispiel der *Lucretia* vorgeführt werden.

Zum Diskurs über Vergewaltigung – *Lucretia*

Der herrschende Diskurs über Vergewaltigung[112] wird bis zum heutigen Tage von der römisch-antiken Figur der Lucretia mitgeprägt. Diese erstaunliche Tatsache wird durch die vor kurzem erschienene Dissertation von Jan Follak „Lucretia zwischen positiver und negativer Anthropologie. Colluccio Salutatis *Declamatio Lucretie* und die Menschenbilder im *exemplum* der Lucretia von der Antike bis in die Neuzeit" eindrucksvoll vorgeführt.[113] Es ist aufschlussreich,

105 René van Stipriaan, Leugens en vermaak. Boccaccio's novellen in de kluchtkultuur van de Nederlandse Renaissance, Amsterdam 1996.

106 Siehe Anm. 74; Sluijter 2006.

107 Amy Golahny (Rembrandt's Europa. In and Out of Pictorial and Textual Tradition, in: Luba Freedman, Gerlinde Huber-Rebenich (Hg.), Wege zum Mythos, Berlin 2001, S. 39–55, hier S. 50f) beschreibt in ihrer Analyse von Rembrandts *Raub der Europa* die Einhaltung des aristotelischen Konzeptes der Wahrung der Einheitlichkeit der Handlung und damit der Zeit als kulturelle Norm, an die sich Rembrandt gehalten habe. Er stehe damit innerhalb des „horizon of expectations" (Golahny verweist auf H.R. Jauss, Toward an Aesthetic of Reception, Minneapolis 1982, S. 11).

108 Die unmittelbaren Vorläufer Rembrandts Cornelisz. van Haarlem, Elsheimer und Lievens hatten David bereits eliminiert.

109 Julius Held, Das gesprochene Wort bei Rembrandt, in: Otto von Simson, Jan Kelch, Neue Beiträge zur Rembrandt-Forschung, Berlin 1973, S. 111–125; Christiane Häslein, Am Anfang war das Wort. Das Ende der „stommen Schilderkonst" am Beispiel Rembrandts, Weimar 2004.

110 Kemp 1985 und 2003.

111 Schade, Wenk 1997 mit weiterführender Bibliografie.

112 Forschungsliteratur zum Thema Vergewaltigung siehe die ausgezeichnete Bibliografie im Netz, zusammengestellt von Stefan Blaschke: The History of Rape: A Bibliography: http://de.geocities.com/history_guide/horb/index.html; Christine Künzel, Gewalt/Macht, in: Christina von Braun, Inge Stephan (Hg.), Gender@Wissen. Ein Handbuch der Gender-Theorien, Köln 2005, S. 117–138.

113 Die Dissertation wurde an der Universität Konstanz im Fachbereich Literaturwissenschaft 2002 abgeschlossen und ist im Internet zu finden unter: http://www.ub.uni-konstanz.de/kops/volltexte/2002/914 (URN: urn:nbn:de:bsz:352-opus-9144).

dass ausgerechnet Lucretia, deren Vorbildfunktion sich dem Umstand verdankt, dass sie nach ihrer Vergewaltigung Selbstmord beging und damit zum Sturz des römischen Königtums beitrug, zum *exemplum* par excellence werden konnte. Von der Antike bis in die Neuzeit rangiert sie unter den *exempla*, den beispielhaften Geschichten, die Norm- und Wertvorstellungen tradierten, mit an erster Stelle. Sie kann mit Fug und Recht als Inkarnation der Vorstellung einer – im Unterschied zur himmlischen Gottesmutter Maria – ‚realen' Idealfrau gelten. Follak beschreibt den mit der Moderne einsetzenden Bedeutungsverlust der *exempla*, deren Erklärungsleistung nun aber von den modernen Wissenschaften geleistet werde. Da das Bildungswissen verloren gegangen sei, müsse die Wissenschaft, teils durch langwierige empirische Untersuchungen, diese anthropologischen Wahrheiten erst wieder neu entdecken. Das Verhalten von Frauen nach einer erfolgten Vergewaltigung habe bereits Coluccio Salutati im 14. Jahrhundert adäquat beschrieben, sodass, so Follak:

> seine [Salutatis] Darstellung des Verlaufs und der Folgen einer Vergewaltigung zu fast denselben Ergebnissen kommt wie die moderne psychologische Forschung, die das Phänomen auf empirischem Weg zu beschreiben versucht. Dies lässt sich durch einen Vergleich zwischen Salutatis *Declamatio* und den Forschungen zum *Rape Trauma Syndrome* nachweisen, die in den siebziger Jahren des 20. Jahrhunderts in den USA unternommen werden. Gestützt auf empirische Erhebungen wird ein Phänomen neu benannt und beschrieben, das zu Salutatis Zeit selbstverständlich mit dem *exemplum* der Lucretia verbunden ist. [...] Teilweise sind die Handlungsmuster, die die Forscherinnen bei den befragten Vergewaltigungsopfern beobachten, fast identisch mit Aussagen, die Salutati seine Lucretia in der *Declamatio* machen läßt. Weit entfernt davon, gänzlich neue Erkenntnisse zu liefern, entdecken Burgess und Holmstrom lediglich das Wissen neu, was zuvor im *exemplum* der Lucretia bereits ohnehin vorhanden war.[114]

Zu den Reaktionen von Vergewaltigungsopfern, wie sie im *Rape Trauma Syndrome* ebenso wie bereits bei Salutati beschrieben werden, gehören insbesondere Angst, Scham, Verlegenheit sowie Wut, Rachewünsche und Schuldgefühle. Bei Salutati sind es in erster Linie die Schuldgefühle, die Lucretia zu dem Entschluss bringen, sich umzubringen. Follak zieht folgende Schlussfolgerung aus dem Vergleich zwischen Salutatis Schrift und der amerikanischen Studie:

> Wie die Vergewaltigungsopfer der Studie von Burgess und Holmstrom sucht auch Lucretia bei sich selbst nach Gründen dafür, wie es zur Tat kommen konnte.[115]

Das Gefühl von Schuld scheint bei Salutati vor allem durch mögliche Gefühle der Lustempfindung während der Vergewaltigung begründet und durch die Angst, ‚korrumpiert' worden zu sein und im künftigen Leben selbst von fleischlicher Lust bestimmt zu werden.

Es sind zwei Aspekte, die in dieser Rede über vergewaltigte Frauen besonders auffallen und die in der Tat immer noch die politische und juristische Praxis mitbestimmen. Es sind dies die ‚Diagnose' von Scham bei den Opfern und die damit verknüpfte Vorstellung einer Mitschuld an der Tat, die durch angeblich sexuell provozierendes Verhalten beziehungsweise Lustgefühle während der Vergewaltigung begründet wird. Es ist hier nicht der Ort auf den aktuellen Umgang mit dem Phänomen sexueller Gewalt einzugehen, erinnert sei lediglich an die grausame Aktualität im Bosnienkrieg Mitte der neunziger Jahre des 20. Jahrhunderts und die permanenten Freisprüche in Vergewaltigungsprozessen. Im Gegensatz zu Jan Follak gehe ich nicht davon aus, dass die *exempla* anthropologische Wahrheiten beschreiben, sondern im Gegenteil, dass sie Norm- und Wertvorstellungen *produzierten*, die über eine *longue durée* verinnerlicht wurden und bis heute reproduziert werden. *Exempla* in Form von normativen aber auch von literarischen Texten und Bildern haben wesentlich dazu beigetragen, dass es zu dem abstrusen Phänomen kommen konnte, dass die Opfer sich an der eigenen Zerstörung auch noch mitschuldig fühlen müssen. Wenn Salutati seine Lucretia die Schönheit ihres eigenen Körpers als Anlass für die Vergewaltigung anklagen und Zweifel hegen lässt, ob sie nicht doch wider Willen Lust empfunden habe und befürchten müsse, künftig selbst „Freude am Schändlichen" zu haben, und ihr die Worte in den Mund legt „nichts ist wechselhafter als die Frau"[116], so sind dies nicht, wie Follak zu glauben scheint, authentische Erfahrungen einer vergewaltigten Frau, sondern es ist ein Text, der von einem Mann geschrieben wurde und in einer langen patriarchalen Tradition steht. Und wenn Frauen nach ihrer Vergewaltigung nicht zum Richter gehen, ist dies weniger in einer angeblich angeborenen Scham begründet, sondern in der Angst vor einer inquisitorischen Befragungspraxis und in der schieren Tatsache, dass die Vergewaltiger nicht nur oft freigesprochen werden, sondern dass die Klägerin mit einer Verleumdungsklage rechnen muss.[117] Allerdings beeinflusst der Diskurs über Vergewaltigung sicherlich auch die Interpretation der eigenen Erfahrung bei den betroffenen Frauen.[118]

Lucretia – was ist das für eine Geschichte[119], die über Jahrhunderte mit ihren Texten und Bildern die Vorstellungen so formen konnte, dass sie bis zum heutigen Tage von Wissenschaftlern als anthropologische Wahrheit

114 Follak 2002, S. 183f.
115 Ebd. S. 186.
116 Ebd. S. 122.
117 Ein aktuelles Beispiel (unter sehr vielen anderen): Im Lager für Asylanten in Traiskirchen bei Wien 2005 wurde trotz offensichtlicher Beweise der angezeigte Wachmann, der nachweislich im betrunkenen Zustand eine Asylwerberin aus Kamerun in einem Büroraum eingesperrt hatte und selbst zugab, sexuellen Verkehr mit ihr haben zu wollen, vom Tatbestand der Vergewaltigung freigesprochen; ihr hingegen wurde mit einer Klage wegen Verleumdung gedroht, auf die bis zu fünf Jahre Haft stehen. Siehe dazu den *Kommentar der Anderen* in der Zeitung *Der Standard* vom 21. Juni 2005.
118 Zum diskursiven und historisch bedingten Charakter von *Erfahrung*: Joan Scott, The Evidence of Experience, in: Critical Inquiry, Bd. 17 (summer) 1991, S. 773–797.
119 Zur Geschichte der Lucretia siehe insbesondere die beiden Monografien: Hans Galinsky, Der Lucretia-Stoff in der Weltliteratur, Breslau 1932 und Ian Donaldson, The Rapes of Lucretia. A Myth and its Transformations, Oxford 1982. Siehe auch die gut recherchierte Bibliografie bei Follak 2002, die der Autor erstaunlicherweise kaum in seine eigenen Überlegungen einbezieht.

akzeptiert wird? Wie ist es möglich, dass Selbstmord als die ideale Reaktion auf Vergewaltigung angesehen wurde und darüber hinaus dieses Opfer sexueller Gewalt zum Ideal von Weiblichkeit schlechthin avancieren konnte? Wenden wir uns also dieser Geschichte zu, die paradigmatisch geworden ist für den Diskurs über Vergewaltigung, und verfolgen wir kurz die unterschiedlichen Interpretationen dieses „archetypischen Vergewaltigungsopfers".[120]

Die Quellen und ihre Umdeutungen

Grundlegend für alle weiteren Verarbeitungen ist die Fassung in *Ab urbe condita* von Titus Livius aus dem ersten vorchristlichen Jahrhundert.[121] Während der Belagerung der Stadt Ardea vertrieben sich die Söhne des römischen Königs Tarquinius Superbus mit ihren Feldherren abends die Zeit bei Speis' und Trank und Lobreden über ihre Frauen. Collatinus, ein Verwandter des Königs, behauptete, seine Lucretia übertreffe alle anderen an Tugendhaftigkeit. Um die Wette zu überprüfen, ritten sie noch des Nachts nach Rom; sie fanden die Schwiegertöchter des Königs bei Gelagen; nur Lucretia saß noch mit der Wolle beschäftigt mit ihren Mägden bei der Arbeit. Den Königssohn Sextus Tarquinius reizte Lucretias Schönheit, aber mehr noch ihre Keuschheit. Er kehrte zu ihr zurück; sie bewirtete ihn ahnungslos. In der Nacht, als sie schlief, versuchte er ihr Gewalt anzutun und bedrohte sie mit seinem Dolch. Sie aber wehrte sich und zog es vor, zu sterben, als sich ihm hinzugeben. Da drohte er, nicht nur sie zu töten, sondern auch einen Sklaven, den er dann nackt neben sie legen wollte zwecks der Verleumdung, er habe beide in flagranti erwischt. Da erkannte Lucretia, dass sie ihre Ehre so nicht werde beweisen können, ließ sich sexuelle Gewalt antun, rief am folgenden Morgen ihren Vater, ihren Gemahl und Brutus, und mit den Worten „nur mein Körper wurde vergewaltigt, meine Seele ist unschuldig, der Tod ist mein Zeuge. Ich spreche mich frei von Sünde, aber nicht von der Strafe; keine Unkeusche soll sich je auf das Vorbild von Lucretia berufen können und leben" zog sie den Dolch, der unter ihrem Gewand verborgen war, rief zur Rache auf und tötete sich.[122] Dies führte zum Sturz des römischen Königtums im Jahre 510 v. Chr. Ihr Opfer ist die notwendige Legitimation für die Gründung der römischen Republik. Um Blutrache zu üben, muss Blut geflossen sein.

Bei Livius sind bereits die zentralen Wertbegriffe der Geschichte benannt: *gloria* (Ruhm), *pudicitia* oder *castitas* (Keuschheit, Tugendhaftigkeit) und *libertas* (Freiheit). Ruhm kann eine Frau (im großen Gegensatz zum Mann) lediglich durch ihre Keuschheit und ihren dadurch bedingten Freitod erreichen. Natürlich geht es dem römischen Geschichtsschreiber in erster Linie um *gloria*, um den Gründungsmythos von Rom. Aber dennoch entwirft er in diesem *exemplum* eine idealtypische Frauenfigur und ein idealtypisches Verhalten nach erfolgter Vergewaltigung. In der römischen Gesetzgebung wurde Vergewaltigung kaum anders behandelt als Ehebruch, in jedem Fall war es ein Eigentumsdelikt, die Frau war verunreinigt, vor allem aber war die Vaterschaft einer möglichen Nachkommenschaft nicht gesichert.[123] Bei Ehebruch war der Vater berechtigt, die Tochter zu töten. Da der Tatbestand der Vergewaltigung nur akzeptiert wurde bei äußerlichen Zeichen von Gewalt, Lucretia ja – wenn auch unter massivem Druck – nachgegeben hatte und prinzipiell die Aussagen einer Frau ohne Zeugen keine Gültigkeit hatten, konnte die Tat als Ehebruch ausgelegt werden.[124] Lucretia vollstreckt somit das Gesetz, das die Männergesellschaft an ihr hätte exekutieren können, gleichsam in Eigenregie; so wirkt ihr Tod nicht wie patriarchaler Zwang, sondern wie eine autonome Entscheidung. Valerius Maximus hat folgerichtig wenig später in seiner *exempla*-Sammlung, die für das Mittelalter und die Frühe Neuzeit von großer Bedeutung war, der Lucretia-Geschichte zwei weitere an die Seite gestellt, in denen die Väter ihre Töchter gleich selbst töten, im Falle von Virginia sogar prophylaktisch.[125] Neben Livius, Valerius Maximus und Plutarch war es allen voran Ovid, der für die weitere Rezeption des antiken Stoffes von Bedeutung war. Mit seiner poetischen Beschreibung in den *Fasti* rückt der heroische Aspekt zu Gunsten einer Erotisierung der Geschichte in den Hintergrund.[126] Statt erhabene verleiht Ovid Lucretia rührende Züge. In der ‚Geständnisszene' röten sich Lucretias Wangen und es fließen die Tränen. Lucretias Schönheit wird in einfühlsamen Beschreibungen versinnlicht und so Tarquins Begehren für den geneigten Leser nachfühlbar gemacht. Nach Galinsky kreiert Ovid den Prototyp des „Schönheitsberauschten", des Erotikers, der zum tragischen Frevler wird.[127] Es ist der Beginn einer Interpretation, die dazu führt, die Schuld an Vergewaltigung den Frauen und ihrer verführerischen Schönheit zuzuschieben.

Die frühen Christen wie Hieronymus übernahmen die Vorstellung, dass es für eine vergewaltigte Frau besser sei zu sterben, als entehrt weiterzuleben. (Weibliche) Keuschheit ist allemal wichtiger als der Tod. Lucretia wird zur Märtyrerin; ihr Selbstmord erinnert an den Opfertod Christi. Diese christianisierte Lucretia wird maßgeblich die künstlerische Darstellungsform im Spätmittelalter und in der Frühen Neuzeit bestimmen; so kann es dann geschehen, dass Lucretia-Bilder in Deutschland und den Niederlanden im 16. Jahrhundert der Ikonografie

120 Elizabeth Robertson, Public Bodies and Psychic Domains: Rape, Consent, and Female Subjectivity in Geoffrey Chaucer's Troilus and Criseyde, in: Elizabeth Robertson, Christine M. Rose, Representing Rape in Medieval and Early Modern Literature, New York 2001, S. 283.

121 Livius, Ab urbe condita I, 57–60; zu den römischen Quellen von Livius und griechischen Versionen siehe Galinsky 1932, S. 13; Follak 2002, S. 31.

122 Livius I, 58: „Ego me etsi peccato absolvo, supplicio non libero; nec ulla deinde impudica Lucretiae exemplo vivet."

123 Donaldson 1982 S. 24; Appleton (Trois épisodes de l'histoire ancienne de Rome: Les Sabines, Lucrece, Virginie, in: Revue historique de droît français et étranger, 4ème Ser. 3, Paris 1924. S. 193–271, hier S. 265) sieht die Ursache für Lucretias Selbstmord durch die Moral des römischen Hirtenvolkes begründet: „Qu'une femelle est gâtée pour toujours par le contact avec un mâle d'une race différente." Die Auffassung, dass es zwischen Ehebruch und Vergewaltigung praktisch keinen Unterschied gebe, hat sich auch in der katholischen Kirche gehalten. Anlässlich der beim Papst vorgebrachten und abgeschlagenen Bitte vergewaltigter Nonnen im Bosnienkrieg, die Foeten abtreiben zu dürfen, analogisierte der damalige Bischof von St. Pölten Dr. Kurt Krenn in einem Interview mit der Monatszeitschrift *Basta* Ehebruch und Vergewaltigung. In beiden Fällen handle es sich um eine „unordentliche Art der Zeugung". (Siehe *Der Standard* vom 1. 4. 1993, S. 4).

124 Dazu und vor allem zum Einfluss des römischen Rechts auf die Rechtssprechung über das Mittelalter bis ins 16. Jahrhundert: Elisabeth Koch, Maior dignitas est in sexu virli. Das weibliche Geschlecht im Normensystem des 16. Jahrhunderts, Frankfurt a. M. 1991, insbes. S. 100–102, 120.

125 Valerius Maximus, Facta et dicta memorabilia. Libri I–VI, hrsg. von John Briscoe, Stuttgart 1998, hier VI, 1, 2–3, 4.

126 Ovid, Fasti, 2. Buch, 721–852, (Festkalender), lateinisch-deutsch, auf der Grundlage der Ausgabe von Wolfgang Gerlach neu übersetzt und hrsg. von Niklas Holzberg, Zürich 1995.

127 Galinsky 1932, S. 15.

des Schmerzensmannes angeglichen werden.[128] Dies entspricht einem gleichsam magischen Denken, in dem Lucretias Opfer die Schuld hinwegspült. Aber wie soll es möglich sein, dass das Blut der unschuldigen vergewaltigten Frau die Schuld des Vergewaltigers tilgt? Diese wahnwitzige Verkehrung hat sich bis ins 20. Jahrhundert gehalten, so in einem Libretto von Ronald Duncan in der Oper *Lucretia* von Benjamin Britten 1946:

> Here in this scene you see:
> Virtue assailed by sin
> but with strength triumphing;
> All this is endless
> Crucifixion for him.
> Nothing impure survives,
> all passion perishes,
> virtue has one desire
> to let its blood flow
> Back to the wounds of Christ.[129]

Es würde hier zu weit führen, den Strukturen dieses Denkens nachzugehen, die zu den Wurzeln christlicher Religion führen mit ihrer archaischen Vorstellung, dass Schuld durch den Opfertod eines Unschuldigen gesühnt werden kann.[130]

Obwohl Augustin maßgeblich an der Ausarbeitung christlicher Opferideologie beteiligt war, war Lucretia für ihn keine Märtyrerin in einem christlichen Sinn. Er hatte ein Problem mit Lucretia. In seinem zwischen 413–415 geschriebenen ersten Buch von *De civitate Dei* befasste sich Augustin mit dem Fall Roms durch Alarich und die Westgoten 410. In diesem Zusammenhang war es zu Vergewaltigungen gekommen, viele der betroffenen Frauen brachten sich um. Es war also dieser konkrete historische Anlass, der Augustin am *exemplum* der Lucretia über die adäquate Reaktion von Frauen nach erfolgter Vergewaltigung nachdenken ließ. Bei Augustin zeigen sich deutlich die Differenzen und die Übereinstimmungen zwischen antiker und christlicher Auffassung. Der Wert weiblicher Keuschheit bleibt unbestritten, aber Selbstmord ist für ihn und die weitere christliche Auffassung eine Sünde. Lucretia hat sich selbst und damit eine Unschuldige getötet. Selbstmord ist im Christentum nicht mehr wie in der Antike ein heroischer Akt, der den Nachruhm sichert, sondern Mord an der Seele, Zeichen von Verzweiflung und damit von Unglaube. Auch wird das Heroische, der Ruhm prinzipiell nicht mehr als höchster Wert anerkannt. Es geht um innere Werte, um ein reines Gewissen gegenüber Gott. Sichtbar wird hier die Verschiebung von einer *shame culture* zu einer *guilt culture*.[131] Reinheit ist eine Frage des Geistes und nicht des Körpers. Wenn also Lucretia während der Vergewaltigung keinerlei Lustgefühle empfunden hatte, war sie unschuldig und hat dann aber eine Unschuldige ermordet. Hier entwickelt Augustinus nun aber einen Gedanken, der sich verheerend für die gesamte weitere Diskussion des Themas auswirken wird. Er denkt über die Gründe nach, die sie zum Selbstmord brachten; eine der möglichen Ursachen könnte in ihrer eigenen Schuld liegen:

> Was, wenn sie nämlich – was nur sie selbst hatte wissen können – auch durch ihre eigene Lust verführt, mit dem jungen Mann, obwohl er sie gewaltsam angriff, einer Meinung war und dies danach, als sie sich dann bestrafte, so sehr bedauerte, dass sie dies nur durch den Tod sühnen zu können glaubte?[132]

Und somit kommt Augustin zu dem Schluss:

> Wenn man den Anklagepunk des Mordes ausräumt, wird der Anklagepunkt des Ehebruchs bestätigt. Wenn man den Anklagepunkt des Ehebruchs bereinigt, wird der Anklagepunkt des Mordes bekräftigt; und es lässt sich überhaupt kein Ausweg finden, weil man sagen muss: ‚Wenn sie ehebrecherisch war, warum wird sie gepriesen, wenn sie keusch war, warum hat sie sich getötet?' (‚Si adulterata, cur laudata; si pudica, cur occisa?')[133]

Augustins Anliegen war, die christlichen Werte gegenüber den römisch-antiken auszuarbeiten und darzulegen, dass es um die innere Keuschheit gehe und nicht um die Erlangung von Ruhm bei den Mitmenschen. Vergewaltigte Frauen sollen also die Scham erdulden; wenn ihre Seele während der Vergewaltigung rein blieb, wird sie dies vor Gott auch bleiben. Obwohl der Zweifel an Lucretias Keuschheit bei Augustin keine zentrale Rolle spielt, wird er in der Folgezeit immer mehr die Phantasie der Männer beschäftigen; von Augustins Text wird bis heute immer wieder diese einschlägige Passage zitiert. Coluccio Salutati legt in seiner *Declamatio Lucretiae* von 1367 diesen Zweifel Lucretia selbst in den Mund und schafft damit eine weibliche Kunstfigur, die angeblich authentisch bezeugt, dass Frauen Lust an ihrer Vergewaltigung empfinden. Salutati lässt Lucretia Folgendes sagen:

128 Vgl. etwa die Holzschnitte von Baldung Grien mit Schmerzensmann bzw. Lucretia, die im halbfigurigen Bildausschnitt, einer Inszenierung, die auf Nähe und Intimität setzt, der Stellung der Figuren mit dem Augenaufschlag wirklich fast ident gestaltet sind. Siehe dazu: Carol M. Schuler, Virtuos Model / Voluptuous Martyr. The Suicide of Lucretia in Northern Renaissance Art and its Relation to Late Medieval Devotional Imagery, in: Jane L. Carroll, Alison G. Stewart (Hg.), Saints, Sinners, and Sisters. Gender and Northern Art in Medieval and Early Modern Europe, Aldershot, Burlington 2003, S. 7–25. S. u.

129 Zitiert nach Donaldson 1982, S. 28.

130 Zur Fragwürdigkeit der Opferideologie siehe: Gudrun Kohn-Waechter (Hg.), Schrift der Flammen. Opfermythen und Weiblichkeitsentwürfe im 20. Jahrhundert, Berlin 1991, insbesondere den Aufsatz von Hildegard Cancik-Lindemaier, Opfersprache. Religionswissenschaftliche und religionsgeschichtliche Bemerkungen, S. 38-56; René Girard, The Girard Reader, hrsg. von James G. Williams, New York 1996; Daniela Hammer-Tugendhat, Kriegerdenkmäler. Kritische Gedanken zum Opferdiskurs, in: Patrick Werkner (Hg.), Kunst und Staat – ein problematisches Verhältnis, Wien 2007, S. 119–135.

131 Donaldson 1982, S. 33f mit Bezug auf E. R. Dodd, The Greeks and the Irrational, 1951.

132 Augustin, De civitate Dei, I, 19, 47–51.

133 Augustin, De civitate Dei, I, 19, 58–62.

> Weh mir, wird diese Seele hier etwa unbehelligt und ohne Schuld an der Schandtat bleiben können, zusammen mit diesem geschändeten Körper? Glaubt ihr, dass kein Lustgefühl (*voluptatem*) in dem vergewaltigten Körper ist? Ich werde eine verborgene Schande gestehen! Schon mich, Vater, schon mich, Gatte, und ihr, Götter der keuschen Frauen, habt Nachsicht mit meinen Verfehlungen. Ich habe – ich gestehe – weder eine so große Trauer in meinem Herzen spüren können noch meinen Geist von jener Umarmung so sehr zurückrufen können, dass nicht die Lust der nur schlecht gehorchenden Glieder wieder zurückgekommen ist, aber auch nicht so, dass ich nicht die Reste der Heiratsflamme anerkannt habe. [...] Jene, jene trauerbringende und unwillkommene Lust – was immer es auch sein mag, es bleibt trotzdem Lust – muss mit dem Schwert gerächt werden. [...] Allzu groß ist die Macht der Venus. Ich will nicht, dass jemals das Bild dieser so großen Schandtat vor meinem geistigen Auge auftaucht. Nichts ist wechselhafter als die Frau. Die Krankheit und Unruhe in meinem Herzen wird die Zeit nicht nur mildern, sondern gänzlich auslöschen. Wenn ich sie dann mit der Zeit abgelegt habe, beginne ich vielleicht, Freude an Schändlichem zu haben.[134]

Auch die Vorstellung, dass der weibliche Körper und seine Schönheit Männer zu sexueller Gewalt provoziere, ‚bezeugt' Lucretia selbst:

> Du aber, irdischer Körper, der du nicht zuletzt wegen deines Aussehens dir selbst zu Grund und Anlass für den Ehebruch geworden bist, lass die Seele herausfließen, lass das Blut herausfließen [...][135]

Viele Werke der bildenden Kunst seit dem 16. Jahrhundert inszenieren Lucretia nackt in lasziver Pose, wir werden darauf zu sprechen kommen. Beginnend mit der Frühen Neuzeit verfestigt sich die Meinung, dass sich bei einer Vergewaltigung auch für die Frau gleichsam automatisch Lustgefühle einstellen. Aus Lucretia der Heiligen wird dann Lucretia die Hure, die wie etwa bei Jacques du Bosc in seinem 1636 erschienen Werk *L'Honneste Femme* mit allen möglichen Männern Verkehr hatte und nur fürchtete, dies könnte ans Tageslicht kommen.[136] Beginnend mit dem 16. Jahrhundert bestimmen dann burleske und parodistische Versionen, in denen Lucretia ihre Vergewaltigung genossen hat und somit der Tatbestand der Vergewaltigung insgesamt geleugnet wird, die Rezeption im Rokoko.[137]

Die in Antike und Frühchristentum ausgearbeiteten Konzeptionen zu Lucretia leben somit alle weiter, existieren teils parallel oder vermischen sich. Die auf Livius zurückgreifende Version der heroischen Tat des Selbstmords zu Gunsten einer dann von Männern gemachten politischen Aktion wird vor allem in der Renaissance und in der

Konzeption der *femme forte* im Barock relevant.[138] Hier geht es auch um die Verkoppelung privaten weiblichen Lebens mit öffentlicher, männlich konnotierter (staatlicher) Macht. Gleichzeitig aber lebt die christliche Überformung von Lucretia als Märtyrerin weiter. Mit Rückgriff auf Valerius Maximus und Plutarch wird Lucretia vor allem im neuzeitlichen Ehediskurs zum Ideal der sittsamen und tugendhaften Ehefrau, so fungiert sie in den Ehebüchern, in Predigten, in Theaterstücken und in der Erbauungsliteratur.[139] Der in den Niederlanden lebende Erasmus-Schüler Juan Luis Vives hat in seiner einflussreichen Schrift *Institutio Foeminae Christianae* diese Vorstellung auf den Punkt gebracht. Er lässt die sterbende Lucretia folgende letzte Worte sagen: „Was bleibt übrig von einer Frau, die ihre Keuschheit verloren hat?"[140] Ebenso wie Livius war natürlich Ovid bekannt und spielte in Renaissance und Barock eine eminente Rolle. Die Herausarbeitung der, wie Galinsky dies zu nennen beliebt, „erotischen" Komponente[141], verbunden mit Augustins Zweifel an Lucretias Keuschheit, führten in weiterer Folge zum Vergewaltigungs-Diskurs, wie er bis heute bestimmend blieb, zur Vorstellung, dass Frauen an ihrer Vergewaltigung durch die Ausstrahlung ihrer körperlichen Reize und ihrer Schönheit mitschuld seien und dass sie bewusst oder unbewusst ihre Vergewaltigung genießen.

Lucretia-Fieber

Mit der Renaissance und ihrer Neubelebung antiker Figuren schwächte sich die im Mittelalter wirksamere augustinische Kritik am Tatbestand der Selbsttötung ab. Die Bedingung für die Akzeptanz des Selbstmords war natürlich der Umstand, dass Lucretia eine Figur der heidnischen Antike war.[142] Lucretia avancierte zum Weiblichkeitsideal – nicht schlechthin, sondern zum Weiblichkeitsideal der Ehefrau. Es entstand ein ‚Lucretia-Fieber'. Lucretia war in aller Munde, bei den Humanisten[143] und in den Ehedidaxen; Mädchen wurden mit Vorliebe auf den Namen Lucretia getauft; sie wurde zum Lieblingsthema auf den *cassoni*, den Wäschetruhen, die Bräute zu ihrer Eheschließung erhielten, es sollte ihnen sinnlich vor Augen gehalten werden, dass es besser sei zu sterben, als untreu zu sein. Der Selbstmord wurde zum einzig glaubhaften Beweis von Keuschheit, zum Kriterium der Unschuld. So bereits bei Boccaccio in *De claris mulieribus* von 1361, ein Text der bald aus der lateinischen Originalsprache in die europäischen Nationalsprachen übersetzt wurde und durch den Buchdruck eine enorme Verbreitung fand. Selbsttötung

134 Salutati, Declamatio Lucretie, 10, hier zitiert nach Follak 2002, S. 121 und 122.
135 Salutati, Declamatio Lucretie, 11, hier zitiert nach Follak 2002, S. 123f.
136 Siehe Donaldson 1982, S. 37.
137 Siehe die Beispiele bei Donaldson, S. 83–100.
138 AK Düsseldorf 1995.
139 Stellvertretend seien hier genannt: Francesco Barbaro: *De re uxoria* von 1415, Albrecht von Eybs *Ehebüchlein*, das Lucretia-Stück von Hans Sachs, die Predigten von Abraham a Santa Clara. Siehe Galinsky 1932; Barbara Pöchhacker, Dux Romanae Pudicitiae. Deutsche Bearbeitungen des Lucretia-Stoffes im 15. und 16. Jahrhundert, Diplomarbeit, Universität Wien 1992.
140 Juan Luis Vives, Institutio foeminae christianae, Plantin, 1579, I, 56–57, hier zitiert nach: Tussen heks en heilige. Het vrouwbeeld op de drempel van de moderne tijd, 15de / 16de eeuw, Ausstellungskatalog, hrsg. von Petty Bange, Nijmeegs Museum Commanderie van Sint-Jan, Nijmegen 1985, S. 141.
141 Galinsky 1932, S. 15, S. 220.
142 Thomas Browne machte 1635 die explizite Unterscheidung zwischen heidnischem und christlichem Selbstmord, nur für Christen sei der Selbstmord zu verdammen. Ron M. Brown, The Art of Suicide, London 2001, S. 101.
143 Stephanie H. Jed, Chastity on the Page: A Feminist Use of Paleography, in: Marilyn Migiel, Juliana Schiesari (Hg.), Refiguring Women. Perspectives on Gender and the Italian Renaissance, Cornell University Press, Ithaca, New York 1991, S. 114–130.

Abb. 27: Marcantonio Raimondi (nach Raffael), Lucretia, um 1510/11, Kupferstich, Amsterdam, Rijksmuseum

Abb. 28: Joos van Cleve, Lucretia, um 1520/25, Öl/Holz, Wien, Kunsthistorisches Museum

als Keuschheitsbeweis und als ideale Reaktion auf Vergewaltigung ist auch der Inhalt eines Gedichts, das Giovanni de Medici, der Sohn von Lorenzo de Medici und spätere Papst Leo X., zu Beginn des 16. Jahrhunderts verfasste. Das Gedicht sei hier wiedergegeben, nicht ob seiner poetischen Schönheit, sondern als repräsentatives Beispiel des Lucretia-Musters dieser Zeit:

> Ich sterbe gern. In meine Brust habe ich ein Schwert hineingestoßen; es freut mich, dies von eigener Hand getan zu haben, weil sich unter den weiblichen Tugendheldinnen früherer Zeiten noch keine entschlossener um ihrer Tugend willen durchbohrt hat. Es freut mich, mein eigenes Blut betrachten zu können, und jenen mit rauen und strengen Worten zu verfluchen. Mein Blut, für mich bitterer als das Gift aus Kolchos, Blut, das auch den stygischen Hund oder die wütende Hydra durchfließt, hält meine Glieder in rauer Bestrafung fest. Fließ heraus, Saft, und verwandle dich zurück in das alte Gift. Geh heraus, bitterer Eiter; du bist mir verhasst und beschwerlich geworden, weil du meinen Körper schön und liebenswert gemacht hast. Aber einstweilen mahnt Lucretia noch ihre Mitbürgerinnen, sich immer durch Schamhaftigkeit und Keuschheit auszuzeichnen und ihren Ehemännern unbefleckt die Treue zu halten, weil es der größte Ruhm für das Volk des Mars ist, dass sich seine Frauen ihrer Keuschheit rühmen können. Und sie mahnt, darauf bedacht zu sein, den Männern eher durch dieses ruhmvolle Verhalten als durch Schönheit und Anmut aufzufallen. Oder viel eher noch mag dies durch meinen traurigen Tod bewiesen worden sein: dass eine reine Seele sofort aus der Obhut des befleckten Körpers befreit werden muss.[144]

Dieses Gedicht schrieb Leo X. sehr wahrscheinlich anlässlich der Auffindung einer antiken Statue, die um 1500 in Rom gefunden und als Lucretia interpretiert worden war und die weitere Bildproduktion beeinflusste. Stechow hat in seinem grundlegenden Artikel *Lucretia Statua* von 1951 die fundamentale ikonografische Neuerung in der Bildproduktion ab dem ersten Jahrzehnt des 16. Jahrhunderts nachgezeichnet.[145] Die narrative Ausbreitung der Geschichte, wie sie auf den *cassoni*[146], den Brauttruhen, erzählt wird, wird verlassen zu Gunsten der Repräsentation der Lucretia als Einzelfigur im Augenblick des Selbstmordes. Die dramatischen Versionen, in denen die Vergewaltigung gezeigt wird, sind selten; es sind vor allem Tizian und sein Umkreis und Rubens, die sexuelle Gewalt repräsentieren und thematisieren.[147] Stechow verweist zu Recht darauf, dass, abgesehen von der Reduktion der Erzählung auf die Einzelfigur der Lucretia im Augenblick des Selbstmords, die Darstellung selbst von der textlichen Vorlage abweicht. Der Text verlangt, dass der Selbstmord öffentlich vor Zeugen stattfindet. Der eigentliche Sinn der Selbsttötung liegt ja gerade in Lucretias Zeugenaussage und ihrem Aufruf zur Rache. Mit wenigen Ausnahmen – bezeichnenderweise fast ausschließlich in der Grafik[148] – zeigen die Tafelbilder in Italien, Deutschland und den Niederlanden Lucretia als Einzelfigur. Bereits 1505 malte Sodoma die isolierte ganzfigurige Lucretia in einer angedeuteten Landschaft mit entblößtem Oberkörper.[149] Es folgte eine Flut von ähnlichen Bildern desselben Künstlers, von Francesco Francia und anderen. Besonders einflussreich war der Stich von Marcantonio Raimondi, der, nach Vasari, auf eine Zeichnung von Raffael zurückgehen soll **(Abb. 27)**. Lucretia, aufrecht in der antikisierenden Architektur stehend, entspricht hier in ihrer Monumentalität und dem verhaltenem Pathos dem Ideal der *gloria,* wie sie im Text von Livius beschrieben worden war. Allerdings assoziieren die ausgebreiteten Arme und der zur Seite geneigte Kopf den Gestus des gekreuzigten Christus. Die Ikonografie der stehenden ganzfigurigen Lucretia wird auch in Deutschland beliebt, so bei Dürer, Cranach, Baldung Grien und in den Grafiken von Hans Sebald Beham.[150] Bei Francesco Francia und dann bei Palma Vecchio begegnen wir dem halbfigurigen Lucretienbild; Lucretia steht hier vor dunklem Grund, das heisst es wird jetzt auch jeder räumliche Kontext gelöscht zu Gunsten der autonomisierten Einzelfigur. Die Erfindung des Halbfigurenbildes

144 Leo X., In Lucretiam Statuam I, 430, hier zitiert nach Follak 2002, S. 62f nach einer Übersetzung aus dem Lateinischen von William Roscoe im Anhang zu seiner Biografie über Leo X.

145 Wolfgang Stechow, Lucretiae Statua, in: Beiträge für Georg Swarzenski, Berlin 1951, S. 114–124.

146 Paul Schubring, Cassoni. Truhen und Truhenbilder der italienischen Renaissance, Leipzig 1915; Theresa Georgen, Lucretias Vergewaltigung. Privatisierung einer Staatsaffäre, in: Ines Lindner u.a. (Hg.), Blick-Wechsel. Konstruktionen von Männlichkeit und Weiblichkeit in Kunst und Kunstgeschichte, Berlin 1989, S. 437–444.

147 Tizians Bild der Vergewaltigung von Lucretia (um 1570, Cambridge, Fitzwilliam Museum) nimmt eine Sonderstellung ein: Tizian problematisiert hier die Aggressivität des Gewaltaktes und die panische Angst der Lucretia. Tarquins wilder Blick geht über Lucretia hinaus, ihr Blick und ihre Geste signalisieren Angst und Abwehr.

148 Zu den Beispielen in der Grafik: Pencz, Meckenem, Goltzius siehe: Karin Hanika, Lucretia als ‚Damenopfer' patriarchaler Tugendkonzeptionen. Die vier Kupferstiche des Hendrik Goltzius, in: Hans Jürgen Bachorski, Helga Sciurie (Hg.), Eros – Macht – Askese. Geschlechterspannungen als Dialogstruktur, Trier 1996, S. 395–422; dies., ‚Eine offene Tür, ein offenes Mieder'. Das Schicksal der Lucretia zwischen Vergewaltigung und Ehebruch, in: Ulrike Gaebel, Erika Kartschoke (Hg.), Böse Frauen – gute Frauen. Darstellungskonventionen in Texten und Bildern des Mittelalters und der Frühen Neuzeit, Trier 2001, S. 109–132.

149 Hannover, Kestner Museum, Abb. Stechow 1951, S. 117, Fig. 1.

150 Siehe insbes. den hervorragenden Aufsatz von Linda C. Hulst, Dürer's *Lucretia*: Speaking the Silence of Women, in: Signs 1991, S. 205–237. Hulst geht von einer anderen Fragestellung aus, nämlich ob und wie in der Renaissance ein heroisches Bild von Weiblichkeit möglich war.

bestimmt die Ikonografie in den Niederlanden. Dietrich Schubert hat die reichhaltige Produktion zusammengestellt; Künstler wie Pieter Coecke, der Meister der weiblichen Halbfiguren, Quentin Massys, Joos van Cleve, der Meister der Heilig-Blut-Kapelle, Jan Gossaert, Bernard van Orley und andere haben zum Teil mehrere Versionen entwickelt **(Abb. 28)**. Als einschlägiges Beispiel kunsthistorischen Umgangs mit der Thematik sei Schuberts Begründung für das massenweise Auftreten der Lucretia-Bilder zitiert:

> Einerseits galt die Römerin, die nach ihrer Schändung durch Tarquinius Collatinus mittels eines Dolches Selbstmord beging, in den Niederlanden und wohl auch in den anderen Kunstlandschaften als tugendhaftes Beispiel schlechthin, andererseits ermöglichte das Thema die Darstellung des nackten weiblichen Körpers in einer noch dazu dramatischen Situation, gleichsam einem fruchtbaren Augenblick, dessen vielfältige Nuancen wohl erst den besonderen künstlerischen Reiz dieser Bilder ausmachten.[151]

Was sind nun die Gründe für die Abweichung von der textlichen Vorlage und die Reduktion der gesamten Erzählung auf die Figur der sich tötenden Lucretia? Was ist das Movens dieser tiefgreifenden ikonografischen Neuerung? Stechow und andere verweisen auf die Auffindung der antiken Statue und das Gedicht von Leo X. als Ursache für die Flut an Bildern im 16. Jahrhundert und den ganzen Lucretia-Kult. Es ist eine in der Kunstgeschichte immer wieder zu beobachtende Verkürzung, grundlegende Veränderungen in der Kunst auf isolierte kunst- bzw. textimmanente Einflüsse rückführen zu wollen. Ich meine, solche Verschiebungen sind nur zu verstehen als Teil eines komplexen diskursiven Prozesses, in dem die einzelnen Bereiche miteinander vernetzt sind. Die dichterische Laune eines angehenden Papstes und die Auffindung einer an sich nicht identifizierbaren antiken Statue konnten nichts initiieren, es sind vielmehr Symptome eines breiten Diskurses, der die ganze (höhere) Gesellschaft erfasst hatte. Die isolierten Lucretia-Figuren sind nur denkbar in einem kulturellen Umfeld, in dem diese Geschichte bereits so bekannt und internalisiert worden war, dass die Repräsentation einer weiblichen Figur mit Dolch sogleich die gesamte Geschichte aufrief. Mit der Isolierung der Figur rückten aber auch die politischen Implikationen in den Hintergrund. Als Kürzel der ganzen Geschichte blieb Lucretia als Keuschheitssymbol, als Inkarnation eines Ideals von Weiblichkeit, das darin besteht, sich nach einer Verunreinigung durch Vergewaltigung umzubringen. Die Privatisierung der Lucretia ist auch Teil des frühmodernen Ehediskurses, in dem, bedingt durch die städtisch bürgerlichen Schichten, die ideale Lebensform nicht mehr das Zölibat, sondern die Ehe war. In den nördlichen Niederlanden, wo sich die Reformation durchsetzte, entstand eine Flut von Schriften zur Ehe, vor allem sind es Texte für Leser*innen*. Die Kerntexte sind *Encomium matrimonii* und *Christiani matrimonii institutio* von Erasmus und das Traktat von Juan Vives *Institutio foeminae christianae*, 1523 geschrieben und 1554 ins Holländische übersetzt; diese Schriften hatten eine enorme Verbreitung bis weit ins 17. Jahrhundert; daran anschließend veröffentlichte Jacob Cats 1625 *Huwelyck* (Huwelijk, Ehe), das ein Bestseller wurde.[152] Juan Vives vergleicht die männlichen und weiblichen Tugenden; ein Mann braucht deren viele: Weisheit, Eloquenz, Gerechtigkeitssinn, Kraft, Mut, Barmherzigkeit, Großzügigkeit und andere mehr. Die Frau hingegen hat das alles nicht nötig. Sie muss nur eines sein: keusch. Fehlt ihr die Keuschheit, ist es so, als wenn dem Mann sämtliche Tugenden fehlten.[153] Ganz in diesem Sinne wird bei Cats zwischen weiblicher und männlicher Ehre unterschieden: Männliche Ehre zeichnet sich durch Autorität, Macht und Weisheit aus, weibliche allein durch Keuschheit.[154] Vives zitiert nun als positive *exempla* vorzugsweise Susanna und Lucretia. Es sind die Idealfrauen par excellence; anders als viele christliche Jungfrauen und Märtyrerinnen sind sie nicht lediglich Inkarnationen der Keuschheit, sie sind dies *als Ehefrauen*. Parallel zu den Texten gab es eine reichhaltige Produktion einer didaktischen Grafik, die in Bild und Text die weibliche Tugendkonzeption propagierte.[155]

Die Bilder sind nur verständlich durch ihre Einbettung in diesem Diskurs, der seinerseits in einer uralten Tradition steht und gleichzeitig eine spezifische aktualisierte Form angenommen hatte. Umgekehrt aber waren die Bilder aktiv an diesem Diskurs beteiligt und trugen dazu bei, dieses Bild von Weiblichkeit in den Köpfen und in der Psyche der Männer und Frauen so tief zu verankern, dass Frauen heute noch ihre eigenen Erfahrungen nach diesem Muster verarbeiten.

Die Herauslösung einer einzelnen Figur aus einem erzählerischen Zusammenhang ist darüber hinaus ein Phänomen, das den Übergang von der Früh- zur Hochrenaissance charakterisiert. Dies wird nicht zuletzt durch das neue Medium des Tafelbildes ermöglicht. Die Medienfrage scheint mir hier von Bedeutung. Das neue Medium verändert die Darstellungsform und damit die semantische Ebene. Es ist gleichsam die Schnittstelle, in der sich die unterschiedlichsten, aber miteinander verflochtenen Ebenen schneiden: das Tafelbild signalisiert die Privatisierung der Auftragslage und die private Aneignungsform von Kunst. Das Tafelbild wird nicht mehr öffentlich rezipiert wie ein Wandmalerei-Zyklus und ist nicht mehr direkt mit dem Text verknüpft wie die Buchmalerei. Das Tafelbild ermöglicht somit die Autonomisierung der Einzelfigur und ihre Dekontextualisierung sowie die Privatisierung des Narrativs. Ein Verbindungsglied ist die Grafik. So gibt es durchaus noch Grafiken im 16. und auch im 17. Jahrhundert, in der eine ganze Folge von Szenen aus der

151 Dietrich Schubert, Halbfigurige Lucretia-Tafeln der 1. Hälfte des 16. Jahrhunderts in den Niederlanden, in: Jahrbuch des Kunsthistorischen Institutes der Universität Graz, 1971, 6, S. 99–110, hier S. 99.

152 Siehe Anm. 61.

153 Jlja M. Veldman, Lessons for Ladies: A Selection of Sixteenth and Seventeenth-Century Dutch Prints, in: *Simiolus* 16, 2/3, 1986, S. 113–127, hier S. 119.

154 Siehe dazu die differenzierte linguistische Analyse des Begriffs *achtbaerheyt* in dem Stück von Cats *Tooneel van de mannelicke achtbaerheyt* durch Agnes Sneller: Agnes Sneller, Jacob Cats' Tooneel van de mannelicke achtbaerheyt (1622), in: W. Abrahamse u. a. (Hg.), Kort Tijt-verdrijf, opstellen over Nederlands toneel. Aangeboden aan Mieke B. Smits-Veldt, Amsterdam 1996, S. 103–109; dies., Agnes Verbiest, Wat woorden doen, Coutinho 2000. Dieser linguistische Befund wird durch historisch empirische Untersuchungen gestützt, siehe: Herman Roodenburg, Die Amsterdamer Kirchenzucht im 17. Jahrhundert und die These der Sozialdisziplinierung, in: Zentrum für Niederlande-Studien, Jahrbuch 3, Münster 1992, S. 27–37.

155 Veldman 1986; Yvonne Bleyerveld, Chaste, Obedient and Devout: Biblical Women as Patterns of Female Virtue in Netherlandish and German Graphic Art, ca. 1500–1730, in : Simiolus 28, 4, 2000–2001, S. 219–250. Als Künstler sind v. a. zu nennen: Dirck Volkertsz. Coornhert und Crispin de Passe.

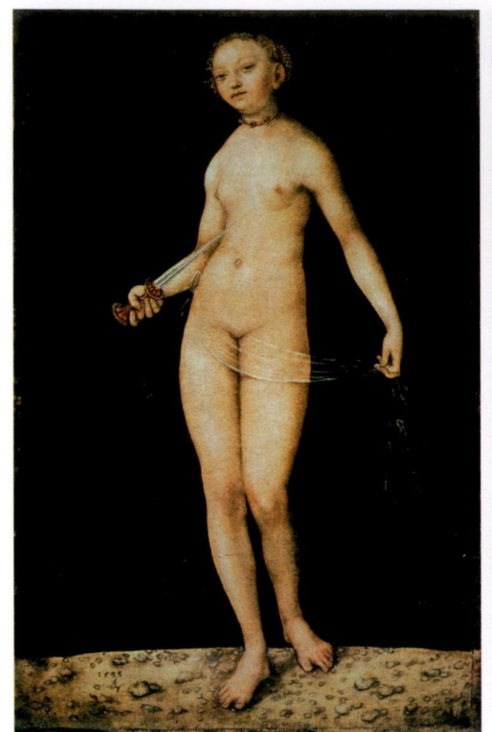

Abb. 29: Lucas Cranach d. Ä., Lucretia, 1533, Öl/Holz, Berlin, Staatliche Museen, Gemäldegalerie
Abb. 30: Lucas Cranach d. Ä., Venus, 1532, Öl/Holz, Frankfurt a. M., Städelsches Kunstinstitut

Lucretia-Geschichte illustriert werden; häufig finden sich auch einige Textzeilen mitgedruckt. Aber ebenso gibt es grafische Blätter wie das Blatt von Marcanton, wo Lucretia bereits als monumentale Einzelfigur (mit oder ohne Text) konzipiert ist. Aber nur durch das Medium des Tafelbildes war es möglich, dass die isoliere Figur der Lucretia zum Zeichen der Wahrheit der gesamten Geschichte werden konnte. Der Rest, die Tat, die sexuelle Gewalt, der Vergewaltiger Tarquin, der Ehemann Collatinus, der Vater, Brutus, der Racheschwur, die Vertreibung der Tarquinier, der Sturz des Königtums, die Errichtung der Republik, all das verschwindet aus dem Feld der Sichtbarkeit, ist in dem dunklen Grund hinter Lucretia buchstäblich nicht (mehr) zu sehen.

In der Zeit der Hochrenaissance gab es eine enorme Nachfrage nach Lucretia-Bildern, allein von Lucas Cranach sind 37 Versionen überliefert.[156] In seinen ausgereifteren Lösungen der dreissiger Jahre des 16. Jahrhunderts steht die nackte Lucretia vor dunklem Grund **(Abb. 29)**. Nicht nur ihre radikale Isolierung, sondern auch ihre Nacktheit bilden einen schroffen Widerspruch zum Text. Sowohl bei Livius wie bei Ovid und den Folgetexten wird ausdrücklich erwähnt, dass sie den Dolch unter ihrem Gewand verborgen hielt, um von ihren Verwandten nicht an der Tat gehindert zu werden. Auch wäre es undenkbar, dass Lucretia, für die ja ihre *pudicitia* den höchsten Wert darstellt, nackt vor den Zeugen erschienen wäre. Ovid erwähnt ausdrücklich, dass es ihre einzige Sorge war, *mit Anstand* zu fallen und zu sterben.[157] Cranachs Lucretia ist in dem lässigen Stand-Spielbein-Motiv, in Haltung und Blick mit seinen gleichzeitig entstandenen Venusdarstellungen praktisch identisch **(Abb. 30)**. Der für uns durch die Betonung des linearen Umrisses vielleicht unsinnlich wirkende weibliche Akt entsprach somit durchaus dem Schönheitsideal Cranachs und seiner Auftraggeber. Erst bei genauerem Hinsehen können wir klären, ob es sich um die Göttin der Liebe oder aber um eine keusche Frau handelt, die eben dabei ist, sich zu töten. In dieser gelösten Armhaltung könnte sie sich gar nicht umbringen. Der Dolch kommt mit ihrem Arm praktisch zur Deckung und ist somit kaum sichtbar. Der Stahl scheint ihre Haut nur leicht zu berühren. Da der Dolch lediglich als Attribut verwendet wird, ihr Körper intakt und ihr Gestus entspannt ist, ihr Gesichtsausdruck keinerlei Angst oder Verzweiflung signalisiert, wird ihr Tod gleichsam bagatellisiert. Hier wird keine heroische Aktion demonstriert, vielmehr empfängt eine schlaff passiv schwebende weibliche Figur mit geöffneten Armen den Blick des Betrachters. Um die prickelnde Zurschaustellung des weiblichen Schoßes zu erhöhen, hält Lucretia genau wie Venus lasziv ein hauchdünnes durchsichtiges Schleierchen über diesen neuralgischen Punkt. Was verhüllt sein sollte, wird damit explizit enthüllt, wohin der Blick angeblich nicht schauen sollte, dorthin wird er gelenkt. Wenn Lucretia lediglich als Allegorie der Keuschheit gelesen werden sollte, warum dann die textwidrige, aufreizend inszenierte Nacktheit und die Verwandtschaft mit Venus? Diese Lesart wird durch die zeitgenössische Rezeption gestützt: Die Moralisten der Zeit, allen voran Erasmus, haben die der schriftlichen Vorlage zuwiderlaufende aufreizende Wirkung dieser Bilder scharf kritisiert.[158]

Diese erotisierten Lucretia-Bilder sind bezeichnend für die deutsche und niederländische Produktion im 16. Jahrhundert.[159] Die Reduktion auf das Halbfigurenbild ermöglicht einen noch intimeren Blick auf den ganz nah an den Betrachter herangerückten nackten oder halbnackten weiblichen Körper **(Abb. 31)**. Vertraut war das Halbfigurenbild den zeitgenössischen Betrachtern durch das spätmittelalterliche Andachtsbild; Schuler hat auf die frappante Ähnlichkeit zweier Holzschnitte von Baldung Grien aufmerksam gemacht, bei denen für den Schmerzensmann und Lucretia dieselbe Ikonografie und dieselbe formale Inszenierung verwendet wurde.[160] Lucretia als Andachtsbild? Schuler konstatiert eine Verbindung von Verzweiflung und erotischem Appeal, die den Betrachter in einer Weise ansprechen, deren Quelle und Effekte noch nicht wirklich erforscht worden seien.[161]

156 Max. J. Friedländer, Jakob Rosenberg, The Paintings of Lucas Cranach, rev. ed., Cornell University Press, Ithaca, New York 1978.

157 Ovid, Fasti, II, 833–34: „tum quoque, iam moriens, ne non procumbat honeste respicit: haec etiam cura cadentis erat." („Jetzt auch noch, als sie stirbt, gibt sie Acht, dass sie möglichst mit Anstand fällt: Während sie stürzt, ist ihre Sorge nur dies.")

158 Speziell zu *Lucretia*: Ellen Muller, Jeanne Marie Noel, Kunst en moraal bij humanisten. Theorie en beeld, in: AK Nijmegen 1985, S. 129–159, hier S. 141; allgemein zur diesbezüglichen Haltung von Erasmus: Erwin Panofsky, Erasmus and the Visual Arts, in: Journal of the Warburg and Courtauld Institute 32, 1969, S. 200–227.

159 Hulst 1991; Hanika 2001; Schuler 2003; Garrard 1989, Kap. 4.

160 Schuler 2003, insbes. S. 15f.

161 Ebd., S. 9.

Abb. 31: Pieter Coecke van Aelst, Lucretia, 1. Hälfte 16. Jahrhundert, Öl/Holz, Lindau, Privatsammlung

Bei dem Kniestück von Pieter Coecke[162] erinnert die in die Brüstung eingravierte lateinische Inschrift „Satius est moriquam indecore vivere" an die Moral der Geschichte, dass es (für Lucretia) besser sei zu sterben, als unehrenhaft zu leben. In lasziver Drehung wird der sinnlich und erotisch inszenierte, fast zur Gänze entblößte Körper dem Betrachterblick dargeboten. Der Dolch ist auf der Brüstung aufgestützt und führt gleichsam die perspektivische Sichtachse des Betrachters direkt in ihren Körper weiter, was ihm eine phallische Note verleiht. Tarquins Eindringen in ihren Körper, der gewaltsame sexuelle Akt, kann so mitphantasiert werden. Ihr leicht geneigter Kopf mit den kunstvoll geordneten Haaren, den leicht geöffneten Lippen und den aufwärts gerichteten brechenden Augen kann ebenso als ‚kleiner Tod' im Orgasmus gelesen werden wie als physischer Tod.

Cranach, Pieter Coecke und viele andere deutsche und niederländische Künstler haben Lucretia-Bilder geschaffen, die die unterschiedlichen, ja zum Teil gegensätzlichen Ausdeutungen des Stoffes in sich vereinigen. Es gehört zu den großen Möglichkeiten der Kunst, Widersprüche, die im normativen Diskurs zu Gunsten einseitiger, eben normativer Aussagen (die dem Satz des ausgeschlossenen Dritten folgen) ausgeschaltet sind, zu visualisieren.[163] Dies kann ganz unterschiedliche Formen annehmen, Widersprüche können als solche thematisiert und die Brüchigkeit und Ambivalenz normativer Diskurse veranschaulicht und damit bewusst gemacht werden. In unserem Fall werden die Widersprüche der unterschiedlichen Stränge der Lucretia-Interpretationen zu einer scheinbar harmonischen Einheit verschmolzen. Alle Aspekte der Lucretia-Interpretationen werden zusammengebraut: Das normative Gesetz weiblicher Keuschheit, oft explizit visualisiert in der Schrift im Bild, die idealisierte Keuschheit der Lucretia in ihrer makellosen reinen Schönheit und im Motiv der Selbsttötung, gleichzeitig die Erinnerung an Zweifel an ihrer Keuschheit, signalisiert durch die Inszenierung eines erotisch aufgeladenen nackten weiblichen Körpers und die spezifisch christliche Vorstellung des Märtyreropfers durch die formale Angleichung in Blick und Geste an spätmittelalterliche Andachts- und Märtyrerinnenbilder. Die einladende Präsentation des weiblichen Aktes und die phallische Führung des den Körper nie sichtbar verletzenden Dolches kann als Aufforderung an den männlichen Betrachter gelesen werden, sich den sexuellen Akt vorzustellen und ihn imaginär nachzuvollziehen. Die Kunst macht es möglich, die herrschende Norm zu repräsentieren, gleichzeitig aber ganz andere, konträre Phantasien in Gang zu setzen. Ich denke, dass die widersprüchlichen Signale, die diese Bilder aussenden, sehr unterschiedlich rezipiert werden konnten. Weibliche Rezipienten haben sich wohl eher mit dem Keuschheitsgebot und der Drohung vor den furchtbaren Folgen identifiziert. Für Männer aber bot sich die reizvolle Möglichkeit, den erotischen Kitzel zu genießen, sich an den schönen weiblichen Akten zu ergötzen, gleichzeitig weibliche Keuschheit hochzuhalten (vor allem bei der eigenen Ehefrau) und selbst sexuelle Gewalt zu phantasieren. So gelingt es, die beiden konträren Positionen des dualistischen Weiblichkeitsmusters in einer einzigen Kunstfigur zu repräsentieren: die ideale keusche Ehefrau, die sich nach einer sexuellen Verunreinigung augenblicklich selbst entsorgt, und jene andere Frau, die Geliebte, die Kurtisane, die Hure, das erotische Ideal. Die lasziven Inszenierungen konnten auch suggerieren, dass Frauen eigentlich vergewaltigt werden wollen. Der ‚Märtyrertod' von Lucretia sühnt in gut christlicher Tradition auch die Schuld des Täters. Durch ihren Tod ist die Moral wiederhergestellt. Lucretia ist die Quintessenz patriarchaler Doppelmoral.

Soziale Praxis

Ebenso wie die Texte und Bilder zu *Lucretia* sind die soziale und juristische Praxis Teil des Diskurses zu weiblicher Keuschheit, Ehe und Vergewaltigung.[164] In krassem Gegensatz zur Bedeutung weiblicher Keuschheit wird dem Phänomen (männlicher) sexueller Gewalt wenig Aufmerksamkeit zuteil. Die historischen Untersuchungen seit den 1970er Jahren haben belegt, dass bezüglich sexueller Moral geschlechterdifferente Maßstäbe gesetzt und juristisch auch exekutiert worden sind. In strafrechtlichen Quellen des 16. Jahrhunderts spielt die Tatsache der Vergewaltigung im Vergleich zu anderen Delikten keine große Rolle, sie wird meist in den Kapiteln über das *stuprum* mitbehandelt und meist auch so benannt.[165] *Stuprum*, mit der ursprünglichen Bedeutung von *Schande*, wird bezeichnenderweise für Notzucht (Vergewaltigung) ebenso verwendet wie für Unzucht oder Ehebruch. Viel gravierender wird die Entführung einer Frau geahndet: „plus est rapere quam per vim stuprare."[166] *Raptus*, Entführung, das noch im englischen *rape* weiterlebt, ist ein Eigentumsdelikt gegenüber dem Vater, Ehemann oder allgemein der Familie der Frau. An dieser Sprachregelung und der entsprechenden juristischen Praxis wird überdeutlich, dass es nicht um die Gewalt und das Unrecht geht, das der jeweiligen Frau angetan worden ist; es ist vielmehr Raub an einem

162 M. E. muss man hier ein Vorbild aus dem Mailänder Leonardo-Umkreis annehmen. Vgl. das Bild *Selbstmord von Lucretia* von Giovanni Pedrini (Elvehjem Museum of Art, University of Wisconsin, Madison), das seinerseits von Leonardos Leda inspiriert ist. Abb.: Wheelock, Keyes 1991, S. 4, Abb. 4.

163 Dieses künstlerische Potenzial wird von der Forschung im allgemeinen zu Gunsten einseitiger Interpretationen negiert.

164 Koch 1991; Angela Koch, Die Verletzung der Gemeinschaft. Zur Relation der Wort- und Ideengeschichte von „Vergewaltigung", in: Österreichische Zeitschrift für Geschichtswissenschaften, „Bodies/Politics", hrsg. von Johanna Gehmacher, Gabriella Hauch, Maria Mesner, Innsbruck, Wien 2004, S. 37–56; Diane Wolfthal, Images of Rape. The ‚Heroic' Tradition and its Alternatives, Cambridge University Press 1999. Für weiterführende Literatur siehe die Bibliografie im Internet „The History of Rape. A Bibliography". (Siehe Anm. 112).

165 E. Koch 1991, S. 100.

166 Zu den Quellen siehe E. Koch 1991, S. 105.

Eigentum, das einem anderen Mann gehört. Es ist eine Geschichte zwischen Männern, in der der Frau nur Zeichencharakter zukommt.[167] (Auch die Lucretia-Erzählung ist eine Geschichte der Eroberungen zwischen Männern.) In der Neuzeit verschiebt sich das Delikt von der Familie zur Allgemeinheit, Notzucht wird mit anderen sexuellen Verfehlungen unter „Verbrechen und Vergehen wider die Sittlichkeit" zusammengefasst.[168] Erst seit den 1970er Jahren ging die Vorstellung, dass sich sexuelle Gewalt in erster Linie gegen das sexuelle Selbstbestimmungsrecht der Frau richtet, in die Gesetzestexte (der europäischen Länder) ein. Frauen hatten praktisch kaum eine Chance, den Tatbestand einer Vergewaltigung zu beweisen; anerkannt wurde lediglich lautes Schreien, das von Dritten bezeugt werden konnte, sowie Zeichen schwerer körperlicher Gewaltanwendung.[169] Die Übernahme des strengen sittlichen Grundsatzes, dass es für die Frau besser sei zu sterben als zu sündigen, wurde im Strafrecht so ausgelegt, dass der Mann nur für schuldig befunden wurde, wenn er direkte äußere Gewalt angewendet hatte. (Somit stimmt die juristische Praxis mit der Moral der Lucretia-Geschichte vollkommen überein.) Beschuldigungen seitens der vergewaltigten Frau bei entgegenstehenden Aussagen eines Mannes hatten keine Beweiskraft. Häufig wurden die Männer freigesprochen, die Frauen hingegen wegen Verleumdung verurteilt.[170] Wenn die Frau nicht gänzlich ‚unbescholten' war, wurde oft ihr die Schuld als Verführerin zugeschoben. Die Tatsache einer Schwangerschaft wurde gegen die Frauen ausgelegt; die antike, vor allem durch Galen im Gegensatz zur Zeugungstheorie des Aristoteles tradierte Ansicht, dass der weibliche Orgasmus für eine Empfängnis notwendig sei, wurde den Frauen zum Verhängnis. Bei Vergewaltigungsprozessen wurde der Befund einer Schwangerschaft mit dem Hinweis auf einen offensichtlich erfolgten Orgasmus als Entlastung des Vergewaltigers angesehen.[171] Aus all diesen Gründen kam es selten zu einer Anklage und noch seltener zu einer Verurteilung; verurteilt wurden meist Fremde, Außenseiter und sozial Deklassierte.[172]

In Holland gab es im 16. und 17. Jahrhundert kein Gesetz gegen Vergewaltigung.[173] Die *Politieke Ordonnantie* von 1580, die maßgebliche Verordnung, erwähnt lediglich Entführung und Inzest als Straftaten. Begriffe sprechen eine klare Sprache: Es wurden für *Vergewaltigung* oft dieselben Worte verwendet wie für unehelichen Geschlechtsverkehr: *oneerlijk (vleselijk) converseren, defloreren, onteren, misbruiken.*[174] Manon van der Heijdens Quellenstudium der Gerichtsakte der beiden Städte Delft und Rotterdam ergab für das gesamte 17. Jahrhundert lediglich vierzehn Fälle von versuchter beziehungsweise vollzogener Vergewaltigung, die vor Gericht gebracht wurden. Es handelte sich dabei fast ausschließlich um Jungfrauen beziehungsweise Minderjährige. Im Falle der Vergewaltigung von verheirateten Frauen kamen die beschuldigten Männer alle mit einer Verwarnung davon. Es wurde offensichtlich davon ausgegangen, dass Frauen, die ein Wissen um Sexualität hatten, nicht unschuldig sein konnten. Unverheiratete Frauen, die aber schon über sexuelle Erfahrung verfügten, hatten keine Chance bei einer Anklage. Witwen, die ja keine ‚Unschuld' mehr zu verlieren hatten und auch niemandem mehr gehörten, gingen erst gar nicht zu Gericht. Frauen, die nicht mehr Jungfrauen waren, mussten damit rechnen, dass sie im Falle der Anklageerhebung selbst verurteilt werden. Wie auch immer das Verfahren ausging, also auch bei einem Schuldspruch für den Vergewaltiger, blieb ein Makel an den Opfern hängen, ihre Ehre war beschädigt. Die juristische Praxis in Inzestverfahren macht die Projektion der Schuld vom männlichen Täter auf das weibliche Opfer noch deutlicher. Inzest wurde als schweres Verbrechen geahndet und konnte mit dem Tod bestraft werden. Mädchen nach der ersten Menstruation, die von ihrem Vater, Bruder oder Onkel missbraucht worden waren, wurden jedoch nicht als Opfer, sondern als Mittäterinnen angesehen und bestraft.

Wie aus Untersuchungen insbesondere zu Deutschland, England und Holland hervorgeht, lässt sich im Laufe der Frühen Neuzeit eine Verschiebung des Diskurses von einem Eigentums- zu einem Sexualitätsdispositiv beobachten.[175] Vergewaltigung wird in der Tendenz weniger als Delikt gegen das Eigentum eines anderen Mannes oder der Familie angesehen denn als sexuelles Verbrechen. So wird in Holland im Ehegesetz von 1656 die Verführung eines ehrbaren Mädchens erstmals unter Strafe gestellt.[176] Der Fokus liegt nun verstärkt auf der Frage, ob der sexuelle Akt mit oder gegen den Willen der Frau vollzogen wurde. Dies signalisiert einerseits eine beginnende Wahrnehmung der Frau als handelndes Subjekt, gleichzeitig aber eine Intensivierung und Internalisierung der Frage nach einer möglichen Mitschuld: Wurde die Vergewaltigung von der Frau in irgend einer Weise provoziert, hatte sie ihn verführt, hätte die Tat nicht doch verhindert werden können, war sie an einem Ort, an dem sie allein nicht hätte sein dürfen, war der geleistete Widerstand ausreichend, war ihr Schreien laut genug ... Miranda Chaytor hat in ihrer exzellenten Studie *Husband(ry): Narratives of Rape in the Seventeenth Century* den Zusammenhang von sozialer Ordnung, Arbeit, Familien- und Besitzverhältnissen mit der Wahrnehmung und Selbstwahrnehmung von und bei Vergewaltigungen dargestellt.[177] Die bürgerlichstädtische Entwicklung führte zu einem Rückzug der Frauen des gehobenen Mittelstandes aus der häuslichen Produktion, zu

167 Siehe v. a. die hervorragende Analyse bei Miranda Chaytor, Husband(ry): Narratives of Rape in the Seventeenth Century, in: Gender and History, Bd. 7, Nr. 3, Nov. 1995, S. 378–407.

168 So im Strafgesetzbuch für das Deutsche Reich 1871, siehe A. Koch 2004.

169 E. Koch 1991, S. 100f; A. Koch 2004, S. 5f; Lyndal Roper, Das fromme Haus. Frauen und Moral in der Reformation, Frankfurt a. M. 1995, S. 76; Wolfthal 1999, S. 99ff.

170 In England im 13. Jahrhundert etwa wurden bei Vergewaltigungsprozessen mehr Frauen wegen Verleumdung verurteilt als Männer wegen sexueller Gewalt, siehe Wolfthal 1999, S. 178. Siehe auch Anm. 117.

171 Die antike Medizin, wie sie vor allem durch Galen zusammengefasst worden ist, vertrat die Meinung, dass zu einer Fortpflanzung neben dem männlichen auch ein weiblicher Samen notwendig sei, der mit der durch den weiblichen Orgasmus ausgelösten Flüssigkeit gleichgesetzt wurde. Diese Vorstellung hielt sich bis weit ins 18. und 19. Jahrhundert; erst 1827 wurde die weibliche Eizelle entdeckt. Danielle Jacquart, Claude Thomasset, Sexualité et savoir médicale au Moyen-Age, Paris 1985; Thomas Laqueur, Auf den Leib geschrieben. Die Inszenierung der Geschlechter von der Antike bis Freud, Frankfurt a. M. 1992, S. 117, 185.

172 A. Koch 2004. Dies berührt ein methodisches Problem, wie nämlich mit der Absenz von Quellen umzugehen ist. Keinesfalls lässt sich aus den kaum kolportierten Rechtsfällen schließen, dass es praktisch keine sexuellen Gewalttaten gegeben hat. Aufschlussreich ist etwa, dass viele Vergewaltigungen erst bei Verfahren gegen Kindstöterinnen überliefert sind, siehe Chaytor 1995, S. 378 und Anm. 3. S. 401.

173 Manon van der Heijden, Women as Victims of Sexual and Domestic Violence in Seventeenth-Century Holland: Criminal Cases of Rape, Incest and Maltreatment in Rotterdam and Delft, in: Jorurnal of Social History 33, 2000, S. 623-44, insbes. S. 624.

174 Manon van der Heijden, Huwelijk in Holland. Stedelijke rechtspraak en kerkelijke tucht, 1550-1700, Dissertation, Amsterdam 1998, S. 94f.

175 Chaytor 1995, S. 296ff; A. Koch 2004; Roper 1995, S. 75ff.

176 Van der Heijden 2000, S. 624.

177 Das Feld ihrer Untersuchung ist England, aber auf Grund der in Holland ebenfalls fortgeschrittenen städtischen Entwicklung sind die Ergebnisse durchaus auf Holland übertragbar.

deren Privatisierung und damit einhergehenden Sexualisierung. Ab der zweiten Hälfte des 17. Jahrhunderts über das 18. bis ins 19. Jahrhundert gingen nur noch die Armen wegen Vergewaltigung vor Gericht; keine Frau aus der Aristokratie oder dem gehobenen Bürgertum machte ihre Vergewaltigung öffentlich.[178] Die Quellen der Gerichtsakte zeigen, dass die Opfer immer ‚im Namen von' sprechen, im Namen ihrer Ehre, die wiederum durch ihre Arbeit definiert ist, durch die Zugehörigkeit zu ihrem Mann und ihrer Familie. Bei bürgerlichen Frauen geht es nicht mehr nur um *Ehre,* sondern um *Unschuld.* Unschuld lässt sich kaum beweisen und schon gar nicht mehr wiederherstellen. Unschuld wird durch eine Absenz definiert, eine Absenz von Wissen, wie soll die nach einer sexuellen Erfahrung wiederhergestellt werden? Eine vergewaltigte Frau bleibt kontaminiert.

Diese Veränderung im Diskurs über sexuelle Gewalt lässt sich auch in der Literatur beobachten. Im englischen Roman des 18. Jahrhunderts wird die Faszination am Thema Vergewaltigung abgelöst durch die an der Verführung.[179] In diesem Sinne ist es auch zu verstehen, dass das Interesse an der Figur der Lucretia in der städtisch-bürgerlichen Gesellschaft Hollands im 17. Jahrhundert im Unterschied zu den feudalabsolutistischen katholischen Ländern merklich abkühlte. In der holländischen Literatur des 17. Jahrhunderts spielt die Figur der Lucretia kaum eine Rolle, bei Galinsky werden lediglich zwei Stücke von Dirck Pietersz. Pers und Neuyes of Neuye genannt und zwei weitere Aufführungen von Lucretia-Dramen, bei denen der Autor aber nicht überliefert ist.[180] Die großen holländischen Dramatiker wie Vondel haben sich der Thematik nicht angenommen. Heroische Selbsttötung entsprach in keiner Weise dem Weiblichkeitsideal der holländischen Moralisten und Literaten.[181] Die Vorstellung idealer Weiblichkeit ist die sittsame Ehefrau. Wenn also auf die Figur der Lucretia rekurriert wird, dann meist in dieser abgewandelten Bedeutung. Im Stück von Pers mutiert Lucretia zum Exempel der tugendhaften Ehefrau, die das Haus nicht verlässt und ununterbrochen für ihren Ehemann arbeitet, die Mägde beaufsichtigt und selbst am Spinnrad sitzt.[182] So malte sie auch der Rembrandtschüler W. de Poorter 1631.[183] Symptomatisch ist die Neufassung der Vergewaltigungs-Story in den Versnovellen von 1637 *Trouringh* (Ehering) von Jacob Cats, der, wie bereits erwähnt, den Diskurs über Weiblichkeit und Ehe in Holland im 17. Jahr-

178 Chaytor 1995, S. 397.

179 Ebd. 1995, S. 397. In dem einschlägigen englischen Roman des 18. Jahrhunderts, Richardsons *Clarissa,* wird zwar eine Vergewaltigung beschrieben, aber der Makel bleibt; Clarissa ist an Leib und Seele zerstört. Sie bringt sich nicht um wie Lucretia, aber sie kann nicht mehr leben. Richardson und seine Zeitgenossen erwarteten von einer wirklich keuschen Frau, dass sie melancholisch wird und stirbt.

180 Galinsky 1932, S. 120f: Dirck Pietersz. Pers: *Lucretia ofte het Beeld der Eerbaaheydt*, 1624; Neuyes of Neuye: *De gewroke Lucretia of Rome in vryheit*, Amsterdam 1669; 1609 und 1642 soll in Amsterdam jeweils ein Lucretia-Drama aufgeführt worden sein.

181 Allerdings hat Jan Vos 1660 ein Gedicht über ein Lucretia-Bild von Govert Flinck geschrieben und die politische Dimension der Geschichte betont: „Mit dem Rot [ihres Blutes] schreibt sie was Freiheit ist." Gary Schwartz, Rembrandt. His Life, his Paintings, New York 1985, S. 330.

182 Franits 1993, S. 72, Anm. 52, S. 216. Auch in der holländischen Grafik und Malerei wird die Frau am Spinnrad zum Symbol der idealen Hausfrau bzw. wird auch Lucretia am Spinnrad dargestellt, dies obwohl diese Tätigkeit in der sozialen Praxis in bürgerlichen Haushalten gar nicht mehr ausgeübt wurde.

183 Toulouse, Musee des Beaux Arts. Sumowski Bd. 4, S. 2417, Abb. 1604.

184 Sneller 1996, S. 170ff.

185 In Cats reichhaltiger Emblemsammlung *Sinne- en minnebeelden* wird Lucretia und Tarquin nur einmal erwähnt. Unter dem Motto *Et in aequore flamma est* (XVI) wird Tarquin zusammen mit Samson, Antonius u. a. genannt, die der Liebe frönten und dadurch alle anderen Dinge verfehlten. Der holländische und lateinische Text findet sich in Cats Emblemsammlung unter: http://emblems.let.uu.nl/emblems/html/c162716.html

hundert geprägt hat.[184] Obwohl Lucretia als keusche Ehefrau durchaus seinem Idealbild entsprechen musste, stellte ihr Selbstmord für den strengen Calvinisten offensichtlich ein Problem dar. Die adäquate Reaktion auf Vergewaltigung kleidete er somit in ein anderes Narrativ. Ausgehend von einer Geschichte aus den *Gesta Romanorum* schildert Cats den Fall von Tryphose und Jocaste, die beide in derselben Nacht von demselben Mann vergewaltigt worden waren. Zufolge eines (von Cats fingierten) römischen Gesetzes standen zwei Möglichkeiten zur Verfügung: Heirat oder die Verhängung der Todesstrafe. Tryphose, die als stolz und hart negativ gezeichnet wird, fordert die Todesstrafe, Jocaste hingegen, die Sanftmütige, will ihren Vergewaltiger heiraten. Cats stellt den Vergewaltiger als Opfer dar, den Tryphose durch ihre Keuschheit (!) verführt habe: „Sy had my eerst verkracht, eer ick haer maeghdom nam." („Sie hatte mich schon vergewaltigt, bevor ich ihre Jungfernschaft nahm.") Anders als in der Lucretia-Geschichte wird der Täter von der Schuld praktisch freigesprochen, schuld sind allemal die Frauen, die ihn durch Keuschheit und Liebreiz verführt hätten.[185]

In der bildenden Kunst kühlte die Faszination mit dem Lucretia-Motiv im Laufe des 17. Jahrhunderts merklich ab, die Beispiele finden sich mit wenigen Ausnahmen (Frans van Mieris d. Ä., Caspar Netscher, Adriaen van der Werff und Arnold Houbraken) in der Grafik und dies zu Beginn des Jahrhunderts: Maerten de Vos, Hieronymus Wiericx, Jan Muller, Paulus Moreelse.[186]

Rembrandt – Die ganz andere Lucretia?

Es ist somit bemerkenswert, dass Rembrandt drei Gemälde zu diesem Thema produziert hat. Die erste Version ist verloren; sie muss aber vor 1658 entstanden sein, denn in diesem Jahr wird im Inventar von Abraham Wijs und Sara de Potter anlässlich ihres Bankrotts „een groot stuck schilderij van Lucretia/van R. van Rijn" angeführt.[187] Die beiden erhaltenen Versionen stammen von 1664[188] und von 1666[189] (**Taf. 5** und **6**). Beide Werke waren offensichtlich keine Auftragsarbeiten, man weiß nichts über die Umstände ihrer Entstehung, aber die überragende Qualität belegt, dass sie für Rembrandt von hoher Bedeutung waren. Obwohl sich die Forschung einig ist, dass insbesondere die Version in Minneapolis zu seinen wichtigsten Arbeiten gehört „[the picture] still eludes final interpretation."[190]

186 A. Pigler, Barockthemen, Budapest 1974 (2. Aufl.), Bd. 2, S. 406. Es muss auch ein verloren gegangenes Lucretia-Bild von Govert Flinck gegeben haben, siehe Schwartz 1985, S. 330.
187 Strauss, van der Meulen 1979, 1658/8, 418.
188 National Gallery of Art, Washington, Andrew W. Mellon Collection, Inv. Nr. 1937.1.76. Öl/Leinwand, 120/101 cm. Signiert und datiert: Rembrandt 1664. Das Gemälde ist gut erhalten; 1985 wurden eine gealterte Firnisschicht und einige verfärbte Retouchen entfernt bzw. restauriert. Die Provenienz ist erst seit 1825 nachgewiesen. Für eine genaue Beschreibung des Erhaltungszustands, der Malweise und der Bibliografie bis 1995 siehe: Arthur K. Wheelock Jr., Dutch Paintings of the Seventeenth Century (The Collection of the National Gallery of Art. Systematic Catalogue), Washington, New York, Oxford 1995, S. 280–287. Arthur K. Wheelock Jr., George Keyes, Rembrandt's Lucretias, Ausstellungskatalog, The Minneapolis Institute of Arts, Washington 1991; AK Edinburgh, London 2001, Kat. Nr. 141, S. 242–244; Gilboa 2003, S. 166–170.
189 The Minneapolis Institute of Arts, The William Hood Dunwoody Fund, Inv. Nr. 34.19. Öl/Leinwand, 110.17/92,28 cm. Signiert und datiert: Rembrandt f 1666. Das Gemälde ist sehr gut erhalten, Reinigungen erfolgten 1964 und 1988. Die Provenienz ist erst ab der Mitte des 19. Jahrhunderts nachzuweisen. Technische Details und gesamte Bibliografie siehe die Dokumentation im Minneapolis Institute of Arts. Ich danke Erika Holmquist-Wall für die Zusendung der Dokumentation. Siehe auch Literatur in Anm. 188.
190 „Although this late work has been unanimously regarded by scholars as one of Rembrandt's greatest works, the treatment of the subject, Lucretia, still eludes final interpretation." Dokumentation, The Minneapolis Institute of Arts, 2005.

Taf. 5: Rembrandt, Lucretia, 1664, Öl/Leinwand, Washington, National Gallery of Art
Taf. 6: Rembrandt, Lucretia, 1666, Öl/Leinwand, Minneapolis, Institute of Arts

Beide Werke stehen in der oben beschriebenen Tradition der isolierten Einzelfigur, die in ihrer Privatisierung und Dekontextualisierung der Entwicklung des bürgerlichen Tafelbildes entspricht.

Die Forschung begründet Rembrandts Interesse an dem Stoff meist biografisch, bedingt durch den Tod von Hendrickje Stoffels im Jahr 1663. So meinen etwa Wheelock und Keyes in der von beiden Museen herausgegebenen Broschüre *Rembrandt's Lucretias:*

> The extraordinary poignancy of Rembrandt's paintings of Lucretia suggests that the motivation for these works had deeper roots than the political or moral associations traditionally brought to this tragic figure.[191]

Die „tieferen Wurzeln" sind Rembrandts Privatleben: Die Bilder mit der Darstellung von Lucretias Selbstmord seien für den Künstler gleichsam eine psychologische Katharsis gewesen, in denen er sowohl den Tod seiner Geliebten wie auch die Erinnerungen an ihre Demütigung bedingt durch das Konkubinat mit ihm verarbeitet habe. Diese allgemein verbreitete Sichtweise scheint mir fragwürdig[192]: Das erste Lucretia-Bild entstand mehrere Jahre vor Hendrickjes Tod; insbesondere das Modell in der Version von Minneapolis hat nicht die geringste Ähnlichkeit mit den Bildnissen, die von der Forschung für Hendrickje gehalten werden. Warum, so möchte ich fragen, ist das Private das *Tiefere*? Ist diese Auffassung nicht bereits die Konsequenz eines neuzeitlichen Kunstbegriffs, in dessen Zentrum der Meister und sein Werk stehen und davon ausgegangen wird, dass Bedeutungen im Inneren des autonomen Subjekts kreiert werden?[193] Auch wenn es denkbar ist, dass Rembrandt eigene Erfahrungen verarbeitete, ist das Bemerkenswerte daran eben

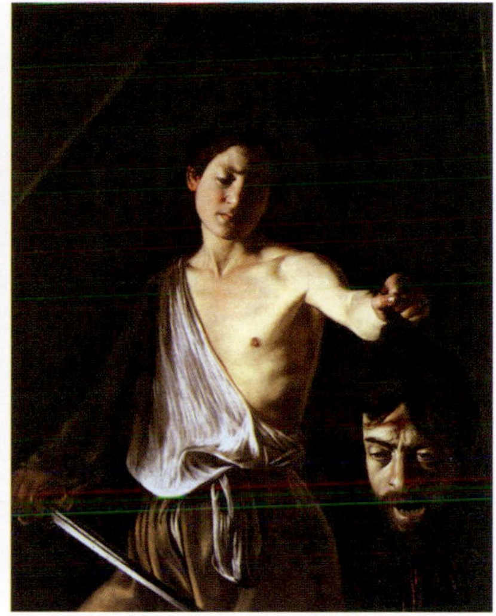

Abb. 32: Paolo Veronese, Lucretia, um 1580–83, Öl/Leinwand, Wien, Kunsthistorisches Museum
Abb. 33: Caravaggio, David mit dem Haupt des Goliath, 1609/10, Öl/Leinwand, Rom, Galleria Borghese

dieses neue und spezifisch bürgerliche Phänomen der Privatisierung, dass ein Künstler sein eigenes privates und intimes Leben in seinen Bildern thematisiert, ein Befund, der vordem undenkbar gewesen wäre. Aber wie auch immer die Bilder persönlich motiviert waren, stehen sie in einer Tradition und damit in einer Kette von Bedeutungen, die sie kommunizieren.

Ikonografisch werden von der Forschung beide Bilder einseitig in der italienischen Tradition verortet. Vor allem bei der Version in Washington wird auf den Stich von Marcanton verwiesen (**Abb. 27**, S. 64) und auf venezianische Beispiele im Umkreis von Tizian, Veronese und Palma Vecchio.[194] Die Vernachlässigung der eigenen niederländischen Bildtradition ist unverständlich. Rembrandt hat sicherlich entsprechende Bilder und Grafiken aus Italien gekannt; aber seine Landsleute hatten eben diese Bilder im Laufe des 16. Jahrhunderts bereits adaptiert. Ebenso nah wie die Beispiele von Veronese (**Abb. 32**) oder die aus dem Tizian-Umkreis sind Rembrandt die Lucretia-Bilder der niederländischen Künstler aus der ersten Hälfte des 16. Jahrhunderts wie die von Joos van Cleve (**Abb. 28**, S. 64), des Meisters der weiblichen Halbfiguren,

191 Wheelock, Keyes in: AK Minneapolis, Washington 1991, S. 10.
192 Siehe auch die Überlegungen zur Frage des Modells im Bild der *Frau im Bett*.
193 Nanette Salomon, Der kunsthistorische Kanon – Unterlassungssünden, in: kritische berichte 21, 1993/4, S. 27–40; Sigrid Schade, Kunstgeschichte, in: Wolfgang Zinggl (Hg.), Spielregeln der Kunst, Dresden 2001, S. 86–99; Schade, Wenk 1995, S. 340–407; Kathrin Hoffmann Curtius, Silke Wenk (Hg.), Mythen von Autorschaft und Weiblichkeit im 20. Jahrhundert, Gießen 1997.
194 Wheelock 1995, S. 282; einen niederländischen Einfluss lehnt Wheelock ab: „Northern prints and paintings of *Lucretia* have a quite different character and do not seem to have influenced Rembrandt in his depictions of Lucretia“, ebd. Anm. 8, S. 286; B. P. J. Broos, Index of the Formal Sources of Rembrandt's Art, hrsg. von Gary Schwartz, Maarssen 1977, S. 49f. In dieser Auflistung findet sich kein einziger Hinweis auf die niederländische Tradition. Jeglicher Einfluss von Künstlern aus dem Norden wie Dürer oder Cranach wird auch noch im Ausstellungskatalog Edinburgh, London 2001 (Kat. Nr. 141, S. 242) dezidiert abgelehnt. Die spezifisch niederländische Tradition des 16. Jahrhunderts ist der Rembrandt-Forschung offensichtlich nicht bekannt, ebenso wenig wie der Aufsatz von Schubert von 1971, der diese Bilder zusammengestellt hat.

Quentin Massys und anderen.[195] Für die in der Tat ungewöhnliche Haltung der Lucretia in Minneapolis hat Michael Hirst zu Recht auf die auffallende Verwandtschaft mit Caravaggios *David mit dem Haupt des Goliath* in der Villa Borghese aufmerksam gemacht **(Abb. 33)**.[196] Es wäre zu überlegen, ob diese (mögliche) Inspiration für Rembrandt nur auf einer formalen oder auch auf einer semantischen Ebene lag, ob er das Vexierspiel von Täter und Opfer – Goliaths Züge sind bekanntlich diejenigen von Caravaggio selbst – mitdachte. Davids zur Seite geneigter Kopf und der gesenkte Blick finden sich in Rembrandts Bild wieder, ebenso die Haltung des Armes mit dem auf den Geschlechtsbereich weisenden Dolch; die diagonale Führung des Hemdes bei David wurde bei Lucretia in die Kette umgewandelt. Ich denke, Rembrandt werden vor allem die Effekte von Melancholie und Nachdenklichkeit in dieser so ungewöhnlichen und unheroischen Davidfigur fasziniert haben: die Reflexion über Mord und Selbstmord.

Es gibt ein Detail in Rembrandts ikonografisch ansonsten nicht ungewöhnlichem Bild, das wirklich einzigartig ist und vielleicht auch durch das Caravaggio-Bild angeregt worden ist: es ist die Kordel, an der sich Lucretia festhält. Über diese Kordel ist viel gerätselt worden: Sie wurde als Klingel, Vorhangschnur oder Hilfe für das Modell gedeutet. Schama hat darauf verwiesen, dass es Klingeln dieser Art in holländischen Innenräumen im 17. Jahrhundert nicht gegeben hat.[197] Der durch die Kordel assoziierbare Vorhang wurde als theaterhafter Effekt und als Schwelle zwischen dem privaten Himmelbett und einer öffentlichen Zeugenschaft gedeutet.[198] Der Vorhang nach dem letzten Akt, der aufdeckt und verhüllt. Problematisch an dieser an sich einleuchtenden These ist der Umstand, dass Rembrandt bei seinen vielen Zeichnungen, Radierungen und auch Gemälden von Himmelbetten die Bettvorhänge nie mit einer Kordel versehen hat.[199] Auch scheint die Kordel mit den scharfen Lichtpunkten aus Metall zu sein, was nun doch eher wieder an eine Glocke denken lässt, welche die Zeugen – textwidrig – nach vollbrachter Tat herbeirufen soll. Wie verwandelt sich nun aber Goliaths Kopf in eine Kordel? Wenn ich versuche, mir diesen Vorgang in der künstlerischen Produktion vorzustellen, so ergibt sich für mich folgende Denkmöglichkeit: Rembrandt ist zutiefst von Caravaggios Erfindung beeindruckt. Er macht nun aus David keine Judith, was naheliegend wäre, sondern die thematisch so ganz anders gelagerte Lucretia. Caravaggios Komposition gibt für Lucretias linken Arm eine gewisse Haltung vor. Eben diese Haltung hat Rembrandt selbst bei seinen Modellstudien immer wieder vor Augen gehabt und gezeichnet: das Modell, das, um nicht allzu sehr zu ermüden, sich bei bestimmten Posen an einer Kordel festhält. So verbindet sich für Rembrandt die Armhaltung im künstlerischen Vorbild mit derjenigen seines Modells und er kann die Geste kompositorisch beibehalten, aber sie neu semantisieren.[200] Bei den *Lauscherinnen* von Maes finden sich solche Kordeln bei den steilen Treppen, die Frauen halten sich daran fest, um nicht zu stürzen, das heißt solche Kordeln waren vielleicht innerhalb des Hauses nicht nur für Modelle angebracht. Rembrandts Lucretia, die sich bereits erdolcht hat, also im Begriff wäre zu stürzen, kann sich so noch sterbend aufrecht halten. So stirbt sie in stoischer Haltung.[201] Dies entspricht ganz dem Ovid Text:

Jetzt noch, als sie stirbt, gibt sie acht, dass sie mit Anstand hinfällt;
während sie stürzt, ist ihre Sorge nur dies.[202]

Es mag sein, dass Caravaggios *David* Rembrandt auch inspiriert hat, Lucretia *nach* vollbrachter Tat darzustellen; die Übereinstimmung zwischen der Haltung von Davids rechtem Arm mit derjenigen von Lucretia und der Richtung der beiden Dolche, die jeweils auf das Geschlecht zielen, ist nicht von der Hand zu weisen. Aber die Behauptung, dass Rembrandt motiviert durch dieses Vorbild einen Augenblick dargestellt habe „that no artist had ever before depicted: Lucretia, in a moment between life and death [...]" ist übertrieben.[203] Es gibt durchaus Werke aus der Grafik und auch Gemälde, in denen Lucretia sich die tödliche Wunde bereits zugefügt hat und sterbend gezeigt wird.[204] Allerdings sind es meist Werke, in denen die Zeugen anwesend sind.[205] Es sind denn auch die Mitglieder ihrer Familie und Brutus, die die Sterbende auffangen. Bei Rembrandt werden die Zeugen eliminiert. Die Vorstellung, dass die bildimmanenten Zeugen durch die Betrachter ersetzt würden, ist problematisch, denn das Bild hat keinerlei Appellstruktur, Lucretia wendet sich nicht an die Betrachter, ihr Blick ist wie verloren nach innen gerichtet. Mit den Zeugen kappt Rembrandt das äußere Handlungsmoment, das Narrative. Der Augenblick des Todes wird stillgestellt für die Ewigkeit. Diese „Entzeitlichung des Ereignisbildes"[206] erzielt Rembrandt durch verschiedene ästhetische Strategien: Sterben ohne zu fallen – die Kordel ermöglicht diese äußere Statik. Die Stilllegung jeglicher Handlung wird auch erreicht durch die Frontalität der Figur, die flächige Komposition und die Einheit von Körper, Gewand und Raum, die ihrerseits durch das warme Helldunkel und die allem gleichermaßen innewohnende Farbigkeit gewonnen

195 Siehe die Abbildungen in Schubert 1971.
196 Michael Hirst, Rembrandt and Italy, in: The Burlington Magazine CX, 1968, S. 221. Es bleibt unklar, wie Rembrandt zu diesem Vorbild kam, denn Caravaggios *David* war nicht in Stichen reproduziert. Vielleicht kannte Rembrandt eine gemalte Kopie.
197 Schama 1999, S. 662.
198 Das Theatralische beider Versionen wurde vor allem von Held (1973, S. 123) hervorgehoben; Schama (1999, S. 662) interpretiert den Vorhang als zu ihrem Himmelbett gehörig, als Schwelle zwischen „public hurt and private grief."
199 An den unzähligen Vorhängen und Bettvorhängen in der holländischen Malerei gibt es praktisch keine Kordeln, Ausnahmen sind: Godfried Schalcken, *Besuch beim Arzt*, 1669, Abb. Sutton 1984, Kat. Nr. 98, S. 168, Abb. 12; Jacob van der Merck, *Vier van de vijf zintuigen*, Rotterdam, Museum Boymans van Beuningen, Abb: De Jongh 1976, S. 162.
200 Diese These einer komplexen Verknüpfung von Motiven aus der ikonografischen Tradition mit der banalen Halterung für das Modell und einer anschließenden Neusemantisierung lässt sich durch folgendes Beispiel untermauern: Rembrandts letzte Radierung eines weiblichen Aktes von 1661, (London, Brit. Mus.) ein Rückenakt mit erhobener Hand, die einen Pfeil hält, ist fast identisch mit einer Zeichnung von Johannes Raven (London, Brit. Mus.), der ganz offensichtlich dasselbe Modell gezeichnet hat. Bei Raven hält sich das Modell an eben einer solchen Kordel fest. Der Akt bei Rembrandt hat die idente Armhaltung, aber Rembrandt hat der Figur nun einen Pfeil in die Hand gegeben (und zusätzlich noch den Kopf einer winzigen männlichen Figur angedeutet). Der Pfeil wirkt unmotiviert, die Hand hält ihn nicht wirklich, die Herkunft der Kordel bleibt spürbar. Die Interpretationen schwanken zwischen Venus, Diana u. a. Abb. AK Edinburgh, London 2001, S. 233.
201 So auch Christopher Wright, Rembrandt, München 2000, S. 78.
202 „Tum quoque, iam moriens, ne non procumbat honeste respicit: haec etiam cura cadentis erat." Ovid, Fasti, II, 833–834.
203 Wheelock, Keyes 1991, S. 6.
204 Beispiel eines Gemäldes: Claude Vignon, 1640er Jahre, Blois, Château et Musées, Abb.: AK Düsseldorf 1995, S. 297, Abb. 144; Zur Grafik siehe Anm. 148.
205 Zeitgleich mit Rembrandt hat der oberitalienische Künstler Francesco Cairo mehrere Versionen von Lucretias Selbstmord gemalt, in denen Lucretia als Einzelfigur *nach* ihrer Erdolchung dargestellt ist. Eine Version befindet sich in der Sammlung Liechtenstein in Wien: Lucretia als Brustbild, sie hat keine Waffe in der Hand, aber eine klaffende Wunde am Brustbein; die Version aus dem Prado in Madrid zeigt Lucretia niedersinkend, der Dolch steckt zwischen ihren entblößten Brüsten. Die Bilder von Cairo sind hochgradig sexualisiert und stehen somit in krassem Gegensatz zu Rembrandt. Abb.: Beverly Brown, Virtuous Virgins, Matthiesen Fine Art LTD, London 2004, Abb. 7 und 10.
206 Dieser Begriff stammt von Otto Pächt (1991), der ihn allgemein für Rembrandts Spätstil, im besonderen für den *Verlorenen Sohn* verwendete.

wird.[207] Durch die Stilllegung jeglicher äußerer Bewegung und Handlung wird die Konzentration ganz in das Innere, in die Psyche der Figur gelegt.[208] Die leichte Neigung des Kopfes, die Verschattung der linken Gesichtshälfte und der ins Nichts gehende Blick ihrer Augen, deren Rötung und leicht verschwollene Lider mit der kaum sichtbaren Weißhöhung am unteren Rand der Augen Tränen assoziieren, signalisieren unendliche Traurigkeit. Diese ästhetische Inszenierung bewirkt nicht nur eine Individualisierung und Psychisierung der Lucretia-Geschichte; durch die Stilllegung der Handlung bei gleichzeitiger Beibehaltung gewisser narrativer Elemente wie die Kordel, den Dolch, die blutende Wunde und den intensiven Ausdruck in Lucretias Antlitz zwischen Trauer und Nachdenklichkeit kann die gesamte Geschichte aufgerufen werden und nicht nur der Augenblick ihres Todes.[209]

Rembrandt zeigt nicht den heroischen Akt der Selbsttötung und auch nicht den Augenblick zuvor wie in seiner früheren Fassung, sondern das Sterben. Georg Simmel hat in seinem kunstphilosophischen Versuch über Rembrandt bemerkt, dass in Menschenbildern von Rembrandt der Moment des Todes, das allem Lebendigen innewohne, nachdrücklicher enthalten sei als irgendwo sonst in der Malerei.[210] Bei Rembrandt werde der Tod nicht mehr wie etwa in den Totentänzen als größter Widerspruch zum Leben gesehen und nicht als äußerer Feind, sondern als integraler Teil unseres So-Seins. Diese Immanenz des Todes im Leben bezieht Simmel auf Rembrandts Porträts. Seine Beobachtung trifft nun aber in hohem Maße auf die *Lucretia* zu. Rembrandt gelingt es hier, Verletzung und Sterben vollkommen in Form zu übersetzen: Die vielen, als solche wahrnehmbaren Farbschichten machen das Prozesshafte, Entstehen und Vergehen anschaulich; die offene, gespachtelte Malweise vermittelt den Eindruck von Schnitten und Rissen.[211] Lucretia wird ganz nah an das Auge des Betrachters gerückt, gleichzeitig wird sie ihm durch das Motiv des bevorstehenden Fallens und durch die auflösende Malweise wieder entzogen. Diese schmerzliche Verbindung von intimer Nähe und Entrückung macht die Erfahrung des Todes für die Betrachter nachvollziehbar.

Wäre aber die Repräsentation der Selbsttötung einer weiblichen Figur das alleinige Anliegen Rembrandts gewesen, hätte er sich auch für einen anderen Stoff entscheiden können.[212] Auch wenn Rembrandts Interesse nicht allein der Geschichte der Lucretia galt, wurden die beiden Bilder von den Zeitgenossen auf Grund der herkömmlichen Ikonografie als *Lucretia* wahrgenommen und mit den entsprechenden Bedeutungen aufgeladen.

Wie sind Rembrandts Bilder innerhalb der Diskurse über Lucretia mit all den Implikationen zu Ehre, politischer Legitimation des weiblichen Opfers, idealer Weiblichkeit, Keuschheit und Vergewaltigung zu situieren? Rembrandt griff mit seiner Entscheidung für das Halbfigurenbild und die Isolierung der sich tötenden Lucretia auf eine in Holland durchaus eingeführte Tradition zurück. Aber in der ästhetischen Inszenierung und Semantik zeigt sich eine andere Haltung. Auch wenn die Version in Washington noch in der Tradition des Stichs von Marcanton **(Abb. 27**, S. 64**)** steht, so fehlt ihr doch gänzlich der heroische

Aspekt: keine antikisierende Figur, keine überhöhende Architektur, der pathetisch ausgestreckte linke Arm wird zurückgenommen und in eine sachte Handbewegung umgewandelt, die eher auf ein Innehalten verweist und vielleicht auch auf ein In-Distanzhalten der Zeugen. In der Grafik wie auch bei den meisten Halbfigurenbildern der niederländischen Künstler des 16. Jahrhunderts verweist eine eingravierte Schrift auf der Brüstung oder dem Hintergrund auf die historische Geschichte. Rembrandt hat alles daran gesetzt, seine Lucretia-Figuren zu individualisieren und zu privatisieren und den Verweis auf die politische Dimension der Geschichte zu tilgen. Rembrandts Lucretia-Bilder zeigen keine *femme forte,* das weibliche Opfer wird nicht für die angebliche Freiheit der Allgemeinheit instrumentalisiert. Den Dolch, den in der römischen Geschichte Brutus aus Lucretias Wunde zog und der dadurch zum *turning point* in der Geschichte wurde, vom Zeichen des Selbstmords zum Zeichen der revolutionären Erhebung, diesen Dolch hält bei Rembrandt Lucretia selbst noch in der Hand, nachdem sie sich die tödliche Wunde zugefügt hat.[213] In den meisten Bildern und Grafiken, die entweder noch die gesamte Geschichte erzählen wie auf den *cassoni* oder Lucretias Selbstmord vor Zeugen inszenieren, hält Brutus den Dolch hoch zum Zeichen des Racheschwurs. Der Dolch ist das Zeichen, durch das der Wechsel von der privaten zur politischen Geschichte visualisiert wird. Die seit der Antike bis in den Barock relevanten Motive der Geschichte, *gloria* und *libertas,* spielen bei Rembrandt keine Rolle. Seine Lucretia-Bilder sind keine politischen Allegorien. Es sind aber auch nicht Allegorien auf die weibliche Keuschheit. Die emotionalisierende und realistische Inszenierung verunmöglicht eine rein allegorische Lesart. Vergleichen wir die Lucretia in Minneapolis mit den niederländischen Versionen des 16. Jahrhunderts, etwa mit derjenigen von Joos van Cleve (**Abb. 28**, S. 64). Obwohl bei Cleve, wie bei seinen niederländischen Kollegen, Lucretia in dem Augenblick gezeigt wird, da sie sich den Dolch zwischen die Brüste stößt, bleibt der Körper erstaunlich intakt, das heißt der Dolch wird wie ein Attribut gelesen und der allegorische Charakter des Bildes bleibt gewahrt. Bei Rembrandt, obwohl motivisch verhaltener (kein Dolchstoß, kein nackter Körper), strömt der rote Blutfleck, der aus dem Inneren ihres Körpers zu kommen und sich allmählich auf dem weißen Hemd zu verbreitern scheint, eine unglaubliche Suggestionskraft aus. Diesen Effekt bewirkt Rembrandt durch die vielen Farbschichten und durch den unmerklichen Übergang der roten Farbe des Blutes in das Weiß des Hemdes. Rembrandts Lucretien sind aber auch keine (real vorstellbaren) sittsamen Hausfrauen wie so oft bei seinen Zeitgenossen. Die phantastische königliche Gewandung enthebt sie zudem der bürgerlichen Sphäre.

207 Man beachte etwa, wie der weite Ärmel am rechten Bildrand unmerklich vom dunklen Hintergrund sich erst ganz allmählich zu einer leuchtenden Helligkeit aufbaut oder die Farben für die sichtbaren Teile des Körpers zum Teil dieselben sind wie am Gewand oder dem links hinter Lucretia kaum sichtbaren Kissen (oder Bett).

208 Vgl. die verwandte Inszenierung bei der *Bathseba*.

209 Garrard (1989, S. 238f) schließt aus der Nachdenklichkeit der Lucretia, dass die Situation vor dem tödlichen Stich dargestellt sei; sie hat offensichtlich die blutende Wunde übersehen.

210 Georg Simmel, Rembrandt. Ein kunstphilosophischer Versuch, München 1925, S. 89–100.

211 Alpers (2003, 1989, engl. 1988, S. 191f.) sieht darin auch eine Analogie zwischen Maler, Schlächter oder Chirurgen, deren Hand jeweils in einen fremden Körper schneidet.

212 Ich denke beispielsweise an die Figur der Dido, die sich aus unglücklicher Liebe umbrachte, als Aeneas sie verließ.

213 Die gleiche Einschätzung bei Bal 1991, S. 74: „But by removing it [the dagger] herself, Lucretia robs Brutus of this opportunity to use her drama semiotically for political purposes."

Abb. 34: Jan Muller, Lucretia, Anfang 17. Jahrhundert, Kupferstich, Dresden, Staatliche Kunstsammlungen, Kupferstich-Kabinett

Eines der herausragendsten Merkmale der bildlichen Tradition der Geschichte seit dem 16. Jahrhundert war, wie wir sahen, die Erotisierung der Lucretia-Figur **(Abb. 29** und **31**, S. 68 und 70**)**. So begegnet sie uns auch noch in der holländischen Grafik, etwa in einem Stich von Jan Muller **(Abb. 34)**. Auf dem Bett sitzend präsentiert sich eine fast gänzlich nackte Lucretia mit gespreizten Schenkeln in lasziver Drehung dem Betrachter. Der Selbstmord erinnert in der ästhetischen Inszenierung an den sexuellen Akt, aber nicht an Vergewaltigung. Bei Rembrandt wird Lucretia nicht zu einem Objekt voyeuristischer Begierde, im Gegenteil, er setzt alles daran, diesen Eindruck zu vermeiden. Lucretia ist in beiden Versionen vollständig bekleidet, ihr Körper wird nicht exponiert, ihre weiblichen Reize werden nicht herausgestrichen. Das Gesicht wirkt vor allem in der Mund- und Augenpartie vom Weinen gerötet und verschwollen. In der Version in Minneapolis öffnet sich das Gewand wie ein Vorhang, doch was zu sehen gegeben wird, ist eben gerade nicht ein nackter weiblicher Körper, sondern eine weiße Fläche. Die Brüste, traditionell fast immer entblößt, werden unter dem Hemd nicht einmal angedeutet. Auf den Körper wird lediglich zeichenhaft durch zwei Öffnungen verwiesen: durch die blutende Wunde und den korrespondierenden Schlitz im Hemd unter ihrem Hals. Mieke Bal hat diese Korrespondenz, die durch die Führung der Kette eine zusätzliche Betonung erfährt, als Assoziation an die reine und die verletzte Vagina interpretiert.[214] Lucretias Kleidung ist bezüglich des Schnitts der Gewandteile kaum nachvollziehbar, übernimmt aber eine wichtige expressive Funktion. Über dem weißen Unterhemd ist an den Schultern und an ihrem rechten Arm ein zweites zartes grünfarbenes Hemd zu sehen, das sich beim Hals in wellenförmige Falten legt; darüber das Kleid oder der Umhang, der herabzurutschen scheint, jedenfalls ist er am rechten Arm, dem aktiven, durch die Bewegung nur mehr in einem Aufschlag sichtbar; der untere Gewandteil ist gebläht, wie von ihrem Fall, gleichzeitig stabilisiert die sich nach unten verbreiternde Form die Komposition. So signalisieren die Körperhüllen königliche Pracht und Devastiertheit zugleich, Fallen, Zusammenbruch und geben der Figur dennoch ihren Halt.

Rembrandts Lucretia-Bilder widersetzen sich somit den traditionellen Bedeutungssträngen: Sie zeigen weder die politisch-heroische noch die rein allegorische noch die sittlich-lehrhafte und schon gar nicht die sexualisierte Komponente. Aber sie sind von der spezifisch christlichen Deutungstradition geprägt, die die heidnische Heldin zu einer Märtyrerin gemacht hat. Die *Lucretia* in Washington erinnert mit ihren ausgebreiteten Armen an den gekreuzigten Christus; die *Lucretia* in Minneapolis an den (halbfigurigen) Schmerzensmann mit der Seitenwunde. Allerdings fehlt beiden der für MärtyrerInnenfiguren so charakteristische Augenaufschlag, der Blick himmelwärts und damit zu Gott. Die Washingtoner Lucretia schaut sinnend in Richtung ihrer den Dolch führenden Hand, der Blick der Lucretia in Minneapolis geht ins Leere. Die Lucretia-Figuren werden somit ‚reprofanisiert'. Die passive Opferhaltung wird in der zweiten Fassung konterkariert durch eine gewisse Autonomie, die der weiblichen Figur zugestanden wird: Sterbend hält sie sich selbst aufrecht und wird nicht von anderen aufgefangen; nicht Brutus übernimmt den Dolch zur Rache, sie selbst hält ihn in der eigenen Hand. In der Washingtoner Fassung hat Lucretia den Dolch auf ihre Brust gerichtet. Ihr Mund ist leicht geöffnet, als spreche sie zu ihm oder zu ihrer Hand, die ihn führt.[215] Wheelock zitiert in diesem Zusammenhang zu Recht die Verse von Shakespeare in dessen Gedicht *The Rape of Lucrece* von 1594:[216]

Poor hand, why quiver'st thou in this decree?
Honour thyself to rid me in this shame;
For if I die, my honour lives in thee,
But if I live, thou livest in my defame.

Aber die Verwandtschaft zwischen Rembrandt und Shakespeare geht tiefer. In Shakespeares Versepos bricht der Konflikt zwischen der römisch-antiken und der christlichen Auffassung des Stoffes auf.[217] Die Normen sind nicht mehr klar vorgegeben, sondern stehen in Widerspruch zueinander. Lucretias Heldentum im Sinne Roms wird in der christlich-augustinischen Auffassung mit der prinzipiellen Ablehnung des Selbstmords zur Sünde. Wie schon Augustin selbst formulierte, ist Lucretias Situation hoffnungslos. In Shakespeares Gedicht wird dieser Konflikt benannt; Lucretia sinniert, wie sie diesem Dilemma entkommen könne. Im Sinne der Antike sieht sie ihre Ehre für immer geschändet und nur durch den Tod wiederherstellbar. Aber gleichzeitig quält sie das Wissen um die Sündhaftigkeit des Selbstmords:

214 Bal 1991, S. 75f.
215 Held 1973, S. 123.
216 Wheelock 1995, S. 284f. Dieser Bezug bereits bei J. Veth, Rembrandt's Lucretia, in: Beelden en Groepen, Amsterdam 1914, S. 25.
217 Donaldson 1982, S. 40–56; Garrard (1989) sieht in diesem Phänomen des Zweifelns zu Recht eine Parallele zur *Lucretia* von Artemisia Gentileschi (auf die wir noch zu sprechen kommen).

To live or die which of the twain were better,
When life is sham'd, and death reproach's debtor.
‚To kill myself', quoth she, ‚alack, what were it,
But with my body my poor soul's pullution?'
(Sie fragt sich, ob sie dennoch leben soll,
Denn auch der Tod erscheint ihr vorwurfsvoll.
‚Mit eigner Hand durchbohren meine Brust,
Das hieße meine Seele mit beflecken.')[218]

Das Innehalten, die Nachdenklichkeit und Melancholie in Rembrandts *Lucretien* lassen sich in diese Richtung eines inneren Monologs deuten. Shakespeare entwirft eine Frauenfigur, die zweifelt und nachdenkt. Dennoch reproduziert Lucretia die traditionellen Zuschreibungen an Weiblichkeit: Sie empfindet Scham, fühlt sich schuldig, spricht von Ehebruch.[219] Aber dann schlägt die Stimmung um und sie lässt ihren Hass- und Rachegefühlen gegen Tarquin vollen Lauf; dann spricht sie aus, dass es nicht sie ist, die sich umbringt, sondern Tarquin. Sie tötet sich mit den Worten:

Tis he, that guides this hand to give this wound to me.

Trotz einer gewissen Brüchigkeit vertritt Shakespeares *Lucretia* ein Weiblichkeitsbild, in dem Keuschheit als oberstes Gut steht und das durch Passivität gekennzeichnet ist, und folglich das Handeln, die Rache den Männern überlassen wird. Frauen sind wie Wachs, sie sind, was immer der männliche Stempel ihnen aufgeprägt hat:

For men have marble, women waxen minds,
And therefore are they form'd as marble will;
The weak oppress'd, th'impression of strange kinds
Is form'd in them by force, by fraud, or skill.
Then call them not the authors of their ill,
No more than wax shall be accounted evil
Wherein is stamp'd the semblance of a devil.
(Der Mann ist Marmor, weiches Wachs die Frau;
Der Form des Marmors muss das Wachs sich fügen.
Gleich falschen Münzen trägt das Weib zur Schau
Die Prägung mit des fremden Königs Zügen;
Nicht das Metall, die Stempel nur betrügen.
Was kann das Wachs dafür, das aufgeprägt
Das Bildnis eines argen Teufels trägt?)[220]

Rembrandt kann Shakespeares Text nicht gekannt haben; er war nicht ins Holländische übersetzt und Rembrandt verfügte nicht über Englischkenntnisse.[221] Was Rembrandts

Bilder mit dem Text von Shakespeare verbindet, ist eine prinzipielle Haltung zu dieser Geschichte. Auch bei Shakespeare spielt der politische Aspekt keine Rolle; das Drama wird als ausweglose individuelle Tragödie emotional nachvollziehbar inszeniert. Das Versepos ist auf die inneren Monologe der Figuren konzentriert.[222] Ein Bild kann nicht sprechen. Aber Rembrandt hat immer wieder versucht, das Wort zu visualisieren, Sprechen zu zeigen, Nachdenklichkeit zu verbildlichen.[223] Bei seiner *Lucretia* in Washington wird durch die Geste der linken Hand und die leicht geöffneten Lippen ein innerer Monolog angedeutet; bei der *Lucretia* in Minneapolis ist es der melancholische Ausdruck in ihrem Gesicht im Kontext mit der Stilllegung der Handlung bei gleichzeitiger Beibehaltung narrativer Elemente, die ein Nachdenken der Bildfigur suggerieren. Trotz allen Haderns und Zweifelns bringt sich Lucretia letztlich um. Das verlangt die Geschichte. Nach dem langen Monolog ist der Selbstmord im Shakespeare-Text nicht wirklich schlüssig. Es gibt nun aber zwei kleine Zeilen am Schluss des Gedichts, die erstaunlicherweise nie zitiert wurden, aber, wie ich meine, einen Zweifel an der Sinnhaftigkeit dieses Selbstmords und damit der Logik der Geschichte explizit benennen.[224] Nachdem Brutus den Dolch aus Lucretias Wunde gezogen hat, fordert er die in ihrer Trauer erstarrten Männer zur Rache auf, statt im Schmerz zu verharren:

> Such childish humour from weak minds proceeds.
> Thy wretched wife mistook the matter so,
> To slay herself that should have slain her foe.
> (Das hieße kindisch deine Mannheit schwächen
> Und nicht das Blut des teuren Weibes rächen,
> Das leider selbst in schwerem Irrtum fehlte
> Und statt des Feindes *sich* zum Opfer wählte.)[225]

Das ist nicht moralisierende Kritik an der Sünde des Selbstmords im Sinne Augustins, sondern eine nüchterne Feststellung, dass hier das unschuldige Opfer sich selbst anstelle des Täters getötet hat. Dieser Satz hängt gleichsam in der Luft. Er verstärkt den Eindruck von Irrationalität und Paradoxie, die jedoch dem Stoff innewohnen. Die Effekte des Shakespeare-Textes wie der Rembrandt-Bilder sind Mitleid, Empathie mit Lucretia und Fassungslosigkeit angesichts des tragischen Schicksals dieser keuschen und unschuldigen Frau. Galinsky stellte die beiden „Kernfragen", „die zwei Jahrtausende beschäftigt haben: Warum ergab sich Lucretia? Warum beging

218 Shakespeare 1983, S. 384, 385, nach Übersetzung von Wilhelm Jordan.
219 Coppelia Kahn hat die Ambivalenz der Lucretia-Figur bei Shakespeare herausgearbeitet: „In giving Lucrece ‚tongue', Shakespeare perforce works *against* the patriarchal codes that, at the same time, he puts into her mouth." (Lucrece: the Sexual Politics of Subjectivity, in: Higgins, Silver 1991, S. 141–159, hier S. 142.)
220 Shakespeare 1983, S. 390, 391.
221 Ich danke Agnes Sneller für diese Auskunft; Sneller bestätigte mir, dass im Rembrandt-Umkreis lediglich Huygens über Englischkentnisse verfügte.
222 Der erste Teil des Versepos beschreibt Tarquins inneren Kampf mit seinen Lüsten.
223 Held 1973; Häslein 2004.
224 Weder bei Donaldson, Galinsky, der Rembrandtliteratur, die sich mit der Beziehung zu Shakespeare befasst, noch bei Coppelia Kahn erwähnt, die eine feministische Analyse des Gedichts geschrieben hat. Aufschlussreich ist auch, dass die Übersetzung von 1983 (1968), die mir vorgelegen hat, misogyner ist als Shakespeare. *Woman* wird mit *Sünderin* übersetzt. Ein Beispiel, S. 390, 391:

„O, let it not be hild poor women's faults that they are so fulfill'd With men's abuses!"	„Tut in Bann und Acht Den, der die Sünderin zu Fall gebracht."

225 Ebda, S. 432, 433.

Abb. 35: Correggio,
Jupiter und Io,
um 1530, Öl/Leinwand,
Wien, Kunsthistorisches Museum

sie Selbstmord?"[226] Auch die Forschung des 20. Jahrhunderts versucht auf diese Fragen eine Antwort zu finden, versucht, Lucretias Handlungen zu verstehen. Selbst Donaldson beendet sein Shakespeare-Kapitel mit den Worten: „The poem gives a constant sense of problems perceived but not solved" und beklagt, dass Shakespeare keine Antwort gebe auf die Frage, wie nun eine entehrte Frau richtig reagieren sollte.[227]

Die Frage ist falsch gestellt; die Frage kann nicht lauten: Warum hat sich Lucretia umgebracht? Sondern: Warum konstruieren Männer eine weibliche Figur, deren (tragische) Idealität darin besteht, sich nach einer Vergewaltigung umbringen zu müssen? Gefordert ist nicht die Hermeneutik der Lucretia-Figur, sondern die Dekonstruktion dieser gesamten erzpatriarchalen Geschichte, in der Vergewaltigung von Frauen gleichsam als Naturgesetz konstatiert wird, die Opfer mitschuldig gemacht werden und von den vergewaltigten Frauen auch noch erwartet wird, sich umzubringen oder aus Scham und Verzweiflung zu sterben.[228] Vergewaltigung wird heute noch als ‚tragisches weibliches Schicksal' angesehen. Dieses ‚Schicksal' hat einen Namen: Es ist die männliche patriarchale Gewalt.

Rembrandt hat im Vergleich zur zeitgenössischen Bildtradition eine alternative Lucretia entworfen, die nicht mehr für politische Zwecke instrumentalisiert, nicht zur Keuschheitsikone allegorisiert und nicht sexualisiert wird, nicht nur Zeichen in einem männlich bestimmten Symbolsystem ist. Thema ist sie selbst, ihr Leiden, ihr Sterben, ihr Tod.

Und dennoch: Führt nicht die Identifikation allein mit ihrem Schmerz zu einer verhängnisvollen Verdrängung? Zur Verdrängung des männlichen Verursachers dieses Dramas, die diesen Tod als Selbstmord erscheinen lässt, der doch eigentlich ein Mord war? Die Rhetorik des Bildes appelliert zwar an das Mitgefühl des Betrachters, aber gleichzeitig suggeriert sie, dass Vergewaltigung das Problem Lucretiens sei. Der Täter, Tarquin, ist unsichtbar. Männliche Gewalt wird unsichtbar, aber deswegen verschwindet sie nicht, sie ist dem Stoff inhärent. Was bewirkt diese Form der Unsichtbarmachung? Natürlich kennt der Betrachter die Geschichte. Aber er muss sich nicht schuldig fühlen, er steht nicht an der Stelle Tarquins. Er steht an der Stelle der Zeugen, zudem fehlt, wie wir sahen, beiden Bildern jede Form von Appellstruktur, Lucretia wendet sich nicht an die Betrachter. Bei *Bathseba* und *Susanna* ersetzt der Betrachter in der Tat die männliche Bildfigur, indem er stellvertretend das tut, was die Bildfigur täte, nämlich schauen. Die Frage, wie diese Form der Unsichtbarmachung zu interpretieren ist, ob der Betrachter stimuliert wird, das Unsichtbare selbst zu imaginieren oder aber zu verdrängen, lässt sich nur im Kontext klären. Rembrandts Bilder wurden und werden innerhalb einer bestimmten Bild- und Texttradition rezipiert, in der der Täter (fast) nie thematisiert wurde, in einer Kultur, in der Vergewaltigung als eine Geschichte von Frauen erzählt und erinnert wurde, in einer Kultur, in der die juristische Praxis die Vergewaltiger freisprach und die weiblichen Opfer zur Verantwortung zog. „Rape exists as an absence", so charakterisieren die Herausgeberinnen Higgins und Silver in ihrer Einleitung zu *Rape and Representation* die literarischen Texte, in deren Zentrum Vergewaltigungen stehen, die aber nie als solche benannt werden,[229] Texte, deren Botschaft es vielmehr ist „to show rape as not rape."[230] Nur im Kontext dieser kulturellen Tradition können wir Rembrandts Lucretia-Bilder interpretieren. Diese Tradition in ihrer ganzen Dimension auszubreiten, ist hier nicht der Ort, es sei lediglich darauf hingewiesen, dass in einem der Ur-Texte unserer literarischen Kultur, der wie kein anderer in der Zeit der Renaissance und des Barock insbesondere von den Künstlern rezipiert wurde, den *Metamorphosen* des Ovid, Verführungs- und Vergewaltigungsgeschichten zentral sind. Vergewaltigung wird dort göttlich legitimiert, denn immerhin ist der Täter meist der Göttervater selbst, die weiblichen Opfer werden nicht nur nicht betrauert, sie sind es, die bestraft werden. Warum, möchte ich fragen, ist das so und warum haben ausgerechnet diese Geschichten des Ovid die Phantasie der Künstler der Neuzeit so sehr beflügelt? Und warum werden die Vergewaltigungsgeschichten künstlerisch so inszeniert, dass sie wie lustvolle Liebesszenen wirken? An die unzähligen heroischen Raptus-Darstellungen von Correggio, Tizian, Rubens bis Poussin, Delacroix und anderen haben wir uns so gewöhnt, dass wir gar nicht realisieren, dass Vergewaltigungen repräsentiert sind **(Abb. 35)**.[231]

226 Galinsky 1932, S. 218.

227 Donaldson 1982, S. 56. Sogar Norman Bryson (Two Narratives of Rape in the Visual Arts: Lucretia and the Sabine Women, in: Tomaselli, Porter 1989, S. 152–173, insbes. S. 165–171) rätselt anhand des Tizian-Bildes in Cambridge, ob Lucretia nun doch im Sinne Augustins wider willen Lust empfunden habe; das Problem sei nun allemal die Tatsache, dass der weibliche Orgasmus nicht sichtbar sei.

228 In dem paradigmatischen Roman *Clarissa* von Samuel Richardson von 1747 bringt sich zwar die Romanheldin, die nun nicht Lucretia, sondern Clarissa heißt, nicht um, das wäre anachronistisch. Sie stirbt gleichsam von selbst aus innerer Scham und Verzweiflung. Siehe Anm. 179. Pierre Bayle schrieb ganz in diesem Sinne in seinem Dictionnaire von 1697 in einem Artikel zu Lucretia, dass ein Selbstmord im Falle der Vergewaltigung in der Antike vorbildhaft gewesen sei, heute aber wäre es für eine Nonne in so einem Fall ein besserer und schönerer Beweis ihrer Unschuld, wenn sie einfach melancholisch werde und sterbe. Siehe dazu Donaldson 1982, S. 58ff. Zu der Problematik: Elisabeth Bronfen, Nur über ihre Leiche. Tod, Weiblichkeit und Ästhetik, München 1994.

229 Higgins, Silver 1991, S. 3.

230 Christopher Cannon in seinem Nachwort zu Robertson, Rose 2001, S. 415.

231 Dazu s. u. (Man denke an Io, Kallisto, Europa, den Raub der Töchter des Leukipp, den Raub der Sabinerinnen u. a.). Zur Ästhetisierung von sexueller Gewalt v. a.: Wolfthal 1999.

Es gibt keine Quellen, die uns verraten, wie Rembrandts Lucretia-Bilder von den Zeitgenossen rezipiert worden sind. Wir sind bei der Frage der Rezeption auf die Analyse der Werke und ihrer Kontextualisierung angewiesen.[232] Die Rezeption war sicherlich unterschiedlich, abhängig vom kulturellen Wissen und den eigenen Erfahrungen, die in diesem Fall wohl im besonderen Maße genderspezifisch waren. Als Hinweis, wie wohl Rembrandts männliche Zeitgenossen seine Lucretia-Bilder rezipierten, sei folgende Geschichte erzählt: Der Dichter Jan Vos diffamierte beim Anblick eines Bildes mit der Darstellung der *Susanna* das Modell als unkeusch.[233] Natürlich ist Rembrandts *Lucretia* im Gegensatz zur *Susanna* kein nacktes Modell, aber beide sind Idealbilder weiblicher Keuschheit. Die Geschichte belegt, dass männliche Zeitgenossen ihr sexuelles Begehren auf das weibliche Geschlecht projizieren konnten, ohne den eigenen Anteil zu reflektieren. Weibliche Betrachter werden wohl den Schmerz und das unermessliche Leid Lucretiens nachempfunden haben. Es wäre auch zu überlegen, ob wir nicht durch Rembrandts einfühlende und suggestive Interpretation mehr denn je geneigt sind, diese erzpatriarchale Geschichte der ‚Notwendigkeit' des weiblichen Opfers zu schlucken und uns die Grausamkeit der Geschichte, ihre Perversität nicht bewusst machen? Durch die Intimität der Inszenierung und die Konzentration auf das *Innen* der Lucretia, auf ihr psychisches Erleben, wird das ihr angetane Unrecht als *ihr* Problem dargestellt. Wir ‚leiden' mit Lucretia und wir ‚lieben' sie für diesen Opfertod. Für die Frage, wie Menschen mit solchen Bildern umgegangen sind, gibt Shakespeare in eben seinem Lucretia-Epos einen tiefen Einblick. Nachdem sich Lucretia endlich zur Tat entschieden hat, schickt sie einen Boten zu Collatin, um ihn von Ardea zu sich zu holen. In der langen Wartezeit vertieft sie sich in ein Gemälde, das sie längst kannte, aber jetzt mit neuen Augen sieht. Es handelt sich um ein Bild des Kampfes um Troja, ein typisches Motiv für eine Ekphrasis mit einer ehrwürdigen Tradition, die bis zu Vergils *Aeneis* und letztlich zu Homers *Ilias* zurückreicht.[234] Mich interessiert in unserem Zusammenhang weniger die Kunst der Ekphrasis, sondern die Art und Weise, wie Shakespeares Lucretia mit diesem Bild umgeht; der Shakespeare-Text gibt einen hervorragenden Einblick in mögliche Rezeptionsformen. Lucretias Zugang ist ein identifikatorischer und emotionaler:

> On this sad shadow Lucrece spends her eyes,
> And shapes her sorrow to the beldam's woes [...]

und später:

> Which all this time hath overslipp'd her thought,
> That she with painted images hath spent,
> Being from the feeling of her own grief brought
> By deep surmise of others' detriment,
> Losing her woes in shows of discontent.
> It easeth some, though none et ever cured,

to think their dolour others have endured.
(Lucretia beschaut dies Schattenbild,
Darin ein Gleichnis ihrer Qual zu suchen.
Doch sie verbrachte diese ganze Zeit
Gedankenvoll im Anschaun jener Bilder.
Indem sie sich versetzt in fremdes Leid,
Empfand sie doch ihr eignes etwas milder
Und, wo sie schalt, ihr Herz vom Gram befreit.
Nicht heilen kann's, doch lindern unsre Wunden,
dass andere den gleichen Schmerz empfunden.) [235]

Shakespeare vermittelt, dass die Rezeption eines Bildes von den eigenen Erfahrungen abhängig ist. Lucretia ärgert sich und schilt den Maler, dass er den Verräter Sinon so unschuldig darstellt, dass man ihm seine Bosheit nicht ansehen kann. Dann aber fällt ihr plötzlich Tarquin ein, und sie ändert ihre Meinung und die Beurteilung des Bildes:

‚It cannot be', quoth she, ‚that so much guile' –
She would have said: ‚can lurk in such a look',
But Tarquin's shape came in her mind the while,
And from her tongue ‚can lurk' from ‚cannot' took;
‚It cannot be', she in that sense forsook,
And turn'd it thus: ‚It cannot be, I find,
But such a face should bear a wicked mind;'
(‚Das soll der Blick versteckter Tücke sein?'
Sie will ‚das ist unmöglich' eben sagen,
Da fällt Tarquins Gestalt ihr plötzlich ein,
Und von der Zunge gleichsam fortgeschlagen
Ist ihr das Wort. ‚Man braucht nicht erst zu fragen',
So fährt sie fort, jetzt plötzlich andrer Meinung,
‚Das ist der Tücke leibliche Erscheinung.') [236]

Die Reaktionen auf Rembrandts Lucretia-Bilder werden je nach eigener Erfahrung unterschiedlich gewesen sein, aber sie werden sich im Rahmen von Empathie und Mitleid bewegt haben, getragen von der Vorstellung eines ‚schrecklichen Schicksals' – so wie das gegenwärtig auch noch der Fall ist. Stellvertretend für viele sei auf den Washingtoner Katalogtext von 1995 verwiesen, in dem auch Wheelock

232 S. o.: Gefährliche Blicke – *Susanna*.
233 Sluijter 2001, S. 40.
234 Haiko Wandhoff, Ekphrasis: Bildbeschreibungen in der Literatur von der Antike bis in die Gegenwart, in: Horst Wenzel, Wilfried Seipel, Gotthart Wunberg (Hg.), Audiovisualität vor und nach Gutenberg, Schriften des Kunsthistorischen Museums Wien, Bd. 6, Wien 2001, S. 175–184. Es gibt auch einen Bezug zur Ekphrasis in der Geschichte der Philomela im 6. Buch von Ovids Metamorphosen, in der Philomela, nachdem ihr von ihrem Vergewaltiger die Zunge herausgeschnitten worden war, das Verbrechen in Wolle webte, s. u. James A.W. Heffernan, Museum of Words. The Poetics of Ekphrasis from Homer to Ashbery, The University of Chicago Press, Chicago, London 1993, Kapitel: Weaving Rape, S. 46–90.
235 Shakespeare 1983, S. 406, 407 und S. 414, 415.
236 Shakespeare 1983, S. 410, 411.

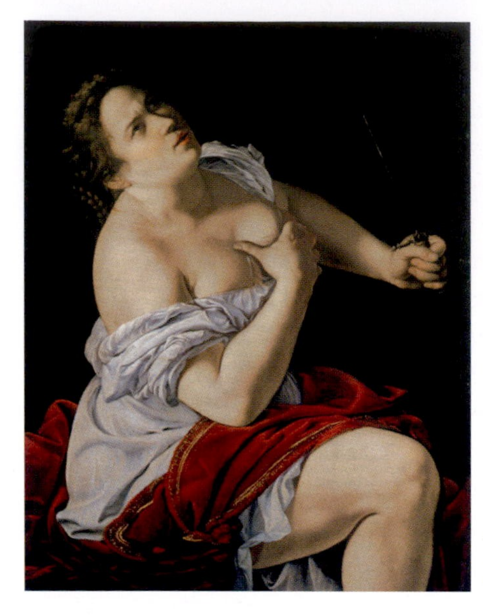

Abb. 36: Artemisia Gentileschi, Lucretia, um 1621–25, Öl/Leinwand, Mailand, Gerolamo Etro

von ‚Schicksal' spricht: „In the Gallery's haunting image, Rembrandt has evoked both Lucretia's profound sadness and her resignation to the fate forced upon her."[237]

Radikale Positionen

Da mich prinzipiell die Frage beschäftigt, was innerhalb unserer Kultur in einem gegebenen historischen Umfeld im Geschlechterdiskurs denkmöglich war, habe ich mich auf die Suche nach den radikalsten Positionen begeben. Nur so lässt sich auch die Frage, wie alternativ Rembrandts Bilder von Lucretia und anderen Weiblichkeitsentwürfen nun wirklich sind, klären.

Mary Garrard hat in ihrer grundlegenden Monografie über Artemisia Gentileschi deren Lucretia-Bild (1621–25) als ungewöhnlichste und radikalste Lösung zu diesem Thema innerhalb der Malerei der Frühen Neuzeit beschrieben **(Abb. 36)**.[238] Garrard betont, dass nicht der Selbstmord repräsentiert sei, sondern der Augenblick davor, die Zeit der Entscheidung. Somit werde Lucretia als entscheidungsfähiges Subjekt repräsentiert. Durch die Thematisierung der Entscheidung könne die Sinnhaftigkeit der Aktion in Frage gestellt werden. Garrard zitiert neben Shakespeare auch John Donne, der über das Recht am Zweifel beziehungsweise das Recht zum Selbstmord reflektierte. Im Gegensatz zu Rembrandt wird Lucretia als *femme forte*, als kräftige Heroine repräsentiert und nicht als Mitleid erregende Schmerzfigur.[239] Allerdings erhofft sich Gentileschis *Lucretia* durch ihren Blick zum Himmel die Lösung von Gott, wogegen Rembrandts Lucretia in Minneapolis in einem ganz anderen Maße auf sich selbst zurückgeworfen ist. Vor allem aber bleibt das grundsätzliche Problem bestehen: die Unsichtbarmachung männlicher sexueller Gewalt. Ich gehe nicht von der Konzeption einer *Frauenkunstgeschichte* aus, in der ausschließlich nach der Repräsentation des Weiblichen gefragt wird, sondern von der Struktur der Beziehung zwischen den Geschlechtern: *gender studies* statt *Frauenkunstgeschichte*. Wenn von einer relationalen Struktur ausgegangen wird, ergeben sich andere Fragen und Probleme. In diesem Fall ist es mir wichtig darauf zu bestehen, dass es sich um die Geschichte einer Vergewaltigung handelt, deren Repräsentation den männlichen Part unsichtbar gemacht hat, so unsichtbar, dass selbst feministische Kunsthistorikerinnen ihn nicht mehr sehen. Der Reflexionsraum der Lucretia, den Gentileschi und Rembrandt visualisieren und Shakespeare formuliert, ist durch die Struktur der Geschichte begrenzt. Und das sind enge Grenzen. Auch die kontroversen Einschätzungen der Lucretia-Figur seitens christlicher Exegeten, Humanisten bis zu heutigen Literaturwissenschaftlern bewegen sich innerhalb des Dispositivs, das die Erzählung entworfen hat und somit der absurden Frage, ob sich Lucretia umbringen soll oder nicht. Shakespeare hat zwar Lucretia eine Stimme geliehen, aber ihre Worte kreisen immer nur um ihre Keuschheit, die dann durch ihren Selbstmord bestätigt wird. Sie ist keine komplexe, in sich widersprüchliche Figur wie Tarquin, der als zwischen eigenem Begehren und Moral Zerrissener und somit als wahrhaft tragisches Individuum konzipiert ist.[240] Diese Geschichte kann aber nicht alternativ erzählt werden, Lucretia ist keine ambivalente Figur wie Judith.[241] Lucretia könnte nur den Dolch nehmen und ihn dem Betrachter ins Gesicht werfen. Das wäre dann das Ende dieser Geschichte.

Querelle des Femmes

Somit ist es auch nicht verwunderlich, dass die Figur der Lucretia von radikalen Denkern und Denkerinnen in Geschlechterfragen nur selten aufgegriffen worden ist. Die Suche nach den avanciertesten Positionen im Kampf um eine Gleichberechtigung der Geschlechter führt zu den Vertreterinnen und Vertretern der *Querelle des Femmes*. Die *Querelle des Femmes* bezeichnet die europaweite[242] Geschlechterdebatte, die sich vom Beginn des 15. bis zum Ende des 18. Jahrhunderts in polemischen, kontroversen Texten abspielte.[243] Der Begriff bezeichnet sowohl einen Streit *von* Frauen, wie

237 Wheelock 1995, S. 282. Das Bewusstsein, dass es sich bei *Lucretia* u. a. um Bilder zum Thema Vergewaltigung handelt, findet sich in der Rembrandt-Forschung lediglich bei Bal 1991 und Gilboa 2003.

238 Garrard 1989, S. 210–244.

239 Ich möchte auf die erstaunliche Verwandtschaft von Gentileschis Lucretia mit einem Stich von Hans Sebald Beham von 1520 hinweisen. Dargestellt ist Dido auf einem Steinsockel sitzend. Sie beugt sich über den Dolch, den sie in ihrer Rechten hält. Verwandt ist die Auffassung des weiblichen Körpers, der auch bei Beham kräftig und muskulös ist, die Betonung von Schmerz und Konflikt in der Zeichnung des Gesichts auf Kosten der Schönheit und eine Inszenierung, die auf ein Reflektieren der Tat ausgerichtet ist. (Abb. Ill. Bartsch 15, früher Vol. 8/2, New York 1978, S. 67 Abb. 80.)

240 Kahn 1991, S. 146ff.

241 Hammer-Tugendhat 1997.

242 Es sollen hier nur einige der prominentesten und einflussreichsten genannt werden: Frankreich: Christine de Pizan, s. u.; Marie de Gournay (1565–1645), Freundin von Montaigne und Herausgeberin seiner Essays, wichtigste Streitschrift: *Egalité des Hommes et des Femmes*, in der sie das Denken in Unter- oder Überlegenheit des einen oder anderen Geschlechts dezidiert ablehnt und die Gleichheit der Seele und des Geistes behauptet, ein Denken, das dann der Cartesianer Poullain de la Barre weiterentwickeln wird. Italien: Um 1600 ist v. a. in Venedig ein Höhepunkt der *Querelle* zu beobachten mit Moderata Fonte, Lucretia Marinella und Cristofano Bronzini. Deutschland: Agrippa von Nettesheim: *Declamatio de nobilitate et praecellentia foeminei sexus*, 1529; England: Jane Anger (Pseudonym); Spanien: Sor Juana Ines de la Cruz, s. u.; Holland: Anna Maria van Schurman, Johannes Beverwijck, s. u.

243 Joan Kelly, Early Feminist Theory and the Querelle des Femmes, in: Signs 8, 1982, S. 4–28; Elisabeth Gössmann (Hg.), Ob die Weiber Menschen seyn, oder nicht? München 1988; Margarete Zimmermann, Vom Streit der Geschlechter. Die französische und italienische Querelle des Femmes des 15. bis 17. Jahrhunderts, in: AK Düsseldorf 1995, S. 14–33; Gisela Bock, Margarete Zimmermann (Hg.), Die europäische Querelle des Femmes: Geschlechterdebatten seit dem 15. Jahrhundert, Stuttgart u.a. 1997; Gisela Engel, Friederike Hassauer, Brita Rang, Heide Wunder (Hg.), Geschlechterstreit am Beginn der europäischen Moderne. Die Querelle des Femmes, Königstein/Taunus 2004.

einen Streit *um* Frauen (um die Definition von Weiblichkeit), Klage, Anklage und Widerspruch.[244] Allerdings wurde neuerdings zu Recht darauf verwiesen, dass es sich bei der *Querelle* um ein komplexeres Phänomen handle, in dem es immer auch um eine Definition von Männlichkeit ging, dass also der Begriff *Querelle des Sexes* angemessener wäre.[245] Beteiligt waren Frauen wie Männer, bei letzteren gab es neben extrem misogynen durchaus auch frauenfreundliche Vertreter. In unserem Zusammenhang ist die Kenntnis der *Querelle* nicht nur bezüglich der Einschätzung der Figur der Lucretia relevant. Es geht dabei um die Erkenntnis, dass es in der Frühen Neuzeit, also zu Lebzeiten Rembrandts, eine explizite Debatte um Geschlechterfragen gab und dass in dieser Auseinandersetzung erstaunlich radikale Positionen vertreten worden sind. Es gab also ein Bewusstsein über Geschlechterdifferenz, es sind keineswegs Fragen, die wir in die Vergangenheit zurück projizieren. Bezeichnend für die *Querelle* ist ihr polemischer Charakter und das Phänomen, dass Angreifer und Verteidiger des weiblichen Geschlechts in einen Disput traten und aufeinander reagierten. Die *Querelle* ist aber nicht nur eine bestimmte Textsorte, sondern diffundiert in alle Bereiche der Literatur, des Theaters, der Theologie, Philosophie, der Medizin, der Volkskultur und der Kunst. Sie ist, wie Friederike Hassauer dies treffend formuliert hat, das *heiße* Wissen innerhalb des Geschlechterwissens.[246] Die Inhalte haben sich vom Beginn der Debatte bis zur Französischen Revolution verschoben, aber es gibt Themen, die in dem ganzen Zeitraum virulent geblieben sind. Dabei geht es vor allem um Definitionen und Zuschreibungen, und zwar im Hinblick auf Männlichkeit und Weiblichkeit. Es geht um Über- oder Unterlegenheit oder Gleichheit der Geschlechter, um Ehe, Arbeitsteilung und soziale Stellung im gesellschaftlichen Gefüge und somit um Macht, und um den Kampf der Frauen für den Zugang zu Bildung, Wissen und Erkenntnis. Gleichzeitig entsteht durch die Sammlung berühmter und bedeutender Frauen aus der Bibel, der Antike, der Geschichte, aber auch der jeweils aktuellen Gegenwart allmählich eine weibliche *memoria*, ein Wissen, gleichsam eine Vorform eines Frauen-Lexikons. Die radikalsten AutorInnen erkannten, dass Geschlecht keine biologische Kategorie ist, sondern ein kulturelles Konstrukt und dementsprechend demontierten sie die interessegeleiteten und ideologischen Verkleidungen misogyner Texte. Das ist ein erstaunlicher Befund: Es gab zu Beginn der Frühen Neuzeit bereits Formen des feministischen Denkens und Schreibens.

Auch in Rembrandts Umgebung wurden solche Fragen diskutiert. In Utrecht lebte eine der gelehrtesten Frauen der Zeit: Anna Maria van Schurman (1607–1678).[247] 1638 wurde ihre in lateinisch geschriebene *Dissertatio: Problema practicum, num foemina christianae conveniat studium litterarum* gedruckt. Diese Schrift ist der literarischen Gattung der *Querelle* zuzurechnen; Schurman versucht in einer logischen Beweisführung das Recht der Frauen auf Bildung in allen Wissenschaften und Künsten abzuleiten. Sie plädiert allerdings nur auf den Erwerb von Wissen und Erkenntnis, nicht auf darüber hinausreichende Rechte. Für die holländischen Zeitgenossen, die sie hoch verehrten wie Huygens, Cats, Barlaeus oder Beverwijck, war sie die absolute Ausnahme-Frau, ein Wunder der Natur, ja, wie der französische Karmeliter Louis Jacob in seinem Lob auf Schurman schrieb: *monstrum naturae*.[248] In enger Verbindung zu Schurman stand der Dordrechter Arzt Johan van Beverwijck, der 1639 ebenfalls ein Werk zu diesem Thema verfasste, nicht in Latein, sondern in Holländisch: *Van de Wtnementheyt des vrouwelicken geslachts.* (Von der Vortrefflichkeit des weiblichen Geschlechts).[249] Er rühmt vor allem die moralische Überlegenheit der Frauen und billigt ihnen das Recht auf Bildung zu – aber eben mehr nicht. Ganz in der Tradition von Erasmus, Vives und Cats ist es auch für Beverwijck keine Frage, dass der Ort der Frau die Ehe ist und dass weibliche Gelehrsamkeit eine private bleiben muss und keineswegs mit einem öffentlichen Amt verbunden werden könne. Aber es gab auch in Holland, zwar isoliert und marginal, (zumindest?) eine radikale Stimme, Charlotte de Huybert, die in einem Gedicht an Beverwijck schrieb, dass Verstand und Erfahrung zeigten, dass Frauen den Männern im Erwerbsleben wie in der Regentschaft ebenbürtig seien, aber vom Gesetz von allen öffentlichen Ämtern ausgeschlossen würden. Sie erwägt die möglichen Gründe: Eifersucht, Angst der Männer vor den Frauen, pure Herrschsucht.[250]

Christine de Pizan (1365 Venedig – etwa 1430 Paris) ist die erste Vertreterin der *Querelle*. Auftakt war eine Debatte um einen der berühmtesten und meistgelesenen mittelalterlichen Texte, den Rosenroman von Jean de Meung von 1270, der um 1400 immer noch en vogue war. Christine wagte es, den Text als frauen- und ehefeindlich zu kritisieren, brach damit die Autorität des Textes und initiierte eine geschlechtsspezifische Form der Literaturkritik. 1405 erschien ihr Buch über die Stadt der Frauen, *La Cité des Dames*.[251] Sie postuliert ein weibliches Schreiber-Ich, spricht selbstbewusst von *je, Christine*. Mit Hilfe und das heißt im Gespräch mit den

244 Metzler Lexikon Gender Studies, Geschlechterforschung, hrsg. von Renate Kroll, Stichwort „Querelle des Femmes", S. 329f. (Margarete Zimmermann). Der Erstbeleg für *La Querelle des Dames* findet sich in Martin Le Francs *Le Champion des Dames* von 1440. In der Frühen Neuzeit werden aber eher die Begriffe Debatte, Kontroverse, Verteidigung gebraucht; erst um 1900 wird der Begriff *Querelle* üblich.

245 Andrea Maihofer, Die *Querelle des Femmes*: Lediglich literarisches Genre oder spezifische Form der gesellschaftlichen Auseinandersetzung um Wesen und Status der Geschlechter?, in: Heide Wunder, Gisela Engel (Hg.), Geschlechterperspektiven. Forschungen zur Frühen Neuzeit, Königstein/Taunus 1998, S. 262–272, hier S. 263; Bock, Zimmermann 1997, S. 16.

246 Bei der Tagung EuropaGestalten. *Die Querelle des Femmes*, organisiert vom Zentrum zur Erforschung der Frühen Neuzeit, Universität Frankfurt, Frankfurt a. M., 13.–15. November 2003; siehe Friederike Hassauer, ‚Heiße' Reserve der Modernisierung. Zehn Blicke auf das Forschungsterrain der *Querelle des Femmes*, in: Engel 2004, S. 11–19.

247 Schurman verbrachte ihr Leben vorwiegend in Utrecht, bis sie sich 1666 aus religiöser Überzeugung dem pietistischen Prediger Jean de Labadie anschloss. Sie entstammte einer reichen Familie und konnte es sich leisten, unverheiratet zu bleiben. Schurman beherrschte mehrere Sprachen, neben Latein, Griechisch, Hebräisch auch Arabisch, Syrisch, Aramäisch und zeitgenössische europäische Sprachen; sie war bewandert in den Wissenschaften, in Philosophie und Theologie, sie musizierte und malte. Gelehrte aus unterschiedlichen europäischen Ländern korrespondierten mit ihr. Zu ihren Veröffentlichungen zählen Gedichte und kleinere Abhandlungen. Mirjam de Baar, Machteld Löwensteyn, Marit Monteiro, Agnes Sneller (Hg.), Choosing the Better Part. Anna Maria van Schurman (1607–1678), Dordrecht, Boston, London 1996. Eine kritische Einschätzung der doch eher konservativen Auffassungen von Schurman bei Marijke Spies, Charlotte de Huybert en het gelijk. De geleerde en de werkende vrouw in de zeventiende eeuw, in: Literatuur 1986/6, S. 339–350.

248 Mirjam de Baar, Brita Rang, Anna Maria van Schurman. A Historical Survey of her Reception since the Seventeenth Century, in: Baar u. a. 1996, S. 1–21, hier S. 5. Caspar Barlaeus sinniert in einem Brief an Huygens, was alles sein könnte, wenn die Schurman ein Mann wäre, „si vir esset." Siehe: Agnes A. Sneller, ‚If She had Been a Man …' Anna Maria van Schurman in the Social and Literary Life of her Age, in: ebd. S. 133–149, hier S. 148f.

249 Lia van Gemert, The Power of the Weaker Vessels: Simon Schama and Johan van Beverwijck on Women, in: Kloek 1994, S. 39–50; Sneller 1996, S. 143ff.

250 Spies 1986. Huybert steht offensichtlich in ihrer Argumentation in der Tradition von Agrippa von Nettesheim. Außer dem Gedicht ist von ihr nichts bekannt; das Gedicht hat Beverwijck abgedruckt, Text siehe Spies 1986, S. 344.

251 Christine de Pizan, Das Buch von der Stadt der Frauen, in der Übersetzung von Margarete Zimmermann, Berlin 1986.

allegorischen Frauenfiguren *Vernunft*, *Gerechtigkeit* und *Rechtschaffenheit* wird die Stadt der Frauen erbaut, deren Bausteine die berühmten und bedeutenden Frauen aus der Bibel, der Antike und der Geschichte sind. Christine schrieb ihr Buch bewusst als Verteidigung des weiblichen Geschlechts gegen die Schmähschriften und Verleumdungen männlicher Autoren. In der Verkleidung der drei allegorischen Frauenfiguren konnte Christine de Pizan sogar an den großen Philosophen Zweifel äußern[252] und die Vielfalt der möglichen Ursachen des Frauenhasses ausbreiten: Ahnungslosigkeit, Missgunst, Eifersucht, Bosheit, Macht.[253] Besonders eindrucksvoll ist die Analyse der gesellschaftlichen Bedingtheit von Bildung und Wissen und der Nachweis, dass, wenn die Frauen Zugang zu Schulen und Wissenschaften hätten, sie den Männern in allen Bereichen ebenbürtig wären.[254]

Es ist bezeichnend, wie Christine de Pizan die Geschichte der Lucretia in der *Stadt der Frauen* platziert und kontextualisiert. Die Überschrift des 44. Kapitels im 2. Buch heißt: „Gegen diejenigen, die behaupten, Frauen wollten vergewaltigt werden, liefert dieses Kapitel Beispiele mehrerer Frauenschicksale, und an erster Stelle das der Lucretia.“[255] Es folgen drei Kapitel, die sich alle explizit auf das Thema Vergewaltigung beziehen. Die thematische Klammer ist somit nicht die Gründung Roms, was durch das Motiv der Stadt nahe läge, und auch nicht das Lob keuscher Frauen. Christine äußert ihre Betrübnis:

> ... die Männer so häufig behaupten zu hören, Frauen wollten vergewaltigt werden; aber ich kann mir einfach nicht vorstellen, dass Frauen an einer solchen Gemeinheit Gefallen finden sollen. Antwort: ‚Sei ganz unbesorgt, liebe Freundin: sittsamen Frauen mit einem untadeligen Lebenswandel bereitet eine Vergewaltigung wirklich nicht das geringste Vergnügen, sondern den größten aller Schmerzen.‘ (douleur sur toutes autre.)[256]

Christines Trauer hat ihren Grund somit nicht lediglich in der Tatsache, dass Frauen vergewaltigt werden, sondern in der Rede über Vergewaltigung. Es folgt eine Kurzfassung der Lucretia-Geschichte, die Christine mit dem utopischen Satz enden lässt, dass manche behaupten, die Vergewaltigung der Lucretia sei der Anlass für ein Gesetz gewesen, das die Vergewaltigung von Frauen unter Todesstrafe stellte, auf jeden Fall sei dies ein angemessenes, gerechtes und heiliges Gesetz. Unter dem Gesichtspunkt der Vergewaltigung gruppiert Christine noch andere Episoden dazu, die für Frauen alternative Reaktionsmöglichkeiten gegen männliche sexuelle Gewalt eröffnen sollen. Frauen sollen sich nicht aus Scham umbringen, sondern sich zur Wehr setzen.[257] Im folgenden Kapitel erzählt sie die Geschichte der Königin der Galater, die von den Römern gefangen genommen und vom Centurio des römischen Heeres vergewaltigt worden war. Diese Erzählung stammt von Boccaccios *De claris mulieribus*. Sie veränderte nun aber die Vorlage entscheidend, indem sie die Königin selbst Rache üben lässt. Die Galaterkönigin schlägt dem Centurio mit eigener Hand den Kopf ab. Sie durchbricht damit die Vorstellung des passiven Opfers und einer Rache, die Männern vorbehalten war. Im nächsten Kapitel werden unterschiedliche Geschichten erzählt, die alle den Horror der Frauen vor Vergewaltigung illustrieren. Die letzte Episode ist besonders originell: In einer lombardischen Stadt, die von Feinden erobert worden war, verfielen die Töchter des Grundherren auf einen

> merkwürdigen, jedoch sehr lobenswerten Ausweg [um der Vergewaltigung zu entgehen]: sie schmierten sich nämlich rohes Kükenfleisch auf die Brust, das in der Hitze zu verwesen begann.

Die Männer ließen sofort von ihnen ab.

> Dieser Gestank jedoch gereichte ihnen zur Ehre.[258]

Wahrlich ein alternativer Ehrbegriff!

Die radikalste Interpretation des Lucretia-Stoffes fand ich bei Sor Juana Ines de la Cruz.[259] Juana Ines de la Cruz lebte von 1648 bis 1695 im kolonialen Mexiko, in ihrer Jugend zeitweilig am Hofe der spanischen Vizekönige, dann aber in einem Hieronymitinnenkloster. Die Entscheidung ins Kloster zu gehen war ganz offensichtlich nicht religiös, sondern durch ihre Abneigung gegen die Ehe begründet;[260] vor allem aber bot das Kloster für Frauen in einem katholischen Land die damals einzige Möglichkeit, sich den Wissenschaften und der Literatur widmen zu können. Berühmt wurde sie vor allem durch ihre weltlichen Gedichte, durch den Text *primero sueño,* der in der Tradition des philosophischen Traums steht und ein explizit weibliches Erkenntnissubjekt behauptet, sowie eine theologische Streitschrift, in der sie sich (als Frau!) erkühnte, dem Traktat eines bekannten Jesuiten zu widersprechen.[261] Selbstbewusst wagte sie sich somit in ein männlich bestimmtes Feld, den theologischen Diskurs. Zur Verteidigung ihrer theologischen Schrift schrieb sie an den Bischof von Puebla, der unter dem Pseudonym Sor Filotea eine Einleitung in eben diesen Text hatte drucken

252 Pizan 1986, S. 39: „Weisst du denn nicht, dass die höchsten Dinge die umstrittensten sind? [...] Es hat außerdem den Anschein, dass für dich jede Äußerung eines Philosophen den Status eines Glaubensgrundsatzes hat und du es für ausgeschlossen hältst, dass auch sie irren können."
253 Pizan 1986, u. a. S. 49–52.
254 Pizan 1986, S. 94f.: Frau Vernunft sagt: „Wenn es üblich wäre, die kleinen Mädchen eine Schule besuchen und sie im Anschluss daran, genau wie die Söhne, die Wissenschaften erlernen zu lassen, dann würden sie genauso gut lernen und die letzten Feinheiten aller Künste und Wissenschaften ebenso mühelos begreifen wie jene." Im Folgenden erklärt Frau Vernunft der erstaunten Christine, dass aber Frauen sich immer im Haus aufhalten müssten und dadurch keine Praxis und Erfahrung sammeln könnten und dass dies mit der Struktur der Gesellschaft zusammenhänge.
255 Pizan 1986, S. 191–194.
256 Ebd. S. 191.
257 Maureen Quilligan, The Allegory of Female Authority. Christine de Pizan's Cité des Dames, Cornell University Press, Ithaca, London 1991, S. 156–161. Quilligan vergleicht die Lucretia-Versionen von Boccaccio und Christine de Pizan (S. 159): „Boccaccio interprets Lucretia's suicide to be the act by which women's response to rape in the future should be judged. By contrast, for Christine, Lucretia slays herself to demonstrate how awful it is to be raped, as well as to save women from feeling shame for her – not to shame them into doing the same."
258 Pizan 1986, S. 194.
259 Octavio Paz, Sor Juana Ines de la Cruz oder die Fallstricke des Glaubens, Frankfurt a. M. 1994 (1991); Christopher F. Laferl, Birgit Wagner, Anspruch auf das Wort. Geschlecht, Wissen und Schreiben im 17. Jahrhundert. Suor Maria Celeste und Sor Juana Ines de la Cruz, Wien 2002, S. 71–143; Sor Juana Project im Spanish Department des Dartmouth College, Hanover, New Hampshire: www.dartmouth.edu/~sorjuana/.
260 Laferl 2002, S. 87.
261 Ebd. S. 102ff.

lassen. Diese *Respuesta a sor filotea* ist ganz im Sinne der *Querelle* eine leidenschaftliche Verteidigung des Rechts auf Wissen, Erkenntnis und Schrift für Frauen.[262] Es müssen ein enormer Druck und unvorstellbare Repressalien gewesen sein, die es fertig brachten, eine Frau mit diesem Bewusstsein dazu zu bringen, zwei Jahre vor ihrem Tod alle ihre Bücher und Musikinstrumente wegzugeben „und sich selbst den Krieg zu erklären und sich ganz selbst zu besiegen", wie ihr Biograph Calleja triumphierend festhielt.[263]

Es gibt keine Verbindung zwischen dem holländischen Maler, der in dem toleranten und weltoffenen Amsterdam lebte, und der Dichterin in Mexiko, außer dass sie beide im 17. Jahrhundert lebten und ein gewisses allgemeines Wissen teilten. Das unter der katholischen Krone stehende Mexiko war in Fragen der Geschlechterverhältnisse jedenfalls sicher nicht offener als Amsterdam. Um so erstaunlicher ist das Gedicht über die *Inkonsequenz des Geschmacks und des Tadels (der Zensur) der Männer, die in den Frauen das anklagen, was sie selbst verursachen,*[264] das Sor Juana verfasst hat, in dem bezeichnenderweise nicht die Geschichte der Lucretia ausgebreitet, sondern lediglich apostrophiert wird. Ich zitiere von den 17 Strophen die einschlägigen und zwar in englischer Übersetzung; die entscheidende Strophe auch im spanischen Original:

Silly, you men – so very adept
at wrongly faulting womankind,
not seeing you're alone to blame
for faults you plant in woman's mind.
After you've won by urgent plea
the right to tarnish her good name,
you still expect her to behave –
you, that coaxed her into shame.
You batter her resistance down
and then, all righteousness, proclaim
that feminine frivolity,
not your persistence, is to blame.
When it comes to bravely posturing,
your witlessness must take the prize:
you're the child that makes a bogeyman,
and then recoils in fear and cries.
Presumptuous beyond belief,
you'd have the woman you pursue
be Thais when you're courting her,
Lucretia once she falls to you
For plain default of common sense,
could any action be so queer
as oneself to cloud the mirror,

then complain that it's not clear?
[...]
Either like them for what you've made them
or make of them what you can like.
[...] letzte Strophe:
your arrogance is allied
with the world, the flesh, and the devil!

Die Lucretia-Strophe im spanischen Original:

Qure'reis, con presuncio'n necia,
hallar a la que busca'is,
para pretendida, Thais,
y en la posesio'n, Lucrecia"
(In dreister Überheblichkeit wollt ihr finden, die ihr sucht:
um ihr den Hof zu machen (in der Eroberung/im Begehren), eine Thais,
wenn ihr dann besitzt, eine Lucretia.)[265]

Die Idealfrau soll also erst eine „Thais" sein, eine Hure, soll aufreizend sein, sich verführen lassen, dann aber will man(n) eine keusche Frau besitzen; Hure und Heilige, die gleichzeitig gewollt werden. Das dichotome Weiblichkeitsmuster wird als männliche Wunsch-Phantasie entlarvt. Es sind eben nicht zwei konträre Frauen (die Hure, die Heilige), sondern *eine* paradoxale Kunstfigur, die einmal das eine und dann das Gegenteil verkörpern soll. Juana Ines spricht bewusst die männliche Doppelmoral an. Somit dekonstruiert sie implizit die Geschichte und zeigt, dass Lucretia – wie auch die anderen Frauen(bilder) – von Männern gemacht sind.[266]

Lucretia figuriert somit bei den profiliertesten Frauen der Frühen Neuzeit nicht als Ideal von Weiblichkeit: Für Christine de Pizan ist sie der traurige Beweis, dass Vergewaltigung das Schrecklichste ist, was man Frauen antun kann, und sie imaginiert sowohl ein hartes Gesetz wie weibliche Rache; Sor Juana Ines de la Cruz dekonstruiert sie als männliche Projektionsfigur, und für viele andere ist diese Keuschheitsikone im Unterschied etwa zu gelehrten Frauen schlicht uninteressant und nicht besonders erwähnenswert. Christine de Pizan liefert auch ein beredtes Zeugnis gegen die von Roy Porter

262 Selbstbewusst verteidigt sie ihr eigenes Talent und ihren Wissensdrang, sie seien ihr von Gott gegeben und deshalb nicht nur gut, sondern unangreifbar. Der Verstand aller Menschen sei frei und gleich, Unterschiede seien nicht geschlechtsspezifisch, sondern individuell bedingt. (Laferl 2002, S. 113.)

263 Laferl 2002, S. 116ff. Was die konkreten Gründe für diese Form der Selbstkasteiung und Selbstzerstörung waren, ist unbekannt.

264 Die Redondilla ist die Nr. 9 der vollständigen Werksammlung mit der Überschrift: „Arguye de inconsecuentes el gusto y la censura de los humbres que en las mujeres acusan lo que causan." Obras completas, Mexiko 1985, S. 109.

265 Ich danke Marlen Bidwell-Steiner für die Unterstützung bei einer präzisen deutschen Übersetzung.

266 In einem anderen Gedicht *Engrandece el hecho de Lucrecia* befasst sich Sor Juana explizit mit Lucretia und kritisiert deren Selbstmord, aber ohne die augustinische Doppelbödigkeit. Janice A. Jaffe, Sor Juana, Artemisia Gentileschi, and Lucretia: Worthy Women Portray Worthy Women, in: Romance Quaterly 40, 3, 1993, S. 141–155.

explizit geäußerte und von vielen immer noch geteilte Meinung, dass „rape was not on the minds of preindustrial women."[267] Als ‚Beweis' für die These, dass Vergewaltigung in der Frühen Neuzeit ein seltenes Phänomen war und die entsprechenden Angstvorstellungen gegenwärtige Projektionen insbesondere US-amerikanischer Feministinnen seien, führt Porter die fehlenden Quellen von entsprechenden Gerichtsakten und Zeugnissen von Frauen an. Ich hoffe, dass die Gründe für dieses Vakuum deutlich geworden sind; wenn Gewalt unsichtbar gemacht worden ist, heißt es nicht, dass sie nicht existiert hat, Leerstellen sind immer interpretationsbedürftig.[268] Die wenigen überlieferten Quellen, wie die eben zitierten, werden schlicht nicht zur Kenntnis genommen, weder von Roy Porter noch aber von so akribisch arbeitenden Wissenschaftlern wie Galinsky.

Bereits in den *Metamorphosen* des Ovid erfahren wir, wie die Leerstellen, diese Löcher im kulturellen Gedächtnis, produziert worden sind. Wir erfahren, wie die weibliche Stimme, die von sexueller Gewalt berichten will, zum Schweigen gebracht wurde. Im sechsten Buch der Metamorphosen wird von Philomela erzählt, die von Tereus, dem Manne ihrer Schwester Progne, vergewaltigt worden war. Damit sie niemals von diesem Verbrechen berichten könne, sperrte er sie ein und schnitt ihr die Zunge ab. Sie webte mit purpurner Farbe in weiße Wolle, was ihr angetan worden war und schickte das Tuch ihrer Schwester, die die Zeichen verstand. Das nämliche sechste Buch beginnt mit der Geschichte der Arachne, die es wagte, die Göttin Athena zum Wettstreit in der Kunst des Webens herauszufordern. Ihr Vergehen war nicht nur dieser Hochmut, sondern das Motiv ihrer Weberei. Sie webte einundzwanzig Entführungen und Vergewaltigungen, die von Göttern, die sich allesamt in Tiere verwandelt hatten, allen voran Jupiter, begangen worden waren. Athena „zerriss das durchwirkte Gewebe, der Himmlischen Schmähung"[269] und verwandelte Arachne in eine Spinne. Frauen, die ihre eigene Vergewaltigung oder die anderer aufdecken wollten, wurden zum Schweigen gebracht, von Sterblichen wie von Göttern, und dies auf brutalste Weise. Auffallend ist, dass sich die weibliche ‚Stimme' nicht in Worten, aber auch nicht in wirklichen Bildern artikulieren konnte, sondern lediglich in der Verschiebung in die verbale Beschreibung eines imaginären Bildes. Nur das imaginäre Bild der Ekphrasis vermochte die unsichtbare sexuelle Gewalt zu repräsentieren.[270]

Rembrandt hat ein alternatives Bild von Lucretia geschaffen, aber er blieb der Struktur des Lucretia-Narrativs verhaftet; seine Grenzen sind die Grenzen unserer Kultur. Es gab die wenigen, die diese Grenzen überschritten haben, aber dieser Diskurs ist bis heute ein marginaler geblieben.

2 Zur Darstellung von Männlichkeit
oder:
Zum Verschwinden der weiblichen Protagonisten aus dem Feld der Repräsentation

Männlichkeit ist uns in den besprochenen Werken lediglich als *Leerstelle* ‚begegnet'. Obwohl vom Text gefordert, sind in Rembrandts Bildern von Bathseba, Susanna oder Lucretia die männlichen Protagonisten unsichtbar gemacht worden. Um die Bedeutung dieses Phänomens zu verstehen, müssen die Repräsentationen von Männlichkeit in Rembrandts Werk sowie die Kontexte, innerhalb derer Männlichkeit zum Verschwinden gebracht wird, untersucht werden. Die Frage nach der Repräsentation von Männlichkeit in Rembrandts Werk wurde bislang nie gestellt. Selbst in den wenigen Forschungsarbeiten, die feministisch orientiert oder zumindest durch die Gender-Debatten angeregt sind, bleibt die Kategorie *Gender* auf die Repräsentation von Weiblichkeit beschränkt. Dies ist eine generelle, weit über die Rembrandt-Forschung hinausgehende Problematik. Männlichkeit galt und gilt teilweise immer noch als die universelle Norm, als das Allgemein-Menschliche, als das Ungeschlechtliche, als das schlechthin nicht Markierte. Diese Verkennung ist konstitutiv für die männliche Identität und die Fiktion von Autonomie.[271] Lediglich die Frau wurde als Geschlechtswesen wahrgenommen und beschrieben. Die angebliche Differenz zum Mann wurde in eben dieser ‚geschlechtlichen Bedingtheit' gesehen. Symptomatisch ist die Sprachregelung im Französischen und im Englischen: *l'homme/man* heißt Mensch *und* Mann. Feministinnen haben anfangs (verständlicherweise) ihre Energie ausschließlich auf die Aufarbeitung, Analyse und dann auch Dekonstruktion von Frauen beziehungsweise Weiblichkeit konzentriert. Erst in den achtziger Jahren des 20. Jahrhunderts wurde in den Debatten innerhalb feministischer Theorie der Schritt von der Frauenforschung zu Gender-Studien vollzogen, die *Gender* als relationales Verhältnis zwischen Männlichkeit und Weiblichkeit definierten. Dennoch bildeten auch in den zahlreichen Gender-Studien der neunziger Jahre Männer und Männlichkeit oft nur die Negativfolie für eingehende Untersuchungen von Frauen und Weiblichkeit. Erst seit Ende der achtziger Jahre entwickelte sich eine breite Forschung zum Thema Männlichkeit.[272] Es ist hier nicht der Ort, die

267 Roy Porter, Rape – Does it have a Historical Meaning? in: Tomaselli, Porter 1989 (1986), S. 216–236, hier S. 221. Dagegen Diane Wolfthal, ‚Douleur sur toutes autres.' Revisualizing the Rape Script in the Epistre Othea and the Cité des dames, in: Marilynn Desmond, (Hg.), Christine de Pizan and the Categories of Difference, University of Minnesota Press, Minneapolis 1998, S. 41–70. Siehe Anm. 172.

268 Zu einer psychoanalytisch orientierten historischen Lesart solcher Leerstellen siehe den exemplarischen Artikel von Chaytor 1995.

269 Ovid, Metamorphosen, 6. Buch, 131. Agnes A. Sneller, Pallas and Arachne, in: J. F. Van Dijkhuizen u.a. (Hg.), Living in Posterity. Essays in Honour of Bart Westerweel, Hilversum 2004, S. 259–265.

270 Heffernan 1993, S. 46–90.

271 Siegfried Kaltenecker, Georg Tillner, Offensichtlich männlich. Zur aktuellen Kritik der heterosexuellen Männlichkeit, in: Texte zur Kunst 17, Februar 1995, S. 37–47.

272 Ansätze gab es bereits in den siebziger Jahren, vor allem in den USA, wie beispielsweise: Joseph H. Pleck, Jack Sawyer (Hg.), Men and Masculinity, Englewood Cliffs, NJ 1974; für den deutschsprachigen Bereich: Klaus Theweleit, Männerphantasien, Reinbek bei Hamburg, Bd. 1, 1977, Bd. 2, 1978.

unterschiedlichen Ansätze innerhalb der Männer- und Männlichkeits-Forschung auszubreiten, die sich, bedingt durch die Frauenbewegung und die feministische Theoriebildung, durch die Gender-Studien, die Gay- und Lesbian Studies und die Queer-Theory herausbildeten.[273] Es sei lediglich angemerkt, dass Männlichkeit analog zu Weiblichkeit als diskursiv produzierte Kategorie angesehen werden kann, die historisch kulturell unterschiedliche Formulierungen gefunden hat und in einem Wechselverhältnis zu anderen Kategorien wie Klasse, Ethnie und sexueller Orientierung gedacht werden muss. Connell hat in Anlehnung an Antonio Gramsci den Begriff *hegemoniale Männlichkeit* geprägt und mit diesem Konzept die Forschung seit den neunziger Jahren wesentlich bestimmt.[274] *Hegemoniale Männlichkeit* verweist einerseits auf die historische Wandelbarkeit von Männlichkeitsidealen, vor allem aber auf die Vielfalt von Männlichkeiten. *Hegemoniale Männlichkeit* konstituiert sich nicht nur durch die Abhebung von Weiblichkeit, sondern ebenso durch die Verwerfung ‚anderer', insbesondere schwuler Männlichkeit. Sie entspricht dem Männlichkeitsideal einer gesellschaftlichen Elite, das sich auch durch die Ausgrenzung von Männern aus niederen Klassen oder fremden Ethnien konstituiert.[275] Die Begrifflichkeit verweist zudem darauf, dass es nicht um reine Gewaltherrschaft geht, sondern um ein komplexes Machtverhältnis, das Beziehungen zwischen unterschiedlichen Gruppen von Männern und Frauen nach Prinzipien von Unterordnung, Komplizenschaft und Marginalisierung strukturiert. Einer der kritischen Punkte an Connells Konzept ist die Annahme, dass es in einer Gesellschaft lediglich *ein* hegemoniales Männlichkeitsmuster gäbe.[276] Connell postuliert sein Konzept zwar erst für die Zeit nach 1450; aber auch für die Moderne, insbesondere für die Gegenwart, lassen sich mehrere hegemoniale Männlichkeitsmuster beobachten.[277] Für das holländische 17. Jahrhundert scheint mir das Konzept von hoher Relevanz, denn:

273 Harry Brod (Hg.), The Making of Masculinities. The New Men's Studies, Boston 1987; BauSteineMänner (Hg.), Kritische Männerforschung: Neue Ansätze in der Geschlechtertheorie, Berlin 1996; Walter Erhart, Britta Herrmann (Hg.), Wann ist der Mann ein Mann? Zur Geschichte der Männlichkeit, Stuttgart, Weimar, 1997; Hans Bosse, Vera King (Hg.), Männlichkeitsentwürfe. Wandlungen und Widerstände im Geschlechterverhältnis, Frankfurt/New York 2000, insbes. der Aufsatz von Robert W. Connell, Die Wissenschaft von der Männlichkeit, S. 17–28; Annette Pussert, Auswahlbibliografie: Männerbilder und Männlichkeitskonstruktionen, in: Zeitschrift für Germanistik, N.F. XII, H. 2, 2002, S. 358ff; Claudia Benthien, Inge Stephan (Hg.), Männlichkeit als Maskerade. Kulturelle Inszenierungen vom Mittelalter bis zur Gegenwart, Köln, Weimar, Wien 2003; Martin Dinges, Stand und Perspektiven der „neuen Männergeschichte" (Frühe Neuzeit), in: Marguérite Bos, Bettina Vincenz, Tanja Wirz (Hg.), Erfahrung: Alles nur Diskurs? Zur Verwendung des Erfahrungsbegriffs in der Geschlechtergeschichte, Beiträge der 11. Schweizerischen HistorikerInnentagung 2002, Zürich 2004, S. 71–96; Willi Walter, Gender, Geschlecht und Männerforschung, in: von Braun, Stephan 2005, S. 97–115; l'HOMME. Zeitschrift für feministische Geschichtswissenschaft, Krise(n) der Männlichkeit?, hrsg. von Christa Hämmerle, Claudia Opitz-Belakhal, Wien 2008/2; im Internet: The Men's Bibliography: http://mensbiblio.xyonline.net.

274 Robert W. Connell, Der gemachte Mann. Konstruktion und Krise von Männlichkeiten, Opladen 1999 (Masculinities, Cambridge 1995.)

275 Die Bedeutung der Konkurrenz zwischen Männern in homosozialen Machtverhältnissen auch bei Bourdieu (Pierre Bourdieu, Männliche Herrschaft, in: Irene Dölling, Beate Krais (Hg.), Ein alltägliches Spiel. Geschlechterkonstruktion in der sozialen Praxis, Frankfurt a. M. 1997, S. 153–217, hier S. 203): „Konstruiert und vollendet wird der männliche Habitus nur in Verbindung mit dem den Männern vorbehaltenen Raum, in dem sich, *unter Männern*, die ernsten Spiele des Wettbewerbs abspielen."

276 Zu einer differenzierten Auseinandersetzung mit den Thesen von Connell: Martin Dinges (Hg.), Männer-Macht-Körper. Hegemoniale Männlichkeiten vom Mittelalter bis heute, Frankfurt a. M. 2005.

277 Für Connell bestimmt gegenwärtig der Topmanager das Männlichkeitsideal.

> Hegemoniale Männlichkeit gibt es dort, wo – der gesellschaftlichen Ideologie nach und zumindest ansatzweise in der sozialen Praxis – Standesgrenzen aufbrechen und die sozialen Welten miteinander in einem (begrenzten) Austausch stehen, wo der soziale Status des (männlichen) Individuums Resultat der individuellen Leistung und nicht mehr qua Geburt bestimmt ist. Dies ist in der bürgerlichen Gesellschaft gegeben, deren (männliche) Protagonisten mithin als Idealtypen hegemonialer Männlichkeit fungieren.[278]

Obwohl im künstlerischen Feld bereits in den 1970er Jahren Künstler wie Jürgen Klauke, Urs Lüthi oder Michel Journiac durch Cross-Over Figurationen die Konstruiertheit von Männlichkeit parodistisch vorführten, hat sich die Kunstgeschichte erst sehr spät und bis heute marginal mit Repräsentationen von Männlichkeit befasst.[279] Als ich 1986 in Wien mit einigen Kolleginnen und Studentinnen die dritte Kunsthistorikerinnen-Tagung organisierte, haben wir eine Sektion *Männer–Bilder–Mythen* durchgeführt.[280] Im Bereich der deutschsprachigen Kunstgeschichte war dies die erste Veranstaltung, die sich mit der Repräsentation von Männlichkeit befasste.[281] 1995 folgte an der Universität für angewandte Kunst in Wien unter meiner Leitung gemeinsam mit Marianne Koos das erste Symposium, das ausschließlich dem Thema *Konstruktionen von Männlichkeit und Männer-Mythen in der Kunst und in den visuellen Medien* gewidmet war.[282] Die erste kunsthistorische Sammelpublikation im deutschsprachigen Bereich liegt erst seit 2004 vor, es ist die Veröffentlichung der gleichnamigen Tagung *Männlichkeit im Blick. Visuelle Inszenierungen in der Kunst seit der Frühen Neuzeit.*[283] Für Holland gibt es, soweit ich es überblicke, weder für die bildende Kunst noch für die Literatur, die Kultur oder den sozialen Bereich einschlägige Untersuchungen.[284] Dies ist um so bedauerlicher, als sich in Holland auf Grund seiner besonderen Situation bereits im 17. Jahrhundert eine spezifisch

278 Michael Meuser, Sylka Scholz, Hegemoniale Männlichkeit. Versuch einer Begriffsklärung aus soziologischer Perspektive, in: Dinges 2005, S. 211–228, hier S. 215.

279 Eine der ersten Arbeiten war: Margaret Walters, Der männliche Akt. Ideal und Verdrängung in der europäischen Kunstgeschichte, Berlin 1979.

280 Die Beiträge sind im entsprechenden Tagungsband publiziert: Barta u. a. 1987.

281 Weitergeführt wurden diese Ansätze in der Sektion: *Spiegelungen. Identifikationsmuster patriarchaler Kunstgeschichte* an der vierten Kunsthistorikerinnen-Tagung Berlin 1988 sowie in der sechsten Kunsthistorikerinnen-Tagung in Tübingen: *Mythen von Autorschaft und Weiblichkeit im 20. Jahrhundert,* siehe die gleichnamige Publikation hrsg. von Kathrin Hoffmann-Curtius und Silke Wenk, Marburg 1997 und in einigen Beiträgen der Kunsthistorikerinnen-Tagung in Trier: *Projektionen. Rassismus und Sexismus in der visuellen Kultur,* hrsg. von Annegret Friedrich, Birgit Haehnel, Viktoria Schmidt-Linsenhoff, Christina Threuter, Marburg 1997. Zu einzelnen Aufsätzen und Publikationen der Kunstgeschichte, die sich mit der Repräsentation von Männlichkeit befassen, siehe die Bibliografie bei Pussert 2002 und Mechthild Fend, Marianne Koos (Hg.), Männlichkeit im Blick. Visuelle Inszenierungen in der Kunst seit der Frühen Neuzeit, Köln, Weimar, Wien 2004.

282 Die Vorträge wurden leider nicht gesammelt in einem Tagungsband publiziert; lediglich einzelne Beiträge wurden veröffentlicht: Viktoria Schmidt-Linsenhoff, Male Alterity in the French Revolution: Two Paintings by Anne-Louis Girodet at the Salon of 1798, in: Ida Blom, Karin Hagemann, Catherine Hall, (Hg.), Gendered Nations. Nationalism and Gender Order in the Long Nineteenth Century, Oxford, New York 2000, S. 81–105; Silke Wenk, Nike in Blau. Yves Kleins Transformationen des Weiblichen im Zeitalter der Weltraumfahrt, in: dies., Versteinerte Weiblichkeit. Allegorien in der Skulptur der Moderne, Köln 1996; Kathrin Hoffmann-Curtius, Im Blickfeld. John der Frauenmörder von Georg Grosz, Ausstellungskatalog der Hamburger Kunsthalle, Stuttgart 1993.

283 Fend, Koos 2004.

284 Ausnahmen sind: Thomas Röske, Blicke auf Männerkörper bei Michael Sweerts, in: ebd. S. 121–135; Alison McNeil Kettering, Gentleman in Satin: Masculine Ideals in later Seventeenth Dutch Portraiture, in: Art Journal 2, 1997, S. 41–47.

bürgerliche Form von Männlichkeit herausbildete, die für die weitere Entwicklung auch in anderen europäischen Ländern prägend war. Meine Ausführungen erheben nicht den Anspruch, die unterschiedlichen Repräsentationen von Männlichkeit in Rembrandts Werk zu ergründen, sie können lediglich einige Aspekte problematisieren.

Differenzen

Beginnen wir mit einem Gedankenexperiment: Gehen wir zurück zu den besprochenen Bildern *(Bathseba, Die Frau im Bett, Susanna, Diana und Lucretia)* und überlegen uns, ob Bilder mit gleichem oder ähnlichem Inhalt in *männlicher* Besetzung denkbar wären. Sind die Umkehrungen möglich? Gibt es Werke bei Rembrandt, in denen einem Mann durch eine Frau sexuelle Gewalt angetan wird und wenn ja, wie wird dies in Szene gesetzt? Und gibt es erotisierte männliche Körper für den (weiblichen) Blick?

Die unmögliche Umkehrung I – Frauen als ‚Vergewaltiger' oder *Potiphars Weib*

Selbstredend gibt es kein männliches Pendant zu *Lucretia*: Frauen können Männer nicht vergewaltigen. Obwohl die Umkehrung nicht möglich ist, findet sie in der abendländischen Kunst dennoch statt, denn, wie Wolfthal schreibt:

> In fact, despite the great number of known male rapists, the most frequently depicted sexual aggressor was a woman, Potiphar's wife, whose story is related in Genesis 39.[285]

Potiphars Frau, die bezeichnenderweise nicht einmal über einen eigenen Namen verfügt, hatte auf den jungen schönen Josef, der von ihrem Mann, dem Chef der Leibgarde des Pharaos, zum Verwalter seines Hauses ernannt worden war, ein Auge geworfen. Sie forderte ihn auf, mit ihr zu schlafen, er aber weigerte sich standhaft. Eines Tages, als das Hausgesinde fort war, wiederholte sie ihr Begehr und packte Josef beim Mantel. Er ließ den Mantel in ihren Händen und lief hinaus. Da verleumdete sie ihn und behauptete, Josef habe sie vergewaltigen wollen. Josef wurde daraufhin von Potiphar ins Gefängnis geworfen. Diese Episode wurde unendlich oft dargestellt. Wirkmächtiger als die schiere Quantität der Darstellungen ist der Kontext, in den sie gestellt und die Funktion, die dieser Narration zuteil wurde. Sie bildet ein wesentliches Element innerhalb des Vergewaltigungsdiskurses. Die biblische Geschichte soll belegen, dass es die Frauen sind, die Männern sexuelle Gewalt antun wollen und vor allem, dass Frauen aus verschmähter Liebe Männer fälschlich der Vergewaltigung bezichtigen. Im letzten Kapitel wurde dargelegt, dass bei den ohnehin seltenen Anklagen wegen Vergewaltigung die Täter selten bestraft worden sind, die Frauen hingegen oft wegen Meineids belangt wurden. Im mittelalterlichen Schrifttum, insbesondere in der *Bible moralisée,* wurde Potiphars Frau zur Kronzeugin für die Laster-

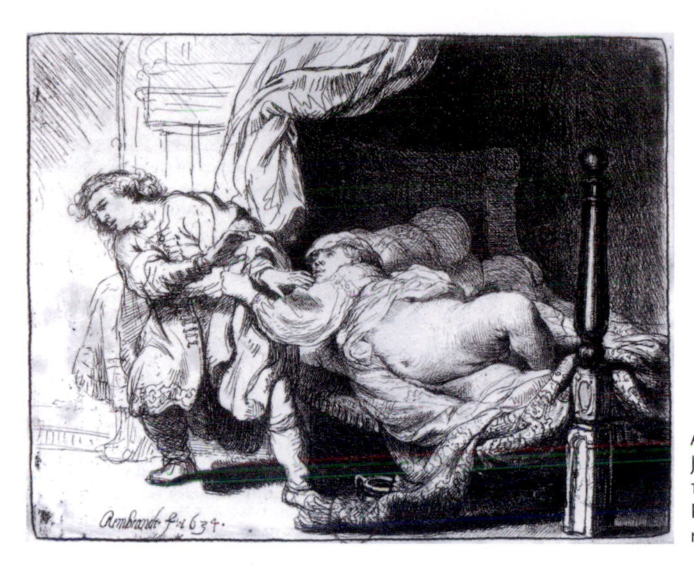

Abb. 37: Rembrandt, Josef und Potiphars Weib, 1634, Radierung, Paris, Bibliothèque nationale de France

haftigkeit und Falschheit *aller* Frauen.[286] Gravierender aber ist, dass zur Illustration des 10. Gebotes (*Du sollst nicht begehren deines Nächsten Weib...*) paradoxerweise *Josef und Potiphars Weib* verwendet wurde und nicht auf (adäquate) Geschichten wie *Susanna und die beiden Alten* zurückgegriffen worden ist.[287] Lucas Cranach hat 1527 im Auftrag von Philipp Melanchthon eine Serie von Holzschnitten zu den zehn Geboten angefertigt. Das 10. Gebot wird durch die Verführungsszene von Josef und Potiphars Weib illustriert. Der Zyklus wurde von Luther in seinem Großen Katechismus wiederverwendet und fand damit eine massenhafte Verbreitung. Der Katechismus hat wie wenige andere Bücher die Glaubensvorstellungen und damit das Selbstverständnis der Menschen geprägt. Die Bilder von Josef und Potiphars Frau sind in diesem Kontext und im Rahmen der sozialen Praxis im Umgang mit Vergewaltigung rezipiert und gedeutet worden; umgekehrt trugen sie dazu bei, die Realität männlicher sexueller Gewalt zu leugnen und als weibliche Verleumdung abzutun.

Rembrandts Radierung *Josef und Potiphars Weib* datiert von 1634 **(Abb. 37)**. Rembrandt hat in seiner Spätphase ein Tafelbild zu dieser Geschichte gemalt, hat aber, bezeichnend für dieses offiziellere Medium, nicht den Moment der Verführung (Gen. 39, 7–12) gewählt, sondern die Szene danach (Gen. 39, 13–18): Die Verleumdung durch Potiphars Frau gegenüber ihrem Mann in Anwesenheit des Beschuldigten.[288] Die einschneidenden Differenzen zwischen den Medien werden uns noch beschäftigen. Die Forschung hat einhellig einen Stich von Antonio Tempesta als künstlerische Quelle für Rembrandts Radierung genannt

285 Wolfthal 1999, S. 162. Ich stütze mich im Folgenden auf das Kapitel *Potiphar's wife* in: ebd. S. 161–179. Wolfthal befasst sich allerdings nur mit Beispielen aus dem Mittelalter und der Frühen Neuzeit bis ins 16. Jh.

286 Wolfthal 1999, S. 172.

287 Ebd. S. 173ff.

288 1655 datiert, Berlin, Gemäldegalerie. Die Version in Washington, National Gallery of Art, ist eine Werkstattkopie. Diese Episode ist in der Tafelmalerei sehr selten dargestellt worden; sie stammt aus den ausführlichen Josefszyklen der Buchmalerei.

Abb. 38: Antonio Tempesta, Josef und Potiphars Weib, um 1600, Kupferstich, London, British Museum
Abb. 39: Paolo Finoglio, Josef und Potiphars Weib, um 1622/23, Öl/Lwd., Cambridge, Fogg Art Museum

(Abb. 38). Ich sehe dafür keinen zwingenden Grund, Rembrandt wird aus der Fülle der Tradition geschöpft haben.[289] Tempesta folgt der weit verbreiteten Ikonografie, Josef in Gestus und Haltung als eindeutig Fliehenden zu kennzeichnen. Rembrandts Josef hingegen flieht nicht, er stemmt sich gleichsam gegen die entblößte Frau, die Hände nicht in Fluchtrichtung ausgestreckt, sondern abwehrend gegen sie gerichtet. Diese eigentümliche Haltung hat ihren Ursprung in einer seltenen künstlerischen Tradition, in der Josef sich dezidiert zu Potiphars Frau zurückwendet und versucht, ihr den Mantel wieder zu entreißen **(Abb. 39)**.[290] Rembrandt hat den Gestus des Sich-dagegen-Stemmens beibehalten, aber diese Körperhaltung nicht durch diese physische Aktion begründet: Josefs Hände krallen sich nicht am Mantel fest. So kann das Sich-dagegen-Stemmen als Abwehrhaltung gegen die Versuchung interpretiert werden. Im Unterschied zum reinen Fluchtgestus wird so das innere Drama, der Konflikt visualisiert. Einzigartig ist die obszöne Entblößung der im Bett liegenden Frau, deren zum Betrachter hin geöffnete Schenkel ihr Geschlecht exponieren. Der *weibliche* sexuelle Aggressor wird nicht unsichtbar gemacht (wie Tarquin bei Lucretia), nicht heroisiert, nicht sublimiert, sondern in aller erdenklichen Drastik ins Bild gesetzt. Es gibt kein Werk von Rembrandt, weder im Tafelbild noch in der Grafik, in dem *männliche* sexuelle Aggression so repräsentiert wird. In der deutschen Grafik des 16. Jahrhunderts gibt es einige seltene Blätter, in denen diese Episode wie ein dramatisches Liebesspiel inszeniert wird: Hans Sebald Beham verfertigte einige Stiche, in denen Josef (durch das Herunterziehen des Mantels) vollständig nackt ist und in einer fast tänzerischen Verbindung zu Potiphars Frau steht; in einem der Stiche wird er sogar mit erigiertem Penis gezeigt **(Abb. 40)**.[291] Der Kampf gegen das eigene Begehren wird bei Rembrandt nicht am Körper demonstriert, wohlgemerkt: nicht am männlichen Körper. Dennoch wird durch Josefs eigenartige Körperhaltung dieser Kampf angedeutet, wenn auch als ein innerer,

Abb. 40: Hans Sebald Beham, Josef und Potiphars Weib, 1544, Kupferstich, Paris, Bibl. nat.

psychischer interpretiert. Es ist nicht so, wie in der Forschung generell wiederholt wird, dass sich Josef mit Ekel und Abscheu von Potiphars Frau abwendet und Rembrandt den Gegensatz zwischen gut und böse darstellt. Vielmehr wird der Kampf zwischen Begehren und Widerstehen inszeniert. Zur Unterstützung dieser Interpretation sei auf das Theaterstück von Joos van den Vondel von 1640 verwiesen.[292] Bekanntlich herrschte in Holland eine enge Verbindung zwischen Malern und Dichtern, Rembrandt und Vondel haben sich gekannt und sich nachweislich aufeinander bezogen.[293] Das Stück entstand etwas später als Rembrandts Radierung, ich gehe nicht von einem direkten Einfluss aus, sondern von einer gemeinsamen gedanklichen Kultur. In Vondels Stück *Joseph in Egypten* wird Potiphars Frau ein Name gegeben: Jempsar. Sie verliebt sich in den schönen jungen Josef, wird krank vor Liebe, kann nicht mehr essen, nicht mehr schlafen. In einem ausführlichen Gespräch erzählt sie Josef von ihrer Leidenschaft und von ihrer Vorstellung einer freien sexuellen Entfaltung: „Mijn wellust zy mijn wet."[294] (Meine Wollust sei mein Gesetz.) Josef plädiert für die Zähmung der Triebe und die Beschränkung der Liebe auf die Ehe. Erst als Jempsar das Argumentieren aufgibt, ihren Gefühlen freien Lauf lässt und sich ihm vor die Füße wirft mit der Drohung, zu sterben, wird Josef verunsichert und wendet sich ab. Jempsar wird nicht als böse charakterisiert; die intensive Schilderung ihrer leidenschaftlichen Gefühle ist ein starkes Identifikationsangebot für die BetrachterInnen. Ähnlich wie bei Rembrandt wird das Drama zwischen Begehren und Triebkontrolle aufgeführt, zwischen Körper und Geist. Entscheidend ist nun aber, dass bei Vondel wie bei Rembrandt (durchaus im Sinn der Tradition) der Körper mit Weiblichkeit, der Geist hingegen mit Männlichkeit identifiziert wird.

Die unmögliche Umkehrung II – Erotisierte Männer-Bilder für den weiblichen Blick?

Gehen wir der zweiten Frage nach: Finden sich in Rembrandts Werk männliche nackte Körper in einem erotisch konnotierten Kontext? Gibt es die Pendants zu *Bathseba*, der *Frau im Bett* oder *Susanna*: einen nackten Mann, der gedankenverloren über einen Liebesbrief

289 Einzig die Schrägstellung des Bettes mit dem Bettpfosten erinnert an die Version von Tempesta.
290 Verwandt auch die Version von Giovanni Biliverti aus dem frühen 17. Jh., Rom, Galleria Nazionale d'Arte Antica, Pal. Barberini, Abb. Garrard 1989, S. 81, Fig. 74.
291 Walter L. Strauss, The Illustrated Bartsch, Bd. 15, New York 1978, S. 45 Nr. 13, 14, 15.
292 Joost van den Vondel, Joseph in Egypten Amsterdam 1640, De werken van Vondel, Bd. 4, 1930. Siehe : Kåre Landvik Johannessen, Zwischen Himmel und Erde. Eine Studie über Joost van den Vondels biblische Tragödien in gattungsgeschichtlicher Perspektive, Oslo 1963, insbes. S. 143–150; Konst 1999, S. 7–21.
293 Schenkeveld 1991, insbes. S. 119ff.; J. A. Emmens, „Ay Rembrandt, maal Cornelis stem", in: Nederlands kunsthistorisch jaarboek 7, 1956, S. 133–165.
294 Vondel 1064, hier zit. nach Johanessen 1963, S. 145.

Abb. 41: Große Heidelberger Liederhandschrift (Codex Manesse), Jacob van Warte, Zürich 1305–40, Heidelberger Universitätsbibliothek, Cod. Pal. germ. 848, fol. 46v

sinniert, während ihm die Füße gepflegt werden, einen Mann, der ängstlich seine Blöße vor den Augen der BetrachterInnen zu verbergen sucht, einen Mann im Bett, der erwartungsvoll den Vorhang lüftet? Die Antwort lautet ‚natürlich': nein. Allein die Vorstellung solch analoger Geschlechterkonfigurationen erscheint uns lächerlich. Warum eigentlich? Jedenfalls ist dies nicht eine Spezifik von Rembrandt, sondern ein Problem unserer Kultur. Dieser *männliche Blick* war und ist ein wesentlicher Kritikpunkt feministischer Kunst- und Bildkritik. Die Asymmetrie ist jedoch nicht allein dem Umstand geschuldet, dass die Künstler im allgemeinen männlich waren, die (Akt)Modelle hingegen weiblich. Das ist keine natürliche Folge dieser Künstler-Modell-Konstellation. Hier sei lediglich angemerkt, dass es in der höfischen mittelalterlichen Kunst ein breites Spektrum erotischer Bilder gab, in denen die männlichen Protagonisten durchaus integriert waren, man denke an Beispiele wie die Manesse Handschrift **(Abb. 41)**, die Randminiaturen der Wenzelsbibel **(Abb. 42)** oder an die unzähligen Jungbrunnendarstellungen **(Abb. 43)** in Buchmalerei, Wandmalerei und Tapisserien.[295] Erst nach dem ersten Drittel des 16. Jahrhunderts begann der *Auszug des Mannes aus dem erotischen Bild*.[296] Diese Entwicklung ist nicht geradlinig zu denken, aber eine Tendenz lässt sich feststellen, die im 18. und 19. Jahrhundert manifest wurde, so konsistent jedenfalls, dass für uns die *Umkehrungen* jenseits des Vorstellbaren liegen und die Fixierung des erotischen Aktes auf Weiblichkeit ‚natürlich' erscheint.

Rubens bildet eine bemerkenswerte Ausnahme; er thematisiert männliche Sinnlichkeit, Sexualität, männliches Begehren und männliche Gewalt. Allerdings würde man auch bei ihm vergeblich nach Männlichkeitsentwürfen suchen, die eine Analogie zu den besprochenen weiblichen Akten bilden würden. Männliche Sexualität wird bei Rubens immer aktiv und potent gedacht. Im Unterschied zum höfisch katholischen Flandern war

Abb. 42: Wenzelsbibel, Badeszene (Detail vom Titelblatt des Buches Josua), um 1390, Wien, Österreichische Nationalbibliothek, Cod. Vindob. 2759–2764, 1. Bd. fol. 214r
Abb. 43: Jungbrunnen, um 1430, Wandmalerei, Piemont, Schloss La Manta bei Saluzzo

die Historienmalerei und damit die Aktmalerei im bürgerlichen Holland des 17. Jahrhunderts nicht von großer Bedeutung. Erotisch inszenierte männliche Akte gehörten allemal nicht ins Repertoire. Es gibt eine Ausnahme: Die Bilder mit männlichen Akten von Michael Sweerts, deren „geheimnisvolle Rätselhaftigkeit" von Thomas Röske überzeugend durch ein wenn auch abgewehrtes homoerotisches Begehren geklärt worden ist.[297]

Selbst-Bilder

Rembrandt hat wie kein Künstler vor ihm und kaum einer nach ihm eine verblüffende Anzahl von Selbstbildnissen – Ölbilder, Grafiken und Zeichnungen – geschaffen. Er ist der erste Künstler, in dessen Werk das Selbstporträt einen signifikanten Platz innerhalb des Oeuvres einnimmt. Bemerkenswert ist aber nicht nur die schiere Anzahl, sondern das Phänomen, dass sich Rembrandt in ganz unterschiedlichen Maskierungen präsentierte. Die Rollen beschränken sich nicht auf ein breites Spektrum an Entwürfen von Rembrandt als Künstler, sondern weisen eine ganze Palette von Verkleidungen auf: Rembrandt als Orientale mit Pudel, Rembrandt als Verlorener Sohn, als Apostel Paulus u. a. In der höfischen Gesellschaft bezeichnet die Kleidung in besonders ausgeprägter Weise den sozialen Stand eines Menschen. In seinen Selbstporträts erfindet und kombiniert Rembrandt Kostümierungen, die teilweise weder seinem Stand noch seiner Zeit entsprechen, gleichsam „als Experimentieren mit den noch ungelebten Möglichkeiten

295 Daniela Hammer-Tugendhat, Erotik und Geschlechterdifferenz. Aspekte zur Aktmalerei Tizians, in: Daniela Erlach, Markus Reisenleitner, Karl Vocelka (Hg.), Privatisierung der Triebe? Sexualität in der Frühen Neuzeit, Frankfurt a. M. u. a. 1994, S. 367–446, insbes. S. 394–401.

296 Ebd. S. 395. S. u.: *Asymmetrie. Beziehung der Geschlechter im Feld des Sexuellen.* Als symptomatisch für diese Entwicklung kann der *Jungbrunnen* von Lucas Cranach von 1546 (Berlin, Gemäldegalerie) gelten: Hier sind es allein die Frauen, die sich nackt im Wasser tummeln, die Männer sind bekleidet und nehmen sie nach der Verjüngungskur nur mehr in Empfang. Diese Entwicklung müsste genauer untersucht werden, die unterschiedlichen Ausprägungen in den nördlichen protestantischen Ländern gegenüber den gegenreformatorischen im Süden, die Differenzen zwischen den unterschiedlichen Medien müssten ebenso befragt werden wie die zwischen unterschiedlichen Kontexten (höfisch, städtisch, kirchlich etc).

297 Thomas Röske, Blicke auf Männerkörper bei Michael Sweerts, in: Fend, Koos 2004, S. 121–135.

des Lebens."[298] Rembrandt entwirft ein Selbst, dem es scheinbar möglich ist, seinen sozialen Stand frei zu wählen.[299] Es ist seine Kunst, die ihm diese Freiheit ermöglicht. Er, Rembrandt, ist gleichsam Schöpfer seines eigenen Ichs. In unserem Zusammenhang interessiert die Frage, welche Variationen von Männlichkeit Rembrandt entworfen hat. Gerade weil Rembrandt sich nicht lediglich als Künstler und Amsterdamer Bürger abgebildet hat, sondern in fiktive Rollen geschlüpft ist, scheint die Möglichkeit einer zumindest marginalen Verschiebung in der Konzeption von Männlichkeit denkbar.

Über die Bedeutung der Selbstporträts bei Rembrandt bestehen in der Forschung divergierende Auffassungen.[300] Perry Chapmans *Rembrandt's Self-Portraits. A Study in Seventeenth-Century Identity* von 1990 ist wohl immer noch die fundierteste Studie, in der auch die verschiedenen Maskierungen und ihre Semantik untersucht werden. Chapman geht zwar nicht mehr davon aus, dass aus Rembrandts Selbstbildnissen der wahre, authentische Charakter des Künstlers und seine jeweiligen Stimmungen abzulesen seien, wie das in der älteren Literatur gängig war, aber er interpretiert sie doch als Suche nach Identität und Autonomie in einer sich konstituierenden bürgerlichen Gesellschaft und als Versuch einer Neudefinition der Position des Künstlers, der nun nicht mehr primär im Auftrag, sondern für den Markt produziert. Demgegenüber interpretiert Harry Berger Rembrandts Selbstrepräsentationen *als ein anderer* nicht als Suche nach Identität, sondern vielmehr als Thematisierung und Infragestellung des Porträts und des Selbstporträts und deren Posen.[301]

Ich gehe nicht von der permanent wiederholten Frage aus, warum sich Rembrandt immer wieder mit seinem eigenen Gesicht befasste.[302] Diese Frage bleibt der Vorstellung verhaftet, Rembrandts Selbstbildnisse hätten ihren Ursprung allein in seiner Person; die Struktur dieser Frage bleibt somit genau dem Paradigma verhaftet, welches Rembrandts Selbstporträts mitproduziert haben: der Fiktion des autonomen Subjekts.[303] Sinnvoller scheint es mir nach den Effekten zu fragen, welche die unterschiedlichen Selbstinszenierungen bewirken. Auch müsste der Weg, den Chapman eingeschlagen hat, weiter verfolgt werden, um Rembrandts Selbstporträts noch konkreter

298 Pächt 1991, S. 72.

299 Symptomatisch ist der Umstand, dass sich Rembrandt in vielen seiner Selbstporträts mit einer goldenen Kette schmückte, obwohl er, im Gegensatz etwa zu Rubens, nicht befugt war, eine solche zu tragen, da er weder adlig geboren noch geadelt worden ist. Er bezog seine Nobilität nicht aus seiner Geburt oder seinem sozialen Status als Künstler am Hof, sondern allein aus seinem persönlichen künstlerischen Können. Dazu Chapman 1990, S. 58ff.

300 Rembrandt by Himself, Ausstellungskatalog, hrsg. von Christopher White, Quentin Buvelot, London National Gallery und Den Haag, Royal Cabinet of Paintings, Yale University Press, New Haven 1999. Im Katalog dieser bedeutendsten Ausstellung zu Rembrandts Selbstporträts wird leider nur eine einzige Forschungsmeinung vertreten und zwar die von Ernst van de Wetering und dem Rembrandt Research Programm; nach Meinung der Autoren habe Rembrandt die vielen Selbstporträts aus reiner Ruhmsucht gemalt und sei dabei dem neuen Kunstklientel und dessen Interesse an großen Künstlerpersönlichkeiten entgegen gekommen. Rezension siehe Stephanie S. Dickey in: Art Bulletin 82, 2000, S. 366–369. Ernst van de Wetering, Rembrandt's Self-Portraits. Problems of Authenticity and Function, in: RRP Bd. 4, hrsg. von Ernst van de Wetering: The Self-Portraits 1625–1669, 2005, S. 89–317; zu den *expression studies in the mirror* S. 170f, zu den *tronies* S. 172ff. Die reduktionistische Ansicht, die *Erfindung des Selbst* auf den neuen Warenwert der Kunst und die Notwendigkeit ihrer Vermarktung zu beschränken, bei Svetlana Alpers, Rembrandt als Unternehmer. Sein Atelier und der Markt, Köln 1989.

301 Harry Berger, Jr., Fictions of the Pose. Rembrandt Against the Italian Renaissance, Stanford University Press 2000.

302 So auch die neuere Forschung, beispielsweise: Marieke de Winkel, Costume in Rembrandt's Self Portraits, in Rembrandt by Himself 1999, S. 60–74, hier S. 60: „What could have been his reasons for depicting himself time and again in different guises?"

kontextualisieren zu können, etwa die Verbindung zu ähnlichen Selbstentwürfen in der Literatur wie den Essays von Montaigne, den neu aufkommenden Autobiografien oder auch der Philosophie Descartes. Auch die Liebe zur Verkleidung, der Effekt des Theaterhaften (*theatricality*) ist nicht einfach eine Erfindung Rembrandts.[304] Abgesehen von der engen Beziehung der holländischen Malerei zum Theater sei in diesem Zusammenhang auf das *portrait historié* verwiesen, das im 17. Jahrhundert auch in Holland Anklang gefunden hatte.[305] Vor allem die Gesellschaft bei Hofe im Haag und da insbesondere die Damen liebten es, sich in mythologischer, biblischer, historischer oder literarischer Verkleidung zu präsentieren, wobei das arkadische Genre bevorzugt wurde. Rembrandt übertrug nun diese höfische Porträtform auf sein eigenes Bildnis, allerdings in seinem realistischen, nicht klassizistisch idealisierenden Malstil, was zu Effekten führte, welche die der Gattung inhärente allegorische Lesart stören. Seine AuftraggeberInnen hingegen ließen sich in ihrer bürgerlichen Kleidung abbilden. Es gibt von Rembrandt nur wenige Beispiele eines *portrait historié* im eigentlichen Wortsinn, eigentlich kann man lediglich das späte Selbstporträt von 1661 als Apostel Paulus (Amsterdam) als solches bezeichnen, van de Wetering nennt auch das Kölner Selbstporträt als Zeuxis. Das Dresdener Doppelbildnis mit Saskia als Verlorener Sohn trägt zumindest Züge dieser Gattung. Im Unterschied zum *portrait historié* versetzte sich Rembrandt meist nicht in eine festgeschriebene Rolle aus Bibel, Mythologie oder Historie, sondern schlüpfte in phantastische Gewänder beziehungsweise maskierte sich lediglich mit einzelnen Versatzstücken. Relevant scheint mir, dass zu Rembrandts Zeit die Möglichkeit eines Porträts *in Verkleidung* jedenfalls bekannt war.

Neben den Selbstporträts in unterschiedlichen Kostümierungen gab es die sogenannten *tronies*.[306] *Tronie*, vom altfranzösischen Wort *troigne* abgeleitet, bedeutete Kopf oder Gesicht. Der Begriff wurde in Holland im 17. Jahrhundert auch für Brustbilder verwendet, die unterschiedliche Typen von Menschen zeigen, die zwar individualisiert und somit offensichtlich nach einem Modell angefertigt, aber keine Porträts sind. Die *tronies* wurden im 16. Jahrhundert lediglich als Studien für die Werkstatt angefertigt. Erst Rembrandt und sein Kreis produzierten *tronies* für den Verkauf am freien Markt. Die Köpfe wurden

303 Angesichts der aktuellen Debatten um den Status des Subjekts scheint es mir bemerkenswert, dass Rembrandt bei seinem eigenen Subjektentwurf durchaus von der Vorstellung einer komplexen, widersprüchlichen, immer in Bewegung befindlichen Identität ausgegangen ist. Aufschlussreich ist ein Vergleich mit den Filmstills von Cindy Shearman aus den 1980er Jahren; nicht nur, weil sich eine weibliche Künstlerin in unterschiedlichsten Rollen repräsentiert und dies nun im Medium der Fotografie, sondern weil ihre Bilder die Krise des Subjekts signalisieren. Bei Rembrandt gibt es trotz aller Komplexität und auch Ironie dennoch die Vorstellung von Autonomie. Bei Cindy Shearman können wir nur noch die Masken, die Klischees (von Weiblichkeit) wahrnehmen, hinter denen sich kein authentisches Selbst mehr verbirgt.

304 Alpers (1989, 2003) benützt diesen Begriff und sieht durchaus einen Zusammenhang mit dem Theater; sie reduziert diese Beziehung aber auf die schiere Tatsache der Verkleidung ohne zu fragen, ob es innerhalb des holländischen Theaters beispielsweise ein *cross-dressing* gab wie auf den Renaissancebühnen Italiens oder bei Shakespeare. Auch leugnet Alpers jede Form der bildlichen Tradition und begründet Rembrandts Besonderheit mit der Annahme, dass er die Menschen in sein Atelier geholt, kostümiert und sie dann direkt nach der Natur gezeichnet und gemalt habe.

305 Rose Wishnevsky, Studien zum „portrait historié" in den Niederlanden, Bamberg 1967; Stephanie S. Dickey, Rembrandt and Saskia: Art, Commerce, and the Poetics of Portraiture, in: Alan Chong, Michael Zell (Hg.), Rethinking Rembrandt, Zwolle 2002, S. 17–47.

306 L. De Vries, Tronies and other Single Figured Netherlandish Paintings, in: Leids Kunsthistorisch Jaarboek 8, 1989, S. 185–202; Jaap van der Veen, Faces from Life: „Tronies" and Portraits in Rembrandt's Painted Oeuvre, in: AK Melbourne, Canberra 1997, S. 69-73; Marieke de Winkel in: AK London, Den Haag 1999, S. 60ff; van de Wetering in RRP 2005, S. 172ff. Zu Bedeutung und Funktion der Kostümierungen in Rembrandts Werk: Marieke de Winkel, Fashion and Fancy. Dress and Meaning in Rembrandt's Paintings, Amsterdam 2008.

Abb. 44: Rembrandt, Selbstporträt mit Halsberge, um 1629, Öl/Holz, Nürnberg, Germ. Nationalmuseum
Abb. 45: Giorgione-Umkreis, Mann in Rüstung, Öl/Holz, Edinburgh, National Gallery of Scotland
Abb. 46: Giorgione, Selbstporträt als David, um 1500–1510, Öl/Leinwand, Braunschweig, Herzog Anton Ulrich-Museum

meist phantastisch und exotisch kostümiert. Was bedeutet dieses neue Interesse an individuellen Gesichtern, die keine Porträts sind und in keinem narrativen Kontext zu lesen sind? Jedenfalls zeugt es von einer Faszination am Phänomen *Individualität.* Auch setzt die Unbestimmtheit der *tronies* eine Vielfalt von Assoziationen und Imaginationen in Gang. Rembrandt hat nun in vielen seiner Bildnisse die Grenze zwischen *Selbstporträt* und *tronie* verwischt, es ist oft unklar: ist das nun Rembrandt *als* oder ist es ein *tronie* mit Zügen von Rembrandt. Auffallend ist die häufige Verwendung von Fragmenten einer Rüstung, insbesondere einer Halsberge. Als Beispiel sei das Selbstporträt mit Halsberge von ca. 1629 im Germanischen Nationalmuseum in Nürnberg genannt **(Abb. 44)**. Könnte es sein, dass Rembrandt von einer giorgionesken Erfindung inspiriert worden ist? Im Giorgione-Umkreis gab es eine Reihe von Männerbildnissen, die sich durch die seltsame Verbindung von Rüstungs-Attributen mit einem melancholischen und selbstreflexiven Gesichtsausdruck auszeichnen **(Abb. 45)**. Die Erfindung ging offensichtlich auf ein Selbstporträt von Giorgione als David zurück **(Abb. 46)**.[307] Ist das Nürnberger Selbstporträt nun der ‚authentische' Rembrandt oder eine Figur der Phantasie? Das Versatzstückhafte der Attribute – hier erinnert lediglich die Halsberge an eine militärische Rüstung – verstärkt den Eindruck von Maskerade. Es ist eben nicht Rembrandt als Krieger, geschweige denn Mars, sondern lediglich Rembrandt verkleidet mit einem Teilstück einer Rüstung.

Auch bei den Selbstporträts im engeren Sinn kostümiert sich Rembrandt mit altertümlichen oder phantastischen Gewändern. Ob Rembrandt sich mit der Bedeutung der jeweiligen Attribute identifizierte und jeweils als mögliche Entwürfe seines Selbst präsentierte, wie Chapman darlegt, oder aber die Posen mitsamt ihren Kostümierungen ironisierte, wie Harry Berger meint, ist oft schwer zu beurteilen und soll vielleicht auch manchmal in der Schwebe bleiben. Die Intention Rembrandts ist für uns ohnehin nicht greifbar. Die Effekte dieser Inszenierungen sind unterschiedlich lesbar: einmal als Vorstellung, dass der Mann und Künstler Rembrandt qua seines künstlerischen Genies *alles* sein kann, ohne an Geburt und Stand gebunden zu sein. Dieses Konzept des freien autonomen Subjekts ist eine zutiefst bürgerliche Fiktion. Hollands bürgerliche Elite trug dagegen eine bestimmte, durchaus festgelegte Kleidung, eben eine bürgerliche, die sich durch vornehme Schwärze auszeichnete. Das Fragmentarische und Phantastische der Gewänder unterstreicht somit den Eindruck der Maskerade und des Imaginären: Kleidung, Posen, Gesten als Theater, Spiel und Schein. Jedenfalls können Maskeraden Potenzialitätsräume erzeugen, das Repertoire des Denkbaren erweitern und das Außeralltägliche, das Tabuierte und Verdrängte visualisieren.[308]

Wenden wir uns den konkreten Rollen zu, in denen sich Rembrandt imaginierte. Rembrandts Selbstinszenierungen reichen von der Repräsentation als autonomes Individuum, als Künstler-Melancholiker, als Maler in unterschiedlichsten Variationen, über den *virtuoso*, seine Präsentationen mit Beret und Goldkette bis zu phantastischen Verkleidungen als Orientale, biblischen Inszenierungen und Kostümierungen mit militärischen Attributen. Er zeigt sich durchaus in ambivalenten Situationen wie im Doppelporträt mit Saskia, wo er in der Rolle des Verlorenen Sohnes auftritt **(Abb. 54**, S. 116**)**. Er übernimmt sogar einen negativen Part als Scherge in der Kreuzaufrichtung. In den späten Selbstbildnissen repräsentiert er sich als vom Alter gezeichnet. Niemals aber imaginiert sich Rembrandt als hingebungsvoll Liebender wie er beispielsweise seine Frau Saskia darstellte. Niemals repräsentiert er sich in seiner Körperlichkeit, im Gegenteil, seine Selbstporträts sind fast ausnahmslos auf das Gesicht reduziert. Bei den Brustbildern verschwindet der Körper gleichsam im Dunkel. Die meist schwarze Büste bildet die Kontrastfolie zu dem intensiv ausgearbeiteten Gesicht und lässt dieses als Zentrum von Bedeutung hervortreten.[309] Bei den wenigen Selbstbildnissen in Dreiviertelfigur und dem einzigen ganzfigurigen als Orientale wird Rembrandts Körper von Stoffmassen unsichtbar gemacht. Nie nimmt sein Blick den diffusen, verträumten Ausdruck an, wie dies bei vielen seiner weiblichen Bildnisse anzutreffen ist. Sogar in den Selbstbildnissen, in denen seine Augen verschattet und kaum zu erkennen sind (die Chapman als *melancholisch* bezeichnet), blickt Rembrandt den Betrachter an, ist er Herr über seinen Blick. Nie gibt es Anklänge an das arkadische Genre, das damals in Holland zuerst am Hof, im späteren 17. Jahrhundert in klassizistischer Manier auch im gehobenen Bürgertum beliebt war.

307 Vasari beschrieb in seiner zweiten Ausgabe der Künstlerviten ein Selbstbildnis von Giorgione als David. Die Forschung vermutet in dem Braunschweiger Bild das beschnittene Original. Sylvia Ferino-Pagden, in: Giorgione, Mythos und Enigma, Ausstellungskatalog, hrsg. von Sylvia Ferino-Pagden, Giovanna Nepi-Scirè, Gallerie dell'Accademia, Venedig, Kunsthistorisches Museum, Wien, Mailand 2004, S. 234–236. Wenzel Hollar hat 1650 einen Stich nach dem Giorgione-Bild angefertigt, in dem das abgeschlagene Haupt des Holofernes noch zu sehen ist, Abb. ebd. S. 238. Zu den unterschiedlichen Paraphrasen siehe ebd. Kat. Nr. 10, 11, 12, 20 und *Der junge Mann in Rüstung* von Sebastiano del Piombo von 1511/12 (Hartford): Bellini, Giorgione, Tizian und die Renaissance der venezianischen Malerei, Ausstellungskatalog, hrsg. von David Alan Brown, Sylvia Ferino-Pagden, National Gallery of Art, Washington, Kunsthistorisches Museum, Wien, Mailand 2006, Kat. Nr. 51, Abb. S. 259. Zur Deutung des Edinburgher Bildes im Rahmen des Petrarkistischen Liebesdiskurses: Marianne Koos, Bildnisse des Begehrens. Das lyrische Männerporträt in der venezianischen Malerei des frühen 16. Jahrhunderts – Giorgione, Tizian und ihr Umkreis, Emsdetten/Berlin 2006, S. 190ff.

308 Hartmut Böhme, Masken, Mythen und Scharaden des Männlichen. Zeugung und Begehren in männlichen Phantasien, in: Benthien, Stephan 2003, S. 100–127, insbes. S. 102–104.

309 Zur Bedeutung des Gesichts bei Rembrandt s. u. letztes Kap. des 2. Teils; Koerner 1986.

Abb. 48: Rembrandt, Selbstporträt, 1640, Öl/Leinwand, London, National Gallery
Abb. 47: Rembrandt, Saskia mit Blume, 1641, Öl/Holz, Dresden, Staatl. Kunstsammlungen, Gemäldegalerie

Symptomatisch erscheint mir die Gegenüberstellung von einem der berühmtesten Selbstporträts des Künstlers mit einem fast zeitgleichen Bildnis seiner Frau Saskia. Ich meine das Selbstporträt mit 34 Jahren von 1640 und das Bildnis von Saskia mit Blume von 1641 **(Abb. 48** und **Abb. 47)**. Chapman geht sogar davon aus, dass „the two paintings in Titianesque guise form a complementary pair and perhaps were conceived as such."[310] Bekanntlich bezog sich Rembrandt bei seinem Selbstbildnis auf das Porträt des berühmten italienischen Dichters Ariost von Tizian **(Abb. 49)**,[311] das Bildnis des Castiglione von Raffael, von dem er eine Zeichnung anfertigte, **(Abb. 50)** und das Selbstbildnis von Dürer von 1498 **(Abb. 51)**.[312] Rembrandt repräsentiert sich hier auf dem Höhepunkt seines Ruhms als Künstler, dessen Größe durch den Bezug auf Dürer, Raffael und Tizian noch gesteigert wird. Er stellt sich in die Tradition des Nordens mit dem Bezug auf Dürers Selbstporträt, reklamiert die Zeichenkunst Raffaels ebenso wie den Kolorismus Tizians, positioniert sich in Haltung, Kleidung und Dreieckskomposition als humanistisch gebildeter Renaissancekünstler und beansprucht auch die Zuschreibungen der Dargestellten für sich: das dichterische Ingenium von Ariost und das höfische Ideal von Castiglione. Die harmonisierenden und idealisierenden Gesichtszüge in Raffaels Castiglione-Porträt sind Rembrandts Realismus gewichen, was seinem Antlitz eine neue Form von Lebendigkeit und Präsenz verleiht. Diese Präsenz wird durch die Verräumlichung intensiviert, die Rembrandt durch die Licht-Schattenbehandlung erreicht wie auch durch seine Körperhaltung, insbesondere den Arm, der über die Brüstung in den Betrachterraum ragt. Die Brillanz des stahlblauen Seidenkostüms bei Tizian wird durch zurückhaltende Brauntöne ersetzt; die Aufmerksamkeit

Abb. 49: Tizian, Bildnis eines Mannes (sog. Ariost), um 1512, Öl/Leinwand, London, National Gallery
Abb. 50: Rembrandt, Zeichnung nach Raffaels Porträt von Baldassare Castiglione, 1639, Wien, Albertina
Abb. 51: Albrecht Dürer, Selbstbildnis, 1498, Öl/Holz, Madrid, Prado

soll nicht durch die Prächtigkeit der Farben und Stoffe vom eigentlichen Zentrum abgelenkt werden, und das ist allemal das Antlitz des Künstlers: Rembrandts Gesicht. Die Zentralität des Gesichts wird durch die Lichtführung betont, die Leuchtkraft des Gesichts durch die schwarze Rahmung von Barett, Haaren und Kleidung intensiviert. Rembrandts Blick fixiert die Augen des Betrachters; dies ist nicht ein automatischer durch das Selbstporträt bedingter Spiegel-Effekt. Der Eindruck des kritisch Prüfenden wird durch die Andeutung einer Stirnfalte und die leichte Verschattung seiner linken Stirn- und Augenpartie verstärkt. In Summe bewirkt die Inszenierung den Eindruck eines differenzierten, reflektierenden, autonomen Subjekts.

Trotz der Vielfalt an Rollen, Kostümierungen, Gesten und Mimik ist die Individualität Rembrandts in seinen Porträts unverkennbar, sieht man von einigen *tronies* ab, in denen die Grenze zwischen Porträt und Phantasiebildnis verwischt ist. Diese Form von Individualität bei gleichzeitigem Reichtum an Ausdrucksmöglichkeiten sucht man bei den weiblichen Bildnissen vergeblich. Die aktuelle Forschung geht zu Recht davon aus, dass die früheren Identifizierungen weiblicher Bildnisse wie *Artemisia*, *Bellona*, *Flora* sowie die vielen Zeichnungen von Frauen im Bett mit Saskia und später Hendrickje nicht haltbar sind.[313] Diese weiblichen Bildnisse sind nicht in der Weise individualisiert, dass man sie mit Bestimmtheit einer konkreten Person zuordnen könnte, sie mögen vielleicht von Saskia oder Hendrickje inspiriert worden sein. Nicht einmal die von Rembrandt selbst dokumentierte Silberstiftzeichnung von Saskia von 1633 weist eindeutig individualisierte und somit wiedererkennbare Gesichtszüge auf. Das Gemälde von 1641 in Dresden ist – abgesehen von der Silberstiftzeichnung und der Radierung des Selbstporträts mit Saskia von 1636 – eines der ganz wenigen Werke, das von der Forschung

310 Chapman 1990, S. 74. Die Maße stimmen fast überein, vor allem, wenn man bedenkt, dass das Selbstporträt ursprünglich rechteckig war: Selbstporträt: 93/80 cm und Saskia: 98,5/82,5 cm.
311 In der heutigen Forschung wurde die Identifikation mit Ariost fallen gelassen.
312 Meist werden nur Tizian und Raffael genannt, die von Rembrandt in der Sammlung von Alfonso Lopez in Amsterdam im Original besichtigt werden konnten; Rembrandts Radierung von 1639 ist dem Vorbild von Tizian sehr nahe.
313 Siehe die entsprechenden Eintragungen im RRP; Dickey 2002, S. 23; AK Edinburgh, London 2001.

Abb. 52: Tizian, Flora, um 1515, Öl/Leinwand, Florenz, Uffizien

Abb. 53: Giorgione-Umkreis, Männerbildnis, sog. Brocardo, um 1510, Öl/Leinwand, Budapest, Museum der Bildenden Künste

einhellig als Porträt von Saskia identifiziert worden ist **(Abb. 47)**.[314] Saskia im roten Samtkleid steht dem Betrachter frontal gegenüber, ihre linke Hand am Herzen, die Rechte hält eine Nelke, die sie Rembrandt beziehungsweise dem Betrachter entgegenhält. Links hinter ihr sind auf eine Brüstung weitere Blumen gestreut. Saskias Kleid ist leicht geöffnet und gibt den Blick auf das Unterhemd frei, ein zarter Schleier bedeckt die rechte Brust. Reicher Schmuck am Körper, im Haar und am Kleid erhöhen die Prächtigkeit ihrer Erscheinung. Die Nelke ist ein traditionelles Symbol für Liebe und eheliche Treue.[315] Die linke Hand am Herzen ist ein Gestus der Beteuerung und Wahrhaftigkeit. Somit ist es ein Bild beteuernder Liebe und Hingabe; Saskia als Frau, die ihrem Mann sich und ihre Liebe schenkt. Die Assoziation an *Flora,* Göttin der Blumen und des Frühlings, ist intendiert. Rembrandt hat 1634 und 1635 eine *Flora* gemalt und auch 1657 dieses Motiv nochmals verarbeitet. Inspiriert war Rembrandt durch die *Flora* von Tizian von 1515, die er in der Sammlung von Lopez neben Raffaels *Castiglione* und Tizians *Ariost* studieren konnte **(Abb. 52)**. Flora hatte, wie Julius Held nachgewiesen hat, eine doppelte Bedeutung: Göttin der Blumen und des Frühlings, aber auch die Erinnerung an die römische Kurtisane, die dem frühchristlichen Autor Lactantius zufolge die antiken Spiele gestiftet haben soll.[316] Joachim von Sandrart ließ auf seine etwa 1640 angefertigte Kopie nach Tizians *Flora* einen Vers drucken, der Flora als Tizians Geliebte beschreibt.[317] Die Verschmelzung von Flora in ihrer erotischen Doppeldeutigkeit mit der eigenen Geliebten und Frau war somit auch für Rembrandt nahe liegend und für die Zeitgenossen nachvollziehbar. Rembrandt hat seine Gemahlin nie als bürgerliche Ehefrau porträtiert wie viele seiner Malerkollegen. Die Überhöhung der Geliebten als mythologische Figur und Transzendierung des Bürgerlich-Alltäglichen in gleichsam göttliche Gefilde hat aber durchaus eine Tradition. Diese Vorstellung verweist auf die humanistische Renaissance; das Urbild sind die Gedichte Petrarcas auf seine Geliebte Laura. Das petrarkistische Liebesideal war auch im bürgerlichen Holland bei Dichtern wie Vondel, Vos und anderen durchaus lebendig.[318] Entsprechend dem neuen Eheideal im bürgerlich-protestantischen Holland hat Rembrandt das höfische Liebesideal der nie erreichbaren Geliebten auf seine Ehefrau übertragen. Wie *Laura* und die gemalten Pendants in der italienischen, insbesondere venezianischen Malerei ist auch Rembrandts *Saskia/Flora* an der Schwelle zwischen privater Intimität und Öffentlichkeit angesiedelt.

Die Differenz zwischen Rembrandts Selbstbildnis mit 34 Jahren und dem fast gleichzeitig gemalten Bild Saskias könnte größer nicht sein. Er ist der geniale Künstler und Kulturträger, sie ist ganz privat und erotisiert, ‚von Kopf bis Fuß auf Liebe eingestellt'. Ich kann mir denken, dass ich hier auf ein gewisses Unverständnis bei meinen LeserInnen stoße, die das wohl selbstverständlich finden werden. Ich möchte jedoch zu bedenken geben, dass es, wenn auch zeitlich und lokal eng begrenzt, ein *männliches* Pendant im petrarkistischen Liebesdiskurs gegeben hat. Marianne Koos hat in ihrer Dissertation *Bildnisse des Begehrens. Das lyrische Männerporträt in der venezianischen Malerei des frühen 16. Jahrhunderts – Giorgione, Tizian und ihr Umkreis* eine Gruppe von männlichen Bildnissen aus dem *Giorgionismo* zusammengestellt, die in einem auffallenden Gegensatz zum herkömmlichen männlichen Renaissanceporträt stehen **(Abb. 53)**.[319] Sie werden durch einen unbestimmten, träumerischen und enigmatischen Ausdruck charakterisiert. Die Bildnisse zeichnen sich durch die Repräsentation eines affektiven, subjektiven und begehrenden Selbst aus. Sehnsucht und hingebungsvolle Liebe wird hier auch den Männern zugeschrieben. Koos hat diese männlichen Bildnisse mit Rückgriff auf die Forschungen von Elizabeth Cropper einem petrarkistischen Künstlerkreis um den Dichter Pietro Bembo zugeordnet. Bemerkenswert ist dieses Phänomen im doppelten Sinn: dass es in unserer Kultur alternative Männlichkeitsentwürfe gab und ebenso, dass sie marginal geblieben sind und in Vergessenheit gerieten. Rembrandt hat, obwohl er sich auf die venezianische Malerei des frühen 16. Jahrhunderts und auf deren Ideal von Weiblichkeit bezog, ja sich vielleicht sogar bei seinen Bildnissen mit militärischer Kostümierung von giorgionesken Vorbildern inspirieren ließ, diesen alternativen Entwurf von Männlichkeit nicht in seine reichhaltige Kollektion von Männerbildern aufgenommen, seien es nun Selbstbildnisse oder andere männliche Protagonisten. Rembrandts Selbstdarstellung betreffend bezeichnet sein Doppelbildnis mit Saskia um 1635 **(Abb. 54)** die Grenzen des Möglichen: bekleidet, sogar mit dem Degen bewaffnet, aktiv, lustvoll, aber eingebunden in den Sündendiskurs der Geschichte des Verlorenen Sohnes. In den Historienbildern hat Rembrandt durchaus Verschiebungen im Konzept von Männlichkeit entwickelt: Es gibt keine Helden im Sinne der Renaissance oder des Barock, keine männlichen Figuren, die sich durch körperliche Kraft oder Schönheit auszeichnen; im Gegenteil, viele sind von Alter und Verfall gezeichnet. Dennoch gibt es Helden, aber es sind Helden des Geistes, Helden der Erkenntnis, wie Homer, Aristoteles und viele der biblischen Figuren. Auffallend ist Rembrandts Liebe zu den negativen Helden: zu

314 RRP Bd. 3, A 142.
315 David R. Smith, Masks of Wedlock, Ann Arbor 1982, S. 59–63, 77.
316 Julius S. Held, Flora, Goddess and Courtesan, in : De artibus opuscula, Essays in Honour of Erwin Panofsky, New York 1961, S. 201–218.
317 AK Edinburgh, London 2001, S. 208.
318 Dickey 2002, S. 29ff; Alison McNeil Kettering, Ter Borch's Ladies in Satin, in: Franits 1997, S. 98–115.
319 Koos 2006; Cropper 1995, S. 159–205. Die Gegenüberstellung von weiblichen und männlichen Bildnissen aus Venedig im frühen 16. Jahrhundert in der Ausstellung *Bellini, Giorgione, Tizian* im Kunsthistorischen Museum in Wien 2006 war diesbezüglich sehr erhellend, siehe Anm. 307.

Abb. 54: Rembrandt, Selbstbildnis mit Saskia, um 1635, Öl/Leinwand, Dresden, Staatliche Kunstsammlungen, Gemäldegalerie
Abb. 55: Rembrandt, Die Badende, 1654, Öl/Holz, London, National Gallery

Judas, zum Verlorenen Sohn, zu Haman.[320] Bemerkenswert dabei ist nicht lediglich das Faktum, dass negative Helden im Mittelpunkt der Bilderzählung stehen, sondern die Art und Weise wie sie in ihrer Komplexität und Widersprüchlichkeit ernst genommen werden, was eine klare Unterscheidung zwischen Gut und Böse oft verunmöglicht.

Trotz der erstaunlichen Differenzierungen in der Repräsentation von Männlichkeit ist ein Bild wie *Die Badende* von 1654 in männlicher Besetzung undenkbar **(Abb. 55)**. Das Bild ist in einer offenen Malweise gestaltet, wurde von Rembrandt aber signiert, ist somit durchaus als vollendet anzusehen. Die skizzenhafte, ganz auf Hell-Dunkel orientierte Malerei verleiht der Szene eine geheimnisvolle, giorgioneske Stimmung. In der Forschung wurde versucht, das ungewöhnliche Bild durch die Fixierung auf eine traditionelle Ikonografie (*Bathseba* oder *Susanna*), durch eine moralisierende Allegorie (*mulier impudica*) oder durch das angebliche Modell Hendrickje zu erklären.[321] Auch wenn vielleicht der Ausgangspunkt der Bilderfindung in der Ikonografie von Bathseba oder Susanna lag, ist das Bemerkenswerte, dass es keinerlei narrative Hinweise auf die biblische Geschichte gibt. Vielmehr ist das Bild ein Zeichen für die allmähliche Loslösung aus biblischen oder mythologischen Themen hin zu freieren Erfindungen, in denen der weibliche Akt alleiniges Bildthema wird. Wie so oft sind die gegensätzlichen Interpretationen aufschlussreich: Offensichtlich gibt es in dem Bild keine Zeichen, ob die weibliche Figur nun die Inkarnation von *pudicitia* (Susanna) darstellt oder aber das Gegenteil *mulier impudica*, die Inkarnation der Unkeuschheit. Wenn man nicht auf ikonografische Motive (in diesem Fall das Hoch-

Abb. 56: Rembrandt, Männerbad, 1651, Radierung, London, British Museum

heben des Hemdes) fixiert bleibt, sondern für die inhaltliche Interpretation die ästhetische Inszenierung einbezieht, ist es undenkbar, in diesem Bild einen Hinweis auf Unkeuschheit zu entdecken. (Warum müssen KunsthistorikerInnen erotisch wirkende Bilder immer moralisieren?) Die weibliche Figur posiert nicht für den Betrachter, ja scheint überhaupt nicht zu realisieren, dass sie beobachtet werden könnte. Mit geschürztem Hemd tastet sie sich vorsichtig ins Wasser. Sie scheint in sich selbst versunken, in ihr Spiegelbild, das wohl auch ihren Schoß, also ihr Geschlecht reflektiert. Für den Betrachter hingegen bleibt ihr Geschlecht unsichtbar, eine dunkle Schattenzone lässt den voyeuristischen Blick ins Leere laufen. Lächelnd ist die junge Frau ganz konzentriert auf die Berührung mit dem Wasser, eine lustvolle Körperempfindung. Somit wird sie nicht lediglich als passives Objekt für den (männlichen) Blick inszeniert, in der Konzentration auf das eigene körperliche Empfinden scheint auch eine gewisse Aktivität begründet. Da wir es aber nicht mit einer realen Frau und ihren Gefühlen zu tun haben, sondern mit einem von einem männlichen Künstler gemalten Bild, können wir davon ausgehen, dass Rembrandt seine eigenen Empfindungen in Malerei übersetzte. Diese Form lustvoller Körperempfindung kann er aber nur am weiblichen Körper beschreiben. Es gibt kein äquivalentes Bild mit einem Männerbad.[322] Allerdings hat er 1651 eine Radierung zu diesem Thema hergestellt **(Abb. 56)**. Die Radierung wirkt wie eine Kompositionsskizze. Die Körper der Männer sind summarisch gegeben, die sinnliche Empfindung der Berührung mit dem

320 Jan Bialostocki, Der Sünder als tragischer Held bei Rembrandt, in: Kelch, von Simson 1973, S. 137–150.

321 Darlegung der unterschiedlichen Interpretationen: Jan Kelch, in: AK Berlin 1991, S. 246–249. Kelch selbst sieht die weibliche Figur als verführerische Bathseba. J. Leja, Rembrandt's Woman Bathing in a Stream, in: Simiolus 24, 1996, S. 320–327.

322 Erinnert sei hier nochmals an die Badebilder von Michael Sweerts, der aber in der holländischen Malerei eine Ausnahme darstellt, siehe Röske 2004, S. 21–135.

Wasser, die Imagination des Einsseins mit der Natur oder körperliches Lustempfinden sind nicht Ziel der künstlerischen Repräsentation. Rembrandt hat 1646 drei Radierungen mit männlichen Akten gefertigt, die aber bezeichnenderweise lediglich als didaktische Vorlagen für seine Schüler konzipiert waren.[323] Es sei hier nochmals daran erinnert, dass dies nicht ganz so ‚natürlich' ist, wie es uns erscheint: In der höfischen Kunst des ausgehenden Mittelalters waren die männlichen Protagonisten in den erotischen Badebildern, wie etwa in den vielen Darstellungen des Jungbrunnens, mit von der Partie **(Abb. 41–43,** S. 106–107).[324]

De Staalmeesters oder – Die öffentliche Repräsentation ist männlich

Die Problematik in Rembrandts Werk ist nicht lediglich, dass Frauen und Männer unterschiedlich repräsentiert worden sind,[325] sondern dass sie jeweils unterschiedliche Räume besetzen beziehungsweise dass sie in bestimmten Räumen und Zusammenhängen überhaupt nicht Gegenstand der Repräsentation werden. Die Brisanz dieser geschlechtsspezifischen Differenzierung wird deutlicher, wenn wir die generelle holländische Bildproduktion in unsere Überlegungen einbeziehen. Die Differenz in der Repräsentation der Geschlechter in der holländischen Malerei lief nicht nur über eine Markierung der Körper und der unterschiedlichen Charakterisierung der Protagonisten, sondern vor allem über eine räumliche Grenzziehung, in der – verkürzt gesagt – der öffentliche Raum männlich, der private Raum weiblich besetzt wurde. *Raum* ist in doppelter Bedeutung gefasst: als gemalter, imaginärer Raum im ästhetischen Feld und als sozialer Raum.

Der öffentliche Raum ist durch die Gruppenporträts bestimmt. Das Gruppenporträt ist ein Unikum; die Spezifik der holländischen Sonderstellung im damaligen Europa in politischer, sozialer, religiöser und kultureller Hinsicht fand ihre künstlerische Form in der Gattung des Gruppenporträts.

Es ist in der Tat keine Übertreibung zu sagen, dass auf der Ebene der Bilder der öffentliche Raum durch die Gruppenporträts besetzt war. Im Bereich der religiösen Repräsentation war gleichsam eine Leerstelle entstanden. Den Katholiken waren öffentliche Gottesdienste untersagt und die reformierten Kirchen hatten Bilder weitgehend eliminiert. Im Bereich der profanen Repräsentation fehlte die höfische, die in den umliegenden Ländern bestimmend war, fast vollständig. Höfisch-barocke Repräsentation war in den Niederlanden im wesentlichen auf den politisch und kulturell eher unbedeutenden Hof der Oranier in Den Haag beschränkt.[326] Das noch erhaltene Landhaus der Amalia von Solms, der Gattin des Statthalters Frederik Hendriks, vor den Stadttoren Den Haags kann heute den besten Eindruck der Repräsentation des Oranierhofes geben. Die Gemälde des vollständig ausgemalten *Oranjezaals* entsprechen mit ihren allegorischen und mythologischen Themen, die allesamt der Verherrlichung des Oraniergeschlechts dienen, vollkommen dem zeitgenössischen barocken Geschmack, wie er an anderen europäischen Höfen üblich war. Nicht zufällig stammten die meisten Maler aus den südlichen Niederlanden wie etwa Jacob Jordaens, Thomas Bosschaert oder Theodor van Thulden. Auch in der reichhaltigen Gemäldesammlung des Statthalters fanden sich vorwiegend flämische Maler.[327] Aus den Reihen der holländischen Künstler waren es vor allem die Utrechter und da insbesondere Gerrit van Honthorst, die im Auftrag des Hofes arbeiteten. Mit dem Westfälischen Frieden 1648 und der damit verbundenen offiziellen Anerkennung der Niederlande als autonome, von Spanisch-Habsburg unabhängige Republik verloren die Oranier zunehmend an Einfluss. Willem II, der nach dem Tode seines Vaters Frederik Hendrik 1647 die Statthalterschaft übernommen hatte, verstarb bereits 1650. Die Republik der Vereinigten Niederlande beschloss, keinen neuen Statthalter einzusetzen. Die *Wahre Freiheit* , wie diese Regentenherrschaft von den Niederländern damals genannt wurde, dauerte von 1650 bis 1672. In dem Katastrophenjahr 1672 wurde den Niederlanden gleichzeitig von Frankreich, England und den deutschen Städten Köln und Münster der Krieg erklärt; Jan de Witt, Großpensionär von Holland und damit die politisch zentrale Figur, wurde von der aufgebrachten Menge ermordet. In dieser prekären Situation wurde Willem III als neuer Statthalter wieder eingesetzt.

Historischer Abriss

Was waren nun eigentlich die Niederlande im 17. Jahrhundert?[328] Seit der Union von Utrecht 1579 hatten sich die sieben nördlichen Provinzen der Niederlande: Holland, Utrecht, Zeeland, Gelderland, Overijssel, Friesland und Groningen in ihrem Kampf gegen Spanien zur Republik der Vereinigten Niederlande zusammengeschlossen. Holland nahm die Vorrangstellung ein, gefolgt von Zeeland und Utrecht; die nordöstlichen, eher ländlichen Provinzen hatten kaum Bedeutung.[329] Die Niederlande waren kein zentralisierter Staat, sondern eine Konföderation von Städten mit Amsterdam an führender Position. Die Regierung wurde von den Generalstaaten gebildet, den Abgeordneten der einzelnen Provinzen. Der Großpensionär, der von Holland gestellt wurde, war für die Außen- und Handelspolitik zuständig. Die Macht bündelte sich im Regentenpatriziat, den alteingesessenen reichen Familien, die auch den Stadtrat und den Bürgermeister stellten. Nach

323 Bartsch 193, 194, 196. Emmens (1968, S. 154ff) hat sogar erwogen, ob die Radierungen Teil eines Zeichenlehrbuches waren.

324 Hammer-Tugendhat 1994, S. 394–401.

325 Die geschlechtsspezifische Differenzierung ist bei Porträts am geringsten. Rembrandt hat auch bei weiblichen Porträts Alter und Unschönheiten nicht wegidealisiert. Jedoch gibt es dann doch die sprechenden Details wie bei den Pendantbildern von um 1665 in New York, bei denen dem Mann ein Vergrößerungsglas, der Frau jedoch eine Nelke in die Hand gegeben wurde, oder den Ehepaarbildnissen von um 1633 im KHM Wien, in denen der Mann mit sprechender Geste mit dem Betrachter Kontakt aufzunehmen scheint, seine Ehefrau hingegen zurückhaltend, die Arme am Körper und Blick ins Leere wiedergegeben ist. Zur Gleichwertigkeit bei gleichzeitiger Differenzierung im holländischen Porträt: Helga Möbius, Die Moralisierung des Körpers. Frauenbilder und Männerwünsche im frühneuzeitlichen Holland, in: Barta u. a. 1987, S. 69–83; dies., in: Möbius, Olbrich, 1990, S. 80–134, insbes. S. 88–122.

326 Bob Haak, Das Goldene Zeitalter der holländischen Malerei, Köln 1996 (1984), S. 38–46; Frijhoff, Spies, 2004, S. 494.

327 Haak 1996, S. 40 mit einer Auflistung der Gemälde, die sich laut einem Inventar von 1632 und 1634 in der Sammlung des Statthalters Frederik Hendrik befunden haben.

328 Tibor Wittmann, Das Goldene Zeitalter der Niederlande, Leipzig 1975 (1965); Jonathan Israel, The Dutch Republic: Its Rise, Greatness, and Fall 1477–1806, 2 Bde, Franeker 1996; Frijhoff, Spies 2004.

329 Die Provinzen Friesland, Groningen sowie Drenthe blieben unter der Statthalterschaft der Grafen von Nassau. Man vergisst oft, dass die Statthalterschaft zwischen den Familienzweigen Oranien und Nassau geteilt war, was eben der relativen Bedeutungslosigkeit der nordöstlichen Provinzen zuzuschreiben ist.

dem Waffenstillstand mit Spanien 1609 wurden die Niederlande zur bedeutendsten ökonomischen Macht Europas, die um die Mitte des Jahrhunderts kulminierte. 1608–11 wurde die Amsterdamer Börse gebaut, 1602 die Vereinigte Ostindische Kompanie (VOC), 1621 die Vereinigte Westindische Kompanie (WIC) gegründet. Die Niederlande wurden zur größten See- und Kolonialmacht Europas mit Kolonien in Indien, Indonesien, Australien, Afrika, Nord- und Südamerika. Amsterdam war dabei das internationale Handels- und Finanzzentrum. Zwischen 1650–1672, in der Zeit der *Wahren Freiheit*, waren die Niederlande eine autonome Republik, die von keinem Souverän beherrscht wurde. Dies bedeutete innerhalb des feudal-absolutistischen Europa, zumindest im Vergleich mit Ländern von ähnlicher Größe und Bedeutung, eine einzigartige Sonderstellung.[330]

Frijhoff und Spies haben in ihrem fundamentalen Werk *1650: Hard-Won Unity* mit Recht auf die Spannungen und Differenzen innerhalb dieses staatlichen Gebildes aufmerksam gemacht. Die Vorstellung harmonischer Eintracht entsprach einer immer wieder beschworenen Idealvorstellung, aber nicht der sozialen Realität. „Concordia res parvae crescunt" war das *Motto* der Republik: Kleine Dinge wachsen durch Eintracht oder: in der Einheit liegt die Kraft. Dieses Idealbild wurde von der Forschung zur holländischen Geschichte und Kultur weitergeschrieben.[331] Johan Huizinga, der mit seinen Forschungen zur holländischen Kultur nachhaltig das Bild der Niederlande von den dreißiger Jahren bis heute geprägt hat, entwarf das Bild einer einheitlichen, friedliebenden, durch und durch bürgerlichen, genuin holländischen Gesellschaft.[332] Das militärische Moment und die bedenklichen Seiten der aufstrebenden Kolonialmacht verschwanden aus dem Bild ebenso wie der Druck, der von der calvinistischen Kirche ausgeübt worden war. Dem hat bereits A. Th. van Deursen widersprochen und auf das doppelte Gesicht der Niederlande verwiesen: auf Kaufmann und Prediger.[333] An diesem Gegensatz setzte Simon Schama mit seiner kulturgeschichtlichen Studie *Embarrassment of Riches* an; er sieht in dem Widerspruch zwischen dem nie da gewesenen Reichtum und Luxus eines aufsteigenden Bürgertums und den Lehren des Calvinismus einen Brennpunkt holländischen Selbstverständnisses.[334] Aber auch Schama vereindeutigte das Bild und vernachlässigte die Vielfalt und die sich daraus ergebenden Spannungen. Die Niederlande waren keineswegs ein einheitliches Gebilde, im Gegenteil: der Kampf um ein Aushandeln der widersprüchlichen Interessen war wohl ein maßgeblicher Faktor bei der Herausbildung einer spezifisch holländischen Mentalität. Verhandelt werden musste zwischen den (monarchisch-militärischen) Interessen des Statthalters und den Generalstaaten, zwischen den einzelnen sehr unterschiedlichen Provinzen, zwischen den sich konkurrierenden Städten, zwischen Bürgertum und Adel, zwischen dem reichen Regentenpatriziat und dem mittleren Bürgertum beziehungsweise den einfachen Leuten. Nicht zu vergessen die Spaltung, die im 17. Jahrhundert zu einem der schlimmsten Kriege geführt hatte: die Differenz der Religionen. Die Niederlande waren keineswegs durchgehend calvinistisch, sondern regional sehr unterschiedlich: in Utrecht waren etwa die Hälfte der Bewohner Katholiken, in Haarlem hielten sich Calvinisten, Katholiken und Mennoniten die Waage, Deventer war hingegen orthodox calvinistisch, Amsterdam wiederum betont tolerant, auch gegenüber Nicht-Christen, insbesondere den Juden. Auf der Synode von Dordrecht 1618–1619 hatte sich zwar die calvinistische Kirche gegen die liberalen und für Toleranz in Glaubensfragen eintretenden Remonstranten durchgesetzt, dennoch sorgte die städtische Verwaltung für Toleranz. In der zweiten Hälfte des Jahrhunderts wurde die calvinistische Kirche als Staatskirche bestätigt und der Druck des Calvinismus nahm zu. Staatsämter durften nur Calvinisten innehaben, den Katholiken war der öffentliche Gottesdienst untersagt, aber gegenüber den Remonstranten, Lutheranern und Mennoniten herrschte weitgehend Toleranz. Der 80jährige Krieg gegen Spanisch-Habsburg war unter der Devise der Glaubensfreiheit ausgefochten worden. Gewissensfreiheit in Glaubensfragen war somit eines der Fundamente der Republik. Ebenso trug der internationale Handel zu dieser Form von Toleranz bei. Frijhoff und Spies haben überzeugend dargelegt, wie die Notwendigkeit, mit diesen vielfältigen Differenzen umzugehen, die Struktur der Niederlande geprägt und, wie die Autoren schreiben, zu einer Diskussions-Kultur geführt hat. Die Macht lag in ökonomischer wie in politischer Hinsicht in der Hand von Korporationen. Herrschaft konzentrierte sich nicht in der Hand eines absolutistischen Souveräns, nicht in aristokratischen Familien, nicht in einzelnen Individuen, sondern immer in Gruppen, die wiederum unterschiedliche Interessen bündeln und koordinieren mussten: die Generalstaaten, die Stadträte, die Vorstände der VOC und WIC, die Gildenvorstände usw.

Das Gruppenporträt

Die adäquate Form der Repräsentation dieser Form von Macht war das Gruppenporträt.[335]

Die relevanten öffentlichen Auftraggeber waren somit nicht die Kirche oder der Hof, sondern die Institutionen des reichen Bürgertums. Die unterschiedlichsten Gruppen: die (militärische) Gruppierung der Schützen, die Vorsitzenden von Berufsgruppen, die Vorsteher von Wohlfahrtseinrichtungen, alle fanden zu einer gemeinsamen Form der Repräsentation: dem Gruppenporträt. Diese Gruppenporträts waren in der Öffentlichkeit allgegenwärtig; sie

330 Vergleichbar waren die Stadt Venedig, die aber doch von einem Dogen regiert wurde, oder die Kantone in der Schweiz, die aber wiederum wirtschaftlich nicht diese Bedeutung hatten, oder einige freie deutsche Städte.

331 Frijhoff, Spies 2004, S. 62–66.

332 Johan Huizinga, Holländische Kultur des 17. Jahrhunderts. Ihre sozialen Grundlagen und nationale Eigenart, Jena 1933.

333 A. Th. van Deursen, Cultuurgeschiedenis bij Huizinga en in de Oude Algemene Geschiedenis der Nederlanden, in: Theoretische geschiedenis 13, 2, 1986, S. 197–208, hier S. 206.

334 Simon Schama, The Embarrassment of Riches: An Interpretation of Dutch Culture in the Golden Age, New York 1987. Zum Verhältnis von Kapitalismus und Protestantismus: Max Weber, Die protestantische Ethik und der „Geist" des Kapitalismus, Weinheim 2000 (1904/05).

335 Grundlegend zum Gruppenporträt: Alois Riegl, Das holländische Gruppenporträt, Wien 1902. Zum Schützenstück: Schutters in Holland: Kracht en zenuwen van de stad, Ausstellungskatalog, hrsg. von M. Carasso-Kok, J. Levy-van Halm, Frans Hals Museum Haarlem, Zwolle 1988, insbesondere der Aufsatz von Christian Tümpel, De Amsterdamse Schutterstukken; Frijhoff, Spies 2004, S. 143–145; Bob Haak, Group Portraits in the Amsterdam Historical Museum, Bd. I, Civic Guard Portraits, Amsterdam 1986 (mit sehr vielen Abbildungen); Paul Knevel, Armed Citizens: The Representation of the Civic Militias in the Seventeenth Century, in: Arthur K. Wheelock, Jr., Adele Seeff, The Public and the Private in Dutch Culture of the Golden Age, Newark, London 2000, S. 85–99. Zum Regentenporträt: Mechthild Beilmann, Das Regentenstück in Leiden, Dissertation, München 1989; Bob Haak, Group Portraits in the Amsterdam Historical Museum, Bd. II, Regents, Regentessen and Syndics, Amsterdam 1986; zu einer Zusammenstellung der bekannten Regentenporträts und einer Diskussion ihrer Funktion in der Öffentlichkeit: Michiel Jonker, Public or Private Portraits: Group Portraits of Amsterdam Regents and Regentesses, in: Wheelock 2000, S. 206–226. Vgl. auch Möbius, Olbrich, 1990, S. 80–134 (Individuum und Gemeinschaft im Porträt und Gruppenporträt); Haak 1996 (1984), insbes. S. 102–114; Berger 2000, insbes. S. 288–89, 316–348.

Abb. 57: Dirck Jacobsz., Siebzehn Mitglieder der Amsterdamer Bürgerwehr, 1529, Öl/Holz, Amsterdam, Rijksmuseum

schmückten die *doelen (*die Schützenhäuser), die Gilden, sämtliche Einrichtungen der öffentlichen Wohlfahrt wie Spitäler, Waisenhäuser und Altenheime. Die eigentliche Regierung, die Generalstaaten, die Bürgermeister und die Stadträte hingegen entschieden sich aber bei der Ausschmückung der Rathäuser fast ausnahmslos für Historienbilder und Allegorien.[336] Die früheste Ausformung des Gruppenporträts findet sich in den Schützenstücken, das erste uns bekannte Werk dieser Gattung stammt von Dirck Jacobszoon aus dem Jahre 1529 **(Abb. 57)**. Die Schützengilden hatten sich in den Niederlanden bereits im 14. Jahrhundert zur Verteidigung der Städte gebildet und erlebten seit dem dritten Viertel des 16. Jahrhunderts in Zusammenhang mit dem Krieg gegen Spanien eine Wiederbelebung. Es waren Bürger unter Waffen.[337] Die *schutters* (Schützen) waren das Herz der Stadt, das Symbol für die freie Stadt, die keinen Herrn über sich kennt und braucht. Die Bedeutung der Schützengilden ging somit weit über ihre militärische Funktion hinaus, sie waren mit ihren Paraden und Festen wesentlich am kulturellen Prozess beteiligt.
Die *doelen*, die Versammlungshäuser der Schützen, waren nicht nur für die Zusammenkünfte der Schützen selbst bestimmt, sondern Orte gesellschaftlichen Lebens und der öffentlichen Repräsentation; Handelsverträge wurden dort abgeschlossen, Empfänge und Bankette gegeben, ehrenvolle Gäste beherbergt. Der Auftrag für ein Schützenstück signalisierte höchste gesellschaftliche Anerkennung. Rembrandts berühmte *Nachtwache* etwa war eines von sieben Gruppenporträts, die von der Cloveniersgilde in Amsterdam zwischen 1638–45 für den Festsaal des neu erbauten Zielhauses in Auftrag gegeben worden war.[338] Huizinga verglich die Bedeutung der Schützengesellschaften und Rhetorikerkammern mit der Funktion der Akademien in Italien, dem französischen Salon oder dem englischen Club. Nach Abschluss des Westfälischen Friedens 1648 brach die Produktion der Schützenstücke ab, obwohl die Schützenverbände durchaus weiter existierten. Kriege führten die Niederlande nun außerhalb des Landes auf den Weltmeeren.[339] Insbesondere nach 1650, also in der Zeit der Regentenherrschaft (ohne Statthalter) wollten sich die Niederlande als friedliebende Gemeinschaft darstellen. Kriegerische Aktionen, obwohl

Abb. 58: Werner van den Valckert, Regenten der Groot-Kramergild, 1622, Öl/Holz, Berlin, Staatliche Museen, Gemäldegalerie

in der sozialen Wirklichkeit durchaus existent, sollten aus dem ästhetischen Feld und damit aus dem Bewusstsein niederländischer Identität verdrängt werden.[340] Der Schwerpunkt öffentlicher Repräsentation verschob sich von den kriegerischen Schützenbildern zu den friedlichen Regentenporträts **(Abb. 58)**. (Die Regenten waren die Leiter der städtischen Institutionen, insbesondere der Wohlfahrt, sie gehörten alle der gesellschaftlichen Elite an.) Die Übertragung der Darstellungsform auf so anders geartete Gruppierungen wurde durch die unspezifische ästhetische Inszenierung ermöglicht: Die Schützen ließen sich eben nicht in Aktion, also bei Schlachten oder Schießübungen verewigen, sondern sie entschieden sich für die Repräsentation ihrer selbst als Individuen in der Gruppe. Das Konzept führte zu beträchtlichen Schwierigkeiten in der ästhetischen Präsentation: eine Ansammlung von Individuen, in der jedes Individuum erkennbar sein musste und die sich als einheitliche Gruppe präsentieren sollte. Dieser doppelte Verweischarakter – auf das unverwechselbare Individuum und auf die Gruppe – kennzeichnet das holländische Gruppenporträt. In seinem Standardwerk bezeichnete Alois Riegl die holländischen Gruppenporträts als Abbilder einer demokratischen Gesellschaft.[341]

336 Meines Wissens wurde dafür nie nach einer Begründung gefragt; Michiel Jonker (in: Wheelock, Seeff 2000, S. 207) konstatiert lediglich: „It is remarkable that the highest official bodies, such as the city corporation or the burgomasters, seldom or never appear in group portraits," ohne aber nach einer Begründung zu fragen. Vielleicht war das Idealbild der (gesamten) Gemeinschaft eher in allgemeinen Allegorien oder Verweisen auf die Historie zu repräsentieren und vielleicht wollte man auch die Macht, die ja in der Tat im Stadtrat und damit in Händen einer kleinen reichen Elite lag, nicht durch bestimmte Personen konkretisieren und damit kenntlich machen. Zu Amsterdam, insbesondere dem Rathaus: Albert Blankert, Kunst als regeringszaak in Amsterdam in de 17e eeuw. Rondom schilderijen van Ferdinand Bol, Amsterdam 1975. Eine Ausnahme ist das Gruppenporträt des Gemeinderats von Deventer von Gerard Ter Borch von 1667, Haak 1996, S. 51, Abb. 47. Zur stringenten Verbindung von Politik und Kunst in der Zeit des Waffenstillstandes siehe: H. Perry Chapman, Propagandist Prints, Reaffirming Paintings: Art and Community during the Twelve Years' Truce, in: Wheelock, Jr., Seeff 2000, S. 43–63.

337 Die Schützen selbst stammten alle aus wohlhabenden Familien, die Offiziere gehörten zum Stadtpatriziat.

338 Die anderen Aufträge gingen an Flinck, Backer, Sandrart, van der Helst und Pickenoy. Zur Nachtwache siehe insbesondere: Egbert Haverkamp-Begemann, Rembrandt. The Nigthwatch, Princeton 1982.

339 Neben den englisch-holländischen Seekriegen 1652–54, 1665–67 und 1672–74 waren dies vor allem kriegerische Aktionen in und um die Kolonien gegen die Spanier und die Portugiesen bzw. gegen die Einheimischen.

340 Allerdings gab es die Darstellungen von Seeschlachten, die sich einerseits die Admiralität bestellte, aber auch bei privaten Käufern beliebt waren.

341 Im holländischen Gruppenporträt wird jede Handlung stillgelegt, die Dargestellten sind in hohem Maße auf den Betrachter bezogen. Riegl (1902) bezeichnete dies als ausserbildliche Einheit im Gegensatz zur innerbildlichen Einheit der italienischen und italienisch orientierten Kunst, bei der die Figuren im Bild sich gegenseitig aufeinander beziehen. Für Riegl ist das Gruppenporträt die Quintessenz des *holländischen Kunstwollens*.

Taf. 7: Rembrandt, De Staalmeesters, 1662, Öl/Leinwand, Amsterdam, Rijksmuseum

Im Unterschied zu Riegl gehe ich nicht davon aus, dass man von einer (egalitären) Bildstruktur auf die soziale Realität schließen kann. Trotz berechtigter Kritik können wir Riegls Beobachtungen jedoch produktiv wenden, nämlich in der Erkenntnis, dass in der ästhetischen Struktur eine inhaltliche Aussage liegt und diese Aussage ist das *Ideal* von Gleichheit.[342] Die Repräsentation der Schützen und Regenten ist nicht Abbild von gesellschaftlicher Realität, sondern ihr imaginäres, ideales Bild, die Fiktion einer harmonischen, konfliktfreien Verbindung von Individuen und Gemeinschaft, von Einheit und Gleichheit.

Rembrandt hat vier Gruppenporträts gemalt; sie gehören zu seinen wichtigsten Aufträgen. Neben der *Nachtwache* und den *Anatomien des Dr. Tulp* und *Dr. Deyman* ist es das Regentenporträt der Staalmeesters, mit dem wir uns etwas genauer befassen wollen. Durch eine spezifische Inszenierung transzendiert Rembrandt das reine Korporationsporträt in Richtung einer Verallgemeinerung: der Utopie einer idealen Gesellschaft.

De Staalmeesters

Rembrandts *Staalmeesters* **(Taf. 7)** war eines von sechs Gruppenporträts, die im großen Saal der Tuchfärberzunft hingen.[343] Die Auftraggeber sind uns bekannt, da das 1662 im Amt befindliche Prüfungskollegium dokumentiert ist.[344] Von links nach rechts sind dies: Jacob van Loon, der Älteste mit 67 Jahren, katholisch; Volckert Janszoon, Mennonit, Besitzer einer Kunstsammlung; der Vorsitzende Willem van Doeyenburg, Calvinist; Jochen de Neve, der Jüngste mit 33 Jahren, Remonstrant und Aernout van der Meije, Katholik und wie van Doeyenburg aus einer der angesehensten Amsterdamer Familien. Dahinter der Diener Frans Hendrickszoon Bel, dem eine wichtige Erfindung in der Technik des Tuchfärbens gelungen war. Alle Prüfer waren Tuchhändler. Bemerkenswert scheint mir, dass wir es mit Repräsentanten von vier verschiedenen Religionen zu tun haben, die aber alle der gesellschaftlichen Elite angehörten, gleichsam ein Symbol für die Amsterdamer Gesellschaft, ihren Reichtum, ihre Macht und ihre Toleranz.[345]

Ikonografisch bleibt es ganz in der Tradition der Regentenstücke: einige wenige Männer haben sich um einen Tisch versammelt, die meisten sitzend, einige stehend. So hat bereits 1622 Werner van den Valckert (Abb. 58, S. 123) die Regenten der Groot-Kramergild inszeniert oder Govert Flinck die Schatzmeister der Kloveniersdoelen, ein Gruppenporträt, das 1642 zusammen mit der *Nachtwache* und vier weiteren Schützenstücken im großen Saal des neu erbauten Kloverniersdoelen hing.[346]

Die einzigartige Wirkung der *Staalmeesters* beruht auf der Verbindung einer Vereinheitlichung der Raum- und Handlungssituation und damit der Zeit und der psychischen Aufmerksamkeit der Dargestellten mit der Fixierung des Betrachters durch die Dargestellten. Rembrandt verknüpft einen ganz nahen Augenpunkt mit einer extremen Untersicht. Die dadurch provozierte Konfrontation mit dem Betrachter wird durch die Fixierung des Betrachters seitens der Bildfiguren (mit einer Ausnahme) erheblich gesteigert. Bei Rembrandts Vorgängern fällt der Blick des Betrachters meist leicht von oben und in größerem Abstand auf die Tischrunde. Dies bewirkt den Eindruck von Distanz. Van der Helst hat in seinem 1653 entstandenen Gemälde ausnahmsweise ebenfalls die Untersicht gewählt (Abb. 59, S. 126). Aber die Ganzfigurigkeit verhindert die direkte Betroffenheit; vor allem blickt nur einer der Männer auf den Betrachter. Bei den Vorgängern Rembrandts vollführen die Protagonisten unterschiedliche, teils symbolische Gesten, die nicht oder höchstens zum Teil aufeinander bezogen sind; nur einige sind zum Betrachter gewandt; oft scheinen zwei Leute gleichzeitig zu sprechen oder keiner hört zu. Das symbolisch Additive verunmöglicht den Eindruck des Gegenwärtigen.

Bei Rembrandt hingegen wenden alle ihre Aufmerksamkeit dem Betrachter zu, alle, bis auf denjenigen, der offensichtlich eben gesprochen zu haben scheint, was durch die Redegeste verdeutlicht ist. Das Eigenartigste ist, dass der Betrachter den Eindruck gewinnt, die Figuren reagierten auf ihn, den Betrachter. Dies wird

342 Der soziologische Ansatz im Ausstellungskatalog *Schutters in Holland* 1988 verfehlt m. E. die Bedeutung der Schützenstücke; Riegl wird darin lediglich in dem Aufsatz von Christian Tümpel (De Amsterdamse Schutterstukken) negativ erwähnt und als Vertreter des hegelianischen Idealismus abgetan (S. 76). Die Autoren des Kataloges gehen davon aus, dass die besondere Situation Hollands die Gruppenporträts gleichsam automatisch bedingt habe. Sie schließen somit von der gesellschaftlichen Realität auf das Bild, machen scheinbar das Gegenteil von Riegl, sind ihm aber im Glauben an ein mimetisches Verhältnis von Bild und sozialer Realität strukturell verwandt. Die Schützen hätten sich ja für eine andere Form der Repräsentation entscheiden können, die sie beispielsweise in Aktion zeigt oder sie hätten überhaupt auf historische oder mythologische Stoffe zurückgreifen können. Daniela Hammer-Tugendhat, Rembrandt und der bürgerliche Subjektentwurf: Utopie oder Verdrängung? in: Ulrich Bielefeld, Gisela Engel (Hg.), Bilder der Nation. Kulturelle und politische Konstruktionen des Nationalen am Beginn der europäischen Moderne, Hamburg 1998, S. 154–178.

343 Die Analyse des Bildes basiert auf meinem Aufsatz *Rembrandt und der bürgerliche Subjektentwurf* von 1998; allerdings lag da der Schwerpunkt auf der Frage nach der Funktion des Gruppenbildes für die Bildung einer spezifisch holländischen Identität. Zu den Staalmeesters: Tolnay 1943, S. 31ff; H. Van de Waal, De Staalmeesters en hun legende, in: Oud Holland 71, 1956, S. 61–105 (englische Zusammenfassung S. 105–107); ders., The Mood of the ‚Staalmeesters'. A Note on Mr. De Tolnays Interpretation, in: Oud Holland 73, 1958, S. 86–89; Tolnay, A Note on the Staalmeesters, in: Oud Holland 73, 1958, S. 85f; J. H. Van Eeghen, De Staalmeesters, in: Oud Holland 73, 1958, S. 80–84; Christian Tümpel, Rembrandt. Mythos und Methode, Königstein im Taunus 1986, Kat. Nr. 256, S. 418; André Chastel, Impressions. The Board of the Clothmakers Guild, in: FMR Nr. 43, April 1990, S. 17–20; AK Berlin 1991, Nr. 48, S. 278–283.

344 Eeghen (ebd.) hat die Dargestellten identifiziert.

345 Zur Bedeutung der Religion und dem Nebeneinander der unterschiedlichen Religionen im Holland des 17. Jahrhunderts: Heinz Schilling, Nationale Identität und Konfession in der europäischen Neuzeit, in: Bernhard Giesen (Hg.), Nationale und kulturelle Identität. Studien zur Entwicklung des kollektiven Bewusstseins in der Neuzeit, Frankfurt a. M. 1996, S. 196ff.

346 Govert Flinck, Amsterdam, Rijksmuseum, Abbildung siehe: AK Haarlem 1988, S. 97, Abb. 69; für weitere Vergleichsbeispiele siehe ebd.

Abb. 59: Bartholomeus van der Helst, Die Vorsteher der St. Sebastians Schützengilde zu Amsterdam, 1653–57, Öl/Leinwand, Amsterdam, Rijksmuseum

durch die leisen Kopfwendungen zum Betrachter hin bewirkt, ebenso wie durch den Gestus des Aufstehens, den Blick des zweiten Mannes von rechts, der durch Körperhaltung und das Festhalten der Buchseite dokumentiert, dass er auf das Buch konzentriert gewesen war, sowie den Mann rechts außen, der den Arm hochhebt, eine momentane Geste. Dies provoziert den Eindruck, als reagierten alle auf den Betrachter, gleichsam als hätten sich alle vor seinem ‚Eintreten' auf die Worte des Vorsitzenden konzentriert, als sei der Betrachter eine Störung. Dies bedeutet aber, dass der Betrachter als für das Bild konstituierend angesehen wird. (Als wäre es ein anderes Bild, wenn dieser nicht existierte.) Diese stringente Wirkung von Präsenz, von Gegenwärtigkeit wurde lange Zeit naturalistisch, anekdotisch interpretiert, ganze Geschichten wurden erfunden über mögliche Unterhaltungen und Reaktionen zwischen den Bildfiguren und einer angeblichen Partei vor dem Bild.[347] Dies hat van de Waal in seinem Aufsatz zu den Staalmeesters 1956 als absurde Vorstellung widerlegt.[348] Aber die ästhetische Struktur, die diese Rezeption hervorgerufen hat, läßt sich nicht einfach als tektonische Notwendigkeit innerhalb rein künstlerischer Gesetzmässigkeiten interpretieren.[349] Sie hat einen tieferen Sinn. Die Forschungen der Rezeptionsästhetik haben deutlich gemacht, dass Bilder jeweils auch einen Betrachter konstruieren, dass zwischen Bild und Betrachter eine Interaktion stattfindet.[350]

Die Protagonisten sind höchst individuell wiedergegeben: in ihren Gesichtszügen, ihrem Ausdruck, ihrer Gestik und ihrer jeweils spezifischen Reaktionsweise. So scheint jeder unterschiedlich auf den Betrachter zu reagieren. Die Differenzierung reicht von ruhigem Schauen bis zum Aufstehen und Weggehenwollen. Diese divergierenden Gesten erzeugen Unruhe. Dennoch strahlt das Werk tiefe Ruhe aus. Dieser Eindruck von Ruhe wird durch die ästhetische Struktur erzeugt, durch die flächige Gestaltungsweise. Der schräg gestellte Tisch wirkt durch die Untersicht fast bildparallel, die Köpfe kommen auf der Projektionsfläche auf eine Linie zu liegen, obwohl sie räumlich gesehen disparat sind; die Hände sind auf einer durchgehenden Verbindungslinie angeordnet; die bildparallel geführte Rückwand verstärkt diesen Eindruck. Trotz dieser Flächigkeit entsteht ein starker

Raumeindruck, der allerdings nur durch die optischen Mittel des atmosphärischen Helldunkels erreicht wird. So erzeugt Rembrandt den Eindruck einer einheitlichen Gruppe im Raum. Das heißt: Die Autonomie der Persönlichkeit und die Individualität der Einzelnen wird mit der Gruppe in vollkommene Harmonie gebracht. Der Vorsitzende ist lediglich durch den Redegestus als solcher gekennzeichnet; er nimmt nicht die Bildmitte ein und wird auch sonst weder kompositorisch noch durch Kleidung oder besonders auffallende Gesichtszüge betont. Die Bildmitte besetzt vielmehr der Diener, der, obwohl räumlich etwas im Hintergrund, ganz in die Gruppe eingebunden ist, er bildet mit den beiden mittleren Figuren eine Dreieckskomposition, dessen höchsten Punkt er markiert. Trotz dieser angedeuteten sozialen Differenzierung überwiegt somit der Eindruck einer einheitlichen, aus gleichwertigen Individuen bestehenden Gruppe. Diese Gruppeneinheit wird auch durch das Verschmelzen der Körper erreicht. Insbesondere die mittlere Gruppe scheint eine einzige dunkle Form zu bilden, in der die Körpergrenzen verschwinden. Das Spezifische dieser Form von Repräsentation wird noch deutlicher, wenn wir es mit feudalen Repräsentationsbildern des Barock vergleichen, in denen es ein Zentrum gibt, von dem Bewegungen ausgehen beziehungsweise zu dem sie hinlaufen. Das Zentrum ist beim holländischen Gruppenporträt der Betrachter und – ganz charakteristisch für Rembrandt – das Wort, das gesprochene Wort, der unsichtbare Text.[351] Bei den Staalmeesters wirkt die Gruppe als geschlossene Einheit, in der Gruppe sind alle gleichwertig und jeder wird als Individuum mit seiner ihm eigenen Reaktionsweise und psychischen Struktur ernst genommen.

Diese individuelle Reaktionsweise wird nun auch dem Betrachter zugestanden. Verfolgen wir die Blickstrahlen der Protagonisten, so entdecken wir, dass sie ganz leicht voneinander abweichen, das heißt, dass nicht nur ein Betrachter vorausgesetzt wird, sondern mehrere. Mehrere Betrachter, die subjektiv unterschiedlich reagieren. Diese geniale Blickkonstellation hat die Forschung immer wieder verführt, eine Partei vor dem Bild anzunehmen; der Subjektivismus, den Rembrandt nicht nur den Dargestellten, sondern auch den Rezipienten zugesteht, ist für die divergierenden Interpretationen verantwortlich, die über die Dargestellten und ihre angebliche Psyche existieren.[352] Die Vorstellung von

347 Bürger Thoré (Musées de la Hollande, Amsterdam, Den Haag, Paris 1858, S. 25ff) hatte als erster diese Idee einer Partei entwickelt, die angeblich vor dem Bild zu denken sei und auf die die Abgebildeten nun reagierten.

348 Waal 1956.

349 „... It is shown that elements which were considered to be interpretable as motifs of movement are to be regarded as solutions of problems of composition. The gestures in such pieces have in the first place a tectonic function." (Waal S. 106). Für die Problematik kunsthistorischer Herangehensweisen ist diese Kontroverse sehr aufschlußreich. Sowohl die formalanalytische Methode von van de Waal wie die anekdotisch-novellistische und einfühlend-psychologisierende seiner Gegner wie auch die ikonografisch-soziologisch orientierte Herangehensweise von Tümpel erfassen wesentliche Aspekte des Bildes. Trotz ihrer Gegensätzlichkeit aber haben diese Autoren alle eine verkürzte Sicht auf das komplexe Verhältnis von künstlerischem Produkt und sozialer Realität. Die ästhetische Struktur des Bildes ist nicht nur formal, bildimmanent zu begründen, sondern auf ihre inhaltliche Bedeutung hin zu befragen, die in der Tat mit der sozialen Realität zusammenhängt, jedoch nicht in naiver Weise als Abbild gesellschaftlicher Realität missverstanden werden darf.

350 Kemp 1985.

351 Ungewöhnlich ist, dass lediglich die Geste der Hand auf das Sprechen verweist, der Mund des Vorsitzenden ist geschlossen, d.h. er *hat* gesprochen. Zur Bedeutung des Wortes bei Rembrandt: Julius Held 1973; Häslein 2004.

352 Die Beschreibungen der angeblichen Affekte der Dargestellten gehen denn auch völlig auseinander. Riegl (1902) sah in den Porträtierten „das Gefühl einer bestimmten Befriedigung und Zustimmung, nicht aber dasjenige einer hämischen Genugtuung und Schadenfreude"; Tolnay (1943, S. 64): „Intimidated by these cold and penetrating glances, the spectator feels morally himself delivered up to these men whose judgement will decide his fate."

Subjektivität und Individualität wird somit von Rembrandt nicht nur an den Dargestellten demonstriert, sondern durch die ästhetische Struktur für die Betrachter sinnlich erfahrbar gemacht.

Diese Konzeption menschlicher Individualität und Freiheit als Bedingung für eine Harmonie der Gesamtheit findet eine erstaunliche Analogie in der politischen Theorie von Spinoza. In der Zeit als Rembrandt die *Staalmeesters* schuf, schrieb Spinoza sein *Theologisch-Politisches Traktat*, das 1670 publiziert wurde.[353] In den 70er Jahren verfasste er auch seinen *tractatus politicus*, seine Gedanken zum Staat, der bei seinem Tode 1677 allerdings erst handschriftlich vorlag.[354] Spinoza entwarf eine Utopie menschlicher Gesellschaft, die weit über die tatsächlich vorhandene Oligarchie der Regentenherrschaft hinausging. In diesen Schriften verteidigt Spinoza die individuelle Freiheit jedes einzelnen und deklariert diese Freiheit als Grundlage und Bedingung für einen demokratischen und friedlichen Staat. Er betont die Differenz im Fühlen und Denken der Menschen und ihr natürliches Recht auf die Freiheit zu denken, was sie wollen und zu sagen, was sie denken. Diese Freiheit des Denkens ist nach Spinoza keine Gefährdung für den Staat, sondern vielmehr die Bedingung für einen demokratischen Staat, der Frieden garantiert. In einem Staate, in dem das Wohl des Volkes oberstes Gesetz ist, entspricht der Wille der Regierung letztlich auch dem des Einzelnen.

Ich meine natürlich nicht, dass Rembrandt durch Spinoza beeinflusst worden sei. Ich denke vielmehr, dass auf Grund der spezifischen politischen, konfessionellen und sozialen Situation in den nördlichen Niederlanden eine Kultur möglich wurde, in welcher Vorstellungen über Individualität und deren harmonische Verbindung mit einer Gemeinschaft, von Freiheit und Staatlichkeit entwickelt werden konnten, die sich in der Philosophie wie in der bildenden Kunst in einer je spezifischen Weise niederschlugen. Philosophie wie bildende Kunst sind aber nicht einfach nur Produkt dieser gesellschaftlichen Situation, sondern sind auch aktiv am Entwicklungsprozess dieser Kultur beteiligt.

Rembrandt entwarf, aufbauend auf der holländischen Tradition des Gruppenporträts und eingebunden in einen gewissen Diskussionszusammenhang, die Utopie einer Harmonie von individueller Autonomie und Gemeinschaft. Der Eindruck von Individualität wird durch die Porträts und die unterschiedlichen Gesten und Reaktionsweisen hervorgerufen, die Anerkennung von Subjektivität durch die eben beschriebene Strukturierung des Betrachter-Bild-Verhältnisses und die Gemeinschaft durch die Verschmelzung der Körper, die Isokephalie und vor allem durch den Raum und die Organisation der Bildfläche (die Betonung der Horizontalen), die buchstäblich einen gemeinsamen Rahmen für die Gruppe schafft.

Aber macht nicht gerade die Idealität dieser Gemeinschaft die damit einhergehende Ausgrenzung vergessen? Wird nicht verdrängt, dass es sich bei dieser idealen Gesellschaft um die soziale Elite handelt, die zudem ausschließlich aus Männern besteht?

Es ist nicht lediglich ein Bild von Gleichheit, sondern ein Bild von Gleichheit innerhalb hegemonialer Männlichkeit. Männlichkeit ist hier auf Vergeistigung und Entkörperlichung ausgerichtet. Die Staalmeester werden nicht bei ihrer Tätigkeit, der Überprüfung der Stoffe porträtiert. Die sinnlichen Reize der Stoffe und der damit verbundene Reichtum materialisieren sich lediglich im glühend roten Teppich, der über den Tisch gebreitet ist. Durch die extreme Untersicht hat Rembrandt die vielen Dinge, die üblicherweise auf dem Tisch ausgebreitet sind, zum Verschwinden gebracht. Das zentrale Objekt ist bezeichnenderweise das aufgeschlagene Buch, auf dessen Inhalt offensichtlich alle konzentriert gewesen waren. Die Staalmeester sind somit nicht durch ihre Tätigkeit oder ihre Attribute charakterisiert, sondern lediglich durch ihre Selbstrepräsentation. Damit wird der Verweischarakter auf die konkrete Korporation in Richtung auf eine Allgemeinheit hin transzendiert. Gleichzeitig wird durch die Eliminierung von Zeichen, die auf Körperlichkeit oder Sinnlichkeit verweisen, eine bestimmte Form von Männlichkeit repräsentiert. Die Dargestellten scheinen gar keine Körper zu besitzen: Schwarze, undifferenzierte, ineinander übergehende Flächen streichen den Körper gleichsam aus. Das Licht fällt nicht auf die Körper, es fällt auf die Gesichter und die Hände als Ausdrucksträger. Das Verbindende, das Übergreifende dieser Gruppe ist das unsichtbare Wort, das Geistige. Dass hegemoniale Männlichkeit als solche nicht kenntlich wird, sondern gleichsam als das Allgemeine schlechthin auftritt, ist das Zeichen ihres Erfolges.[355]

Es wurde mehrfach auf die eminente Bedeutung der Visualisierung des gesprochenen Wortes in Rembrandts Werk hingewiesen.[356] Rembrandt hat immer wieder versucht, Figuren als sprechend erscheinen zu lassen, man denke an Kapitän Cocq in der *Nachtwache*, an Dr. Tulp in der *Anatomie des Dr. Tulp,* an die Grafik mit *Josef, der seine Träume erzählt* u.a. Die Visualisierung eines Sprechens in der Vergangenheit, dass also die Betrachter realisieren sollen, dass die dargestellte Figur gesprochen *hat*, ist eine Steigerung dieses Könnens. Porträts so zu malen, als würden sie sprechen, ist ein alter Topos, der als Qualitätskriterium auch im holländischen Schrifttum geläufig war. Dies Lob aber galt nur für männliche Porträts. Hier gibt es keine weiblichen Pendants. Aufschlussreich ist das Doppelporträt des Mennonitenpredigers Anslo mit seiner Frau (**Abb. 60**, S. 130), das Simon Schama zu Recht als „protestantische Ikone" bezeichnet hat, in der „das Wort lebt".[357] Die Visualisierung des Sprechens wird durch das Zuhören intensiviert. Die Geschlechterrollen sind klar verteilt: *Er* spricht, *sie* lauscht.

Rembrandt hat kein weibliches Pendant zu den *Staalmeesters* geschaffen. Es gibt in der holländischen Malerei ganz wenige Porträts von Regentessen; ihr Arbeitsbereich war auf Armen-, Waisen- und Krankenhäuser beschränkt, das heißt auf Einrichtungen der städtischen Wohlfahrt, Bereiche, die vordem von der katholischen Kirche betreut worden

353 Baruch Spinoza, Theologisch-politischer Traktat, in: Sämtliche Werke in sieben Bänden, 3. Bd., hrsg. von Günter Gawlik, Hamburg 1976.
354 Baruch Spinoza, Vom Staate (Tractatus politicus), hrsg. von Carl Gebhardt, Leipzig 1922.
355 Meuser, Scholz in: Dinges 2005, insbes. S. 225.
356 Held 1973; Häslein 2004.
357 Schama 1999, S. 479.

Abb. 60: Rembrandt, Der Mennonitenprediger Cornelis Claesz. Anslo und seine Frau Aeltje Gerritsdr. Schouten, 1641, Öl/Leinwand, Berlin, Staatliche Museen, Gemäldegalerie

waren.[358] Aber auch da waren die Bilder meist den Männern zugeordnet. Sie waren in den Regentenzimmern angebracht und hatten somit eher privaten Charakter.[359] Bei den Gildenvorständen, Anatomien oder Schützenstücken gibt es keine weiblichen Pendants. Man wird einwenden: Das ist ja selbstverständlich, es gab ja de facto keine Frauen in diesen Funktionen. So ist es: Es gab keine Frauen in diesen Funktionen. Auch in der Zeit der *Wahren Freiheit* waren Frauen aus sämtlichen Bereichen der Politik und aus führenden öffentlichen Positionen ausgeschlossen. Darüber hinausgehend war aber auch das gesellige Leben der Schützenverbände, die so wesentlich zur holländischen Kultur beitrugen, männerbündisch organisiert. In den Haarlemer Statuten der Bürgerwehr von 1621 wurde Frauen und Kindern die Teilnahme an den festlichen Banketten, die sich oft über viele Tage hinzogen, ausdrücklich verboten.[360] Symptomatisch ist das frühe Schützenstück von Cornelis Anthoninsz. von 1533, in dem Weiblichkeit zwar nicht physisch aber zumindest noch symbolisch präsent ist. Einer der Schützen hält ein beschriebenes Blatt in der Hand, auf dem ein Liebesgedicht an eine Frau geschrieben steht **(Abb. 61)**.[361] Auf einer Tafel des Meisters von Frankfurt aus der zweiten Hälfte des 15. Jahrhunderts ist ein Schützenfest dargestellt, bei dem die Schützen (noch) mit Frauen gemeinsam feiern **(Abb. 62**, S. 132**)**.

Die Grenze zwischen Öffentlichkeit und privatem Bereich wurde in den Niederlanden im Laufe des 17. Jahrhunderts in verschärftem Maße Thema des Diskurses. In den Schriften von Jacob Cats, der die Konzepte von Erasmus und Vives weiterführte und den normativen Diskurs über die Rechte und Pflichten von Frauen prägte, wurden die Orte und Räume geschlechtsspezifisch normiert und festgeschrieben. Cats wurde nicht müde zu wiederholen, dass der Ort der Frau das Haus sei, das Haus und nur das Haus. Weibliches Leben wurde auf Ehe und Mutterschaft reduziert. Aber auch für den Querdenker Spinoza, der so sehr auf dem gleichen Recht jedes einzelnen bestand, steht außer Frage,

Abb. 61: Cornelis Anthonisz., Schützenmahlzeit, 1533, Öl/Holz, Amsterdam, Historisches Museum

dass sich dieses nur auf die Männer der Gesellschaft bezieht, nur diese und hier alle, außer sie sind Knechte oder kriminell, haben das Recht zur politischen Partizipation:

> Außerdem, dass sie den Landesgesetzen unterstehen, müssten sie auch im übrigen unter eigenem Recht stehen, um Frauen und Knechte auszuschließen, die der Gewalt der Männer und Herren unterstellt sind, und ebenso Kinder und Unmündige [...].[362]

Selbst der Arzt Johan van Beverwijck, der neben Schriften zur Gesundheit auch ein Anna Maria von Schurman gewidmetes Buch *Van de wtnementheyt des vrouwelicken geslachts* (*Von der Vortrefflichkeit des weiblichen Geschlechts*) verfasst hatte, das in der Tradition des Frauenlobs der *Querelle* stand, billigte Frauen zwar intellektuelle Fähigkeiten und Bildung zu, aber eben nur im privaten, nicht im öffentlichen Rahmen. Sogar Anna Maria Schurman selbst, eine der gebildetsten Frauen ihrer Zeit, die selbst eine Streitschrift auf das Recht zur Bildung für Frauen verfasst hatte, kämpfte lediglich für private Gelehrsamkeit.[363] Es gibt nach heutiger Kenntnis eine einzige uns überlieferte weibliche Stimme, die gegen die Ausgrenzung von Frauen aus öffentlichen Ämtern protestierte. Es ist dies das

358 So z. B. die Regentinnen des Altmännerhauses, das Pendant zu den Regenten derselben Institution von Frans Hals von 1664, Haarlem, Frans Hals Museum. Zu Amsterdam siehe: Jonker 2000, S. 206–226.

359 Ebd., S. 222.

360 Möbius Olbrich 1990, S. 123.

361 Amsterdam, Historisches Museum. Der Text lautet: „In mijnen sin heb ick vercoren een meysken." Abb. mit dem Detail des Blattes, auf dem sowohl der Text wie die Noten gut leserlich sind: Haak 1986, 1. Bd, S. 1.

362 Spinoza, 1922, 11. Kapitel § 3, S. 180 (Über die Bedingungen, an der Demokratie teilzuhaben).

363 In ihrer (1648 innerhalb ihrer gesammelten Schriften, *Opuscula* in Leiden bei Elzevir herausgegebenen) Streitschrift *Num foeminae Christianae conveniat studium litterarum?* plädiert Schurman für die Bildung von Frauen in allen Künsten und Wissenschaften mit der Begründung, dass Frauen von Natur aus ebenso begabt seien wie Männer und als Individuen der Spezies Mensch ein Verlangen nach Wissen und Bildung hätten. Schurman wurde von ihren gelehrten Zeitgenossen wie Constantijn Huygens, Jacob Cats, Johan van Beverwijck, Caspar Barlaeus u.a. hoch geschätzt aber gleichzeitig als absolute Ausnahmefrau angesehen. De Baar 1996; Siehe Anm. 247, 248.

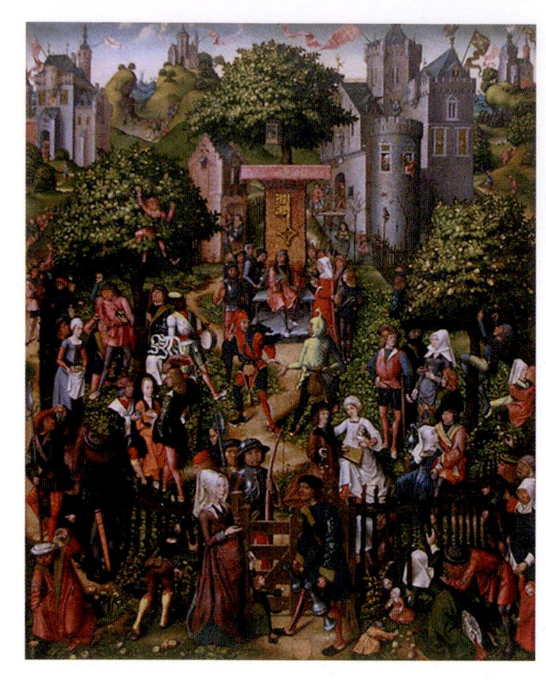

Abb. 62: Meister von Frankfurt, Schützenfest, zweite Hälfte 15. Jahrhundert, Öl/Holz, Antwerpen, Königliches Museum der Schönen Künste

bereits erwähnte Gedicht von Charlotte de Huybert, das sie Beverwijck widmete.[364] Darin beklagt sie, dass von Frauen betriebene Wissenschaft nicht beachtet werde („der vrouwen wetenschap voor niets gehouden wordt"), dass Frauen keinerlei Rechte hätten, nicht einmal das Recht als Kauffrau tätig sein zu dürfen, was aber in der Realität durchaus der Fall sei:

> Of maakt de wet daarom, door hun gemaakt, gewag als dat een
> vrouwsperoon geen staat bedienen mag? Zij hebben, zeggen sij,
> zo'n grote recht verkregen: Geen vrouw kan zonder man noch recht,
> noch handel plegen. De rede leert ons toch het tegendeel daarvan,
> En d'ondervinding zelf, die wijst ons anders an.[365]

Sie forderte, dass Frauen auch öffentliche Ämter bekleiden dürfen. Marijke Spies, die den Text von Huybert veröffentlichte und kommentierte, verwies darauf, dass es noch Jahrhunderte dauern sollte, bis Frauen ihre intellektuelle Arbeit in der Öffentlichkeit einbringen konnten.[366]

Bemerkenswert ist, dass Frauen offensichtlich in einem höheren Maße in der Öffentlichkeit tätig waren, als uns die schriftlichen Quellen aus der Rechtsprechung und den didaktischen Schriften glauben machen. Selbstredend bildete die relativ fortgeschrittene Kapitalisierung der Niederlande mit der einhergehenden Auslagerung der Produktion aus dem häuslichen Bereich die ökonomische Basis für die verschärfte Trennung von öffentlichem und privatem Raum.[367] Dennoch gibt es gleichsam einen ideologischen Überschuss, der über die soziale Realität hinausgeht. Dieser Überschuss ist auch im Feld der visuellen Repräsentation zu beobachten. Die holländische Malerei produzierte im 17. Jahrhundert eine Dichotomie von privat/weiblich und öffentlich/männlich markiertem Raum, welche die Geschlechter-Segregation nicht lediglich abbildete, sondern verschärfte und damit wohl zur Bildung einer geschlechtsspezifischen Identität beitrug. Bezüglich der Gruppenporträts könnte man einwenden, dass hier jeweils lediglich konkrete Korporationen dargestellt seien. Die Gruppenporträts stünden nicht stellvertretend für das Bild der (bürgerlichen) holländischen Gesellschaft schlechthin. (Die unteren Schichten sind ohnehin nicht repräsentiert.) Aber da alle diese (so unterschiedlichen) Gruppen sich für diese Form der Repräsentation entschieden haben, besonders aber auch dadurch, dass öffentliche Orte durch eben diese Gruppenporträts bezeichnet waren, kann man sagen, dass die Gruppenporträts in der Tat die öffentliche Repräsentation der holländischen Gesellschaft weitgehend bestimmten. Der Ort der Regierung allerdings, also die Rathäuser, waren nicht mit Gruppenporträts geschmückt, sondern vornehmlich mit Historienbildern.[368] Das 1648–1655 neu von van Campen errichtete Rathaus in Amsterdam war der bedeutendste Bau der damaligen Niederlande. Auf Grund der Bedeutung von Amsterdam kann man dieses Rathaus durchaus als das Zentrum der Macht der Niederlande bezeichnen. Die Gemälde der renommierten holländischen Künstler Ferdinand Bol, Govert Flinck, Jan Lievens u.a. zeigten vornehmlich Szenen aus der römischen Geschichte. Uns interessiert hier nicht das wohl durchdachte bildnerische Programm, das insgesamt der ideologischen Legitimation der Regentenherrschaft diente.[369] In unserem Zusammenhang ist lediglich der Aspekt von Belang, der in keiner der einschlägigen Untersuchungen bislang beachtet worden ist: der Tatbestand, dass auf den Gemälden keine Frauen dargestellt sind. Die beiden Werke im Bürgermeistersaal stammen von Govert Flinck **(Abb. 63)** und Ferdinand Bol; sie zeigen auf einer Fläche von etwa 3,5/4,85 m jeweils eine Episode von zwei römischen Konsuln, die in ihrer Unbestechlichkeit und Standfestigkeit den Bürgermeistern als Vorbild dienen sollten.[370] Hier tauchen Frauen nicht einmal als Nebenfiguren im Gefolge auf. In diesen für die holländische Identität repräsentativen Bildern wurde auf die Darstellung von Weiblichkeit selbst in allegorischer Form verzichtet.[371] Die Brisanz dieses Ausschlusses wird deutlicher, wenn man einen Vergleich anstellt zwischen visueller Repräsentation im privaten und im öffentlichen

364 Spies 1986, S. 339–350.

365 Das Gedicht ist abgedruckt ebd. S. 343.

366 Ebd. S. 350: „[...] dat het nog eeuwen zou duren voordat Charlotte de Huybert haar zin kreeg en ook de intellectuele vrouw een werkende vrouw kon worden."

367 Martha Howell, Women, Production and Patriarchy in Late Medieval Cities, The University of Chicago Press 1986; Merry E. Wiesner, Working Women in Renaissance Germany, New Brunswick 1986.

368 Siehe Anm. 336.

369 Blankert 1975; Möbius, Olbrich, 1990, S. 185f; Frijhoff, Spies 2004, S. 444–449.

370 Ferdinand Bol: *Pyrrhus versucht vergeblich, Fabritius einzuschüchtern,* Blankert 1975 Abb. 5. Aufschlussreich ist auch das Gemälde, das Bol für den Versammlungsraum des neu erbauten Hauses der Admiralität malte: *Imperia Manliana.* Der Sohn des römischen Konsuls Titus Manlius Torquatus beginnt trotz des väterlichen Verbots eine kämpferische Aktion gegen den Feind. Obwohl er siegt, lässt ihn der Vater enthaupten. Das Gesetz des Vaters wird als oberste Instanz bekräftigt. Blankert ebda, Abb. 34.

371 Allerdings waren weibliche Allegorien in Historienbildern in der holländischen Öffentlichkeit durchaus präsent. Zur Problematik der weiblichen Allegorie als Zeichen des Ausschlusses konkreter Frauen: Wenk 1996; Sigrid Schade, Monika Wagner, Sigrid Weigel (Hg.), Allegorien und Geschlechterdifferenz, Köln, Weimar, Wien 1994.

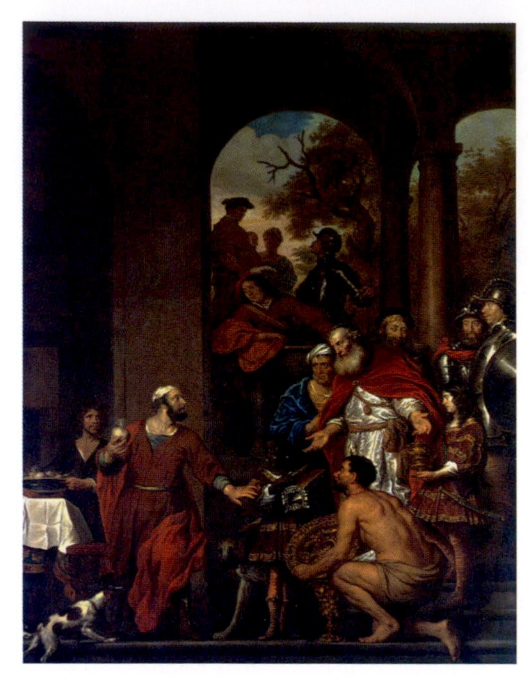

Abb. 63: Govert Flinck, Marcus Curius Dentatus weigert sich, die Geschenke der Samniter anzunehmen, 1656, Öl/Leinwand, ehem. Rathaus, Amsterdam, Königlicher Palast

Bereich. Hier wird der Gegensatz eklatant. In den unzähligen Interieurbildern, die nicht nur in den Innenräumen platziert waren, sondern das private Heim und auch den neuen Ort des privaten Bildes explizit thematisieren, sind fast ausschließlich weibliche Figuren zu sehen. Dies wird uns im zweiten Teil dieses Buches beschäftigen.[372] Die Trennung in einen männlich codierten öffentlichen Raum und in einen weiblich codierten privaten Raum ist in dieser bürgerlichen Gesellschaft schärfer als in der höfischen. Zudem wird, im Unterschied zur höfischen Repräsentation, zumindest im Gruppenporträt der Anspruch auf Egalität suggeriert. Die egalitäre Bildstruktur des holländischen Gruppenporträts evoziert die Fiktion einer egalitären Gesellschaft, in der die Ausgrenzungen gar nicht mehr ins Bewusstsein rücken, da sie unsichtbar gemacht sind.

Individuen werden durch Räume formiert, durch Zuweisung an bestimmte Räume und Ausgrenzung aus bestimmten Räumen, aber auch durch die Art der Inszenierung von Raum und durch die symbolische Besetzung von Raum im Feld der Repräsentation.[373]

3 Asymmetrie. Beziehung der Geschlechter im Feld des Sexuellen

Als Fazit aus den bisherigen Überlegungen ergibt sich, dass trotz einer erstaunlich alternativen Auffassung von Weiblichkeit in Rembrandts Werk eine Asymmetrie in der Repräsentation der Geschlechter festzustellen ist. Pointiert (und vielleicht etwas verkürzt) kann man sagen, dass weibliche Figuren aus der öffentlichen Repräsentation eliminiert werden, männliche Figuren wiederum in erotischen Kontexten von der Bildfläche verschwinden. Diese geschlechtsspezifische Differenzierung entsprach den bildlichen Normen und Codes der holländischen Kunst des 17. Jahrhunderts. *Der Auszug des männlichen Protagonisten aus dem erotischen Bild* ist darüber hinaus ein generell zu beobachtendes Phänomen im Übergang von der spätmittelalterlich höfischen zur bürgerlich städtischen Kultur der Neuzeit.[374] Diese Beobachtung sowie einschlägige Forschungen von feministisch orientierten Kunsthistorikerinnen brachten mich zu der Auffassung, dass Sexualität in der Kunst der Neuzeit fast ausschließlich am nackten weiblichen Körper demonstriert, männliche Sexualität hingegen unsichtbar gemacht wird. Diese These soll einer Überpüfung unterzogen werden: Wie wird die Beziehung der Geschlechter inszeniert, wenn das Motiv ein sexuelles ist, bei dem die Anwesenheit beider Partner unbedingt erforderlich ist? Dieses Motiv ist natürlich der Koitus.

In der nachantiken abendländischen Kunst sind Darstellungen des Geschlechtsaktes selten. In der Kunst des Mittelalters und der Frühen Neuzeit wird der Geschlechtsakt fast nie explizit gezeigt. Ausnahmen sind etwa die Koitus-Darstellungen in den Tacuinum Sanitatis-Handschriften, das sind medizinische Bücher zur Anweisung eines gesunden Lebens, die im späten 14. Jahrhundert in Italien illustriert worden sind und deren Herkunft bezeichnenderweise in den arabischen Kulturkreis weist.[375] Allerdings kennt die mittelalterliche Kunst einen Reichtum an metaphorischen Repräsentationen des Geschlechtsaktes wie beispielsweise das Reiten, der Schlüssel im Schloss, das Einhorn mit der jungen Frau, ein Mann, der einer Frau die Orgel vorspielt und Variationen von Schwert und Scheide.[376] Insbesondere in der Grafik, aber auch an den ‚versteckten Rändern' wie den Drôlerien der Buchmalerei und den Misericordien

372 Siehe insbes. das 4. Kapitel: Das Geschlecht der Briefe.
373 Es sei hier auf eine interessante Tagung aufmerksam gemacht: Space and Self in Early Modern Europe im Rahmen der Seventeenth and Eighteenth-Century Studies Center and Clark Library, University of California, Los Angeles, die in fünf Blöcken 2007–2008 unter der Leitung von David Warren Sabean und Malina Stefanovska stattgefunden hat.
374 S. o: Die unmögliche Umkehrung II: Erotisierte Männer-Bilder für den weiblichen Blick? (Abb. 41, 42, 43). Daniela Hammer-Tugendhat, Kunst, Sexualität und Geschlechterkonstruktionen in der abendländischen Kultur, in: Franz. X. Eder, Sabine Frühstück (Hg.), Neue Geschichten der Sexualität. Beispiele aus Ostasien und Zentraleuropa 1700–2000, Wien 2000, S. 69–92.
375 Otto Pächt, Early Italian Nature Studies and the Early Calendar Landscapes, in: Jorunal of the Warburg and Courtauld Institutes, Bd. 8, London 1950, S. 13–47. Fündig wird man auch in Codices des kanonischen Rechts wie dem Decretum Gratiani, siehe: Peter Dinzelbacher, Mittelalterliche Sexualität – die Quellen, in: Erlach 1994, S. 47–110.
376 Malcolm Jones, Sex and Sexuality in Late Medieval and Early Modern Art, in: Erlach 1994, S. 187–304.

der Chorgestühle finden wir solche metaphorischen Visualisierungen sexueller Handlungen. Dies sollte nicht ausschließlich als Repression von Sexualität missverstanden werden, die explizite Darstellungen verbietet. Vielmehr hat die metaphorische Repräsentationsform ihre Ursache auch in der Unsichtbarkeit von Sexualität. Dargestellt werden können nur Vorstellungen im Bereich des Sexuellen. Bilder, die nur Andeutungen in diese Richtung machen, sind meist eher in der Lage, die Imaginationen der RezipientInnen zu wecken als Visualisierungen sexueller Akte.

Danaë oder die Unsichtbarmachung des männlichen Partners im sexuellen Akt

In der italienischen Renaissance wurde der Liebesakt oft durch Liebespaare mit überkreuzten Beinen dargestellt.[377] In sichtbarer sexueller Erregung oder in eine sexuelle Handlung involviert konnten die Satyrn erscheinen. Satyrn sind männlich bestimmt, aber sie sind keine Männer, sondern bocksbeinige Naturwesen; sie vertreten gleichsam eine unzivilisierte, triebhafte Männlichkeit. Ihre Partnerinnen sind meist Nymphen, die aber bezeichnenderweise in ihrer sinnlichen Erscheinung von realen Frauen nicht zu unterscheiden sind. Nur über die Legitimation antiker Mythen waren sexuelle Handlungen auch in der Gattung des Historienbildes thematisierbar. Die wichtigste Quelle für die Darstellung erotischer Geschichten waren die *Metamorphosen* des Ovid. Die bevorzugte Form der Repräsentation des sexuellen Aktes wurde nun seit der Renaissance die mythologische Verkleidung, bei der der männliche Akteur, meist Zeus (Jupiter), in der Metamorphose verschwindet: bei Leda wird Zeus zum Schwan, bei Europa zum Stier, bei Antiope zum Satyr, bei Kallisto verkleidet er sich als Diana, bei Io entschwindet er im Nebel (**Abb. 35**, S. 86) und bei Danaë erscheint er als goldener Regen. Das heißt: Die Kunst der Frühen Neuzeit bringt das Kunststück zustande, bei der Darstellung des Geschlechtsakts den männlichen Protagonisten unsichtbar zu machen. Zu sehen bleiben allemal die weiblichen Akte. Dieses Phänomen lediglich durch den Hinweis auf die antiken Quellen begründen zu wollen, ist keine befriedigende Erklärung. Denn warum griffen die Künstler fast ausschließlich auf diese Narrative zurück und was hat diese Mythenstruktur zu bedeuten?

Die Lieblingsversion der *Götterlieben* wurde Danaë. Die Geschichte ist durch die *Carmina* des Horaz, die *Scholien* des Apollonios von Rhodos und Ovid überliefert.[378] Danaë, die Tochter des Königs Akrisios, wurde von ihrem Vater in ein ehernes Gemach gesperrt, weil ihm geweissagt worden war, dass Danaës Sohn ihn töten werde. Jupiter verliebte sich in sie und vermählte sich mit ihr in Form eines goldenen Regens. (Danaës Sohn, Perseus, hat dann tatsächlich seinen Großvater ungewollt getötet.) Dass ausgerechnet Danaë zum Lieblingsthema erotischer Darstellungen des Geschlechtsaktes avancierte, ist durchaus nachvollziehbar, bietet der goldene Regen doch die angenehme Assoziation an (auratisierten) Samen, die Tierfiguren wie Schwan oder Stier eignen sich weniger zur Identifikation, Jupiter in der Maskierung von Diana kann zumindest prekäre (lesbische) Konnotationen mitschwingen lassen und der Nebel bei Io ist allemal ein Darstellungsproblem. Zudem wurde das Motiv der Danaë bereits in der Antike zum Identifikationsangebot par excellence einer göttlich legitimierten Verführung. In der Komödie *Eunuchus* von Terenz ist es ein Gemälde mit der Darstellung der Danaë, das die Imagination des Protagonisten erregt, sich in die Rolle Jupiters zu phantasieren. Da nun Augustin diese Terenz-Stelle zitierte, natürlich als verwerfliches Beispiel heidnischer Moral, überlieferte er die Geschichte der christlichen Tradition.[379] Auf die Terenz-Stelle wurde immer wieder rekurriert, einerseits um die Wirkung erotischer Bilder zu belegen, andererseits als negativ oder positiv gemeintes *exemplum*: als Warnung vor dem schlechten Einfluss der Geschichten der heidnischen Götterwelt oder aber als Aufforderung, es dem Göttervater gleichzutun.[380]

In der christlichen Überlieferung haben sich zwei konträre Deutungsmuster entwickelt.[381] Bereits bei antiken Autoren, namentlich bei Horaz und Ovid, wird der Goldregen als materielles Gold gedeutet und Danaë mit käuflicher Liebe assoziiert. Daran anknüpfend wird Danaë in der christlichen Mythografie, insbesondere bei Boccaccio und der anschließenden humanistischen Tradition, zu einer Symbolfigur für die Korrumpierbarkeit durch das Geld, so mutierte der goldene Regen zu Münzen. Parallel dazu lief ein konträres Interpretationsmuster, in dem Danaë als Personifikation der Keuschheit, ja sogar als Präfiguration der Maria gelten konnte. Im bildlichen Medium kann Danaë dann als bekleidete Frau erscheinen, die die Strahlen des Mondes empfängt **(Abb. 64)**.[382] Solange der sexuelle Gehalt der Geschichte lebendig ist, wird Danaë zu einer negativ besetzten Figur, sie wird zu einer Symbolfigur für *Avaritia*, sie wird zur Hure.[383] Positiv kann Danaë nur erinnert werden, wenn der sexuelle Gehalt der Geschichte verdrängt und geleugnet wird. Im humanistisch orientierten Schrifttum Italiens und der Niederlande überwiegt die negative Deutung der Danaë als Gier, so bei Erasmus und van Mander.[384] Allerdings finden sich auch im holländischen Schrifttum vielfältige Belege, dass die Terenz-Stelle als Legitimation verwendet wurde, den Abenteuern des Göttervaters nachzueifern.[385]

377 Karin Orchard, Annäherung der Geschlechter. Androgynie in der Kunst des Cinquecento, Münster 1992 (Diss. Hamburg 1988) S. 87; Leo Steinberg, The Metaphors of Love and Birth in Michelangelo's Pietas, in: T. Bowie, C. von Christenson (Hg.), Studies in Erotic Art, New York 1970, S. 231–338, hier S. 239ff.

378 Horaz, Carmina III, 16; Apollonios von Rhodos, Argonautica IV, v. 1091; in den Metamorphosen des Ovid nur kurze Erwähnung bei den Abenteuern des Perseus (Danaës Sohn), Met. IV, 610f. Ursprünglich wohl ein Fruchtbarkeitsmythos, dessen Reflex noch auf antiken Gemmen zu finden ist, auf denen Danaë mit aufgebreitetem Gewand stehend dargestellt ist, siehe dazu: William S. Heckscher, Recorded from Dark Recollection, in: De Artibus Opuscula XL. Essays in Honour of E. Panofsky, hrsg. von Millard Meiss, New York University Press 1961, S. 187–200, hier S. 194f, Abb. 4.

379 Augustinus, Vom Gottesstaat II, 7.

380 In der Debatte um die Macht und Gefährlichkeit von Bildern im Zuge von Reformation und Gegenreformation wurde immer wieder auf dieses Beispiel des Danaëbildes zurückgegriffen, um die verwerfliche Wirkung von Bildern zu belegen, siehe dazu: Freedberg 1971 S. 229–242; Carlo Ginzburg, Tizian, Ovid und die erotischen Bilder im Cinquecento, in: ders., Spurensicherungen. Über verborgene Geschichte, Kunst und soziales Gedächtnis, München 1988, S. 234–258; Grohé 1996, S. 249–261.

381 Erwin Panofsky, Der gefesselte Eros. Zur Genealogie von Rembrandts Danaë, in: Oud Holland 50, 1933, S. 193–217; Heckscher 1961.

382 Panofsky 1933, S. 207.

383 Zur Verbindung der Danaë-Figur mit der Vorstellung von Prostitution und Kurtisanenbildnissen: Grohé 1996, S. 250ff; Cathy Santore, Danaë: The Renaissance Courtesan's Alter Ego, in: Zeitschrift für Kunstgeschichte 54, 1991, S. 412–427.

384 Grohé 1996, S. 255ff.

385 Ebd. Eine niederländische Terenz-Übersetzung lag seit 1555 vor (S. 274, Anm. 88). Eine der beliebtesten holländischen Komödien *Moortje* von Bredero von 1617 ist eine Paraphrase des antiken Stoffes von Terenz (S. 255f.)

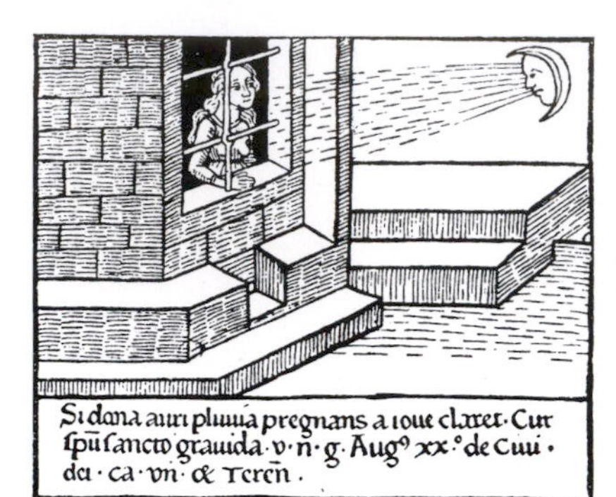

Abb. 64: Johannes Eyssenhuth, Danaë, Defensorium inviolatae Mariae von Franciscus de Retza, 1471, Holzschnitt aus dem Regensburger Druck
Abb. 65: Meister L.D. (Leon Davent), Stich nach Primaticcio, Danaë, um 1540–50, Kupferstich, Wien, Albertina

Die Danaë-Bilder der Frühen Neuzeit orientieren sich im Wesentlichen an den Neuerfindungen von Correggio, Primaticcio **(Abb. 65)** und vor allem an Tizian **(Abb. 66)**.[386] Tizian fand für das dichotome Deutungsmuster in seiner zweiten Danaë-Version von 1554 eine geniale Lösung; er spaltete Danaë gleichsam in zwei Frauenfiguren: die eigentliche Danaë, schön, jung, weißhäutig und ganz und gar erotisch – aber ohne negative Konnotation, und die Alte, mit derben Zügen, dunkelhäutig und als sozial niedrig stehend charakterisiert, die gierig die Münzen einfängt. Tizians entscheidende Neuerung gegenüber seinen Vorläufern Correggio und Primaticcio ist aber, dass er die Szene in der Tat als Liebesakt darstellt. Bei Correggio bedeckt ein Tuch den Schoß der Danaë, bei Primaticcio und in dem entsprechenden Stich vom Meister L. D. **(Abb. 65)**, den Tizian sicher gekannt hat, fällt der Goldregen im Hintergrund herab und wirkt somit lediglich als Attribut, das nicht konkret als Handlungsmoment in die Szene integriert ist. Tizian lässt den goldenen Regen in Danaës nackte geöffnete Schenkel fallen. Somit wird der goldene Regen als das kenntlich, was er ist: als männlicher Samen. Diese offene Erotik war neu und sie ist einzigartig geblieben. Fast alle folgenden Versionen des Stoffes basieren auf Tizian, aber kein einziger Künstler ist Tizian in diesem Punkt gefolgt, weil, so Panofskys sublime Umschreibung, „die michelangeleske Kühnheit des Hauptmotivs nicht mehr ertragen

386 Hammer-Tugendhat 1994, S. 388–394.
387 Panofsky 1933, S. 210.
388 Auch in der Moderne bot *Danaë* noch Anregungen für erotische Phantasien in Literatur und bildender Kunst. Symptomatisch ist die Version von Gustav Klimt von 1907/08 (Graz, Privatbesitz), in der der Sexualakt zur autistischen Autoerotik gefriert und als masturbatorischer Akt inszeniert wird. (Daniela Hammer-Tugendhat, Kunst, Sexualität, 2000, S. 80f.) Gottfried Keller erzählt in seinem *Grünen Heinrich* von einem erotischen Traum, in dem er die Gottheit spielt und auf einer Riesenbiene über der Stadt schwebend auf alle heiratsfähigen Mädchen einen Goldregen fließen lässt. (Ges. Werke, Basel 1912, IV, S. 107f., hier zitiert nach Heckscher 1961, S. 191, Anm. 15).
389 Panofsky 1933, S. 193–217; Heckscher 1961, S. 187–200; Madlyn Millner-Kahr, Danaë: Virtous, Voluptous, Venal Woman, in: The Art Bulletin 60, 1978, S. 43–55; Ernst van de Wetering, Het formaat van Rembrandt's Danaë, in: Met eigen ogen. Opstellen aangeboden door leerlingen en medewerkers aan Hans L.C. Jaffé, Amsterdam 1984, S. 67–72; RRP 1989 3. Bd., S. 209–223; Bal 1991, S. 142ff; Grohé 1996, S. 225–276 (das 3. Kapitel: „Der entfesselte Eros – Danaë."); Eric Jan Sluijter, Emulating Sensual Beauty: Representations of Danaë from Gossaert to Rembrandt, in: Simiolus 27, 1999, S. 4–45; ders. 2006, S. 221ff. Das Bild ist heute in der Eremitage in St. Petersburg, es ist ein Leinwandbild mit den Maßen 185/203 cm; es ist allseitig beschnitten, das ursprüngliche Format wurde von Ernst van de Wetering auf Grund einer Paraphrase des Rembrandtschülers Ferdinand Bol zum Thema *Isaac und Esau* rekonstruiert. Untersuchungen ergaben, dass es 1636 in einem ersten Zustand vollendet (gefirnisst) war, dann aber von Rembrandt selbst übermalt worden ist. Auf Grund der Entstehungszeit einer zweiten Paraphrase von Bol

Abb. 66: Tizian, Danaë, 1553/1554, Öl/Leinwand, Madrid, Prado
Abb. 67: Orazio Gentileschi, Danaë, um 1621/1622, Öl/Leinwand, Cleveland, The Cleveland Museum of Art

wurde".[387] Danaës Haltung wurde ‚korrigiert': Sie lagert nun wieder wie eine Venus mit geschlossenen Schenkeln auf ihrem Bett, meist bedeckt ein Tuch ihren Schoß, der Goldregen fällt vor oder hinter ihr herab oder wird von der Amme (selten einem Cupido) abgefangen. So avancierte Danaë seit der Renaissance- und Barockmalerei zur beliebtesten Form eines hocherotischen Aktbildes.[388]

In dieser Tradition steht auch Rembrandts *Danaë* **(Taf. 8)**.[389] Als mögliche Vorbilder wurden von der Forschung Werke von Annibale Carracci,[390] Orazio Gentileschi **(Abb. 67)**,[391] Denys Calvaert,[392] Hendrick Goltzius,[393] Hieronymus Wiericx,[394] Jacob Matham (Stich nach Abraham Bloemaert),[395] und Frans Menton (Stich nach Frans Floris)[396] genannt. Diese und/oder verwandte Werke hat Rembrandt sicherlich gekannt. Er hat jedoch alle Zeichen, die eine Abwertung von Danaë und eine moralisierende Auslegung als Prostituierte signalisieren, gelöscht: keine Münzen.[397] Die Münzen, der goldene Regen, sind zu reinem Licht sublimiert. Auch die Amme ist damit ihrer Funktion als Alte, die gierig nach den Münzen greift, enthoben. Sie partizipiert an dem strahlenden Licht, das Danaë trifft, und hebt lediglich den Vorhang zur Seite. Die Münzen beziehungsweise ein goldener Regen waren aber traditionell das Erkennungszeichen für die Identifizierung des weiblichen Aktes als Danaë. Die

David und Salomon von 1643 nahmen die Autoren des RRP (1989 3. Bd. S. 219) dieses Datum als Terminus ante quem für die endgültige Fassung an. Stefan Grohé (1996, S. 226–234) stellte die einleuchtende These auf, dass Rembrandt im Zuge der Überarbeitung des Bildes selbst die Verkleinerung vornahm und dass die Übereinstimmungen zwischen Bols Bild *David und Salomon* und Rembrandts *Danaë* nicht zwingend sind. Aus stilistischen Gründen weist die zweite und endgültige Fassung des Gemäldes eher in die zweite Hälfte der vierziger Jahre. Das bis vor kurzem gut erhaltene Werk fiel 1985 einem Attentat mit Schwefelsäure und Messerstichen zum Opfer, in dem insbesondere der weibliche Akt schwer beschädigt wurde.

390 Panofsky 1933, S. 212; Millner-Kahr 1978, S. 51.

391 Grohé 1996, S. 244.

392 Grohé 1996, S. 247.

393 Sluijter 1999, erwähnt aber auch die anderen niederländischen Vorläufer und betont gleichzeitig die Verwandtschaft zu Tizian.

394 Panofsky 1933, S. 213, dagegen Grohé 1996, S. 247.

395 Sluijter 1986, S. 437.

396 Millner Kahr 1978, S. 53; Tümpel 1969, S. 107–198, hier S. 159, Abb. S. 161; Grohé 1996, S. 247f. Bereits in der Rezension von Richard Judson zu Heckschers *Rembrandt's Anatomy of Dr. Tulp* genannt: The Art Bulletin 42, 1960, S. 309.

397 In Mentons Stich waren die Münzen bereits eliminiert und durch einen Lichtstrahl ersetzt. Ich sehe allerdings keine Verbindung zu Rembrandts Lösung; der Lichtstrahl bei Menton ist wie ein Kometenschweif gebündelt und zielt von oben auf Danaës Schoss. Die Verbindung zur Vorstellung eines Goldregens ist noch ersichtlich, keineswegs hat der Strahl Einfluss auf die Lichtsituation der gesamten Szene.

Taf. 8: Rembrandt, Danaë, 1636 begonnen, um 1643–49 überarbeitet, Öl/Leinwand, St. Petersburg, Eremitage

Taf. 1: Rembrandt, Bathseba, 1654, Öl/Leinwand, Paris, Louvre

Taf. 3: Rembrandt, Susanna, 1636, Öl/Holz, Den Haag, Mauritshuis

Absenz dieses Zeichens hatte die unterschiedlichsten Deutungen produziert, deren Quintessenz bereits Smith im Oeuvrekatalog von 1836 auf den Punkt brachte, indem er das Bild „The lover expected" betitelte.[398] Panofsky konnte in seiner grundlegenden ikonografisch-ikonologischen Untersuchung die Richtigkeit der Benennung als Danaë belegen. Er erklärte das Fehlen der Münzen durch die angebliche Wiederaufnahme der mittelalterlichen Tradition der Keuschheitsallegorie. Den gefesselten Cupido deutete Panofsky mit Hinweis auf den Mythos des *Anteros* als erzwungene Keuschheit, die aber durch das Erscheinen Jupiters überwunden werde. Die Interpretation des in der Danaë-Ikonografie einzigartigen Motivs des gefesselten Cupido erscheint mir einleuchtend.[399] Die Repräsentation von Elementen eines zeitlichen Handlungsablaufes im Sinne des Performativen ist charakteristisch für Rembrandt: Der gefesselte Cupido verkörpert gleichsam die Vergangenheit, Danaë die Gegenwart, ihr ausgestreckter Arm in Richtung des goldenen Lichtes, das Jupiter symbolisiert, steht für die erlösende Zukunft. Dargestellt ist der Moment, in dem die Geschichte von einem Extrem ins andere kippt. In Rembrandts früheren Werken ist diese Form einer dramatischen Handlung im Sinne des Barock noch theaterhafter inszeniert.[400] Rembrandts *Danaë* ist aber sicherlich keine Allegorie auf die Keuschheit. Wir haben keine bekleidete allegorische Figur vor uns wie in den mittelalterlichen Beispielen, sondern einen nackten weiblichen Körper. Die Nacktheit allein widerspricht zwar

398 J. Smith, A Catalogue Raisonné of the Work of the Most Eminent Dutch, Flemish and French Painters, Bd. VII, London 1836, Nr. 173. Zu den mindestens 12 verschiedenen Benennungen siehe RRP 3. Bd., S. 220.

399 Grohé (1996 S. 236ff) geht m. E. in diesem Punkt in seiner berechtigten Kritik an Panofsky zu weit, indem er Panofskys Deutung zur reinen Keuschheitsallegorie überspitzt: „Für ihn (Panofsky) ist Rembrandts *Danaë* eine konsequente Keuschheitsallegorie.". (S. 269 f, Anm. 37) Dies geht aus Panofskys Text nicht hervor, vielmehr schreibt Panofsky (1933, S. 216) von *„erzwungener Keuschheit"* und (S. 217) von „widerwillig ertragener Einsamkeit." Ich stimme Grohé zu, dass die Umwandlung des Goldregens in Licht bei Rembrandt nicht unbedingt durch den Rückgriff auf die mittelalterliche *pudicitia*-Ikonografie erklärt werden muss; aber Panofsky hat aus diesem (vermeintlichen) ikonografischen Rückgriff nicht auf eine identische inhaltliche Deutung geschlossen. Grohé vernachlässigt seinerseits die Relevanz des gefesselten Eros, wenn er schreibt: „dass er [Rembrandt] den Cupido im Bilde beließ, könnte man dadurch erklären, dass er nicht auch den letzten Hinweis auf die Identität der Dargestellten eliminieren wollte." (S. 258). Der *gefesselte* Cupido war aber nie Teil der Danaë-Ikonografie. Wenn Grohé (S. 258) schreibt:

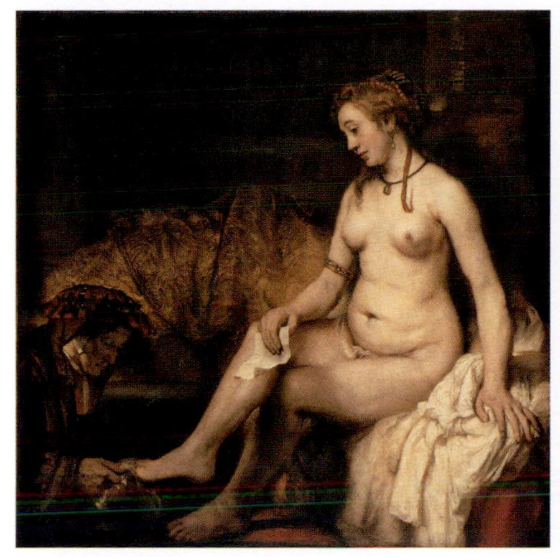

nicht einer allegorischen Lesart, jedoch sehr wohl deren konkrete ästhetische Inszenierung. Rembrandt setzt alles daran, die Erotik der Szene zu steigern: Der weibliche Akt ist voll dem Betrachter zugewandt, kein Schleier bedeckt den Schoß. Wir sollen diesen Körper nicht nur sehen, sondern gleichsam fühlen, tasten können. Diesen Effekt von Taktilität erreicht Rembrandt durch die Körperhaltung, die Darstellung der Hautoberfläche und durch die Lichtbehandlung. Im Unterschied zu Tizian und seiner Nachfolge bildet Danaës Körper keinen idealisierten, linearen, fast geometisch abstrakten Umriss; man meint die Schwere des nach unten weisenden Bauches zu fühlen, der Körper liegt tatsächlich auf dem Bett und dem Kissen auf. Am deutlichsten wird dies bei der linken Brust, die durch das Aufliegen auf der Hand beziehungsweise dem Bett leicht zusammengedrückt wird. Die Berührung von Hand und Brust erhöht diesen Eindruck von Taktilität. Die vor dem Bett liegenden Pantoffeln betonen den erotischen Charakter des Bildes: Schuhe oder Pantoffeln waren in der holländischen Malerei (und Dichtung) Metaphern für das weibliche Geschlecht.[401] Die Stellung der Schuhe pointieren den Wendepunkt in der Geschichte: Direkt unter Eros und Danaë gelegen, zeigt lediglich der linke, Jupiter zugewandte Schuh seine Öffnung dem Betrachter.

Wie ist dann aber die Verwandlung der metallenen Münzen in immaterielles Licht zu deuten? Licht ist die zentrale Kategorie in Rembrandts Kunst, Licht wird bei Rembrandt

„Von ‚gefesseltem Eros‘ kann hier nicht die Rede sein, es wird eher zur Entfesselung angeregt", setzt er einen Antagonismus, der so im Bild nicht zu sehen ist; der Widerspruch zwischen Knebelung und Entfesselung des Eros kann, wie ich meine, in einer performativen Leseweise im Sinne einer zeitlichen Abfolge aufgelöst werden.

400 Siehe etwa *Die Entführung der Europa*, für die Amy Golahny (Rembrandt's Europa. In and Out of Pictorial and Textual Tradition, in: Freedman, Huber-Rebenich 2001, S. 39–55) die Übereinstimmung mit dem aristotelischen Konzept der *peripeteia* beziehungsweise mit Vondels *Staetveranderinge* feststellte.

401 S. u. Anm. 627–630 u. S. 285. Daniela Hammer-Tugendhat, Kunst der Imagination/Imagination der Kunst. *Die Pantoffeln* Samuel van Hoogstratens, in: Klaus Krüger, Alessandro Nova (Hg.), Imagination und Wirklichkeit. Zum Verhältnis von mentalen und realen Bildern in der Kunst der frühen Neuzeit, Mainz 2000, S. 139–153, hier S. 148; Eddy de Jongh, Erotika in vogelperspectief: de dubbelzinnigheid van een reeks zeventiendeeeuwse genrevoorstellingen, in: Simiolus 3, 1968–69, S. 22–74, hier S. 36–37; ders., 1976 (AK Amsterdam) 1976, S. 259–261; Handwörterbuch des deutschen Aberglaubens 1987, 7, Sp. 1292–1354.

Abb. 68: Giulio Bonasone, Danaë, Kupferstich, Wien, Albertina

zum Handlungsträger.[402] Die Quelle des Lichts ist links oben zu vermuten, der Lichtstrahl dringt durch den geöffneten Vorhang ein, streift die Alte und ergießt sich auf Danaë. Ihr Körper wiederum ist aus Licht- und Schattenpartien gebildet. Dies trifft in ganz anderem Maße zu als in seinen anderen Aktdarstellungen, der gleichzeitig mit der ersten Fassung entstandenen *Susanna* (Taf. 3) und der später gemalten *Bathseba* (Taf. 1). Der gesamte Körper der Danaë leuchtet im Licht auf, die weißen Kissen umgeben sie wie eine strahlende Aureole. Jupiters Strahl erschafft gleichsam den leiblichen Körper der Danaë, gleichzeitig scheint sie selbst von innen her zu leuchten. Dieser Effekt des Selbstleuchtens ist auch beim gefesselten Eros zu beobachten; sein golden leuchtender Körper hebt sich nicht einfach vom dunklen Hintergrund ab, sondern ist auf der linken Seite von einem Lichtschein wie von einem Heiligenschein begleitet. Die doppelte Lichtregie korrespondiert mit Danaës Haltung: Sie wendet sich dem Licht, also Jupiter, aktiv zu. Die ambivalente Geste der ausgestreckten Hand lässt Erwartung und Begrüßung assoziieren, vielleicht Erstaunen vor der Blendung durch das Licht. Danaës Blick ist nicht nach oben gerichtet, also nicht himmelwärts. Somit scheint das Licht weniger von einem himmlischen Gestirn auszugehen als vielmehr von einer konkreten männlichen Figur. Auf Grund dieser Blickrichtung hat Werner Weisbach darauf bestanden, das Bild könne unmöglich eine Danaë darstellen; er sah darin Venus, die Mars erwartet.[403] Danaës Blick, verbunden mit der aktiven Geste und der Sinnlichkeit des nackten weiblichen Körpers verhindern eine Lesart als Keuschheitsallegorie. Die Auflösung der Münzen in Licht wiederum signalisiert, dass nicht *Avaritia* gemeint sein kann. Die (doppelte) Lichtregie, die Panofsky als „irrational" und Grohé als „diffus und nicht ganz logisch" beschreiben,[404] trägt wesentlich zu dem Eindruck bei, dass es weder um Keuschheit noch um Geldgier geht. Es sind eben weder materielle Münzen, noch ist es ein göttliches Wesen, zu dem Danaë ihre Augen erheben müsste. Was wir sehen ist eine sinnlich inszenierte weibliche nackte Frau in Erwartung eines männlichen

Partners. Ausgehend von der Bildtradition gelingt Rembrandt durch die spezifische ästhetische Inszenierung eine Verschiebung in der inhaltlichen Deutung des Themas, indem er die Dichotomie der Deutungstradition transzendiert. Einerseits setzt er alles daran, Danaë so sinnlich und erotisch wie möglich zu gestalten, andererseits wird diese Form von Sinnlichkeit nicht moralisierend negativ gewertet, sondern durch das strahlende Licht in eine gleichsam ‚göttliche' Sphäre gehoben. Was hier inszeniert und evoziert wird, ist Begehren, ein Begehren, das durch die Umwandlung der Münzen in die doppelte Lichtregie eine gleichsam sakrale Überhöhung erfährt, die vielleicht als *Liebe* erfahren werden kann.[405]

Rembrandt hat in der Tat eine alternative Danaë-Figur entworfen und damit eine neue Möglichkeit der Repräsentation von Weiblichkeit. Diese erstaunliche Konzeption von Weiblichkeit, der Individualität und ein (nicht negativ abgewertetes) Begehren zugestanden wird, fanden wir bei der Analyse der *Frau im Bett*.[406] Für die *Danaë* haben dies bereits Madlyn Millner-Kahr und Mieke Bal registriert. So beschreibt Millner-Kahr Rembrandts Konzeption der Danaë als einzigartig, da Danaë hier als Frau gezeigt werde, die Liebe empfangen und geben könne und: „A sexual woman is neither a saint nor a sinner, victim nor seductress, but a participant in full humanity."[407] Mieke Bal attestiert Rembrandts Danaë: „Her beauty, desired by both the pre-textual desiring Zeus and the viewer, is not an object for possession taking. She emphatically disposes of it herself."[408] Auch Stefan Grohé, der zu Recht den eminent erotischen Charakter des Bildes herausstreicht, billigt ihr „mehr Würde" zu und sieht, dass sie „nicht in dem Maße zum verfügbaren Lustobjekt" gemacht werde wie etwa auf dem Stich von Bonasone **(Abb. 68)**.[409] Thema ist nun aber nicht einfach ein weiblicher Akt. Rembrandt hätte ja durchaus eine Venus malen können, seine Danaë steht allemal in einer Tradition von Venusfiguren. Sie ist aber keine Venus. Auch wenn Rembrandt nicht die eigentliche Handlung darstellt, sondern den Moment davor und diese der Imagination der Betrachter überlässt, ist die Handlung durch die Geschichte definiert: es ist der sexuelle Akt. Es ist das Verdienst von Millner-Kahr und vor allem von Mieke Bal, der ikonografisch-ikonologischen Forschung Analysen entgegenzusetzen, die den eminent sexuellen Gehalt nicht geflissentlich übergehen, sondern benennen und dabei die

402 Dazu siehe u.a. Pächt 1991 S. 79-96; Ernst van de Wetering, Rembrandt und das Licht, in: Rembrandt, Ausstellungskatalog, hrsg. von Klaus Albrecht Schröder, Marian Bisanz-Prakken, Albertina Wien, München 2004, S. 27–39; Daniela Hammer-Tugendhat, Gott im Schatten? Zur Bedeutung des Lichts bei Caravaggio und Rembrandt, in: Licht, Ganz, Blendung. Beiträge zu einer Kulturgeschichte des Leuchtenden, hrsg. von Christina Lechtermann, Haiko Wandhoff, Publikationen zur Zeitschrift für Germanistik, NF, Bd. 18, Bern 2008, S. 177–189.

403 Werner Weisbach, Rembrandt, Berlin, Leipzig 1926, S. 242.

404 Panofsky 1933, S. 212; Grohé 1996, S. 229.

405 Hier liegt auch der Unterschied zu den verwandten Werken etwa von Carracci und Orazio Gentileschi, die zwar durchaus auf eine erotische Stimulierung angelegt sind, aber an dem himmelwärts gerichteten Blick Danaës festhalten und ebenso an den Münzen.

406 Es wurde schon darauf hingewiesen, dass die *Frau im Bett* große Ähnlichkeiten mit der *Danaë* aufweist, die weibliche Figur allerdings ist seitenverkehrt, auf ein Halbfigurenbild reduziert und nicht mehr thematisch auf eine bekannte Ikonografie festgelegt. Röntgenaufnahmen der *Danaë* haben gezeigt, dass deren Handhaltung ursprünglich anders konzipiert war; Grohé (1996, S. 228) geht davon aus, dass sie in der ersten Fassung den Vorhang selbst zur Seite geschoben habe, was bei der *Frau im Bett* der Fall ist. Wenn, was einleuchtend ist, die Übermalung der *Danaë* durch Rembrandt in den 1640er Jahren stattfand, lägen die beiden Bilder auch zeitlich nahe beisammen.

407 Millner-Kahr 1978, S. 54f.

408 Bal 1991, S. 169.

409 Grohé 1996, S. 259.

Kategorie *gender* berücksichtigen.[410] Allerdings greift eine Frauenkunstgeschichte, die sich lediglich auf die Repräsentation von Weiblichkeit konzentriert, zu kurz: Das Problem ist die Definition des *Verhältnisses* zwischen den Geschlechtern. Da der Mythos von einem Geschlechtsakt erzählt, frage ich auch nach der Repräsentation von Männlichkeit und männlicher Sexualität in diesem Bild. Im Bereich der Repräsentation von Sexualität kommen den Geschlechtern diametral polare Positionen zu. Beim Bild der *Danaë* von Rembrandt erscheint der männliche Akteur nicht einmal mehr als Goldregen wie bei Tizian und dessen Nachfolge, sondern vergeistigt sich zu reinem Licht. Männlichkeit wird in diesem Bild eines sexuellen Aktes als das Geistige imaginiert. Danaë hingegen ist in ihrer vollen Leiblichkeit präsent. Männlichkeit wird in diesem Bild mitkonstruiert, auch wenn sie nicht explizit dargestellt ist. Das Bezeichnende dieser Form der Repräsentation ist es, dass der männliche Körper und männliches Begehren im sexuellen Akt unsichtbar gemacht werden. Der männlich gedachte Betrachter kann sich an der Stelle von Jupiter wähnen, sich aber gleichzeitig, auch in Bezug auf den sexuellen Akt, als das Geistige imaginieren und Sexualität, Erotik, Körper, Leiblichkeit auf die Frau projizieren.[411] Männliche Sexualität, männliche Leiblichkeit sind nicht Gegenstand der Repräsentation. Die philogyne Darstellung von Danaë bietet auch ein Identifikationsangebot für weibliche Betrachter, welche die geschlechtsspezifischen Muster – unter anderem durch die Repräsentation solcher Bilder – ebenso internalisiert haben wie männliche Rezipienten.

Diese Konstruktion von Männlichkeit und die damit einhergehende Polarisierung in der Auffassung der Geschlechter findet eine Entsprechung im Diskurs über die Zeugung zur Zeit der Entstehung des Gemäldes. Im 17. Jahrhundert wurden unterschiedliche Versuche unternommen, das Phänomen der Fortpflanzung zu erklären.[412] In Anschluss an Aristoteles wurde der männliche Samen nicht als etwas Materielles angesehen. Wissenschaftler im Kreis von William Harvey interpretierten die Zeugung als eine Art Ansteckung: „Männlicher Samen ist nicht das Sperma, sondern Geist und Seele, ist, was wir Leben nennen und was mit dem Licht verwandt ist."[413] Der männliche Samen wurde in der medizinischen Theorie als *Strahlkraft einer geistigen Substanz*, als *aura seminalis* bezeichnet. Rembrandt muss diese naturwissenschaftliche Theorie nicht gekannt haben, aber seine Bilder sind genauso wie diese Zeugungstheorien Teil eines Diskurses über Geschlechterdifferenz. Männlichkeit wird in diesem Diskurs – auch und gerade im sexuellen Akt – als das Geistige konzipiert, Weiblichkeit hingegen repräsentiert die Materie und den Körper. Diese grundsätzliche Konzeption einer Verbindung von Männlichkeit mit Aktivität, dem Geistigen und Kultur und dem Weiblichen mit Passivität, dem Körper und mit Natur geht auf die Zeugungstheorie des Aristoteles zurück, die wiederum Teil seiner Substanzlehre ist, in der jedes Ding aus Materie und Form besteht, wobei *morphe* die aktiv (männliche) Form und *hylae* die passive (weibliche) Materie darstellen. Die Konzeption von Aristoteles beeinflusste das gesamte weitere medizinische und naturphilosophische Denken.[414] Auch im Diskurs des 17. Jahrhunderts waren diese Denkmuster noch virulent, sei es in der

Medizin oder im Alltagsbewusstsein. Bei Rembrandt, auf der Ebene der Ästhetik, erscheint der männliche Partner im Liebesakt als Licht, in der Theorie über die Zeugung heißt das ganz analog *aura seminalis*.

Pornografie?

Es gab die wenigen Ausnahmen in der Kunst der Frühen Neuzeit, bei denen der Mann im sexuellen Akt als Mann sichtbar wurde. Wir finden sie im Medium der Grafik, auf deren Spezifik bezüglich Rembrandt noch eingegangen werden wird. Die berühmteste Ausnahme sind *I Modi* von Marcantonio Raimondi, ein Zyklus von sechzehn Blättern nach Zeichnungen von Giulio Romano, die verschiedene Stellungen beim Geschlechtsakt vorführen **(Abb. 69)**.[415] Diese *Modi* verursachten einen Skandal. Der Stecher, Marcanton, kam ins Gefängnis. Er wurde gezwungen, sämtliche Platten zu zerstören; die Serie wurde verboten. Die Zensur funktionierte immerhin so gut, dass nur noch marginale Fragmente der originalen Serie erhalten sind. Eine Folge von Holzschnitten, eine Kopie der originalen Stiche, die – versehen mit Versen von Aretino – kurz nach dem Verbot erschienen ist, hat allerdings die Zensur überlebt. Die Tatsache, dass die *Modi* ein Werk der Grafik sind und somit in viele Hände kamen, die nicht mehr ausschließlich der gesellschaftlichen Elite angehörten, machte sie gefährlich.[416] Dies war aber wohl nicht der einzige Grund für die Zensur. Die Thematik war skandalös: Die *Modi* zeigen verschiedene Stellungen im Liebesakt ohne jede mythologische Überhöhung; der männliche Protagonist wird in der sexuellen Handlung sichtbar. Gleichzeitig, 1527, verfertigte Caraglio nach Zeichungen von Rosso Fiorentino und Perino del Vaga eine Folge der *Götterlieben* mit sehr gewagten Szenen **(Abb. 70)**.[417] In unvergleichlich extremerer Weise wird hier das weibliche Geschlecht den Augen des (männlichen) Betrachters exponiert. Diese explizite Darbietung des weiblichen Geschlechts scheint jedoch keinen

410 Auch Grohé (1996, S. 258) betont den erotischen Gehalt des Bildes, das sich vor allem an die Augenlust des Betrachters wende, „dessen erotische Phantasie durch den sinnlichen Akt angeregt werden soll." Sluijter (1986, S. 195f) beschreibt allgemein die Gleichzeitigkeit von „zinneprikkeling" und „bevestiging van de kuisheidsmoraal die op de gevaren van zinnelijkheid wijst", hier bezogen auf *Das Bad der Diana mit Aktaion und Kallisto*. Ebenso Schama 1999, S. 387–389. Zu einer einschlägigen Kritik an kunsthistorischer Literatur, allerdings auf die *Danaë* von Jan Gossaert bezogen: Harald Olbrich, In der kunsthistorischen Rede stillgelegte Erotik: Jan Gossaerts Münchener „Danaë" von 1527, in: Martin Papenbrock (Hg.), Kunst und Sozialgeschichte, Festschrift für Jutta Held, Pfaffenweiler 1995, S. 306–315.

411 Grohé (1996, insbes. S. 258f) deutet das Auslassen des Regens bereits als Steigerung der Identifikationsmöglichkeit für den Betrachter, allerdings bleibt er bei dieser Feststellung stehen, ohne nach den Konsequenzen für die Konstruktion von Männlichkeit bzw. für die Produktion von Geschlechterdifferenz zu fragen.

412 Laqueur 1992, S. 165–171; Gianna Pomata, Vollkommen oder verdorben? Der männliche Samen im frühneuzeitlichen Europa, in: L'HOMME, Zeitschrift für Geschichtswissenschaft 2, 1995, S. 59–85.

413 Carlo Musitano, De morbis mulierum Tractatus, Genf 1709, 26B, zitiert nach Pomata 1995, S. 77, Anm. 63.

414 Danielle Jacquart, Claude Thomasset, Sexualité et savoir médical au Moyen-Age, Paris 1985; Isnard Frank, Femina est mas occasionatus. Deutung und Folgerung bei Thomas von Aquin, in: Peter Segl (Hg.), Der Hexenhammer. Entstehung und Umfeld des Malleus maleficarum von 1487, Köln 1988, S. 71–102.

415 Lynne Lawner, I modi: nell' opera di Giulio Romano, Marcantonio Raimondi, Pietro Aretino e Jean Frédéric-Maximilien de Waldeck, Mailand 1985; Bette Talvacchia, Figure lascive per trastullo de l'ingegno, in: Giulio Romano, Ausstellungskatalog Mailand 1980, S. 277–287; dies., Taking Positions. On the Erotic in Renaissance Culture, Princeton University Press 1999; Henri Zerner, L'Estampe érotique au temps de Titien, in: Tiziano e Venezia, Ausstellungskatalog, 1980, S. 85–90.

416 Ginzburg 1988, S. 234–258; Bette Talvacchia 1989, S. 277.

417 A. Bartsch, The Illustrated Bartsch 28 (Le Peintre Graveur 15/1), hrsg. von Suzanne Boorsch und John T. Spike, New York 1985, S. 86–100; A. Bartsch, The Illustrated Bartsch 28, Commentary, hrsg. von John T. Spike, Artikel von Madeline Cirillo Archer, New York 1995, S. 97–99.

Abb. 69: I Modi, Holzschnitt nach Stichen von Marcantonio Raimondi von 1527 (nach Zeichnungen von Giulio Romano)

Abb. 70: Gian Giacomo Caraglio (nach Perino del Vaga), Merkur und Herse, aus: Götterlieben, 1527, Kupferstich, Hamburg, Kunsthalle

Abb. 71: Gian Giacomo Caraglio, Pan und Diana, aus: Götterlieben, 1527, Kupferstich

Anstoß erregt zu haben. Die Paarbeziehungen in den inkriminierten *Modi* zeichnen sich durch eine ungewöhnliche Parität aus. Auch die weiblichen Akteure sind aktiv und verfügen über einen Blick; umgekehrt sind die männlichen Partner in die sexuelle Handlung involviert. Es gibt in der Folge von Caraglio einige wenige Beispiele, bei denen der männliche Partner im sexuellen Akt zu sehen ist. Bezeichnenderweise gibt es aber von diesen Blättern kein einziges Original im ersten Zustand; die ganz wenigen erhaltenen späteren Fassungen beziehungsweise Kopien sind ausnahmslos an den einschlägigen Stellen zerstört **(Abb. 71)**.[418] Auch Stiche wie die *Danaë* von Bonasone **(Abb. 68**, S. 142**)**, die in der voyeuristischen Zurschaustellung des weiblichen Geschlechts kaum zu überbieten ist, haben die Zensur offensichtlich nicht irritiert.

Mein Verdacht, dass das Anstößige nicht lediglich im Umstand der Entmythologisierung liegt, sondern in der Sichtbarmachung des Mannes im sexuellen Akt, wurde durch die Befassung mit der Rezeption, der Lektüre kunsthistorischer Literatur bestärkt. So schreibt Cecil Gould über die *Lieben des Jupiter* von Correggio:

> The fact that all four remain great art and not pornography is partly due to the extreme skill and delicacy of the painter, and partly also to the fact that none of them includes the form of a man, Jupiter having assumed various disguises – an eagle, a swan, a cloud, and a shower of gold – in order to further his designs.[419]

Das Kriterium, ob ein Werk als Kunstwerk angesehen wird oder aber als Pornografie und somit aus dem hehren Bereich der Kunst ausgegrenzt wird, wird nicht etwa an einer obszönen Zurschaustellung weiblicher Sexualität festgemacht, sondern an der Sichtbar-

werdung des Mannes im sexuellen Kontext. Die Verleugnung männlicher Sexualität und ihre Sublimierung ins Metaphysische selbst im sexuellen Akt wird in der kunsthistorischen Rede über die sexuellen Geschichten der Mythologie weitergeführt. Bock von Wülfingen hat das in seiner Arbeit zu Tizians *Danaë,* die Panofsky immerhin als „remarkable little monograph“ [420] gewürdigt hat, folgendermaßen auf den Punkt gebracht:

> Der Mensch, in Gestalt eines sich hingebenden Weibes, empfängt eine Berührung aus dem Überirdischen in Gestalt von göttlichem Regen, der in klingenden Goldstücken herabspringt. Hinter der Polarität der Geschlechter im männlichen Handeln und weiblichen Erleiden wird analog eine zweite sichtbar, in der das Weibliche für das Irdische, das Männliche für den Geist und das Metaphysische steht.[421]

Häufig wird in der kunsthistorischen Literatur die Tatsache, dass es weibliche Figuren sind, die in aufreizender Form dem männlichen Blick exponiert werden, allein durch den Umstand begründet, dass die Künstler im allgemeinen eben männlich waren. Männliche Künstler malen *natürlich* weibliche Akte möglichst ohne männlichen Konkurrenten auf dem Bild und in einer Weise, dass sie sich an die Stelle des (göttlichen) Partners phantasieren können. Dieser Auffassung möchte ich zwei Überlegungen

418 Freedberg (1989, S. 362–365, Abb. 172–174) hat auf einen ähnlichen Fall von Zensur aufmerksam gemacht: Der Stich *Venus, Vulkan und Mars* von Enea Vico nach Parmegianino von 1543 ist uns in drei Stadien erhalten geblieben. In der ursprünglichen Fassung sieht man Vulkan in seiner Werkstatt arbeiten; im Hintergrund lieben sich Venus und Mars, beide nackt auf dem Bett liegend. In der zweiten Version wurde das Liebespaar von der Platte gelöscht; die dritte, korrigierte und endgültige Version präsentiert nur noch die nackte Venus mit gespreizten Beinen auf dem Bett liegend.

419 Cecil Gould, The Paintings of Correggio, London 1976, S. 132.

420 Erwin Panofsky, Problems in Titian. Mostly Iconographic, New York 1969, S. 12, Anm. 10.

421 Ordenberg Bock von Wülfingen, Tiziano Vecellio, Danaë, Stuttgart 1958, S. 20. Ich danke Alexandra Pätzold für den Hinweis auf die Werkmonografie von Wülfingen. Unsere gemeinsamen Gespräche vor der *Danaë* im Wiener KHM waren Anfang und Anlass meiner weiteren Beschäftigung mit diesem Thema.

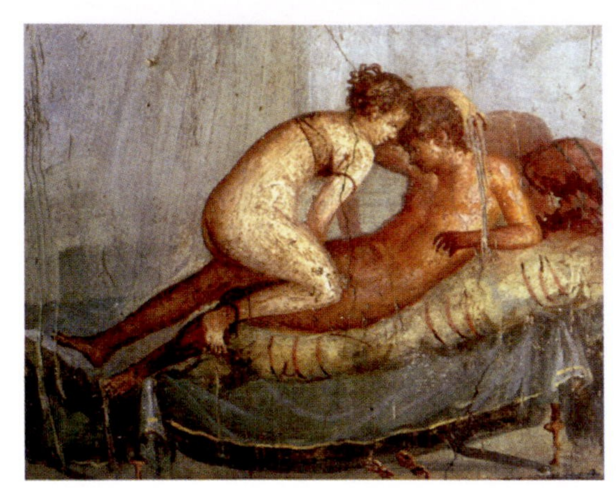

Abb. 72: Ein Liebesakt, 1. Jahrhundert n. Chr., Wandmalerei, Pompeji, Casa del Centenario IX 8,3 (Cubiculum 43)

entgegenhalten. Erstens kann man bei dieser phänomenologischen Feststellung nicht stehen bleiben, denn, wie ich zu zeigen versucht habe, ist es nicht lediglich so, dass der männlich gedachte Betrachter sich an Stelle der unsichtbaren Bildfigur phantasiert, sondern er kann das, indem er sich sogar noch im sexuellen Akt als das Geistige imaginiert. Zweitens ist die Begründung falsch; mitnichten ist es *natürlich* so. Für unser eigenes Selbstverständnis mag es aufschlussreich sein, uns mit alternativen Sichtweisen zu konfrontieren. Ich habe bereits darauf hingewiesen, dass in der mittelalterlichen höfischen Kunst die männlichen Protagonisten in erotische Szenen integriert waren. Nun soll noch ein kurzer Exkurs in die Kunst der Antike die moderne Vorstellung relativieren.

In der römischen Gesellschaft zur Zeit des Augustus wurden Bilder mit sexuellen Szenen offensichtlich ganz anders verstanden. Neuere Forschungen haben einleuchtend belegt, dass die Koitus-Szenen, die uns vor allem von Wandmalereien aus Pompeji und Rom überliefert sind, nicht nur die Wände von Bordellen schmückten, wie lange Zeit angenommen wurde, sondern als Fresken, aber auch in Form kleiner Bilder durchaus auch die Schlafräume vornehmer Römer zierten **(Abb. 72)**.[422] Koitale Szenen finden sich ebenso auf verschiedenen Gebrauchsgegenständen wie Lampen und Spiegel. Dargestellt sind Liebespaare in verschiedenen Stellungen, auf einem Lager sich vergnügend, meist in einem angedeuteten Interieur. Giulio Romano ließ sich bei den Zeichnungen für *I Modi* sicherlich von solchen antiken Vorlagen inspirieren.[423] Der unterschiedliche Kontext aber macht die Differenz deutlich: Die römischen Bilder waren gesellschaftlich akzeptierte Werke, die offen in den Privatgemächern der reichen Römer angebracht waren, und Gegenstände, die im Haus in Gebrauch waren, also folglich von Männern und Frauen gleichermaßen gesehen worden sind. Bei den *Modi* hingegen handelt es sich um Grafiken, die zum privaten, vielleicht heimlichen (und Männern vorbehaltenen?) Gebrauch bestimmt waren. Keinesfalls schmückten sie offiziell das Schlafgemach eines Ehepaares. Die römische Gesellschaft hat diese Bilder nicht als skandalös angesehen, in großem Gegensatz zu den Archäologen des 19. Jahrhunderts, die bei ihren Ausgrabungen in Pompeji diese Werke als Pornografie

Abb. 73: Rembrandt, Ledikant (Das französische Bett), 1646, Radierung, Paris, Bibliothèque nationale de France

definierten. Der Unterschied in der Sichtweise kann nicht in einem prinzipiell gewandelten Verhältnis gegenüber Frauen gelegen sein; die Gesellschaft des alten Rom war ebenso patriarchal wie diejenige des 16. oder des 19. Jahrhunderts (wenn sich auch die Formen gewandelt hatten). Verändert hatte sich allerdings das Verhältnis zur Sexualität. Myerowitz hat überzeugend dargelegt, dass diese Bilder von Liebesakten für die römischen Männer gleichsam ein Spiegel ihrer selbst waren.[424] In diesen Bildern figurierten nicht nur die Frauen, sondern auch die Männer als Objekte des Begehrens. Kunst wurde in Rom in dieser Zeit als Spiegel aufgefasst, gleichsam als eine Verdoppelung des realen Lebens. Zur vielfältigen Repräsentation des männlichen Selbst gehörte auch die Sexualität.

Ein Einwand und drei mögliche Antworten – Rembrandts erotische Grafiken

Meinen Ausführungen, dass Rembrandt – im Einklang mit der holländischen Bildkultur seiner Zeit – Sexualität ausschließlich am weiblichen Körper repräsentierte und das Männliche sogar noch im Geschlechtsakt als geistiges Prinzip formulierte, könnte entgegengehalten werden, dass ich Werke, die diese These widerlegen, einfach unterschlage. Was, so könnte man fragen, ist mit Werken wie *Ledikant (Das französische Bett)* **(Abb. 73)**, *Der Mönch im Kornfeld* **(Abb. 74**, S. 152**)**, mit den beiden Versionen von *Jupiter und Antiope* von 1631 und 1659 **(Abb. 75** und **76)**? Bei den beiden ersteren handelt es sich um Darstellungen des Geschlechtsaktes, in denen jeweils der männliche Partner mit im Bild ist, und *Jupiter und Antiope* sind dezidiert erotische Blätter, auf denen die männlichen Protagonisten als begehrende repräsentiert sind. Auf diesen berechtigten Einwand soll auf drei Ebenen eingegangen werden. Die Erläuterungen mögen dazu beitragen, die Problematik der Geschlechter-Asymmetrie im Feld der Repräsentation des Sexuellen noch klarer fassen zu können.

422 Amy Richlin, (Hg.), Pornography and Representation in Greece and Rome, Oxford University Press 1992, insbesondere der Aufsatz von Molly Myerowitz, The Domestication of Desire. Ovid's *Parva Tabella* and the Theater of Love, S. 131–157.
423 Talvacchia 1980, S. 277.
424 Myerowitz 1992, S. 131–157.

Abb. 75: Rembrandt, Jupiter und Antiope, 1631, Radierung, London, British Museum
Abb. 76: Rembrandt, Jupiter und Antiope, 1659, Radierung, Cambridge, Fitzwilliam Museum

Vorab müssen einige Überlegungen zur Tradition beziehungsweise zu den Besonderheiten von Rembrandts erotischen Blättern angestellt werden. Im 17. Jahrhundert gab es grundsätzlich zwei Traditionsstränge für Erotika: die an der italienischen Renaissance orientierte antikisierende, mythologisch bestimmte, und die deutsch-niederländische Tradition, die meist, aber nicht durchgehend, von einer reformatorischen, moralisierenden und oft antiklerikalen Tendenz geprägt war. Innerhalb der italienischen Richtung sollte sinnvollerweise zwischen Werken, welche die Götterlieben darstellen, und dem arkadischen pastoralen Genre, das sich in der venezianischen Tafelmalerei im frühen 16. Jahrhundert im Giorgione-Kreis herausgebildet hatte, unterschieden werden. Alle drei Richtungen hat Rembrandt bedient. Er besaß nachweislich eine Sammlung von Erotika, die im Inventar von 1656 als *bouleringe* (Buhlszenen) angeführt sind und Werke von Raffael, Rosso, Annibale Carracci und Bonasone enthielten.[425] Der mythologischen italienisierenden Richtung sind Rembrandts Blätter *Jupiter und Antiope* von 1631 und 1659 zuzurechnen **(Abb. 75** und **76)**. In der Forschung wird fast durchwegs lediglich das Blatt von Annibale Carracci von 1592 mit *Jupiter und Antiope* als Vorbild angegeben.[426] Die Haltung des liegenden weiblichen Aktes mit der starken Verkürzung des nach hinten gebeugten Kopfes in der späteren Version hat aber eine so stringente Ähnlichkeit zu Correggios Venus in dessen Bild *Jupiter und Antiope* (*Irdische Liebe*), dass Rembrandt wohl auch einen (grafischen?) Reflex dieses Werkes gekannt haben muss **(Abb. 77)**.[427] Das winzige Blatt mit dem Mönch im Kornfeld von 1646 **(Abb. 74**, S. 152**)** steht in der Tradition der nordischen reformatorischen Grafik, die die sexuellen Verfehlungen des katholischen Klerus aufs Korn nahm; konkret geht es auf einen Stich von Heinrich Aldegrever aus der ersten Hälfte des 16. Jahrhunderts zurück, der mehrfach kopiert und variiert worden ist **(Abb. 78**, S. 152**)**.[428] Das arkadische Genre hat Rembrandt in seiner Radierung *Der Flötenspieler* von 1642 aufgenommen, aber ironisch gebrochen **(Abb. 79**, S. 153**)**; der derbe Schäfer zielt mit Blick und Flöte unter den Rock der kranzwindenden Schäferin.[429] So wird der manifeste sexuelle Gehalt der arkadischen Idylle benannt und damit gleichsam demaskiert.

Abb. 77: Correggio, Jupiter und Antiope, um 1528, Öl/Leinwand, Paris, Louvre
Abb. 73: Rembrandt, Ledikant (Das französische Bett), 1646, Radierung, Paris, Bibl. nat. de France

Das Erstaunlichste unter Rembrandts Erotika ist sicherlich *Ledikant* oder *Das französische Bett*, die Radierung von 1646 mit der Darstellung eines Geschlechtsaktes in einem großen Himmelbett **(Abb. 73)**. Für die Zeitgenossen von Rembrandt muss es ein neues Bild gewesen sein. Es entspricht weder der antikisierenden Richtung noch der deutsch-niederländischen Tradition. Der sexuelle Akt wird nicht mythologisch verklärt, kein Gott in was auch immer für einer Verkleidung, kein idealisierter weiblicher Akt, keine antikisierende oder abstrahierte Umgebung, nein: ein Junge, ein Mädchen, im Bett, in häuslicher Umgebung. Das Blatt steht aber auch nicht in der in den Niederlanden seit dem 16. Jahrhundert so beliebten Tradition der *bordeeltjes,* der Bordellbilder, in denen der zweifelhafte und halböffentliche Charakter des Ambientes durch das Beisammensein mehrerer Figuren und die Begleitumstände von Essen, Trinken und Musik akzentuiert wird.[430] Innerhalb der durch die Reformation und Luthers Plädoyer für die Ehe und die dadurch ausgelöste Gegenreformation intensivierten Diskussion über den Stellenwert und den Ort von Sexualität ist es ein bildhaftes Statement: Der Ort für Sex ist das private Heim. Die ästhetische Inszenierung lässt den Akt aber als durchaus lustvoll erscheinen und nicht mit ehelichen Pflichten assoziieren. Gleichberechtigt kommen Mann und Frau ins Bild, es geht nicht um Verführung und nicht um Vergewaltigung. Ob der Mann zum Haus gehört oder aber als (illegitimer?) Besucher von draußen gedacht werden kann, was zumindest der am Bettpfosten deponierte Federhut und die vage Toröffnung am linken Bildrand nahe legen, muss offen gelassen werden.

425 Strauss, van der Meulen 1979, S. 349–387, Nr. 232.
426 Siehe zuletzt mit weiterer Literatur: AK Wien 2004, S. 164, Nr. 67 und 68.
427 White 1999, S. 207f; Rembrandt. Ein Virtuose der Druckgraphik, Ausstellungskatalog, hrsg. von Holm Bevers, Jasper Kettner, Gudula Metze, Kupferstichkabinett Staatliche Museen Berlin, Berlin, Köln 2006, S. 165.
428 Siehe den ausführlichen Katalogbeitrag in: Rembrandt the Printmaker, Ausstellungskatalog, hrsg. von Erik Hinterding, Ger Luiten, Martin Royalton Kisch, Rijksmuseum Amsterdam, British Museum London, 2000, S. 221f, Nr. 53.
429 Alison McNeil Kettering, The Dutch Arcadia: Pastoral Art and its Audience in the Golden Age, Montclair 1983.
430 Zu den Bordellbildern: Nanette Salomon, Early Netherlandish *Bordeeltjes* and the Construction of Social „Realities", in: Wheelock, Seeff 2000, S. 141–163; Konrad Renger, Lockere Gesellschaft. Zur Ikonografie des Verlorenen Sohnes und von Wirtshausszenen in der niederländischen Malerei, Berlin 1970; Lotte C. van de Pol, Beeld en werkelijkheid van de prostitutie in de zeventiende eeuw, in: Gert Hekma, Herman Roodenburg, Soete minne en helsche bosheit. Seksuele voorstelingen in Nederland 1300–1850, Nijmegen 1988, S. 109–144.

Abb. 74: Rembrandt, Der Mönch im Kornfeld, um 1646, Radierung, Paris, Bibliothèque nationale de France
Abb. 78: Heinrich Aldegrever, Mönch und Nonne, Anfang 16. Jhdt., Kupferstich, Amsterdam, Rijksmuseum

Dies leitet über zu unserer ersten Frage, der Frage nach der Rezeption dieses Blattes. Der Umgang der Disziplin Kunstgeschichte mit Rembrandts Erotika und diesem Blatt im Besonderen ist höchst aufschlussreich. In *Rembrandt's Radierungen* von Sträter und Bode 1886 werden die Erotika als für Rembrandt undenkbar dem Meister abgeschrieben.[431] In Singers *Klassiker der Kunst* zu den Radierungen Rembrandts von 1906 sind allein die Erotika nicht abgebildet. Christopher White war der erste, der in seinem Buch über *Rembrandt as an Etcher* 1969 die erotischen Blätter von Rembrandt diskutierte. Er selbst stellte fest: „To the best of my knowledge, Rembrandt's interest in erotic subject matter has never been fully emphasized or discussed."[432] Aber erst 1983 erfolgte von Werner Busch die erste fundierte Studie zu dem Blatt *Ledikant* und sie ist es bis heute geblieben.[433] Busch geht zwar immer noch davon aus, dass das Blatt eine „thematische Rechtfertigung" brauchte,[434] die er in der Ikonografie des Verlorenen Sohnes sieht. Die Relikte dieser Ikonografie findet Busch in dem Federhut und dem Glas auf dem Tischchen neben dem Bett. In der konkreten Interpretation jedoch betont Busch die Einzigartigkeit des Blattes von Rembrandt und sieht durchaus, dass durch die Ausführung „die didaktische Verwertbarkeit der Szene entfällt" und weiter: „Diese Uneindeutigkeit jedoch fördert, wie die Hervorhebung selbst, die Konzentration auf das Private, das Individuelle, von verweisendem Sinn Unbelastete".[435] Dass die Requisiten *Federhut* und *Glas* für eine Identifikation als *Verlorener Sohn* ausreichen, bezweifle ich. Rembrandt hat Federhüte geliebt und sie in seiner Verkleidungslust auch Männern aufgesetzt, die dezidiert nicht als Verlorener Sohn oder Soldat gemeint waren wie etwa der Harfenspieler in der *Musizierenden Gesellschaft* von 1626. Ob man für Rembrandts Zeit ein legitimierendes Motiv annehmen muss, halte ich für fraglich. Aber vielleicht boten diese Motive ja doch die Möglichkeit einer doppelten Lesart und damit gleichsam die Absolution für einen erotischen Kitzel. Die Kunsthistoriker haben sich generell fast ausschließlich auf die Schriften der calvinistischen Moralisten wie Jacob Cats, Camphuysen oder Pels bezogen, andere Quellen aber

Abb. 79: Rembrandt, Der Flötenspieler, 1642, Radierung, London, British Museum

ignoriert. Allerdings hat Eddy de Jongh in seiner fundierten Studie *A Bird's-Eye view of Erotica. Double entendre in a series of Seventeenth-Century Genre Scenes* auf die direkten sexuellen Anspielungen in Bild und dichterischer Sprache in der holländischen Kultur verwiesen, die durchaus nicht moralisierend gedacht waren und dementsprechend von den Moralisten angegriffen worden sind.[436] Andere Quellen wären hinzuzuziehen wie beispielsweise medizinische Ratgeber, etwa *Schat der gesontheyt* von Johan van Beverwijck, 1643 in Amsterdam erschienen, oder der beliebteste Ratgeber in Sachen Erotik und Sexualität *Venus minsieke gasthuis* von 1683, die niederländische Adaption von Nicolas Venettes bekanntem Handbuch.[437] Das Handbuch gibt Anleitungen zu den vielfältigen Möglichkeiten einer Steigerung des Lustgewinns im Geschlechtsverkehr. Der niederländische Humanist Johan de Brune schrieb, dass die niederländischen Männer und Frauen bereits alle erdenklichen Spielarten kennen würden und deshalb auf Aretinos *Stellungen* verzichten könnten.[438] Selbst der calvinistische Prediger Petrus Wittewrongel hielt lustvolle Sexualität nicht nur für sündenfrei, sondern für wünschenswert, allerdings nur innerhalb der Ehe.[439] Verwiesen sei aber vor allem auf die Literatur der Zeit, auf die Gedichte, das Liedgut, die Romane, insbesondere die Schelmenromane und die Komödien, in denen durchaus auch außerehelicher Sex ohne moralisierende Legitimierung beschrieben und gepriesen

431 N. Sträter, W. Bode, Rembrandt's Radierungen, in: Repertorium für Kunstwissenschaft 9, 1886, S. 259. Siehe dazu: Werner Busch, Rembrandts ‚Ledikant' – der Verlorene Sohn im Bett, in: Oud Holland 97, 1983, S. 257–265, hier S. 257.
432 White 1969, Bd. I, S. 165, Anm. 29.
433 Busch 1983, S. 257–265. Selbst in *Rembrandt the Printmaker* (Amsterdam, London 2000, Nr. 52, S. 218–220), dem Ausstellungskatalog innerhalb der vielen Rembrandt Grafikkataloge der letzten Jahre, der noch am ausführlichsten auf das Blatt eingeht, fehlen weiterführende Gedanken.
434 Ebd. S. 259.
435 Busch 1983, S. 262.
436 Eddy de Jongh, A Bird's-Eye view of Erotica. Double entendre in a Series of Seventeenth-Century Genre Scenes, in: Questions of Meaning. Theme and Motif in Dutch Seventeenth-Century Painting, Leiden 2000, S. 22–58. (Erotika in vogelperspectief: de dubbelzinnigheid van een reeks zeventiende-eeuwse genrevoorstellingen, in: Simiolus 3, 1968–69, S. 22–74).
437 Hekma, Roodenburg 1988, insbesondere Donald Haks, Libertinisme en Nederlands verhalend Prosa 1650–1700, S. 85–107, hier S. 97; Wijnand W. Mijnhardt, Politik und Pornographie in der Republik der Vereinigten Niederlande während des 17. und 18. Jahrhunderts, in: Lynn Hunt (Hg.), Die Erfindung der Pornographie. Obszönität und die Ursprünge der Moderne, Frankfurt a. M. 1994, S. 221–242, hier S. 235.
438 Mijnhardt ebd. S. 235.
439 Zur Wittewrongels *Öconomia christiana* von 1655: Haks 1988, S. 97; Mijnhardt ebd. S. 235.

wird.[440] Im Unterschied zum Land seiner Entstehung war etwa der pornografische Roman *L'Ecole des filles* während der 1660er Jahre in den Niederlanden frei erhältlich und sogar in den Schaufenstern der Buchläden ausgestellt.[441] Erst ab der Mitte des 18. Jahrhunderts wurde diese relative Freizügigkeit in den Niederlanden eingeschränkt, die Werke zensiert und teilweise verboten. Sogar das Werk von Jacob Cats, das innerhalb der Literatur des 17. Jahrhunderts als restriktiv anzusehen ist, wurde von erotischen Anspielungen gereinigt.[442] Hier ist, wie schon angemerkt, noch viel interdisziplinäre Forschung vonnöten, aber es zeichnet sich ab, dass unser Bild über die Anschauungen von Sexualität im Holland des 17. Jahrhunderts immer noch vom Diskurs des 19. Jahrhunderts geprägt ist und korrigiert werden muss.

Halten wir fest, dass eine Rembrandt-Radierung, die einen Liebesakt im häuslichen Milieu, wo beide Partner bekleidet sind, intim und lustvoll darstellt, von der kunsthistorischen Forschung als untragbar empfunden und aus dem Werk des Meisters ausgegrenzt wurde, im Unterschied zu Darstellungen wie der *Danaë,* deren Motiv auch ein Geschlechtsakt ist, bei dem die weibliche Figur sogar nackt erscheint, der männliche Protagonist allerdings nicht ins Bild kommt.

Für die Beurteilung einer geschlechtsspezifischen Differenzierung im Feld von Sexualität und Repräsentation muss die Art und Weise untersucht werden, *wie* die Protagonisten ins Bild gesetzt werden. Bei den beiden Koitusszenen ist zwar jeweils der männliche Partner dargestellt, aber er kommt lediglich in Rückenansicht und zudem bekleidet ins Bild. *Jupiter und Antiope* werden traditionell als Voyeur- und nicht als Beischlafszene dargestellt, im Unterschied etwa zur Ikonografie der Leda, bei der in der michelangelesken Variante der Schwan, in den sich Jupiter zu verwandeln beliebte, *in actu* vorgeführt wird. So bleibt das Prinzip gewahrt, dass lediglich weibliche Nacktheit und das weibliche Geschlecht präsentiert wird, das der Satyr meist entblößt und betrachtet. Zudem ist es eben keine männliche Figur, an der männliches Begehren demonstriert wird, sondern ein Satyr, wobei es gleichgültig ist, ob nun Jupiter in Satyrgestalt oder tatsächlich ein Satyr gemeint ist. (Dann wäre die Schlafende nicht Antiope, sondern Venus oder eine Nymphe, in der Literatur besteht darüber keine Einigkeit.) Die Figur des Satyrn ermöglichte es, wie bereits erwähnt, (männliche) Triebhaftigkeit und sexuelles Begehren zu repräsentieren, die Differenz zum *Mann* bleibt aber aufrecht. Das Bild des Satyrn war in der christlichen Tradition kontaminiert. Das Christentum hatte aus den antiken Figuren von Pan und Satyr den bocksbeinigen Teufel mit Hörnern und Schwanz gemacht. Der Wandel in der Semantik dieser Bilder lässt den Abgrund zwischen antiker und christlicher Kultur sichtbar werden. Für das Christentum bedeutete Triebhaftigkeit und ungezügelte Sexualität das Böse schlechthin, oder umgekehrt formuliert: Die Inkarnation des Bösen wurde in der christlichen Kultur Triebhaftigkeit und Sexualität. Mit Ludwig Jäger könnte man sagen: Durch die Transkription wird auch das *Skript*, das ‚originale' Bild überschrieben und in seiner Bedeutung verändert.[443] Beim Anblick des Satyrn spukt im Bildgedächtnis gleichsam das Bild des Teufels mit.

Der männliche Betrachter muss sich somit nicht gespiegelt fühlen. Er kann die schöne Schlafende begehren und sich gleichzeitig vom triebhaften Begehren des Satyrn distanzieren. Zudem aber sind die beiden Figuren Jupiter/Satyr und Antiope/Venus vollkommen unterschiedlich dargestellt, gegensätzlicher könnten sie nicht sein: Die erotische Inszenierung des nackten weiblichen Körpers ist kaum zu überbieten. Schlafend, passiv und hingegeben ist der weibliche Körper Objekt des Begehrens. Der Satyr hingegen ist aktiv und verfügt, wie auch der Betrachter, über den Blick. Der Körper des Satyrn in der frühen Radierung ist nur mit wenigen Strichen angedeutet, beim späten Blatt verschwindet der Körper im Schatten.

Neben der Frage nach der Rezeption in der kunstgeschichtlichen Forschung und der ästhetischen Inszenierung ist die eigentlich entscheidende die des Mediums. Es ist oft auf den Zusammenhang der Entwicklung der Grafik mit der damit verbundenen Möglichkeit massenhafter Verbreitung erotischer Kunst und der Entstehung von Pornografie hingewiesen worden.[444] Ich möchte einen anderen Aspekt beleuchten. Für die Differenz zwischen Tafelbild und Grafik lässt sich Ähnliches feststellen, wie es Bachorski für die unterschiedlichen Diskurse und Gattungen in der Literatur der Frühen Neuzeit konstatiert hat. Man erwartet bestimmte Dinge in einem bestimmten Medium oder einer bestimmten Gattung (in der Literatur etwa in Schwänken und Komödien), die in anderen schlicht tabu sind.

> Definiert man Gattungen als ‚relativ stabile literarische Sinnschemata bzw. Normenbündel [...], die sich in der Autor- und Leserolle als Muster, beziehungsweise Erwartungen abbilden,' dann unterstellt man ihnen eine Leistung bei der Sinnkonstitution in diskursiven Feldern.[445]

Ich möchte auf die Verquickung aufmerksam machen zwischen Medien (Tafelmalerei und Grafik), unterschiedlichen Repräsentationsformen (im Bereich des Sexuellen) und dem öffentlichen beziehungsweise dem privaten Raum.[446] Der springende Punkt dabei ist, dass es eine Differenz gibt, die jenseits der bereits konstatierten Differenz zwischen Öffentlichkeit und privatem Heim liegt, eine Differenz, die innerhalb des bürgerlichen Hauses selbst angesiedelt ist. Innerhalb des Hauses gab es noch den Unterschied zwischen bürgerlicher Selbstrepräsentation im eigenen Heim und Orten, die ganz privat und intim waren, die buchstäblich in den Bereich des Geheimen verschoben beziehungsweise zu

440 Für das Liedgut: Nevitt 2003; für die Komödien: Leuker 1992; für den Schelmenroman: Haks 1988.
441 Mijnhardt 1994, S. 235.
442 Ebd. Mijnhardt beschreibt die Sonderstellung der Niederlande. Er zeigt, dass die Verbindung von Pornografie, Philosophie und Politik, die der Pornografie vor allem in Frankreich und England ihren subversiven Stachel gegeben hatte, in den Niederlande auf Grund der bürgerlichen Verhältnisse nicht stattfand.
443 Ich beziehe mich dabei auf den Vortrag: Transkriptive Verfahren. Zur medialen Logik der kulturellen Semantik, IFK Wien 15. 12. 2003 und unseren gemeinsamen Workshop, ebenfalls im IFK in Wien am 9. Januar 2004. S. u. S. 248ff.
444 Ginzburg 1988 (1983); Hunt 1994.
445 Bachorski 1991, S. 534 mit Zitat von Jürgen Link, Ursula Link-Heer, Literatursoziologisches Propädeutikum, München 1980, S. 393.
446 Im Medium des Tafelbildes waren offen aufreizende Darstellungen tabu; aufschlussreich in dieser Hinsicht ist die Aussage von Arnold Houbraken (Grosse Schouburgh der niederländischen Maler und Malerinnen, Amsterdam 1718, übersetzt von Alfred von Wurzach, Wien 1880, S. 63), der von einem Maler Johann Torrentius berichtet, der auf Grund seiner schamlosen Bilder 1627 zu Tode gefoltert worden sei. Dazu: De Jongh 1968/69, S. 68.

Orten des Geheimen gemacht wurden. Sogar im Medium des Tafelbildes wurde zwischen öffentlicher und privater Repräsentation innerhalb des Hauses unterschieden; ich verweise auf die beiden Porträts von Willem van Heijthuysen durch Frans Hals. Das repräsentative ganzfigurige Porträt von Heijthuysen hing unten im *grote salet,* das andere hingegen, das ihn ganz salopp mit übergeschlagenen Beinen auf dem Stuhl schaukelnd zeigt, hing oben in seinem privaten Comptoir.[447] Mit dem Medium der Grafik aber war zudem eine neue Form der Rezeption von Kunst möglich geworden: Grafische Blätter mussten nicht gerahmt an der Wand hängen; man konnte sie in der Schublade verwahren, unbemerkt von fremden Blicken und sie nur zu gewissen Zeiten zur Hand nehmen zum ausschließlich privaten Vergnügen. Hier ging es nicht um Repräsentation, nicht um die Veröffentlichung eines Selbstbildes – wobei das Selbst-Bild nicht unbedingt ein Porträt sein musste, man konnte sein Ich-Ideal auch durch andere Objekte und Motive repräsentiert sehen.[448] Bezüglich Rembrandt lässt sich sagen, dass er durchaus Tafelbilder mit erotischen Themen malte, man denke an *Bathseba*, *Susanna* oder *Danaë,* dass es hier aber kein Äquivalent zu seinen erotischen Grafiken gibt. Insbesondere *Ledikant* wäre als Tafelbild undenkbar. Wie ist die Diskrepanz zwischen (repräsentativem) Tafelbild und privater Grafik zu deuten? (Wobei ich nicht meine, dass Grafik prinzipiell privat konsumiert worden ist.) Ich sehe darin eine Diskrepanz zwischen den Anforderungen der bürgerlich-protestantischen Kultur und privaten Erfahrungen, Emotionen, Wünschen und Sehnsüchten. Umgekehrt aber wurde so die Polarität zwischen öffentlicher Selbstrepräsentation und dem Intimen und Privaten produziert.

Der Sublimierungsdruck ging aber nicht lediglich in Richtung Schicklichkeit und Tabuisierung von sexuellen Darstellungen beziehungsweise Privatisierung solcher Darstellungen. Damit verbunden war eine Verschärfung der geschlechtsspezifischen Differenzierung. Diese Differenz verschärft sich im Laufe der bürgerlichen Entwicklung.[449] Erotische Sujets wurden fast ausnahmslos am weiblichen Körper abgehandelt, der Mann findet sich nur noch als Betrachter vor dem Bild. (Man denke an Bilder des französischen Rokoko von Boucher oder Fragonard, an die Bilder des französischen Salons oder der Impressionisten und durchaus noch an die der Avantgarde des 20. Jahrhunderts.)

Zusammenfassend lässt sich somit Folgendes sagen: Rembrandt konnte den männlichen Partner im sexuellen Akt darstellen, aber nur in Rückenansicht, bekleidet und nur im Medium der Grafik. *Ledikant* ist darüber hinaus ein Ausnahme-Blatt. Mit all diesen Einschränkungen war dies in der holländischen Kultur des 17. Jahrhunderts noch möglich, für die Kunsthistoriker des 19. und zum Teil des 20. Jahrhunderts war selbst dies nicht mehr tragbar.

4 Resümee

Kehren wir zu der Frage zurück, die sich bei *Bathseba* gestellt hatte: Wird Bathseba, werden weibliche Figuren von Rembrandt als *Subjekte* dargestellt? Mir ist bewusst, dass hier eine (philosophische) Auseinandersetzung mit dem Begriff *Subjekt* einsetzen müsste, die sich auch mit den historischen Subjekt-Vorstellungen des 17. Jahrhunderts befasst. Auch müssten die Fragen nach den geschlechtsspezifischen Differenzen innerhalb der zeitgenössischen Subjekt-Konzeptionen kunsthistorisch und interdisziplinär viel breiter kontextualisiert werden, als ich das hier mit den exemplarischen ‚Fallstudien' leisten konnte.[450] Zudem sind Fragen nach dem Subjekt, nach Subjektivität, Individualität, Autonomie, Willensfreiheit, *agency* (Handlungsfähigkeit) in dieser Form moderne Fragestellungen und von aktuellen theoretischen Konzepten geprägt.

Die Tatsache, dass Begriffe wie *Subjekt* oder *Individualität* theoretisch nicht ausformuliert und definiert wurden, heißt aber umgekehrt nicht, dass sie nicht wahrgenommen und in Literatur und bildender Kunst auch verhandelt worden sind. Ich denke es ist zulässig, die Frage zu stellen, inwieweit weiblichen Figuren in Rembrandts Werk Individualität, Willensfreiheit und Denken zugestanden wird im Vergleich zu männlichen Protagonisten. Im zeitgenössischen holländischen Drama, insbesondere bei Vondel, wurden eben diese Fragen wie Willensfreiheit, Verantwortung und Autonomie auf der Bühne inszeniert, wobei die menschliche Selbstbestimmung durch höhere Mächte wie Schicksal und die Vorsehung Gottes begrenzt wird.[451] Aber die Frage menschlicher Willensfreiheit und Autonomie wird an männlichen Figuren abgehandelt; Frauen wird dies nicht explizit abgesprochen, sie kommen in den entsprechenden Rollen einfach nicht vor. Frauen in Vondels Stücken sind entweder Märtyrerinnen, Verführerinnen oder Schlachtopfer.[452] Es scheint ganz wenige Ausnahmen zu geben, die allerdings auch als Ausnahmen wahrgenommen worden sind, *Bathseba* in *David* und die Frauen in *Batavische Gebroeders*: Frauen, die aktiv handeln und deren Handeln positiv gewertet wird. Sie handeln an Stelle und im Namen der Männer.[453] Zu nennen wäre auch Hecuba in dem Stück *Polyxena* von Samuel Coster, die die Rache

447 Herman Roodenburg, On „Swelling" the Hips and Crossing the Legs: Distinguishing Public and Private in Paintings and Prints from the Dutch Golden Age, in: Wheelock, Seeff 2000, S. 64–84, hier S. 77ff.

448 Zur Selbstrepräsentation im holländischen Porträt: Berger 2000.

449 Hammer-Tugendhat 2000 (Kunst, Sexualität), S. 69–92. An den Renaissancehöfen war man mit erotischen Themen lockerer umgegangen, männliche Figuren waren da auch eher involviert, man denke an die Fresken von Giulio Romano im Palazzo del Tè, an die Malereien in Fontainebleau oder an die Bilder von Spranger u. a. am Prager Hof.

450 Spannend wäre etwa die Einbeziehung der zeitgenössischen Künstlerinnen wie der Genremalerin und Frans Hals Schülerin Judith Leyster (1609–1660), die sich zumindest in ihrem Selbstporträt selbstbewusst als lächelnd souveräne Autorin präsentiert, oder Geertruyd Roghman mit ihren Stichen von arbeitenden Frauen. Zu Judith Leyster siehe v. a.: Frima Fox Hofrichter, Judith Leyster: A Woman Painter in Holland's Golden Age, Doornspijk 1989; Judith Leyster. A Dutch Master and Her World, Ausstellungskatalog, hrsg. von Pieter Biesboer, James Welu, Frans Hals Museum Haarlem, Worchester Art Museum, New Haven, Conn. 1993.

451 Jan W. H. Konst, ‚Het goet of quaet te kiezen.' De rol van de vrije wil in Vondels Luzifer, Adam in ballingschap en Noah, in: Nederlandse letterkunde 2, 1997, S. 319–337; ders., Fortuna, Fatum en Providentia Dei in de Nederlandse tragedie 1600–1720, Hilversum 2003.

452 Konst 1999, S. 7–21.

453 Ebd. S. 12, 19, 20.

für den Tod ihrer Kinder selbst in die Hand nimmt, dafür allerdings auch umgebracht wird.[454] Es gibt die kleinen Verschiebungen.

Rembrandt schuf im Rahmen des historisch Möglichen ein alternatives Bild von Weiblichkeit. Frauen wird Subjektivität zugestanden – im Bereich der Liebe. Hier wird ihnen auch ein aktiver Blick (*Die Frau im Bett*), Denken und Zweifel (*Bathseba, Lucretia*) eingeräumt. Rembrandt zeigt seine weiblichen Figuren mit unendlicher Empathie – aber sie sind meist passiv, empfangend oder opfern sich. Sie hören zu, sie lesen, verfügen aber nicht selbst über das Wort. Wenn man bedenkt, dass das Wort eine zentrale Rolle spielt in Rembrandts Werk, wiegt dies schwer. Weibliche Helden des Geistes wie Aristoteles mit der Büste des Homer wird man auch in Rembrandts Oeuvre vergeblich suchen. Eine starke Frau wie *Judith* hat Rembrandt zwar konzipiert, dann aber doch übermalt und zwar ausgerechnet durch eine Flora![455] Für Rembrandts Zeitgenossen waren seine Frauenbilder trotz einer gewissen Alterität intelligibel, sie konnten im Denk- und Diskurshorizont rezipiert werden. Jacob Cats war es, der den normativen Denk-Rahmen auf den Punkt gebracht hatte:

> Der Mann soll nicht denken, dass er über seine Frau wie ein Fürst über seine Untertanen gestellt sei oder wie ein Wächter über sein Vieh, sondern wie die Seele über den Körper, die miteinander über ein unzertrennliches Band natürlicher Freundschaft verbunden sind.[456]

Trotz der alternativen Darstellung von Weiblichkeit gibt es in Rembrandts Oeuvre eine markante Asymmetrie zur Repräsentation von Männlichkeit. Verkürzt zusammengefasst wird Weiblichkeit mit Liebe, Erotik, Körper und Passivität verbunden, Männlichkeit hingegen mit Geist, Vernunft und dem (aktiven) Wort. Männlichkeit kann, insbesondere in der Form des Gruppenporträts, in der Öffentlichkeit präsentiert werden und diese vertreten, Weiblichkeit ist im privaten Raum angesiedelt. Auch wenn bei Rembrandt diese Differenzen nicht gewertet werden, sind sie intelligibel innerhalb unserer Kultur, in der diese Asymmetrie durchaus hierarchisiert worden ist und Aktivität, Geist/Vernunft und Kultur allemal über Passivität, Gefühl, Körper und Natur stehen. Verdrängt aus dem hegemonialen Männlichkeitsideal werden Körper und Sexualität. Ich denke, es ist an der Zeit für einen Perspektivwechsel: dieses spezifisch bürgerlich-patriarchale Dispositiv auch als Verlust-Geschichte für männliche Identität sehen zu können.

Die alternativen Ansätze bezüglich einer Integration männlicher Figuren in erotische Kontexte konnte Rembrandt im privaten Bereich der Grafik am ehesten erproben. Es ist symptomatisch, dass Rembrandts erotische Blätter von den Kunsthistorikern des 19. und zum Teil des 20. Jahrhunderts aus seinem Oeuvre gestrichen worden sind. Die Diskrepanz zwischen den Möglichkeiten im privaten gegenüber dem öffentlichen Feld sowie die Verschärfung dieser Diskrepanz innerhalb der Entwicklung der bürgerlicher Gesellschaft belegen, dass die Asymmetrie zwischen den Geschlechterkonstruktionen mit ihren jeweiligen Ein- und Ausgrenzungen nicht lediglich in Rembrandts Persönlichkeit oder Biografie zu suchen sind, sondern in unserer Kultur.

Der Naturalismus der holländischen Malerei und insbesondere Rembrandts hat *Wahrheitseffekte* erzeugt: die Vorstellung, die Bilder von männlichen und weiblichen Personen seien Abbilder von Natur und die Differenz zwischen den Geschlechtern sei eine natürliche. Diese Bilder haben wesentlich zur Bildung einer genderspezifischen Identität beigetragen. Durch die bewusste Auseinandersetzung mit den Ein- und Ausgrenzungen kann die ‚Grenze' vielleicht auch ein Stück weit überschritten werden.

Abschließend noch eine methodische Bemerkung: Die Problematik in den Geschlechterkonstruktionen in Rembrandts Oeuvre fällt nicht auf und kann nicht auffallen, solange man sich lediglich mit dem jeweils dargestellten Sujet befasst. Im Gegenteil: wir sind hingerissen von der einfühlenden und sympathischen Darstellung seiner weiblichen Figuren wie Bathseba, Susanna, Danaë, Lucretia und ebenso von seinen differenzierten Bildern männlicher Figuren. Wenn wir sie mit der Tradition und mit zeitgenössischen Werken vergleichen, fällt ihre Andersartigkeit positiv auf. Die Problematik kommt erst in den Blick, wenn wir uns nicht auf die Analyse des Repräsentierten beschränken, sondern nach dem jeweils Abwesenden fragen. Dies ist eine ungewohnte Fragestellung. Dadurch, dass der/die Andere gar nicht dargestellt ist, wird die (durch diese Leerstelle produzierte) Differenz nicht anschaulich. Differenz wird somit als solche nicht repräsentiert, nicht benannt, nicht kenntlich, deswegen auch nicht bewusst. Diese ‚Strategie' ist nicht auf bildende Kunst und nicht auf Geschlechterfragen beschränkt, sondern lässt sich analog auf alle Konstruktionen von Differenz und Ausgrenzung beziehen, insbesondere soziale und ethnische. Unsere Medienpolitik läuft nach diesem Muster ab: weniger über Diffamierung als über Unsichtbarmachung. *Die Anderen* kommen einfach nicht ins Bild, verfügen nicht über eine eigene Stimme, man sieht und hört sie nicht – sie ‚existieren' nicht.

Deshalb: Plädoyer für eine Kunstgeschichte des Unsichtbaren, die immer auch fragt, was oder wer in welchen Zusammenhängen nicht Gegenstand der Repräsentation ist, wer keine Stimme hat, wer unsichtbar gemacht wird.

454 Sneller 2001, S. 87: „[...] but a woman who does not simply complain and who proves to be capable of fighting back without the protection of a man – this is a very different matter. It makes *Polyxena* an exceptional literary and dramatic masterpiece because it overturns the old certainties."

455 Röntgenbilder haben ergeben, dass die Flora von 1635 in der National Gallery in London ursprünglich als Judith konzipiert war.

456 „De man heeft niet te dencken dat hy over sijn vrouwe gestelt is als een heerschende Prince over sijn onderdanen; ofte gelijck een rauwe schaep-wachter over het vee, maer gelijck de siele over het lichaam, die onderlinge door een onverbrekelijcken bant van natuerlijcke vrientschap verbonden zijn." Hier zitiert nach Loonen 1987, S. 34.

Rembrandt, Das kleine Selbstbildnis
um 1657, Öl/Holz, 49,2/41 cm
Wien, Kunsthistorisches Museum

Teil I: **Farbtafeln 1–8**

Rembrandt Harmensz. van Rijn:

Bathseba, 1654

Eine Frau im Bett, um 1645–49

Susanna, um 1636

Das Bad der Diana mit Aktaion und Kallisto, 1635

Lucretia, 1664

Lucretia, 1666

De Staalmeesters, 1662

Danaë, beg. 1636

Tafel 1: Rembrandt, Bathseba, 1654
Öl/Leinwand, 142/142 cm
Paris, Louvre

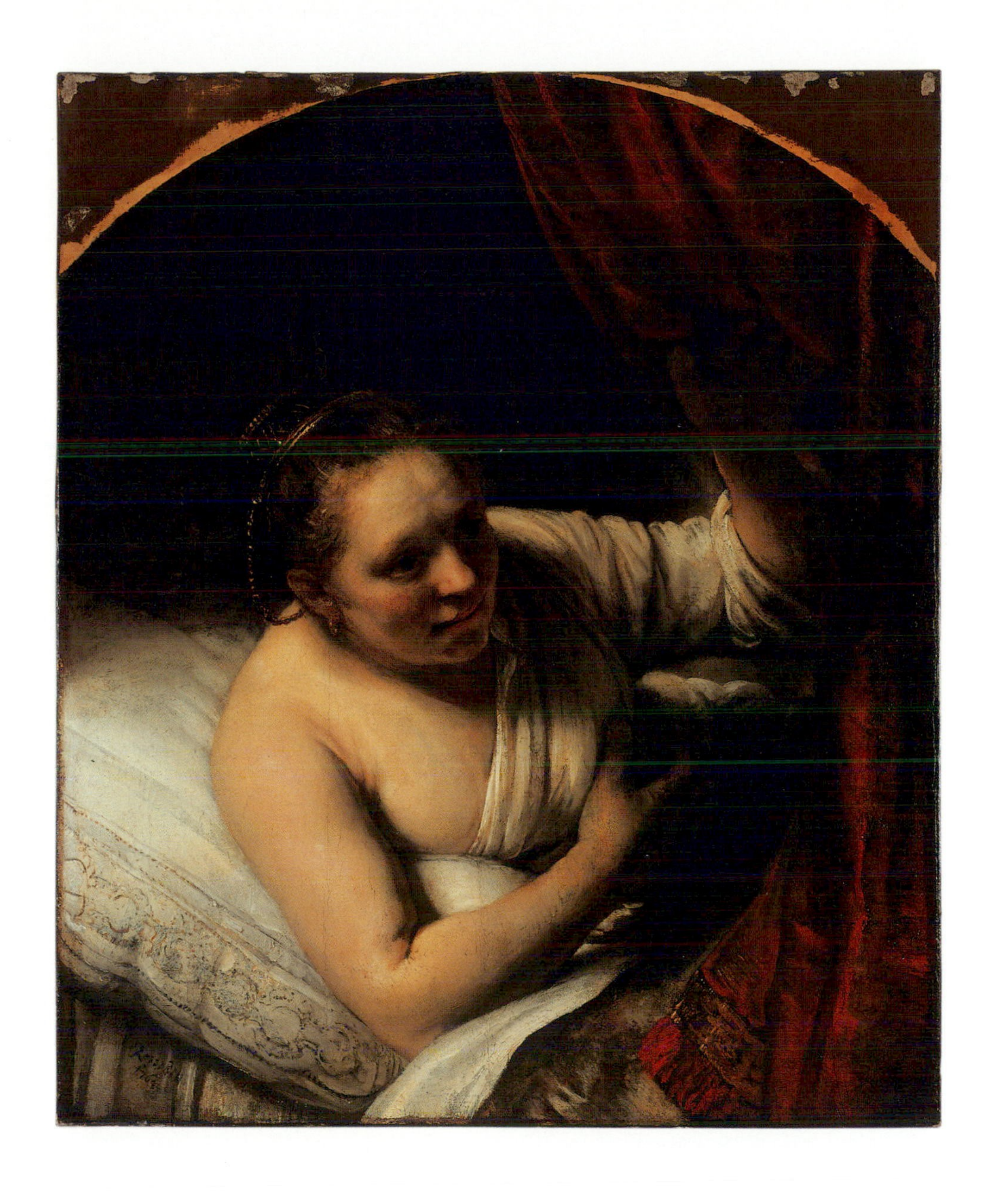

Tafel 2: Rembrandt, Eine Frau im Bett
um 1645–49, Öl/Leinwand, 81,1/67,8 cm
Edinburgh, National Gallery of Scotland

Tafel 3: Rembrandt, Susanna
1636, Öl/Holz, 47,5/39 cm
Den Haag, Mauritshuis

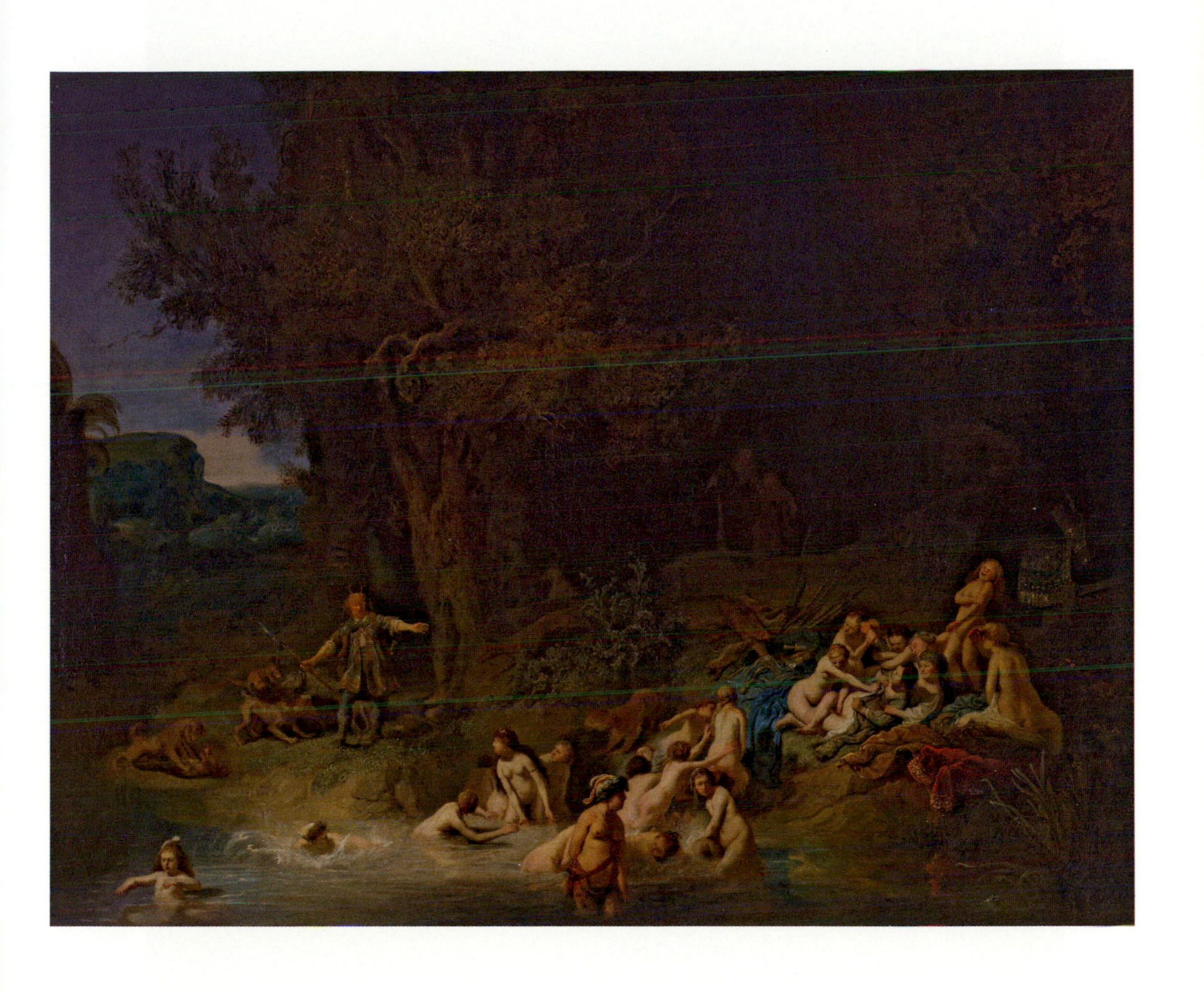

Tafel 4: Rembrandt, Das Bad der Diana mit Aktaion und Kallisto, 1634, Öl/Leinwand, 73,5/93,5 cm
Anholt, Sammlung des Fürsten zu Salm-Salm
Museum Wasserburg

Tafel 5: Rembrandt, Lucretia, 1664
Öl/Leinwand, 116/99 cm
Washington, National Gallery of Art

Tafel 6: Rembrandt, Lucretia, 1666
Öl/Leinwand, 110,17/92,28 cm
Minneapolis, Institute of Arts

Tafel 7: Rembrandt, De Staalmeesters
1662, Öl/Leinwand, 191/279 cm
Amsterdam, Rijksmuseum

Tafel 8: Rembrandt, Danaë, 1636 begonnen um 1643–49 überarbeitet, Öl/Leinwand 185/203 cm, St. Petersburg, Eremitage

Teil II: **Unsichtbares wird sichtbar**

Malerei, nicht *Mimesis*

1 Spieglein, Spieglein an der Wand … *Die Dame vor dem Spiegel* von Frans van Mieris

Ein (gemaltes) Bild ist wie ein Spiegel der Natur: Dieser Satz wird seit dem 17. Jahrhundert bis heute verwendet, um die holländische Malerei und ihr angeblich primär mimetisches Verhältnis zur Natur zu charakterisieren. Der Umgang mit Spiegeln in der holländischen Malerei und deren Funktion für eine Interpretation der Beziehung zwischen Malerei und Wirklichkeit soll exemplarisch anhand eines konkreten Werkes diskutiert werden. Das Beispiel ist einerseits ein ‚extremer Fall' und gleichzeitig bislang kaum in seiner Bedeutung gewürdigt worden. Es handelt sich um eine Tafel von Frans van Mieris d. Ä., die als *Dame vor dem Spiegel* bezeichnet und um 1670 datiert wird **(Taf. 9)**.[457] Ein blauer, zur Seite geraffter Vorhang gibt den Blick frei in ein stark abgedunkeltes Interieur. Eine Frau steht schräg mit dem Rücken zu uns in verlorenem Profil mit in der Hüfte aufgestützter Linker und betrachtet sich in einem großen flachen Wandspiegel. Ihr Blick aus dem Spiegel trifft nicht sie selbst, sondern den Betrachter. Am rechten Bildrand steht ein Armsessel mit rotem Kissen, dahinter (auch im Original) nur schwer zu sehen ein kleiner Tisch mit einer Laute und einem Buch. Die rechte Seitenwand schmückt ein schwerer Teppich, mit Mühe lassen sich in dessen Muster ein Pferd mit Reiter und ein ruhender Hirsch ausmachen. Van Mieris war einer der anerkanntesten Genremaler seiner Zeit und berühmt für seine exquisite Feinmalerei. Die Illusion von Stofflichkeit sowie eine differenzierte Farbskala zeichnen auch dieses Bild aus; vor dem Original lässt sich das Spiel mit den Farbakkorden von Blau, Rot und Grün, die sich in der Kleidung der Dame spiegeln, besser nachvollziehen als in der Reproduktion: Das tiefe Blau des Vorhangs bricht sich im silbrigen Satin des Rocks, das Rot des Kissens in der locker gemalten Bluse und das Grün der Pantoffeln in dem leisen gelblich-grünen Farbschimmer der Federn des Kopfputzes. Das Bild steht in einer Tradition von Interieurbildern mit Frauen, die sich in den Spiegel schauen, wie etwa das bekannte Gemälde seines Lehrers Gerrit Dou von 1667 **(Abb. 80)**. Die weibliche Rückenfigur in Satin ist eine freie Paraphrase nach einer Erfindung Ter Borchs, die

457 Die Tafel ist aus Eichenholz, 43/31,5 cm groß und befindet sich in der Alten Pinakothek in München. Ich danke Herrn Dr. Dekiert für die Möglichkeit, die Dokumentation einsehen zu können. Das Bild wurde offensichtlich nie restauratorisch untersucht. Es ist insgesamt gut erhalten, allerdings ist die Malschicht etwas abgerieben und der Firnis nachgedunkelt; das Bild war ursprünglich rundbogig abgeschlossen und wurde erst nachträglich zum Rechteck ergänzt. Otto Naumann, Frans van Mieris (1635–1681) the Elder, Doornspijk 1981, Bd. I, S. 78, 82; Bd. 2, Nr. 76; Von Frans Hals bis Vermeer. Meisterwerke Holländischer Genremalerei, Ausstellungskatalog, hrsg. von Peter C. Sutton, Gemäldegalerie Berlin, Royal Academy of Arts, London, Philadelphia Museum of Art, Berlin 1984, Nr. 76; Mirror of Everyday Life. Genreprints in the Netherlands 1550–1700, Ausstellungskatalog, hrsg. von Eddy de Jongh, Ger Luijten, Rijksmuseum Amsterdam 1997, S. 342; Stoichita 1998 S. 216f; Wayne Franits, Dutch Seventeenth-Century Genre Painting, Yale University Press, New Haven, London 2004, S. 127f; Frans van Mieris. 1635–1681, Ausstellungskatalog, hrsg. von Quentin Buvelot, Mauritshuis Den Haag, National Gallery of Washington 2005/06, S. 34, 134, 157; Alte Pinakothek. Holländische und deutsche Malerei des 17. Jahrhunderts, Sammlungskatalog, Text von Marcus Dekiert, hrsg. von den Bayerischen Staatsgemäldesammlungen, München 2006, S. 126, Abb. S. 127.

Taf. 9 + Detail: Frans van Mieris, Frau vor dem Spiegel, um 1670, Öl/Holz, München Alte Pinakothek

uns noch ausführlich beschäftigen wird (**Abb. 137,** S. 287). Van Mieris selbst hatte das Motiv der Frau mit Spiegel bereits einige Jahre zuvor verwendet, allerdings ist die weibliche Figur im Profil wiedergegeben und ihr Bild im seitlich angebrachten Spiegel nicht dargestellt.[458]

Betrachten wir die Dame und ihr Spiegelbild etwas genauer. Ihre lässige Haltung mit dem seitlich in die Hüfte gestemmten Arm, dessen Ellbogen geradewegs aus dem Bild auf den Betrachter weist, ist außergewöhnlich. Dieser selbstbewusste Gestus stand in Holland im 17. Jahrhundert ausschließlich Männern zu. Herman Roodenburg hat in seinem Buch *The Eloquence of the Body* auf die grundlegende Bedeutung von *welstand* für die bürgerliche Elite verwiesen, auf die Einübung körperlicher Praxen, die einen (scheinbar) vollkommen ‚natürlichen' hochkultivierten Körper ausbilden sollten, um sich damit von den niederen Schichten abzusetzen.[459] Benimmbücher (insbesondere Castiglione), Kunsttheorien (Hoogstraten, Lairesse), Theater und bildende Kunst schufen die Ideal-Bilder für das *self-fashioning* des gehobenen Bürgertums. Körperhaltungen und Gesten waren dabei geschlechtsspezifisch differenziert. So findet man auf vielen holländischen Porträts Männer mit in die Hüfte gestützter Hand, Signum von Selbstbewusstsein, aber keine weiblichen Pendants. Van Mieris hat mehrere Bildnisse geschaffen von Männern mit in die Hüfte gestemmtem Arm, aber kein einziges weibliches.[460] Wenn diese Geste hier eingesetzt ist, verweist sie somit unmissverständlich auf eine Anmaßung, eine Appropriation männlicher Selbstbestimmtheit. Das Samtbarett mit Federn stammt aus dem Rembrandtkreis. Die Federn stehen nicht zwangsläufig für die weibliche Personifikation der Unkeuschheit und Wollust, wie dies im Münchner Katalog behauptet wird, es gibt von van Mieris einige Werke mit weiblichen Figuren mit Federbaretts, die wohl nicht so

Abb. 80 + Detail: Gerrit Dou, Junge Frau bei der Toilette, 1667, Öl/Holz, Rotterdam, Museum Boijmans van Beuningen

einschlägig konnotiert sind, wie beispielsweise sein Gemälde mit einer Brief-schreibenden Frau im Melancholiegestus, das zeitgleich entstanden ist.[461] Federn wurden allerdings häufig in Vanitas-Bildern eingesetzt.Das Federbarett erhöht allemal den Eindruck von Maskerade, bei Porträts wurde dieser Kopfputz nicht verwendet.

Die Pointe des Bildes ist nun aber die Diskrepanz zwischen der weiblichen Figur und ihrem Spiegelbild. Auf ‚wunderbare', nahezu paradoxe Weise hat sich ihre Pose verändert: Im Spiegelbild stützt sie nicht den Arm in die Hüfte, sondern hat beide Arme vor den Leib gelegt **(Taf. 9, Detail)**. Es ist bemerkenswert, dass diese Differenz zwischen der Figur und ihrem Spiegelbild in der Forschungsliteratur praktisch nicht zur Kenntnis genommen wird, wie überhaupt das Bild nie eingehend diskutiert worden ist. Dieses Differenz-Phänomen, das ja dem Bild überhaupt seine Faszination und Spannung verleiht, wird weder im Sammlungskatalog von 2006 noch im aktuellen Ausstellungskatalog von 2005/06 noch bei Franits 2004 erwähnt.[462] Die Interpretationen sind dementsprechend banal: Die Frau wird zur Hure, die das männliche Begehren nach Schönheit wecken soll[463], sie „[...] steht in einer langen Tradition der Lasterdarstellungen und darf als Mahnung vor sündhaftem Lebenswandel gelten." [464] In der einzig existierenden Monografie über den Künstler bemerkt Naumann zwar diese Diskrepanz, versucht nun aber sie zu verleugnen, indem er sie als faktisch möglich uminterpretiert:

458 Berlin, Staatliche Museen zu Berlin, Gemäldegalerie. AK Den Haag, Washington 2005/06, Kat. Nr. 31, S. 157–159, Abb. S. 158.
459 Herman Roodenburg, The Eloquence of the Body. Perspectives on Gesture in the Dutch Republic, Zwolle 2004.
460 Siehe: *Porträt eines Mannes,* 1659, Turin, Gal. Sabauda, Naumann 1981, Abb. 26; *Rauchender Soldat*, um 1655–57, Naumann 1981, Abb. 13; *Mann in orientalischem Kostüm*, 1665, Den Haag, Naumann 1981, Abb. 61; *Soldat*, 1667, früher Dresden, heute zerstört, Naumann 1981, Abb. 68.
461 Zürich, Privatsammlung, Naumann 1981, Nr. 82.
462 Einzig Stoichita (1998, S. 216f) apostrophiert in ein paar Sätzen die ‚falsche' Spiegelung im Zusammenhang mit seiner Diskussion über die semiotische Dimension von Spiegeln als Zeichen und Instrument der Metamalerei.
463 Franits 2004, S. 127 f.
464 Dekiert im SK Münster 2006, S. 126.

Abb. 81 + Detail: Jan Vermeer, Die Musikstunde, um 1662–1664, Öl/Leinwand, London, The Royal Collection Her Majesty Queen Elizabeth II

> It has been remarked privately to this writer that the ‚portrait' in the mirror cannot truthfully represent the pose of the standing woman. While it is possible that van Mieris intentionally arranged the mirror image in a Mona Lisa-like composition, he did not violate the laws of reflection in doing so. By coincidence another Dutch artist, Emmy Andriesse, photographed a similar subject in the late 1940's (fig. C 76, Amsterdam 1975). The photograph shows that a reflected image can appear quite different from its source, depending on the observer's angle of view.[465]

(Ist es notwendig klarzustellen, dass das Werk von van Mieris keine Fotografie, sondern ein Bild ist, und es undenkbar ist, dass der Gestus des aufgestützten Armes so gespiegelt werden könnte, von welchem Standpunkt auch immer?) Meines Erachtens ist diese groteske Verkennung symptomatisch für eine immer noch verbreitete Auffassung holländischer Malerei in der Kunstgeschichte: Holländische Genremalerei (in der Art von van Mieris) sei abbildend, beschreibend, wirklichkeitsillusionierend, eben ‚wie ein Spiegel' – auch wenn viele KunsthistorikerInnen, längst nicht alle, in Folge der einschlägigen ikonologischen Studien Eddy de Jonghs mittlerweile zugestehen, dass *Motive* emblematisch und symbolisch aufgeladen sein können.[466] Vielleicht muss an dieser Stelle ausdrücklich festgehalten werden, dass es sich in der Tat um ein Spiegelbild und nicht um ein gemaltes Porträt der Dame handelt. Van Mieris hat alles daran gesetzt, dies zu verdeutlichen: durch die Spiegelung des (wohl eigens zu diesem Zweck) angebrachten Bändchens und die bläulichen Reflexe am linken Spiegelrand, die die Farbe des Vorhangs wiedergeben.

In etlichen Bildern mit Frauen und Spiegeln gibt das Spiegelbild die Dargestellte nicht exakt so wieder, wie es dem jeweiligen Winkel entsprechen würde. Oft wendet das Spiegelbild sich direkt an den Betrachter, wie auch in dem Gemälde von Dou **(Abb. 80**, S. 177). Aber höchst selten reflektiert der Spiegel eine explizit andere Körperhaltung. Eines dieser seltenen Beispiele ist Vermeers *Musikstunde* um 1662–64 **(Abb. 81)**. Im Spiegel über dem Spinett hat sich nicht nur der Maler durch die Spiegelung des Fußes seiner (im Bild nicht sichtbaren) Staffelei eingeschrieben, er hat auch die Wendung des Kopfes der Frau alteriert. Wir sehen die Frau von hinten, der Kopf scheint in der Achse ihres Körpers zu sein, diese Achse wird durch die schwarze Borte auf dem gelben Kleid sogar noch unterstrichen. Im Spiegelbild hingegen wendet sich die Frau dem Mann am Spinett zu. Der (gemalte) Spiegel bildet somit nicht einfach die sichtbare Wirklichkeit ab; er offenbart das Unsichtbare, die innere Zuwendung der Frau zu dem Mann am Spinett. Der Spiegel ist gleichsam auch Spiegel ihrer Seele.

Spiegel-Semantik

Ein (sehr verkürzter) Rückblick auf die symbolische Bedeutung des Spiegels vom Mittelalter bis in die Frühe Neuzeit zur Erinnerung und zugleich als Ausgangspunkt für eine Interpretation:[467] Der Spiegel ist Zeichen für unterschiedliche, ja gegensätzliche Bedeutungen. Er steht für das reine Abbild im Sinne der Wahrheit ebenso wie für trügerischen Schein, für Weisheit und Klugheit wie für Eitelkeit und *Vanitas*, für Selbsterkenntnis ebenso wie für Selbstverkennung. Spiegel wurden in der Wissenschaft eingesetzt, insbesondere in der Optik, gleichzeitig fanden sie Verwendung in magischen Praktiken. Im Spiegel vermischten sich Zauberei und Dämonisches mit dem Göttlichen.[468] Diese prekäre Doppeldeutigkeit des Spiegels wurde immer wieder apostrophiert, so schreibt Raphael Mirami 1582:

> Für einige, sage ich, waren Spiegel eine Hieroglyphe der Wahrheit, weil sie alles enthüllen können, was sich ihnen zeigt, so wie es der Wahrheit Brauch ist, die nicht verborgen bleiben kann. Andere dagegen halten Spiegel für Symbole der Falschheit, weil sie die Dinge oft anders zeigen als sie sind.[469]

465 Naumann 1981, Bd. II, S. 92.
466 Zum methodischen Streit der KunsthistorikerInnen s. u.
467 Gustav F. Hartlaub, Zauber des Spiegels. Geschichte und Bedeutung des Spiegels in der Kunst, München 1951; Heinrich Schwarz, The Mirror in Art, in: The Art Quaterly 15, 1952, S. 97–118; W. M. Zucker, Reflections on Reflections, in: The Journal of Aesthetics and Art Criticism, 1961–62, S. 239–250; J. Bialostocki, Man and Mirror in Painting. Reality and Transcience, in: Studies in Honour of Millard Meiss, New York 1977, S. 61–72; Jurgis Baltrusaitis, Der Spiegel. Entdeckungen, Täuschungen, Phantasien, Gießen 1996 (1986); Theresa Georgen, Das magische Dreieck. Über Blickkontakte in Spiegelbild-Darstellungen neuzeitlicher Malerei, in: Weiblichkeit in der Moderne. Ansätze feministischer Vernunftkritik, hrsg. von Judith Conrad, Ursula Konnertz, Tübingen 1986, S. 244–269 (wiederabgedruckt in Farideh Akashe-Böhme s. u. S. 67–90); Nico J. Brederoo u. a., Oog in oog met de spiegel, Amsterdam 1988, insbesondere der Aufsatz von Eric J. Sluijter, „Een volmaekte schildery is als een Spiegel van de natuer“: spiegel en spiegelbeeld in de Nederlandse schilderkunst van de zeventiende eeuw, S. 146–163; Rolf Haubl, „Unter lauter Spiegelbildern …“ Zur Kulturgeschichte des Spiegels, 2 Bde, Frankfurt a. M. 1991; Farideh Akashe-Böhme (Hg.), Reflexionen vor dem Spiegel (Gender Studies. Vom Unterschied der Geschlechter), Frankfurt a. M. 1992; Friederike Seidl, Zur Bedeutung des „Spiegels“ in der niederländischen Malerei und Graphik (15. bis Anfang 17. Jahrhundert), Diplomarbeit, Wien 1997; Mark Pendergast, Mirror, Mirror. A History of the Human Love Affair with Reflection, New York 2004; Koen Vermeir, Mirror, Mirror on the Wall. Aesthetics and Metaphysics of 17th Century Scientific Artistic Spectacles, in: kritische berichte „Spiegel und Spiegelungen“, 2004/2, S. 27–38. Zu weiteren theoretischen Überlegungen siehe u. a. auch: Jacques Lacan, Das Spiegelstadium als Bildner der Ichfunktion, (Seminar I, 1953–54), in: Schriften I, Weinheim, Berlin 1986, S. 61–70; Umberto Eco, Über Spiegel und andere Phänomene, München 1990; Michel Foucault, Die Heterotopien. Der utopische Körper, Frankfurt a. M. 2005, insbesondere S. 34–36.
468 Dazu siehe insbesondere Baltrusaitis 1986, Vermeir 2004.
469 Zitiert nach Baltrusaitis 1986, S. 1.

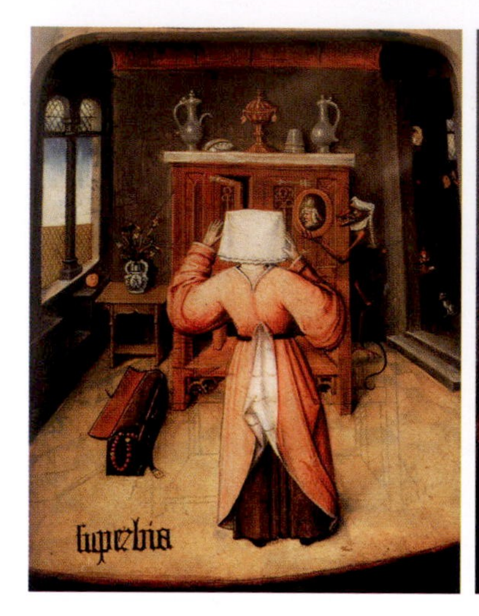

Abb. 82: Hieronymus Bosch, Superbia (Detail aus dem Tisch mit den sieben Todsünden), um 1485, Öl/Holz, Madrid, Prado

Abb. 83: Paulus Moreelse, Junge Frau mit Spiegel, 1627, Öl/Leinwand, Cambridge, Fitzwilliam Museum

Nichts zeigt deutlicher die Bedeutung des Spiegels als Allegorie der reinen, unverfälschten Wahrheit als die Verwendung des Begriffs *speculum* (Spiegel) für viele mittelalterliche Bücher: *speculum maius* von Vincent von Beauvais (gest. 1264), die größte und bedeutendste Enzyklopädie des Mittelalters, unterteilt in vier Spiegel (der Geschichte, der Natur, der Weisheit und der Moral), *speculum sapientiae, speculum virginum, speculum humanae salvationis* (einer der bedeutendsten typologischen Bibelauslegungen des Spätmittelalters überhaupt) und viele andere. Der Begriff *speculum* soll die Vollkommenheit der Abbildlichkeit belegen. Das Buch ist gleichsam *geschriebenes Abbild* der göttlichen Wahrheit ohne menschliches Zutun. Ganz in diesem Sinne zeichnet der Begriff *speculum sine macula* Maria als reines Abbild des Göttlichen aus. Die Spiegelmetapher wird im Mittelalter aber nicht nur im geistlichen, sondern durchaus auch im weltlichen und höfischen Schrifttum verwendet. Das Buch hält uns gleichsam den geistigen Spiegel vor, das Idealbild des tugendhaften (heiligen, höfischen) Menschen. In der Spiegelung mit dem (imaginären) Anderen sollen wir uns selbst erkennen und dem Vorbild nacheifern.[470] Durchaus noch in dieser Tradition beginnen die Titel vieler holländischer Bücher des 17. Jahrhunderts mit moralisierend-didaktischem Inhalt mit *Spiegel* [...]. *Prudentia* (Klugheit) wird ein Spiegel als Attribut beigegeben. Reflectere – das Wort *Reflexion* wird für den Spiegeleffekt ebenso verwendet wie für Nachdenken. Reflexion, Selbsterkenntnis galten bereits in der Antike als Grundlage von Weisheit.[471] Die Begriffe *Spekulation, spekulieren,* bereits im Mittelalter in der Bedeutung von über Gott und die Welt nachdenken, leiten sich vom Wort *speculum* ab.[472] Das ist aufschlussreich, verweist es doch auf die Funktion der Spiegelmetapher als Quelle der Imagination.

Bereits der Mythos von Narziss weist auf die (tödlichen) Täuschungseffekte des Spiegelbildes hin. In Pieter Bruegels Stich *Elck* (*Jedermann*) betrachtet *Nemo* sich selbst in seinem konvexen Handspiegel. Die pessimistische Bildunterschrift „niemat en kent he selv" („Niemand kennt sich selbst") unterstreicht die Unmöglichkeit der Selbsterkenntnis; der Spiegel wird zur Metapher der Selbstverkennung. In mittelalterlichen Lasterdarstellungen wird *Superbia* (Hochmut) ein Spiegel in die Hand gedrückt. Wie bereits Augustinus hatte insbesondere Gregor der Große *Superbia* als schlimmste der sieben Todsünden definiert. Da für das Christentum *Humilitas* (Demut) vor Gott, dann aber auch vor Kirche und Obrigkeit, die größte aller Tugenden ist, müssen Individuierung, Selbstbehauptung und Selbstbezogenheit, die mit dem Begriff *Superbia* gemeint sind, schwerste Sünde sein.[473] Der Spiegel in der Hand von *Superbia* ist somit nicht lediglich als Attribut weiblicher Putzsucht zu verstehen, sondern primär als Symbol der Eigenbezogenheit, der Orientierung auf sich anstatt allein auf Gott. Bei Hieronymus Bosch **(Abb. 82)**, Memling, Bruegel und anderen werden die Frauen mit Spiegeln zu Bildern des Hochmuts und der Eitelkeit. Die Flüchtigkeit des Spiegelbildes legte zudem die Assoziation an *Vanitas,* Vergänglichkeit, nahe. *Vanitas* ist die Personifikation der Neigung des Menschen, sein Herz an nichtige weltliche Dinge zu heften, anstatt sich auf das ewige Seelenheil vorzubereiten. Vanitas-Bilder sollen den Menschen an seine eigene Sterblichkeit erinnern. In der Figur der *Frau Welt* verschmelzen die Vorstellungen von *Superbia, Vanitas, Venus* und *Luxuria.* Neben Weltkugel, Weltkarten und Schmuck sind Spiegel ihre häufigsten Attribute in der holländischen Grafik und Malerei.[474] Diese irdische Welt sündhafter Verlockung wird weiblich imaginiert.

In der Frühen Neuzeit entsteht ein enges, dennoch prekäres Verhältnis von Malerei und Spiegel(bild). Ist die Malerei mit ihrem Versuch der Naturnachahmung ein Spiegel der Natur? Für Leonardo ist der Spiegel der Lehrmeister der Künstler, für Alberti ist Narziss, der sich in sein Spiegelbild verliebt, der eigentliche Erfinder der Malerei.[475] In der zweiten Hälfte des 16. Jahrhunderts werden im Umkreis von Frans Floris und Cornelis Cort und später Hendrick Goltzius Darstellungen der fünf Sinne beliebt. *Visus*, der Gesichtssinn, wird als Frau mit Handspiegel dargestellt.[476] Bereits um 1600 fusionieren die Bedeutungen von Venus, *Visus* und *Vanitas* in Repräsentationen einer weiblichen Figur mit Spiegel. Diese Verschmelzung wird weitergeführt etwa bei Paulus Moreelse und Jan van Bijlert, wobei sich ‚Venus' immer mehr einer zeitgenössischen Verführerin annähert **(Abb. 83)**.

Die vielfältigen und widersprüchlichen Semantiken des Spiegels waren in Holland im 17. Jahrhundert im kulturellen Gedächtnis präsent.[477] Der Spiegel und vor allem der Spiegel in Händen einer Frau war in der holländischen Dichtung eine beliebte Metapher, und zwar durchaus in unterschiedlichen Bedeutungen als Emblem der Schönheit und Erotik wie als Zeichen der Eitelkeit, des Scheinhaften und der

470 Zur Bedeutung der Spiegelmetapher im Mittelalter siehe das Kapitel *Spiegel und Spiegelungen* in: Horst Wenzel, Spiegelungen. Zur Kultur der Visualität im Mittelalter, Berlin 2009.
471 Laertius, Sokrates und Seneca rieten ihren Schülern, sich im Spiegel zu betrachten. Baltrusaitis 1996, S. 9.
472 Wenzel 2009.
473 Siehe dazu insbes. Haubl 1991, Bd. II, S. 523–651.
474 Eddy de Jongh, The Changing Face of Lady World, in: Ders. Questions of Meaning. Theme and Motif in Dutch Seventeenth-Century Painting, Leiden 2000, S. 60–82.
475 Schwarz 1952, S. 110.
476 Sluijter 2000, S. 86–159.
477 Sluijter 1988. Auf die Bedeutung der Spiegelungen und Reflexionen im holländischen Stillleben und die Funktion des Spiegels für das KünstlerInnen-Selbstporträt gehe ich hier nicht ein, siehe dazu ebd.

Vergänglichkeit.[478] Die ‚Theoretiker' wie Van Mander, Philips Angel[479] oder Hoogstraten apostrophieren die Nähe von Malerei und Spiegelbild in mehrfacher Hinsicht. Van Mander benennt die ‚positiven' und ‚negativen' Konnotationen der Spiegelmetapher. Einerseits verwendet er die Spiegelmetapher als höchstes Lob für die Kunst Jan van Eycks:

> T'sijn spieghels, spieghels zijnt, neen t'zijn geen Tafereelen.
> (Es sind Spiegel, Spiegel sind es und keine Bilder.)[480]

Andererseits weiß er um die Ambivalenz des Spiegels zwischen Erkenntnis und Täuschung:

> Den Spieghel houden wy veel voor de kennis onses self: doch wort hy van outs ghehouden voor valsheyt, vertoonende slechts den schijn van t'waer wesen, maar de waerheyt selfs niet.(Den Spiegel halten wir häufig für die Kenntnis unserer selbst: doch wird er von alters her für Falschheit gehalten, der nur den Schein des wahren Wesens wiedergibt, aber nicht die Wahrheit selbst.)[481]

Auch warnt er vor den Verfälschungen des Spiegels, da das Spiegelbild das Objekt immer seitenverkehrt abbilde:

> [...] doch wort hy [de spieghel] van outs gehouden voor valsheyt, vertoonende slechts den schijn van t'waer wesen, maer de waerheyt selfs niet: want al wat rechts is, toont hy op slincks, en wat slincks is, rechts.[482]

Die Parallelisierung von Bild und Spiegel meint nicht unbedingt, dass Malerei reines Abbild von Natur sei, denn in der Aufrufung des Spiegelbildes sind die vielschichtigen Bedeutungen des Spiegels oft impliziert. Für die Malerei wie für das Spiegelbild gilt die Faszination der Illusionierung einer scheinbaren Wirklichkeit: *schijn sonder sijn*, Schein ohne Sein. J. de Brune d. J. beschreibt diese Liebe zur Macht der Kunst-Illusion in seinem 1665 erschienen Werk:

> [...] want aan dingen, die niet en zijn, zich zo te vergapen, also ofze waren, en daar zoo van geleit te worden dat wy ons zelve, sonder schade, diets maken datze zijn; hoe kan dat tot de verlusting onzer gemoederen niet dienstigh wezen? Zeker, het vervroolikt yemand buite maat, wanneer hy door een valsche gelikenis der dingen wort bedrogen. (Dinge, die nicht existieren, so zu bestaunen, als ob sie existierten, und wir dazu geleitet (verführt) werden, uns selbst weiszumachen, dass sie existieren – ohne

> Schaden für uns – , wie soll das nicht zur Erheiterung unseres Gemüts dienstlich sein? Sicher erfreut es einen über die Maßen durch falsche Ähnlichkeit der Dinge betrogen zu werden.[483]

So ist auch Hoogstratens berühmtes Diktum zu verstehen:

> Want een volmaekte Schildery is als een spiegel van de Natuer, die de dingen, die niet en zijn, doet schijnen te zijn, en op een geoorlofde, vermakelijke en prijslijke wijze bedriegt. (Denn ein vollkommenes Bild ist wie ein Spiegel der Natur, das Dinge, die nicht sind, erscheinen lässt, und auf erlaubte, vergnügliche und lobenswerte Weise betrügt.)[484]

Die Verknüpfung von Spiegelbild und Malerei hatte in Holland im 17. Jahrhundert auf Grund der eminenten Bedeutung des *Sehens* und aller visuellen Phänomene einen besonderen Stellenwert.[485] Svetlana Alpers hat dies für die gesamte holländische Kultur dieser Zeit (die Entwicklung der Optik, die Erfindung von Fernglas und Mikroskop, die Kartographie etc.) ausführlich dargelegt.[486] Aber Gesichtssinn und visuelle Wahrnehmung waren für manche nicht nur Quelle der Erkenntnis, sondern auch Gefahr, Täuschung, das Tor zu Verführung und Begierde oder Ablenkung von religiöser Andacht.

Ambiguität

In den holländischen Genrebildern von Frauen und Spiegeln schwingen diese Bedeutungen mit. In etlichen Versionen, insbesondere in der ersten Jahrhunderthälfte, finden sich dezidierte Hinweise auf Vergänglichkeit wie Totenschädel, Affe oder andere Vanitassymbole.[487] In den Werken nach der Jahrhundertmitte bei Dou, Ter Borch, Vermeer und anderen haben sich die allegorischen Verweise verflüchtigt.

Auch im Bild von van Mieris finden sich keine explizit moralisierenden Zeichen. Die Schuhe, die Laute, das Hündchen und das Jagdmotiv im Teppich lassen eine erotische Note anklingen.[488] Der Federschmuck des Baretts kann als leise Allusion auf *Vanitas* gelesen werden. Durch das Fehlen eindeutiger allegorischer Zeichen werden alle Bedeutungen des Spiegelbildes in ihrer Widersprüchlichkeit ohne Fixierung in eine bestimmte Richtung aufgerufen. Dass

478 De Jongh 1976, S. 192.
479 Philips Angel, der untheoretischste und unoriginellste von den dreien präferiert in der Tat eine Malerei, die wie ein Spiegel, gleichsam ohne Zutun des Künstlersubjekts, die Natur zeigt. Konsequenterweise favorisiert er die Leidener Feinmaler, allen voran Gerrit Dou, den Lehrer von van Mieris. Eric Jan Sluijter, In Praise of the Art of Painting: On Paintings by Gerrit Dou and a Treatise by Philips Angel of 1642, in: Ders. 2000, S. 199–263.
480 Karel van Mander, Het schilder-boeck, Haarlem 1604, S. 2011, hier zitiert nach Sluijter 2000, S. 338, Anm. 169.
481 Zit. nach Sluijter 1988, S. 150.
482 Karel van Mander, Wtlegghingh op den Metamorphosis Pub. Ovidii Nasonis, in: Ders., Het schilder-boeck, Haarlem 1604, S. 133v, hier zitiert nach Sluijter 2000, S. 310, Anm. 75.
483 J. de Brune d. J., Alle volgeestige werken, Harlingen 1665, S. 317. Siehe dazu Sluijter 2000, insbes. S. 13; De Jongh 2005, S. 47.
484 Samuel van Hoogstraten, Inleyding tot de hooge schoole der schilderkonst, anders de zichtbaere werelt, Rotterdam 1678, Nachdruck 1969, S. 25.
485 Man denke an die Bedeutung und erkenntnistheoretische Dimension des Trompe l'oeil in der holländischen Malerei.
486 Svetlana Alpers, Kunst als Beschreibung. Holländische Malerei des 17. Jahrhunderts, Köln 1985 (The Art of Describing. Dutch Art in the Seventeenth Century, University of Chicago Press 1983).
487 Beispielsweise ein Stich von Jacob de Gheyn II um 1600, Jan Miense Molenaer 1633, Abb. siehe Sluijter 1988, S. 158, 159.
488 Zur erotischen Aufladung der Schuhe siehe Anm. 627. Zum Hund s. u.

Abb. 84: Leonardo da Vinci, Mona Lisa, 1503–05, Öl/Holz, Paris, Louvre

Taf. 9 – Detail: Frans van Mieris, Frau vor dem Spiegel, um 1670, Öl/Holz, München, Alte Pinakothek

es sich nicht einfach nur um ein Genrebild mit einer eitlen Dame vor dem Spiegel handelt, macht die eigenartige Anbringung des Spiegels deutlich. Der Flachspiegel ragt ein erhebliches Stück über die Kante der Wand in den Raum hinein. Dies wäre in einem real gedachten Innenraum undenkbar. Das Dreiviertelprofil der Dame wird in der Projektionsebene selbst Teil der Spiegelfläche. Diese enge Verknüpfung der weiblichen Figur mit ihrem Spiegelbild wird noch dadurch akzentuiert, dass ihr (‚realer') linker Ellbogen den rechten Ellbogen im Spiegel verdeckt. Eben dieser Ellbogen ist der Stein des Anstoßes: in ‚Wirklichkeit' zielt er frech und in ungebührlich männlicher Attitüde auf den Betrachter, im Spiegelbild ist diese Haltung, wie wir sahen, ‚korrigiert'. Allerdings wird der Verstoß gegen das *Decorum* durch die formale Einbindung des Ellbogens in die Gesamtsilhouette der Figur abgemildert. Diese Kunstgriffe sowie der große Vorhang, der gleichsam die Szene enthüllt, machen bewusst, dass hier explizit das Thema des Spiegelbildes verhandelt wird. Es gibt Werke, in denen das Spiegelbild die Dargestellte nicht abbildet, in denen eine Fratze oder ein Totenkopf aus dem Spiegel blickt; man denke an das Doppelporträt des Ehepaares Burgkmair von 1529 von Lucas Furtenagel, in dem aus dem Spiegel, den die Frau in Händen hält, Totenköpfe starren, oder an die *Superbia* bei Bruegel, in deren Spiegel sich ihr Gesicht zu einer amphibienartigen Fratze verformt hat, gleichsam die innere Wahrheit des Hochmuts offenbarend. Oft gibt das Spiegelbild die Hineinblickende fragmentiert und verzerrt wieder. Van Mieris aber dreht das Verhältnis von (idealem) Bild und Verzerrung im Spiegel um: Das Antlitz der Dame, von der wir lediglich das verlorene Profil sehen, wird im Spiegel ganz, vollkommen. Ihr durch die Drehung unvorteilhaft gezeigtes Gesicht wird schön, ihre für das zeitgenössische Weiblichkeitsverständnis schlampige und anstößige Haltung korrigiert. Die Haltung wird aber nicht lediglich korrigiert; die weibliche Büste im Spiegelbild ist einer Dreieckskomposition eingeschrieben und entspricht somit den weiblichen Idealbildern der Hochrenaissance. Man denke an Frauenbildnisse von Raffael oder an die Mona Lisa von Leonardo da Vinci **(Abb. 84)**: eine weibliche Büste, leicht schräg in den Bildraum gesetzt, beide Arme wie auf einer Brüstung aufgelegt, der Blick aus dem Bild auf den Betrachter gerichtet, insgesamt eine in sich ruhende Komposition, die Harmonie und Souveränität ausstrahlt. Die Pose der weiblichen Figur im Spiegel zitiert das Renaissance-Idealbild von Weiblichkeit.

Wie ist das zu deuten? Halten wir nochmals die ‚harten' Tatsachen fest: die Diskrepanz zwischen dem Bild der Frau und ihrem (idealisierten) Spiegelbild, das Wissen um die unterschiedlichen Bedeutungen des Spiegelbildes bei gleichzeitigem Offenhalten der Deutung durch Verzicht auf eindeutige Zeichen. Die Effekte dieser ästhetischen Inszenierung sind vielfältige, durchaus unterschiedliche Assoziationen, Gefühle und Gedanken bei den BetrachterInnen. Das Bild liest sich wie ein gemalter Kommentar zur Frage des Abbildcharakters der Malerei. Die Feinmaler, deren prominenter Vertreter van Mieris war, wurden ob ihrer glatten Malweise gerühmt, die keinen Pinselstrich zeige und deswegen gar nicht wie Malerei wirke, sondern eben wie ein Spiegel der Natur. Ist nun aber Malerei in der Tat ein Abbild der Natur wie ein wirklicher Spiegel? Die Antwort lautet freilich: nein. Malerei ist nicht Mimesis. Malerei kann Wirklichkeit illusionieren, aber sie reflektiert gleichzeitig ihren Kunst-Charakter. *Schijn sonder sijn*. Im holländischen Selbstverständnis soll ein gutes Bild so täuschend echt gemalt sein, dass man meinen könnte, es sei die Wirklichkeit, aber gleichzeitig soll es den Eindruck vermitteln, dass es Kunst ist. Es ist immer ein Spiel von Sein und Schein.[489]

Malerei kann aber auch Unsichtbares sichtbar machen. Die Assoziationen über das Verhältnis zwischen der Dame und ihrem Spiegelbild sind wohl auch zu van Mieris' Zeit in unterschiedliche Richtungen gelaufen, genderspezifisch, abhängig vom Bildungsgrad und der individuellen Phantasie.

Wenn man davon ausgeht, dass das Spiegelbild gleichsam das Innere der Frau repräsentiert – vergleichbar mit Vermeers *Musikstunde* (**Abb. 81**, S. 178) – und gleichzeitig im Bewusstsein hat, dass der Spiegel ebenso für Selbsterkenntnis wie für Selbstverkennung steht, für Wahrheit wie für Täuschung, ergeben sich folgende Interpretationsmöglichkeiten: Die Frau sieht in dem Spiegel sich selbst und doch nicht sich selbst. Sie erkennt und verkennt sich. Sie sieht ihr Ideal-Ich. Ihr forscher, anmaßender Gestus passt zu dieser Form der Selbstüberschätzung. Wir, gleichsam die Beobachter zweiter Ordnung, sehen sie und ihr Spiegelbild zugleich und können die Differenz erkennen. Somit ermöglicht das Bild eine gewisse Form von Erkenntnis für uns, eine Einsicht über die Grenzen der Selbsterkenntnis, das Begreifen, dass das Bild, das wir uns von uns selbst machen, immer schon ein *Bild* ist, und dass dieses Bild von bestimmten Codes und Traditionen geprägt ist. Ich meine, dass hier eine Auffassung des Menschen bildlich veranschaulicht wird, die auf Subjekt-Konzeptionen von Freud und Lacan voraus weisen, die diese Vorstellungen dann analysiert und auf den Begriff gebracht haben. Damit ist insbesondere das Phantasma von Einheit, Kohärenz und Idealität gemeint, wie es Lacan in seiner Spiegel-

489 Dazu siehe Sluijter 2000 und Stoichita 1998, insbes. S. 209–223.

Abb. 85: Edouard Manet, Bar aux Folies-Bergère, 1881/82, Öl/Leinwand, London, Courtauld Institute Galleries

Metapher ausformuliert hat.[490] In Holland hat die gesellschaftliche Elite in der zweiten Hälfte des 17. Jahrhunderts auf Grund der fortgeschrittenen bürgerlichen Entwicklung neue Formen der Subjekterfahrung gemacht, in der dem Bereich des Psychischen eine gesteigerte Aufmerksamkeit zu Teil wurde. Auch wenn in dem Bild sicherlich noch das negativ konnotierte spätmittelalterliche Motiv der *Superbia/Vanitas* mitgemeint ist (deshalb ist es ja auch eine weibliche Figur), geht die Aussage des Bildes auf der Ebene des Sichtbaren über diese moralisierende Ebene hinaus. Hier verstößt *Superbia* nicht gegen das Prinzip der *Humilitas,* das Problem ist nicht die schiere Tatsache der Selbst-Bespiegelung. Das Problem ist gleichsam ein innerpsychisches geworden, es liegt in der Selbst-Begegnung des Individuums mit seinem Spiegel-Bild und den damit verbundenen (V)erkennungen.

Auf der Ebene des Sichtbaren wird eine (moderne) Vorstellung des Subjekts entworfen, die bereits auf spätere Formulierungen wie Lacans Ausspruch „Ich ist ein Anderer" vorausweist. Man könnte auch umgekehrt formulieren: Lacan steht mit seiner Spiegelmetapher und der eminenten Bedeutung des Blicks und des Sehens für die Subjektbildung in einer langen Tradition, die unter anderem auch in einer *Bild*-Tradition liegt und in einer Kultur, die *Visus*, den Gesichtssinn, über alle anderen Sinne stellt.[491] Es wäre zu überlegen, ob die Bedeutung des Spiegels und des Spiegelbildes für die Ichwerdung des Kindes in Lacans psychoanalytischer Theorie und die damit zusammenhängende grundsätzliche Verkennung des Subjekts von den alten Semantiken des Spiegels inspiriert ist. Damit ist vor allem die untrennbare Einheit von Erkenntnis und Verkennung, von Wahrheit und Täuschung gemeint. Da ich es für unser eigenes Selbstverständnis erhellend finde, sich einerseits die Herkunft unserer Bilder und Diskurse, wie aber auch die jeweiligen Veränderungen vor Augen zu führen, sei an den Dialog zwischen Sokrates und Alkibiades im *Alkibiades* von Platon erinnert, in dem der Philosoph die Spiegelung im Auge und somit in der Seele des anderen als Grundvoraussetzung für die Selbsterkenntnis beschreibt.[492]

Trotz der verwandten Vorstellung bezüglich der Bedeutung der Spiegelung im anderen für die eigene Selbstfindung ist der Tenor ein anderer. Bei Platon gibt es noch den Glauben an die Möglichkeit der Selbsterkenntnis, an die Entdeckung der eigenen Seele. Erhellend ist auch der Vergleich mit dem Gebrauch der Spiegelmetapher im mittelalterlichen Schrifttum. Auch hier wird dem Menschen im Spiegel ein anderer vorgehalten, in dem er sich spiegeln und damit selbst erkennen soll. Allerdings ist hier das Spiegelbild das nicht zu hinterfragende Vorbild, die Norm und nicht das internalisierte und problematisierte (Über-)Ich wie in der psychoanalytischen Theorie.

Die Diskrepanz zwischen der weiblichen Figur und ihrem Spiegelbild kann aber auch auf die Wahrnehmung der BetrachterInnen bezogen werden, der Spiegelblick wendet sich an diese und nicht an sein ‚Original'. Somit ergibt sich eine triadische Beziehung zwischen der weiblichen Figur, ihrem Spiegelbild und dem Betrachter/der Betrachterin. Der Spiegel-Blick der weiblichen Schönen, der sich an den (primär wohl männlich gedachten) Betrachter richtet, findet sich auch in dem Bild von Dou **(Abb. 80**, S. 177**)**; diese Blick-Triangulierung geht auf Tizians Venusbild von 1555 zurück und wurde von Rubens und anderen mehrfach variiert.[493] Vielleicht reflektiert das Spiegelbild bei van Mieris das Begehren des Betrachters, seine Wunschvorstellung einer idealen Frau und verweist ihn gleichzeitig auf die Diskrepanz mit der Realität. Diese Verbindung von Wirklichkeit und Illusion, von Begehren und Wunschvorstellungen bei gleichzeitiger Reflexion ihres imaginären Charakters lässt bereits an Manets *Bar aux Folies-Bergère* von 1881 denken, in der allerdings der männliche Betrachter im Spiegelbild Teil der Repräsentation geworden ist **(Abb. 85)**.[494]

Für weibliche Betrachter werden sich wohl anders geartete Assoziationen ergeben haben, vielleicht im Sinne der moralischen Botschaft der *Speculum*-Lektüre, als Aufforderung, sich diesem idealen (Spiegel)Bild anzuverwandeln. Die Erinnerung an das Märchen von *Schneewittchen* legt noch andere Assoziationen nahe, wenn dort der Spiegel die narzisstische Kränkung und den Neid der Königin spiegelt, indem er auf ihre bange Frage „Spieglein, Spieglein an der Wand, wer ist die Schönste im ganzen Land?" antwortet: „Frau Königin, Ihr seid die Schönste hier, aber Schneewittchen ist tausendmal schöner als

490 Lacan 1986, S. 61–70.

491 Der Spiegel ist bei Lacan eine Metapher, aber eben nicht nur eine Metapher. Er geht in der Tat davon aus, dass für das Kind zwischen 6–18 Monaten das Erlebnis, sich selbst im Spiegel zu sehen und sich dabei als *ganz* zu erblicken (im Unterschied zu seinen fragmentierten Leibesempfindungen, seinem ‚unfertigen' Zustand und dem Umstand, dass man sich nie ganz sehen kann), fundamental für seine beginnende Selbständigkeit und Ichwerdung sei. Ist das nicht eine Überbewertung des Sehens? Ist nicht für ein Kind in diesem Alter die Fähigkeit der Bewegung, insbesondere des Gehens, mindestens ebenso wichtig für die beginnende Loslösung von der Mutter?

492 Sokrates: „So lass uns denn bedenken, in welches unter allen Dingen schauend wir doch jenes und uns selbst erblicken würden?" Alkibiades: „Offenbar doch, o Sokrates, in Spiegel und dergleichen." [...] Sokrates: „Denn du hast doch bemerkt, dass, wenn jemand in ein Auge hineinsieht, sein Gesicht in der gegenüberstehenden Sehe [Pupille] erscheint wie in einem Spiegel, was wir deshalb auch das „Püppchen" nennen, da es ein Abbild ist des Hineinschauenden. [...] Ein Auge also, welches ein Auge betrachtet und in das hineinschaut, was das Edelste darin ist und womit es sieht, würde so sich selbst sehen. [...] Wenn also ein Auge sich selbst schauen will, muss es in ein Auge schauen, und zwar in den Teil desselben, welchem die Tugend des Auges eigentlich einwohnt. Und dies ist doch die Sehe? [...] Muss nun etwa ebenso, lieber Alkibiades, auch die Seele, wenn sie sich selbst erkennen will, in eine Seele sehen? Und am meisten in den Teil derselben, welchem die Tugend der Seele einwohnt, die Weisheit, und in irgend etwas anderes, dem dieses ähnlich ist?" Platon, Alkibiades I., in: Ders., Werke in acht Bänden, hrsg. von G. Eigler, übers. von F. Schleiermacher, Bd. I, Darmstadt 1977, S. 625f (132d4–133c3).

493 Georgen 1986.

494 Bradford R. Collins (Hg.), 12 Views of Manet's Bar, Princeton University Press 1996.

Abb. 86 + Detail: Frans van Mieris d. Ä., Der Kavalier im Verkaufsladen, 1660, Öl/Holz, Wien, Kunsthistorisches Museum

Ihr".[495] Aber man könnte natürlich die Differenz zwischen Bild und Spiegel ganz anders auflösen: als Widerstand der selbstbewussten Frau einem Idealbild entsprechen zu sollen.

Ich denke nicht, dass man die Interpretation des Bildes vereindeutigen kann; das Wesentliche liegt vielmehr in eben dieser semantischen Offenheit. Der Betrachter/die Betrachterin wird mit dem Widerspruch zwischen (gemalter) Wirklichkeit und ihrer *Wider-Spiegelung* konfrontiert und mit der Appellstruktur durch den direkten Augenkontakt mit dem Spiegelbild. Wie man darauf reagiert, wie weit man sich auf die dadurch aufgeworfenen Fragen einlässt und zu welchen Deutungen man gelangt, ist nicht nur heute, sondern sicher auch zu van Mieris' Zeit individuell unterschiedlich gewesen. Jedenfalls stimuliert das Werk subjektive Gedanken, Phantasien und Imaginationen. In der *Produktion* von Subjektivität dieses Bildes und verwandter Werke liegt meines Erachtens die eminente, bislang von der Forschung vernachlässigte Bedeutung der holländischen Malerei, insbesondere des dritten Viertels des 17. Jahrhunderts.[496]

Manche mögen van Mieris diese Komplexität und den gedanklichen Tiefgang nicht zutrauen, weil sie ihn für einen oberflächlichen Gesellschaftsmaler halten, obschon er in seiner Zeit zu den anerkanntesten Genremalern zählte.[497] Diesem möglichen Einwand möchte ich entgegenhalten, dass es außer Rembrandt keinen Künstler gab, der sich selbst so oft und ironisch inszeniert hat wie van Mieris. Wichtiger als die schiere Anzahl von Selbstporträts ist der performative Charakter der Selbstbildnisse, die Maskerade. Van Mieris präsentiert sich grinsend, rauchend, grimassierend, verkleidet, in prekären erotischen Kontexten. Seine Selbst-Bilder haben fast immer eine ironische Brechung.[498] Ähnlich wie bei Rembrandt denkt man an Hoogstratens Empfehlung an die Maler, die ihr Spiegelbild studieren, sie sollten sich gänzlich in einen Schauspieler verwandeln und so Darsteller und Betrachter zugleich sein.[499] Auch bei der *Dame vor dem Spiegel* fällt diese Form von Inszenierung auf, welche die Frage nahelegt, ob es hinter den Maskierungen vor und im Spiegel ein ‚Original' gibt.

Als Beispiel für die Vielschichtigkeit der Bilder van Mieris' sei *Der Kavalier im Verkaufsladen* von 1660 im Wiener Kunsthistorischen Museum erwähnt **(Abb. 86)**.[500] In einem exquisiten Tuchladen (der in dieser Form so nie existiert hat, sondern eher einer bürgerlichen Elitewohnung entspricht) wählt ein Offizier einen Stoff aus. Mit der einen Hand prüft er die Stoffqualität, mit der anderen fasst er der Verkäuferin ans Kinn. Ein alter Mann im Hintergrund wendet sich zu dem Paar um; sein Zeigegestus kann sowohl auf das Paar wie auf das Gemälde über ihm bezogen werden, das die selten dargestellte Szene zeigt, wie Adam und Eva den Tod Abels betrauern. Rechts sind auf einem teppichbehängten Tisch mehre Stoffe aufgehäuft. Auf der prächtigen Fahne, die über den Perserteppich gebreitet ist, lassen sich neben Fragmenten des holländischen und Leidener Wappens die Worte COMPARAT(UR) CUI VULT entziffern **(Abb. 86 – Detail)**.[501] Das lateinische *comparare* heißt vergleichen und kaufen. Man könnte also übersetzen: „Es gibt Vergleiche für den, der (sie sehen) will" beziehungsweise: „Verkauft werden kann dem, der will." Verglichen wird auf diversen Ebenen: Der Offizier taxiert die Oberfläche, das Material des Stoffes sowie das Mädchen. Es wird nahe gelegt zu sagen: kaufen kann er beides. Ein komplexeres Bezugssystem ergibt sich durch die Gegenüberstellung des flirtenden Paares mit der tragischen Szene auf dem Gemälde. De Jongh sieht darin eine Anspielung auf den Sündenfall und die damit einsetzenden Leidenschaften, Gewalt und Tod. Franits hingegen bezieht das Gemälde auf den Alten und seinen Neid auf den jungen und erfolgreichen Mann; Neid war die Ursache des ersten Brudermordes.[502] Trotz der heiteren Note entwirft das Gemälde ein komplexes Bezugssystem und regt zu Assoziationen und Verknüpfungen an: *comparatur cui vult*.

495 Zu Schneewittchen und möglichen psychoanalytischen Interpretationen siehe Haubl 1991, Bd. I, S. 36–44 mit weiterführender Literatur.

496 Eddy De Jongh (Questions of Understanding, in: AK Den Haag, Washington 2005/06, S. 44–61, hier S. 51f) sieht mittlerweile zumindest die Mehrdeutigkeit der Werke von van Mieris: "Is it possible that van Mieris deliberately composed his scenes, or some of them, so they could be read on more than one level? Did he anticipate that they would be subject to different perceptions? [...] This view has emerged only recently, and the suspicion seems justified that certain postmodern ideas, together with the aesthetics of floating meaning in contemporary art („anything goes"), may have provided an added stimulus to help crystallize it." De Jongh untermauert sein Statement mit dem Verweis auf zeitgenössische Schriften von Adriaen Poirters und Jan de Brune d. J., die für das Motto eines Hundes mit Totenschädel unterschiedliche Interpretationsmöglichkeiten anbieten.

497 De Jongh (ebd.) verteidigt van Mieris zu Recht gegen rein formalistische Interpretationen.

498 AK Den Haag, Washington 2005/06, insbes. Kat. Nr. 25, Fig. 15, siehe dazu de Jongh ebd. S. 56ff.

499 „Zich selven geheel in een toneelspeeler (te) hervormen [...] te gelijk vertooner en aenschouwer te zijn." Van Hoogstraten 1678, S. 109–110.

500 Das Bild war ein Auftragswerk für den österreichischen Erzherzog Leopold Wilhelm, der es mit Begeisterung aufgenommen hat, folgt man den Quellen von Cornelis de Bie und Arnold Houbraken. De Jongh in: AK Amsterdam 1976, Kat. Nr. 42, S. 173–175.

501 Die sinnvolle Erweiterung zur Passivform und die Deutung siehe ebd.

502 Franits 2004, S. 125ff mit Hinweis auf Hecht, in Franits 1997, S. 221, Anm. 8.

Die Hündchen im Wiener und Münchner Bild scheinen Zwillinge zu sein.[503] Dennoch unterscheiden sie sich im Ausdruck. Der Hund im *Kaufladen* fixiert mit aufmerksamem Blick den Betrachter. Im Münchner Bild stiert er dumpf vor sich hin. Er hat die Augen geöffnet, schaut aber gleichsam ins Leere. Er steht für das tierische Sehen, das im Unterschied zum menschlichen (im Spiegel) nichts erkennen kann. Die Absetzung des menschlichen Sehens vom tierischen war ein beliebter Vergleich im Diskurs über Sehen, Kunst und Erkenntnis,[504] zitiert sei stellvertretend die Passage aus Constantijn Huygens Schrift *Mijn leven verteld an mijn kinderen*:

> De vorming van de ogen, de volle zuster der poezie, de schilderkunst, [kan je] kortweg maar treffend betitelen als de kunst van het zien. Degenen die hierin niet thuis zijn, beschouw ik waarlijk amper als mensen die compleet mens zijn. Blinden noem ik ze, blinden die niet anders naar de lucht, de zee of de aarde kijken dan hun vee dat ze met de kop omlaag laten grazen. Zij kijken zonder ze te zien."[505] („Das Gestaltungsvermögen der Augen, die ebenbürtige Schwester der Poesie, die Malerei, kann man kurz aber zutreffend als Kunst des Sehens bezeichnen. Diejenigen, die darin nicht Bescheid wissen, betrachte ich allerdings kaum als Menschen, die vollständig Mensch sind. Blinde nenne ich sie, Blinde, die nicht anders auf die Luft, die See oder die Erde blicken, als ihr Vieh, das sie mit dem Kopf nach unten grasen lassen. Sie blicken ohne zu sehen.[506]

Ein Mensch im vollen Sinne des Wortes, könnte man auf unser Bild bezogen sagen, ist einer, der, im Unterschied zum Tier, sehen, vergleichen und erkennen kann.

Es mag aufschlussreich sein, van Mieris' Repräsentation eines Spiegelbildes den zeitgleichen Spiegelerfahrungen im Museum von Athanasius Kircher gegenüberzustellen.[507] Der Jesuit und Universalgelehrte Athanasius Kircher hatte in seinem Museum *Collegio Romano* in Rom neben allen möglichen optischen Geräten, technischen und magnetischen Objekten auch Räume mit Spiegeln eingerichtet. Er beschreibt die Effekte seiner ingeniösen Inszenierungen in seinem Werk *Ars Magna Lucis et Umbrae*", das 1646 in Amsterdam gedruckt worden ist. Besucher sahen sich unvermittelt in allen möglichen Metamorphosen, verwandelt, verzerrt, fragmentiert, vertausendfacht, durch die Luft fliegend, halb Mensch, halb Tier, mit einem

503 Hunde kommen auf vielen holländischen Genrebildern vor; sie haben keine feststehende Bedeutung, manchmal stehen sie für Treue; Schoßhündchen haben aber oft eine erotische Note. De Brune d. J. (1681) weiss bereits um die unterschiedlichen metaphorischen Bedeutungen, siehe De Jongh in AK Den Haag, Washington 2005/06, S. 50, S. 51.

504 So bei Hoogstraten zur Kennzeichnung von Bewusstsein und Erkenntnis, beispielsweise in seinem Perspektivkasten (London, Nat. Gal.) oder den Schwellenbildern, in denen Hunde oder Katzen den Betrachter anblicken. Celeste Brusati, Artifice and Illusion. The Art and Writing of Samuel van Hoogstraten, The University of Chicago Press 1995, S. 311, Anm. 50.

505 Hier zitiert nach: Thijs Weststeijn, De zichtbare Wereld. Samuel van Hoogstratens kunsttheorie en de legitimering van de schilderkonst in de zeventiende eeuw, 2 Bde, Diss., Amsterdam 2005, S. 60.

506 Ich danke Gotthart Wunberg für die Übersetzung.

507 Vermeir 2004.

Totenkopf versehen. In dem labyrinthischen Spiegelkabinett sollte man sich verlieren, ebenso wie jegliches Gefühl für die Realität des Raumes oder der Dinge. Athanasius Kircher legitimierte diese Entgrenzung der Selbsterfahrung durch die angeblich damit verbundene Erkenntnis des illusionären Charakters der Welt und der daraus resultierenden Hinwendung zu Gott. Neben der in der Zeit verbreiteten Faszination durch Effekte des Spiegels, der Reflexion und von Phänomenen der Optik vermitteln sich auch die Unterschiede zwischen dem Maler im bürgerlichen Holland und dem Jesuiten im barocken Rom. In dem katoptrischen Theater von Kircher wie in den etwas späteren höfisch-barocken Spiegelkabinetten erfahren die BetrachterInnen die Spiegelungen und Verfremdungen an sich selbst.

Bei van Mieris können sie die Verkennung der Bildfigur distanziert als BeobachterInnen zweiter Ordnung *beobachten*. Das holländische Bild ermöglicht die Entfaltung subjektiver Imagination wie gleichermaßen deren Reflexion.

2 Das *Bild im Bild* oder die mediale Vermittlung der Welt *Die Frau mit der Waage* von Vermeer

Malerei ist nicht *Mimesis*. Spiegel – in Bildern oder Texten – sind keine Abbilder sichtbarer Wirklichkeit. Was sind Bilder in Bildern?

Selbstredend gibt es keine einfache Antwort, zu vielfältig und komplex sind die Bedeutungen und Funktionen von *Bildern in Bildern*.[508] Die Anfänge der Integration von Bildern (Miniaturen, Grafiken, Gemälde) in ein Bild reichen in den Niederlanden in das 15. Jahrhundert zurück. Im 17. Jahrhundert trifft man dieses Motiv in zahlreichen holländischen Genre- und Interieurbildern an. Da in holländischen Innenräumen Gemälde die Wände schmückten, finden sie sich auch auf deren malerischen Wiedergaben. Bilder in gemalten Interieurs reflektieren, wie Stoichita richtig bemerkt, den neuen Ort von Malerei: an der Wand im privaten, bürgerlichen Heim.[509] So unterschiedlich die jeweiligen Deutungen ausfallen, so sind sich doch die Interpreten einig, dass meist, wenn auch nicht durchgehend, ein inhaltlicher Zusammenhang zwischen dem Bild und dem oder den integrierten Bildern herrscht.[510] Die *Bilder im Bild* kommentieren das Hauptbild. Die Art der *Bilder im Bild* variiert, es können konkrete Zitate von Werken anderer Künstler sein, Variationen, Paraphrasen oder eigene Erfindungen. Die Verbindung kann affirmativ sein oder im Widerspruch zum Hauptbild stehen. Die Bezüge können emblematischer Natur sein[511] oder als *exempla* im Sinne der Rhetorik verstanden werden.[512] Fast ausnahmslos gehören die *Bilder im Bild* einer anderen Gattung an: Landschafts- oder Historienbilder, Porträts, selten Stillleben, praktisch nie Genre- oder Interieurbilder.

Vermeers *Frau mit der Waage* ist nicht einfach ein beliebiges Beispiel; es ist ein Grenzfall, in dem die radikalsten Möglichkeiten des *Bildes im Bild* ausgelotet werden **(Taf. 10)**. Es ist eine malerische Reflexion über die Funktionsweise von Bildern als Produktion von Bedeutung und als mediale Vermittlung von Welt.

508 André Chastel, Le Tableau dans le tableau, in: Stil und Überlieferung in der Kunst des Abendlandes. Akten des 21. internationalen Kongresses für Kunstgeschichte in Bonn 1964, Berlin 1967, Bd. 1, S. 15–29, ebenfalls abgedruckt in: ders., Fables, Formes, Figures II, Paris 1978, S. 75–98; Pierre Georgel, Anne-Marie Lecoq, La peinture dans la peinture, Dijon 1982; Hermann Ulrich Asemissen, Gunter Schweikhart, Malerei als Thema der Malerei, Berlin 1994; Stoichita 1998, insbes. S. 179–197; Gregor J. M. Weber, „Om te bevestige[n] aen-te-raden, verbreeden ende vercieren." Rhetorische Exempellehre und die Struktur des ‚Bildes im Bild', in: Studien zur niederländischen Kunst. Festschrift für Justus Müller Hofstede, Wallraf-Richartz-Jahrbuch LV, 1994, S. 287–314; ders., Vermeer's Use of the Picture-within-a-Picture: A New Approach, in: Ivan Gaskell (Hg.), Vermeer's Studies, Yale University Press, New Haven, London 1998, S. 295–307; Dieter Beaujean, Bilder in Bildern. Studien zur niederländischen Malerei des 17. Jahrhunderts, Weimar 2001 (Diss., Berlin 1998).

509 Stoichita 1998, insbes. S. 180f.

510 Beaujean (2001) sieht in den *Bildern im Bild* lediglich dekorative Kunstobjekte und „keinerlei Sinnschichten, die es zu enttarnen gelte." (S. 212). Die Dissertation bringt denn auch keinerlei neue Erkenntnisse.

511 Zur emblematischen Deutung siehe die Schriften von Eddy de Jongh, insbes.: On Balance, in: Gaskell 1998, S. 351–365.

512 Weber 1994, 1998.

Taf. 10: Jan Vermeer, Frau mit Waage, um 1664, Öl/Leinwand, Washington, National Gallery of Art
Abb. 89: Pieter de Hooch, Eine Frau, die Gold wiegt, um 1664, Öl/Leinwand, Berlin, Staatliche Museen, Gemäldegalerie

Das Werk, früher oft als *Goldwägerin*,[513] heute meist als *Perlenwägerin* bezeichnet, ist um 1664 entstanden.[514] Das Gemälde zeigt einen nahsichtigen Ausschnitt aus einem abgedunkelten Innenraum, in dem eine Frau an einem Tisch steht und mit der Rechten eine Waage im Gleichgewicht hält, auf die ihre niedergeschlagenen Augen gerichtet sind. Auf dem Tisch liegen ein blauer Stoff, zwei Kästchen, Perlen- und Goldketten und Münzen. Links muss das Fenster angenommen werden, durch den gelb-orangen Vorhang dringt das Licht in den Raum. Gegenüber der Frau ist ein Wandspiegel angebracht, von dem lediglich der Rahmen und ein senkrechter Lichtstreifen sichtbar sind. An der Wand hinter der Stehenden hängt ein großes Gemälde mit der Darstellung des Jüngsten Gerichts. In der Projektionsfläche verdeckt die weibliche Figur die Mitte des Gemäldes, den Ort, wo traditionell der Erzengel Michael steht und die Seelen wägt.

Das Jüngste Gericht als Norm?

Es ist das Jüngste Gericht, das *Bild im Bild*, und dessen Relation zur weiblichen Figur, die zu den unterschiedlichsten Deutungen des Gemäldes geführt haben. Bereits Thoré-Bürger, der enthusiastische Wiederentdecker von Vermeers künstlerischer Bedeutung, sah eine inhaltliche Verbindung der weiblichen Figur zur Darstellung des Jüngsten Gerichts. In seinem Katalog von 1866 schrieb er zu *La Peseuse de perles:* „Ah! tu pèses des bijoux? Tu seras pesée et jugée à ton tour!“[515] Diesen Gedanken vertiefend entwarf Herbert Rudolph in der Festschrift für Wilhelm Pinder 1938 die erste ausdrücklich ikonologisch orientierte Auslegung des Gemäldes. Er interpretierte die weibliche Figur als *Vanitas*, die sich mit weltlichen Reichtümern befasse, statt sich auf das Weltgericht zu orientieren. Auch die Perlen und den Spiegel deutete er als Vanitassymbole. Diese moralisierende Interpretation prägte die weitere Forschung; so sah etwa Albert Blankert in seiner Vermeer-Monografie von 1980 einen Gegensatz zwischen der Frau, die sich weltlichen Gütern widme, und dem Jüngsten Gericht. Wheelock hat nun aber auf der Grundlage von mikroskopischen Untersuchungen zweifelsfrei feststellen können, dass auf der Waage weder Goldstücke noch Perlen gewogen werden, die Waagschalen sind leer.[516] Bemerkenswert, dass es dieses technischen Befundes bedurfte und der Augenschein nicht genügte; bemerkenswert vor allem, dass man *diese* weibliche Figur für ein Sinnbild der Eitelkeit halten konnte. Nun veränderten sich die Interpretationen, aber die Struktur der Deutungsmuster blieb dieselbe: die Setzung des Weltgerichts als religiöse und moralische Norm. Die weibliche Figur wird nun nicht mehr als Gegensatz zum, sondern im Einklang mit dem Weltgericht gesehen. Sie versinnbildlicht nicht mehr die Eitelkeit, sondern die Wahrheit des rechten (katholischen) Glaubens[517], Iustitia[518] oder das Gewissen[519]. Angesichts des Jüngsten Gerichts erscheine die Fixierung auf die irdischen Güter als eitel und nichtig, so Norbert Schneider; in Anbetracht der leeren Waagschalen aber – räumt er ein – habe vielleicht „eine innere Entscheidung zu Gunsten eines Verzichts auf den weltlichen Tand stattgefunden."[520] Verantwortungsbewusst und Maß haltend brauche sie sich vor dem Jüngsten Gericht nicht zu fürchten, da sie ihre Taten sorgsam abwäge, so die Beschreibung von Wheelock. Cunnar geht in der theologischen Auslegung noch einen Schritt weiter, wenn er eine Verbindung zu den Meditationsempfehlungen des Ignatius von Loyola zieht, der die Gläubigen auffordert, in den Exerzitien ihr Gewissen zu prüfen und ihre Sünden abzuwägen, als stünden sie am Jüngsten Tage vor ihrem Richter; sie sollten einen Lebensweg wählen, auf Grund dessen man sie ausgewogen werde beurteilen können.[521] Eine streng katholische Haltung diagnosiziert auch Nanette Salomon; Ausgangspunkt ihrer Interpretation ist die Gewissheit, dass die Frau schwanger sei. Die Frau wäge

513 Dies geht auf die erste Bezeichnung des Gemäldes im Auktionskatalog von 1696 zurück, in dem das Bild folgendermaßen beschrieben worden ist: „Eine junge Dame, die Gold wiegt, in einem Kasten von J. van der Meer aus Delft, außerordentlich kunstvoll und ausdrucksvoll gemalt." Blankert 1975, Dok. 62, S. 136.

514 Öl/Leinwand, 42,5/38 cm. Washington, National Gallery of Art, Sammlung Widener. 1994 wurde das Gemälde restauriert, insgesamt ist es gut erhalten. Albert Blankert, Johannes Vermeer van Delft, Utrecht, Antwerpen 1975, engl. Übers.: Oxford, New York 1978, deutsche Übers.: Frankfurt 1980: ders., Gilles Aillaud, John Michael Montias, Vermeer 1987; Svetlana Alpers, Described or Narrated? A Problem in Realistic Representation, in: New Literary History VIII, 1976, S. 15–41, hier S. 25f; Ivan Gaskell, Vermeer, Judgement and Truth, in: Burlington Magazine, CXXVI, 1984, S. 557–561; Edward Snow, A Study of Vermeer, Univ. of California Press 1994, S. 156–166; Johannes Vermeer, Ausstellungskatalog, hrsg. von Arthur K. Wheelock, National Gallery of Art, Washington, Mauritshuis, Den Haag, Zwolle 1995, Kat. Nr. 10, S. 140–145; Dutch Paintings of the Seventeenth Century, Sammlungskatalog, hrsg. von Arthur Wheelock, National Gallery of Art, Washington 1995, S. 371–377; Daniel Arasse, Vermeer's Ambition, Dresden 1996; Nanette Salomon, Vermeer and the Balance of Destiny, in: Shifting Priorities, 2004, S. 13–18, (urspr. in: Essays in Northern European Art Presented to Egbert Haverkamp-Begemann, Doornspijk 1983, S. 216–221); Eddy De Jongh 1998; Weber 1994; ders. 1998; Stoichita 1998, S. 181–190; Thierry Greub, Vermeer oder die Inszenierung der Imagination, Petersberg 2004 (Diss. Basel 2003), insbes. S. 106–115. Für die Literatur vor 1995 siehe zusätzlich den Sammlungskatalog von Wheelock von 1995.

515 William Thoré-Bürger, Van der Meer de Delft, in: Gazette des Beaux-Arts 21, 1866, S. 555–556.

516 AK Den Haag, Washington 1995, S. 140, 142; SK Washington 1995 S. 372.

517 Gaskell 1984; Blankert in: Aillaud, Blankert 1987.

518 Alpers 1976.

519 De Jongh 1998.

520 Norbert Schneider, Vermeer 1632–1675, Köln 1996, S. 56.

521 Eugène R. Cunnar, The Viewer's Share: Three Sectarian Readings of Vermeeer's Woman with a Balance, in: Exemplaria 2, 1990, S. 501–536.

Abb. 87: Petrus Christus, Hl. Eligius, 1449, Öl/Holz, New York, Metropolitan Museum of Art
Abb. 88: Quinten Massys, Der Pfandleiher und seine Frau, um 1514, Öl/Holz, Paris, Louvre

gleichsam das Schicksal ihres ungeborenen Kindes, das durch das Christentum, die Sterne (Sternbild Waage), aber eben auch durch den freien Willen bestimmt sei.[522] Die Frage, ob die Frau als Schwangere dargestellt ist, wird man nicht mit Sicherheit abklären können, Vermeers Oeuvre sowie die zeitgenössische Mode sprechen dagegen.[523]

So unterschiedlich die ikonologischen Interpretationen auch sein mögen, gehen sie dennoch alle von einer moralisierenden Deutung aus und setzen das Jüngste Gericht als absolute Norm und nicht hinterfragte Instanz.[524] Die Frage nach dem Stil des *Bildes im Bild* und dem Verhältnis zum Hauptbild wird nicht gestellt; allesamt ignorieren sie die ästhetische Inszenierung.

Die Beziehung zwischen dem Bild und dem *Bild im Bild* muss meines Erachtens Ausgangspunkt jeglicher Interpretation sein. Bevor jedoch dieses Verhältnis untersucht wird, sollen vorab zwei Fragen geklärt werden: die Bildtradition und der Erwartungshorizont beziehungsweise die Lektürekompetenz der RezipientInnen beziehungsweise Käufer/BesitzerInnen des Gemäldes.

Die Waage

Für Vermeers Zeitgenossen muss das Bild eines Interieurs mit einer jungen Frau, die eine Waage in der Hand hält, auf der nichts gewogen wird, vor einem Gemälde des Jüngsten Gerichts neu und ungewohnt gewesen sein. Geläufig waren die einzelnen Elemente, aber nicht in dieser Verbindung. Bekannt war allemal das Thema des Gold- oder Geldwägers. Dieses Motiv hat in den Niederlanden eine lange Tradition. Sie reicht zurück in das frühe 15. Jahrhundert zu dem bekannten Werk von Petrus Christus aus der Mitte des 15. Jahrhunderts, das wohl eine Erfindung von Jan van Eyck paraphrasiert **(Abb. 87)**.[525] Dargestellt ist ein junges Paar in dem Laden des Hl. Eligius, dem Schutzpatron der Goldschmiede. Der Ursprung dieses Motivs hatte somit keinerlei negative Konnotationen; Eligius heiligt buchstäblich das Hantieren mit und das Abwägen von Gold, Perlen und Preziosen. Wohl von derselben Quelle, van Eyck, ist das 1514 entstandene Gemälde von Quinten Massys mit einem Pfandleiher und seiner Frau inspiriert – ein weiterer Schritt zu einer Profanisierung des Themas **(Abb. 88)**. Die Frau, mit Blick auf das Tun ihres Gatten, blättert in einem Gebetbuch; die aufgeschlagene Seite, Maria mit Kind, ebenfalls ein *Bild im Bild*, garantiert gleichsam die Rechtschaffenheit des Geldwechslers. Im Laufe des 16. Jahrhunderts wird das Motiv des Goldschmieds beziehungsweise Geldwechslers/Pfandleihers weitertradiert, vor allem von Marinus van Reymerswaele. Im späteren 16. und im 17. Jahrhundert sind es meist alte Männer, die Geld oder Gold wägen; wahrscheinlich werden hier wie in entsprechenden Emblemen von Jan Harmensz. Krul in *Pampiere wereld* von 1644 und Adriaen Poirters in *Het masker van de wereldt afgetrocken* von 1649 in der Tat Vorstellungen von *Avarita* (Geiz, Habgier) und *Vanitas* oft mitgedacht. Als Beispiel sei der Goldwäger von Salomon Koninck von 1654 genannt: Ein alter Mann steht in einem Interieur hinter einem Tisch, auf dem Goldstücke und Gewichte samt Schatulle ausgebreitet sind, und hält die Waage mit den Münzen gegen das Licht, das durch das Fenster eindringt.[526] Selten sind Frauen mit Waage und Geld hantierend dargestellt. Eine dieser Ausnahmen ist ein Halbfigurenbild von Gabriel Metsu, das eine Frau mit Waage am Tisch sitzend zeigt, das Werk ist etwa um 1660 entstanden, jedenfalls sicherlich vor Vermeers Version.[527] Im Zusammenhang mit Vermeer wird zu Recht immer wieder auf das Bild *Die Goldwägerin* von Pieter de Hooch verwiesen **(Abb. 89,** S. 194**)**, das etwa zeitgleich entstanden ist. Die heutige Forschung geht im Unterschied zu früher davon aus, dass de Hooch Vermeer inspiriert hat und nicht umgekehrt.[528] Jedenfalls kann wohl kaum daran gezweifelt werden, dass die beiden Werke nicht unabhängig voneinander entstanden sind. Stoichita hat nachdrücklich festgehalten, dass es das *Bild im Bild* ist, das aus dem Genrebild bei de Hooch ein, wie er es nennt, „interpretierbares Bild" gemacht hat, das den Betrachter zur (emblematischen) Deutung auffordert. [529]

Der Umstand, dass auf Vermeers Gemälde eine junge Frau mit einer Goldwaage hantiert, ist somit zwar selten, aber nicht unbekannt. Neu und verblüffend aber ist die Tatsache, dass auf der Waagschale keine Objekte, kein Geld, kein Gold, keine Perlen[530] gewogen werden. Eine Frau mit einer leeren Waage in der Hand ruft

522 Salomon 2004.
523 Zum Für und Wider dieser These siehe die Zusammenfassung bei Wheelock in: SK Washington 1995, S. 374 und Anm. 12, 13. Zusätzlich: Marieke de Winkel, The Interpretation of Dress in Vermeer's Paintings, in: Gaskell 1998, S. 327–339, hier S. 330–332; aus kostümkundlicher Sicht lässt sich die Frage offensichtlich nicht klären, die Fakten (Mode, Seltenheit von Schwangeren-Darstellung) sprechen aber eher gegen die Schwangerschaftshypothese.
524 Zu den anti-ikonologischen Gegenstimmen s. u. und Stoichita 1998 S. 181–190.
525 Aus schriftlichen Quellen (Marcantonio Michiel hat das Bild im frühen 16. Jahrhundert in Mailand gesehen) wissen wir von einem etwa 1440 entstandenen, heute verlorenen Werk von Jan van Eyck, das einen Kaufmann zeigte, der mit seinem Angestellten abrechnet. Erwin Panofsky, Early Netherlandish Painting, Harvard University Press, Cambridge 1966, S. 354. Das Werk ist innerhalb der Entwicklung der Genremalerei von großer Bedeutung.
526 De Jongh in: AK Amsterdam 1976, Kat. Nr. 31, S. 138–141, Abb. 138.
527 Privatbesitz, Abb. AK Den Haag, Washington 1995, S. 42, Abb. 17.
528 So Wheelock 1995; andere wie Stoichita (1998, S. 181) sehen wiederum de Hoochs Bild „zweifellos durch Vermeer inspiriert."
529 Stoichita 1998, S. 181ff.
530 Die Perle steht in der christlichen Ikonografie für die Reinheit der Maria und für die Erlösung. Eine stringente Verbindung zu Vanitas besteht nicht.

unweigerlich die Assoziation an *Iustitia* auf. Ripa beschreibt in seiner *Iconologia*, die 1644 ins Holländische übersetzt worden war, die Waage als Attribut der Gerechtigkeit, und in einem der beliebtesten Emblembücher der Zeit, Roemer Visschers *Sinnepoppen* wird das Bild der Waage mit *stom en rechtveerdich* (*stumm und gerecht*) überschrieben. Allerdings gehört zur *Iustitia* immer auch das Schwert. Es ist bemerkenswert, dass das Bild *Frau mit Waage* als allegorische Figur für Gerechtigkeit eine lange und vielfältige Tradition hat.[531] Bereits im Mittelalter war die Vorstellung von *Iustitia* als Frau mit Waage und Schwert geläufig. Auf römischen Münzen erscheint eine stehende weibliche Figur mit der Waage (ohne Schwert) als *aequitas*: das behutsame Abwägen widerstreitender Ansprüche, gleichsam eine Untertugend der Gerechtigkeit.[532] Für unseren Zusammenhang höchst aufschlussreich ist die Verwandtschaft von *Iustitia* zum Erzengel Michael, der beim Jüngsten Gericht die Seelen wägt. Diese Vorstellung reicht bis ins Alte Ägypten zurück. Im ägyptischen Mythos wird das Herz des Verstorbenen von der Göttin Maat, der Göttin der guten, harmonischen Weltordnung sowie der Wahrheit und Gerechtigkeit auf die Waage gelegt. Das Herz, die bösen Taten, dürfen nicht schwerer wiegen als die Feder von Maat, die auf der anderen Waagschale liegt. Die Seelenwaage gibt es auch im Alten Testament, so sagt Hiob (Buch Hiob 31,6): „Gott wäge mich auf gerechter Waage, so wird er meine Unschuld erkennen."[533] In Homers *Ilias* legt Zeus Todeslose auf eine Waage, in der sich das Schicksal zeigt. Bereits in der Spätantike eignet sich das frühe Christentum die aus Ägypten stammende Idee von Maat an und macht daraus den seelenwägenden Erzengel Michael.[534] Ist es nicht erstaunlich, dass im Alten Ägypten, im Judentum und Christentum die moralische Beurteilung eines Menschen durch das Bild einer Waage, die das physische Gewicht einer Ware anzeigt, symbolisiert werden kann? Das kann wohl nur in einer Gesellschaft des Warentausches entstehen, in der gerechter Tausch das Inbild der Moral ausmacht. Die Vorstellungen von *Iustitia* und dem Erzengel verschmolzen zuweilen. So betätigt sich *Iustitia* persönlich an Stelle des Erzengels als Seelenwägerin auf einem Kreuzreliquiar mit der Darstellung des Jüngsten Gerichts aus dem Maasgebiet von etwa 1170.[535] Der seelenwägende Erzengel ist seit dem Hochmittelalter integraler Bestandteil der Weltgerichtsdarstellungen, man denke an die prominenten Beispiele aus der niederländischen Malerei des 15. Jahrhunderts von Rogier van der Weyden oder Hans Memling. Im 16. Jahrhundert allerdings lässt sich ein Rückgang von Darstellungen des Jüngsten Gerichts mit dem Seelenwäger beobachten, was auf die Vorstellung der Protestanten zurückzuführen ist, die Christus als alleinigen Richter und Erlöser ansehen[536]; insgesamt verliert das Thema – über Jahrhunderte *das* Thema der christlichen Kunst schlechthin – durch die radikale Ablehnung von Bildern in protestantischen Kirchen in Holland vollkommen an Bedeutung.

Halten wir fest: Das Motiv der Waage zur Repräsentation der moralischen Beurteilung eines Menschenlebens ist uralter Bestandteil der Vorstellungswelt unserer Kultur. Allerdings stellt Vermeer erstmals das profane Motiv des Wägens materieller Güter dem himmlischen Vorgang der Seelenwägung gegenüber.

Die einzelnen Bildelemente waren den Zeitgenossen geläufig und riefen wohl die entsprechenden Assoziationen hervor, um aber gleich wieder in Frage gestellt zu werden: Ein Genrebild mit einer Frau, die ihre Preziosen wägt – aber bei genauerem Hinschauen tut sie das gar nicht; Vanitas-Elemente, die aber wieder entkräftet werden; *Iustitia*, aber eben doch nicht *Iustitia* (nämlich ohne Schwert); das Weltgericht mit seiner klar definierten Bedeutung, allerdings lediglich als *Bild im Bild,* die Seelenwaage, die aber wiederum durch die profane weibliche Figur verdeckt, ja substituiert wird. Schwieriger Befund – sicher nicht nur für uns.

Ein katholisches Werk?

Bei der theologischen Einschätzung des Gemäldes ist die Forschung ausschließlich von der (angeblich) katholischen Konfession des Künstlers ausgegangen. Wieso wurde nicht nach den konfessionellen Überzeugungen der RezipientInnen gefragt? Dabei haben wir es bei diesem Bild mit einem seltenen Glücksfall zu tun: Wir verfügen über eine fast lückenlose Provenienzgeschichte.[537] Über Vermeers persönliche religiöse Überzeugung wissen wir nichts. Die wenigen Tatsachen, die wir mit Sicherheit aus den Quellen schließen können, sind seine Taufe in einer reformierten Kirche und seine Heirat mit der Katholikin Catharina Bolnes. Montias, dem wir das wichtigste Quellenmaterial über Vermeer verdanken, schloss aus der Tatsache dieser Heirat und dem Umstand, dass die Mutter der Braut, Maria Thins, sich ursprünglich gegen diese Verbindung gestellt hatte, dass Vermeer zum Katholizismus konvertierte.[538] Paul Abels hat dies in seiner gründlichen Studie *Church and Religion in the Life of Vermeer* zu Recht bezweifelt.[539] Es gibt kein Dokument, das Vermeers Übertritt zum Katholizismus belegt; eine Heirat wäre trotzdem möglich gewesen, vor allem, da weder er selbst noch seine Eltern eingeschriebene Mitglieder der reformierten Kirche waren. Aber auch wenn Vermeer zum Katholizismus übergetreten wäre und dies lediglich, um Catharina Bolnes heiraten zu können, spräche dies nicht eben für eine religiöse Überzeugung.

Wenn das Gemälde *Frau mit der Waage*, was viele Autoren behaupten, eine dezidiert katholische Botschaft enthält, wäre es wohl undenkbar, dass Nicht-Katholiken es erworben

531 Zu Folgendem siehe: Wolfgang Pleister, Wolfgang Schild (Hg.), Recht und Gerechtigkeit im Spiegel der europäischen Kunst, Köln 1988, insbes. der Beitrag von Wolfgang Pleister: Der Mythos des Rechts, S. 8–43.

532 Abb. siehe ebd. S. 32, Abb. 42c. Die Bezeichnung *aequitas* steht auf der Münze.

533 Ebd. S. 36. Ähnlich sagt Daniel (Buch Daniel 5, 7) zu Belsazar: „Tekel, das ist: man hat dich in einer Waage gewogen und du bist zu leicht befunden worden."

534 Im judenchristlichen Testament Abrahams aus dem zweiten Jahrhundert, das bezeichnenderweise aus Ägypten stammt, findet sich die erste detaillierte Beschreibung der christlichen Seelenwägung. Siehe ebd. S. 40. Die Quellen sind vielfältiger als hier ausgeführt werden kann. So wird Nemesis in der Spätantike zu einer Göttin der gerechten Weltenlenkung. Ihr kommt das Richteramt über die Seele der Verstorbenen zu. Ihr Attribut ist die Waage. Es spielen der Gedanke von *aequitas* und das des Sternbildes der Waage hinein, ebd. S. 36.

535 Ebd. S. 43, Abb. 60. Das Kreuzreliquiar in Form eines Triptychons befindet sich in einer New Yorker Privatsammlung. *Iustitia* wird als solche bezeichnet, begleitet ist sie von *Veritas* und *Judicium*.

536 Pleister 1988, S. 42.

537 Zur Provenienz: Wheelock in: SK Washington 1995 und AK Den Haag, Washington 1995.

538 John Michael Montias, Vermeer and his Milieu: A Web of Social History, Princeton 1989.

539 Paul H. A. M. Abels, Church and Religon in the Life of Johannes Vermeer, in: Donald Haks, Marie Chistine van der Sman (Hg.), Dutch Society in the Age of Vermeer, Zwolle 1996, S. 68–77.

hätten. Genau dies ist jedoch der Fall. Wir kennen die frühen Besitzer des Gemäldes: es waren Protestanten, Remonstranten[540], Mennoniten[541], kein einziger war Katholik. Die erste ganz sichere Quelle ist der Auktionskatalog der Sammlung von Jacob Dissius vom 16. Mai 1696, bei der das Bild als „Een Juffrouw die goud weegt in een kasje van J. van der Meer van Delft, extraordinaer konstig en kragtig geschildert" zusammen mit weiteren 20 Werken von Vermeer versteigert worden ist.[542] Jacob Dissius war Besitzer einer Druckerei; seine Frau war Magdalena van Ruijven; nach ihrem Tod erschienen in einer Inventarliste bereits 20 Gemälde von Vermeer in der Sammlung Dissius auf. Magdalena wiederum war die Tochter von Pieter Claesz. van Ruijven, einem reichen Patrizier und Sammler. Montias geht davon aus, dass van Ruijven Vermeers Mäzen gewesen ist und einen Großteil seines (sehr kleinen) Oeuvres besessen hat. Van Ruijven war Remonstrant, seine Frau Maria Simonsdr de Knuijt, die Vermeer in ihrem Testament die ansehnliche Summe von 500 Gulden vermachte, war Mitglied der reformierten Kirche. Der Käufer auf der Versteigerung Dissius war Isaac Rooleeuw, seines Zeichens Kaufmann, Künstler und Mennonit. Die zeitgenössischen Besitzer dieses und anderer Werke von Vermeer stammten aus unterschiedlichen Konfessionen, sie waren im allgemeinen keine Katholiken; eine stringente katholische Botschaft scheint somit unwahrscheinlich. Jedenfalls gehörten die BesitzerInnen zu einer kleinen kulturellen Elite. Ob nun bereits van Ruijven Vermeers Werke gesammelt hatte oder ob die 21 Gemälde, immerhin etwa die Hälfte des gesamten Oeuvres, erst bei Dissius zusammenkamen, jedenfalls war *Die Frau mit der Waage* Teil einer Vermeer-Kunst-Sammlung. Es kann somit davon ausgegangen werden, dass die RezipientInnen über Kunstverstand und Lektürekompetenz verfügten und mit Vermeers ‚Welt' vertraut waren.

Ästhetische Inszenierung

Im Folgenden soll die ästhetische Struktur des Gemäldes und deren Beziehung zum Stil des *Bildes im Bild* untersucht werden. Die Komposition ist von größtmöglicher Einfachheit und geradezu mathematischer Strenge. Der Fluchtpunkt des Bildes befindet sich annähernd im Bildmittelpunkt, das heißt, Fluchtpunkt und geometrischer Mittelpunkt fallen praktisch zusammen.[543] Dieser Punkt befindet sich unter der Hand mit der Waage etwas unterhalb des Waagebalkens zwischen den Waagschalen. Vermeer hatte den Punkt für seine perspektivische Konstruktion mit einem Nagel fixiert, der Einstich ist immer noch sichtbar.[544] Nicht nur die Orthogonalen treffen sich in diesem Punkt. Der Lichtstrahl, der durch den Vorhang vom Fenster in den Raum eindringt, kreuzt sich darin gleichsam mit dem Blick der Frau. Das Bild ist insgesamt streng gebaut, Horizontale (der Tisch, der Waagebalken, der untere Rahmen des *Bildes im Bild*, ihre linke Hand, der kleine Finger der rechten Hand) und Vertikale (Vorhang, Spiegelrahmen und Spiegelreflex, Tischbein, die Rahmen des *Bildes im Bild)* bestimmen die Komposition. Diesem Gefüge von Horizontalen, Vertikalen und Diagonalen schreibt sich auch die weibliche Figur ein. In ihrem kegelförmigen Umriss nähert sie sich einer stereometrischen Figuration an. Die Vereinheitlichung und Verbreiterung ihres Umrisses, die durch die Mode akzentuiert wird, vermittelt den Eindruck von Statik.[545] Nur die Licht-Reflexe auf Gold und Perlen auf dem Tisch sorgen für heitere Bewegtheit. Die leichte Untersicht auf die weibliche Figur bewirkt eine Monumentalisierung und Distanzierung. Die Distanzierung wird durch die unscharfe Malweise verstärkt. Obwohl wir scheinbar so nah an ihr sind, ist sie uns doch entzogen, fern. Wir werden durch die Kompositionslinien, den diagonalen Lichtstrahl und durch die Richtung ihres Blicks auf das Zentrum des Bildes geführt, auf diesen (unsichtbaren) Punkt zwischen den Waagschalen. Die Effekte dieser zentrierenden Struktur sind Konzentration und eine meditative Ruhe, die dem In-Sich-Ruhen der Figur adäquat ist. Die Ausgewogenheit, die Balance der Waage sind hier *Form* geworden.

Diese Ausstrahlung innerer Ruhe ist ein Charakteristikum Vermeerscher Kunst. In diesem Bild wird das Prinzip durch die mathematisch strenge Komposition perfektioniert und erhält durch das Motiv der Waage eine semantische Zuspitzung. Die Konzentration auf eine einzige weibliche Figur in einem nahsichtigen Innenraumausschnitt, die ihrerseits ganz versunken ist in eine einfache Tätigkeit oder nur präsent in ihrer Aufmerksamkeit, findet sich auch in verwandten Werken aus der Entstehungszeit unseres Bildes: *Die Briefleserin in Blau* **(Taf. 13)**, *Junge Dame mit Perlenhalsband* **(Abb. 90)**, *Junge Frau mit Wasserkanne am Fenster, Dienstmagd mit Milchkrug* **(Abb. 91)**. Es gibt jedoch einen gewichtigen Unterschied. In den genannten Werken ist die Wand hinter der Frau leer (*Dienstmagd mit Milchkrug* und *Junge Dame mit Perlenhalsband*) oder teilweise mit einer Karte bedeckt. Die Lichthaltigkeit und der unfassbare Reichtum der Oberflächendifferenzierung von leerer Wand und Karte intensivieren den Eindruck von vollkommener Harmonie. Zwischen Figur und Wand herrscht Einklang. Nicht so bei der *Frau mit der Waage*. Hier inszeniert Vermeer einen Gegensatz, der extremer nicht sein könnte.

540 Der Streit innerhalb der reformierten Kirche zwischen Remonstranten und Gegenremonstranten hatte vor 1620 einen kritischen Höhepunkt erreicht und wurde in der Synode von Dordrecht 1618–1619 zu Gunsten der Gegenremonstranten, also der orthodoxen Calvinisten, entschieden. Die Remonstranten vertraten eine aufgeschlossenere Form des Glaubens vor allem bezüglich der Rolle der Prädestinationslehre und der Rolle des freien Willens. Die Remonstranten traten für eine tolerante Haltung in Glaubensfragen ein.

541 Die Mennoniten sind die Nachfolger der Wiedertäufer; sie lassen sich erst als Erwachsene taufen, da sie von einer bewussten Entscheidung zum Glaubensbekenntnis ausgehen; sie lehnen im allgemeinen jeglichen Staatsdienst ab.

542 „Eine junge Dame, die Gold wiegt, in einem Kasten von J. van der Meer aus Delft, außerordentlich kunstvoll und ausdrucksvoll gemalt." AK Den Haag, Washington 1995, S. 143. Ebd: „Wir wissen nichts über den Kasten, in dem das Bild aufbewahrt wurde, es könnte sich dabei aber um eine Schutzvorrichtung gehandelt haben, die die empfindliche Oberfläche vor Licht und Staub schützen sollte." Blankert 1975, S. 136, Dok 62.

543 Siehe dazu die Beschreibung bei Greub 2003, S. 106–112. Greub thematisiert allerdings nicht das Ineinsfallen von Fluchtpunkt und geometrischem Punkt. Er beschreibt das Bild, wie wenn es gar keine perspektivische Konstruktion gäbe. So vergleicht er denn auch Vermeer mit einem Bild von Piet Mondrian. Greub stützt sich auf die Analyse von Michel Serres (Übersetzung und Anwendung: Ambrosia und Gold, in: ders., Über Malerei. Vermeer – La Tour – Turner, Dresden Basel, 1995, S. 7–20.) Serres sieht das Bild in vier Quadranten aufgeteilt und erkennt darin einen Bezug zu Descartes analytischer Geometrie und der Entwicklung des Koordinatensystems.

544 Wheelock in AK Den Haag, Washington 1995, S. 140. Zu Vermeers perspektivischer Konstruktion mittels Nagel und Schnüren siehe: Jørgen Wadum, Vermeer und die Perspektive, in: ebd. S. 67–79.

545 Dies ist wohl auch der Grund für ihre Körperform, die somit nicht durch eine Schwangerschaft erklärt werden muss.

Taf. 10: Jan Vermeer, Frau mit Waage, um 1664, Öl/Leinwand, Washington, National Gallery of Art
Taf. 13: Jan Vermeer, Briefleserin in Blau, um 1662–64, Öl/Leinwand, Amsterdam, Rijksmuseum

In fünfzehn seiner Werke hat Vermeer insgesamt achtzehn Bilder eingefügt. Soweit die Vorbilder ‚rekonstruiert' werden konnten, handelt es sich dabei immer um konkrete Zitate von Werken anderer Künstler und nicht um eigene Erfindungen. Es sind vorwiegend Landschaften, dreimal hat er das Bild eines Cupido integriert, je einmal ein Porträt und ein Stillleben, zweimal hat er dasselbe Genrebild verwendet und insgesamt fünfmal auf ein Historienbild zurückgegriffen. Unter den Historien sind es die (zweimal eingesetzte) alttestamentliche *Auffindung Moses*, die (fast bis zur Unkenntlichkeit fragmentierte) *Caritas Romana* und zwei Anleihen aus dem Neuen Testament: die *Kreuzigung* von Jordaens in der *Allegorie des Glaubens* und eben das *Jüngste Gericht*. Die Vorbilder sind ausnahmslos Werke niederländischer Künstler; sie stammen von Zeitgenossen oder aus der Zeit der 1620er Jahre. Es gibt die eine und einzige Ausnahme: das *Jüngste Gericht*. Hier greift Vermeer auf einen älteren Stil aus dem späten 16. Jahrhundert zurück. Das genaue Vorbild konnte bislang nicht eruiert werden, es wurden aber verwandte Werke genannt von Jacob de Backer, Crispin van den Broek, Frans Francken d. J. **(Abb. 92)**, Maerten de Vos.[546] Zu Recht hat Weber darauf aufmerksam gemacht, dass insbesondere im Weltenrichter mit den rechtwinkelig erhobenen Armen ältere Elemente mitschwingen, die an den berühmten Altar von Barent van Orley von 1525 erinnern. Auch wenn das konkrete Vorbild nicht ausgemacht werden kann, ist es jedenfalls ein Werk des späten Manierismus. Die Dramatik und das schrille Pathos der nackten Figuren mit ihren jäh ausfahrenden Bewegungen, der hysterische Duktus des düster-drohenden Gemäldes bilden den denkbar größten Gegensatz zu Vermeer.[547] Wenn Vermeer das Jüngste Gericht als theologische und moralische Instanz angesehen hätte, warum zitiert er dann eine Kunst, die ihm voll-

Abb. 90: Jan Vermeer, Junge Dame mit Perlenhalsband, um 1664, Öl/Leinwand, Berlin, Staatliche Museen, Gemäldegalerie
Abb. 91: Jan Vermeer, Dienstmagd mit Milchkrug, 1658–1660, Öl/Leinwand, Amsterdam, Rijksmuseum

kommen konträr ist? Wenn er schon, was er sonst nie getan hat, auf ein Werk vor 1600 zurückgreift, warum dann nicht auf die berühmten Weltgerichte in der Art des Roger van der Weyden, Petrus Christus oder Hans Memling? Die ruhige Monumentalität und die Altehrwürdigkeit der Form hätten dem Sakralen des Sujets eher entsprochen. Vermeers Kunst verdankt seinen Vorläufern aus dem 15. Jahrhundert viel, insbesondere Jan van Eyck und Petrus Christus; doch auf sie bezieht er sich nicht; er zitiert das ihm Fremdeste. Der Gegensatz, den viele bemerkt haben, ist nicht der zwischen *Vanitas* und Weltgericht, nicht der zwischen einer eitlen Frau und der moralischen Instanz, auch nicht einfach der zwischen der profanen und der himmlischen Sphäre. Es ist der Gegensatz zwischen einer harmonischen, geordneten (diesseitigen) Welt – ‚Vermeers Welt' – und einem *Bild*, in dem alle Gesetze von Maß, Ruhe und Harmonie außer Kraft gesetzt sind zu Gunsten einer affektiv bewegten und gestikulierenden Menge. Aber auch die aktuelle Forschungsmeinung, wonach eine Analogie, ein Gleichklang zwischen der Frau (*Temperantia*, Wahrheit, Gerechtigkeit) und dem Weltgericht herrsche, verkennt diese Differenz. Es herrscht kein Gleichklang. Dieser Gegensatz ist nicht nur formal, er ist durchaus inhaltlich zu verstehen: hier das behutsame, maßvolle Abwägen, wo es um minimale Gewichtungen geht – dort das dichotomische Entweder-Oder. Der Erzengel Michael, von der Gestalt der Frau gleichsam unsichtbar gemacht, verweist auf Himmel oder Hölle, tertium non datur.

546 Weber 1994, S. 314, Anm. 72. Der Hinweis auf Maerten de Vos bei Beaujean 2001, S. 157.

547 Der Gegensatz wurde von einigen Anti-Ikonologen bereits konstatiert, allerdings in seiner Bedeutung nicht untersucht. So verwehrt sich Edward Snow (1994, S. 156–166) gegen jegliche moralisierende und emblematische Lesart (S. 160): „The woman's gentle force, counters, perhaps overrules, the Christian schema depicted in her background." So auch Bryan Jay Wolf, Vermeer and the Invention of Seeing, The University of Chicago Press, Chicago, London 2001, S. 174f. Greub (2004, S. 106ff) konzentriert sich zwar auf eine formale Analyse der Bildstruktur als Ganzes, ignoriert aber den stilistischen Gegensatz zwischen Bild und *Bild im Bild*.

Abb. 92: Frans Francken, Das Jüngste Gericht, 1606, Öl/Kupfer, vormals Brüssel, Galerie F. Franco

Neue Blicke auf Vermeer

In den letzten Jahren zeichnet sich in der Forschung eine erfreuliche Tendenz ab: der Versuch, die Bilder Vermeers (und anderer holländischer Künstler) nicht mehr auf die eine einzige (meist moralisch-didaktische) Aussage festzulegen. Hier sind insbesondere die Forschungen von Daniel Arasse, Victor Stoichita und Jochen Becker zu nennen.[548] Sogar Eddy de Jongh begann in seinem Artikel *On Balance* von 1998 über die Möglichkeit von „ambiguity", „multivalence" und „open semantics" in Vermeers Bildern nachzudenken.[549]

Bezogen auf unser Bild heißt das, dass eine Vielfalt sich teils widersprechender Assoziationen aufgerufen wird und die Beurteilung den BetrachterInnen überantwortet wird. Wir sind selbst gefordert, zu urteilen, abzuwägen, zu werten. Jedoch: Angesichts der Differenz zwischen Bild und *Bild im Bild* können wir es nicht bei der Feststellung einer Vielfalt von Bedeutungsmöglichkeiten bewenden lassen. Es handelt sich nicht einfach um die Gegenüberstellung von profanem und sakralem Bereich und den damit verknüpften Fragen nach dem rechten Leben. Die Diskrepanz zwischen der ästhetischen Struktur des Vermeerschen Bildes und dem Stil des Jüngsten Gerichts muss in ihrer Semantik ernst genommen werden. Meine These ist, dass Vermeer eine Vorstellung von Leben, Ethik und Wertmaßstäben entwirft, die sich von der christlich-katholischen Glaubenslehre entfernt; mehr noch: dass er das Weltgericht als *veraltetes Bild* kenntlich macht. Eine so gewagte Behauptung muss begründet werden: durch die Analyse des Bildes, durch Vergleiche mit seinen anderen Werken, durch die Religiosität Vermeers und seiner Kunden[550] und durch die Kontextualisierung mit den Denkmustern und Diskursen seiner Zeit.

Die bei der Beschreibung bereits gemachten Beobachtungen eines fundamentalen Widerspruchs zwischen der Struktur des Bildes und derjenigen des *Bildes im Bild* können vertieft und erweitert werden. So spielt die Kategorie der *Zeit* in Vermeers Oeuvre eine eminente Rolle.[551] Die Zeit wird in Vermeers Werken gleichsam still gestellt, es gibt nur diesen einen Augenblick, das Jetzt, die absolute Gegenwart. Es gibt kein Vorher, kein Nachher, keine Narration, kein Gerichtetsein auf ein Zukünftiges. Es ist nicht der flüchtige Augenblick, der vergeht, nicht der Augenblick in der Bewegung, wie wir das etwa von Frans Hals kennen. Es ist die Ewigkeit in der Gegenwart, die Gegenwart, die als Ewigkeit und somit als Sinn erfahrbar wird. Es ist das *Sein* im *Jetzt*. Folglich ist es der polare Gegensatz zu einer eschatologischen Zeitvorstellung, in der es Anfang und Ende gibt und eine prinzipielle Ausrichtung des Lebens auf ein Zukünftiges, auf den Jüngsten Tag. Zwei Zeitmodelle: das christliche *memento mori* und das ‚Vermeersche', das eher an Horaz' *carpe diem* denken lässt.[552]

Vermeer scheint selbst reflektiert zu haben, dass Wahrnehmung (und damit auch Interpretationen) immer vom jeweiligen Standort abhängig ist. Was sonst hätte es zu bedeuten, dass die weibliche Figur, die so nah am Auge des Betrachters steht, unscharf ist – im Unterschied zur Rückwand. Der kleine Nagel oben in der Wand ist klar und und deutlich gemalt, ebenso wie das winzige Loch links daneben: als ob man mit der Kamera auf die linke Rückwand scharf gestellt hätte. Damit thematisiert Vermeer die Frage der Wahrnehmung selbst.[553] Der Künstler fokussiert nicht auf die Hauptfigur, sondern auf die leere Rückwand, die dadurch als malerische Fläche (ohne Bedeutung) an Bedeutung gewinnt.

Der Spiegel hängt bezeichnenderweise an eben dem Ort, wo das Licht einfällt.[554] Der schmale Lichtstreifen im Spiegel verfügt über den intensivsten Lichtglanz des gesamten Bildes. Sein massiver Rahmen korrespondiert mit dem Rahmen des Jüngsten Gerichts. Die weibliche Figur ist gleichsam doppelt gerahmt: In der ‚Realität' müsste der Spiegel ihr Bild wiedergeben. Es ergibt sich eine Triangulierung: die weibliche Figur – das *Bild im Bild* – der Spiegel. Da, wie wir sahen, die rätselhafte Verbindung von Wägerin und Jüngstem Gericht die BetrachterInnen zu Semantisierungen auffordert, kommt dem Spiegel in dieser Triangulation eine

548 Jochen Becker, Beholding the Beholder: The Reception of ‚Dutch' Painting, in: Argumentation 7, 1993, S. 67–87; Arasse 1996; Stoichita 1998. Siehe die neuesten Arbeiten von Gaskell 1998, 2000. Wheelock (in: AK Den Haag, Washington 1995, v. a. bei der Beschreibung der Perlenwägerin S. 154) plädiert zumindest für eine gewisse Offenheit und Mehrdeutigkeit; so auch Weber 1998, v.a. S. 303.

549 De Jongh 1998, S. 353. Diese neuen Zugänge führt de Jongh auf die Erfahrungen von postmoderner Kunst und Theorie zurück: „The hypothesis of Vermeer's ambiguity, or degree of incomprehensibility, may have been suggested partly by late twentieth-century aesthetic notions of floating meanings. Might there not be connections with what we see in postmodern prose, film, and art: discontinuity, shattering the illusion of reality, resistance to causality, and the manifest tendency to throw the reader or viewer off balance? Might this partly color our view of Vermeer's intentions?" Aber natürlich hält de Jongh an einer prinzipiell ikonologischen Interpretation fest, darüber s. u. 3. Kap.

550 Dazu s. o.

551 Siehe insbes. Irena Netta, Das Phänomen Zeit bei Jan Vermeer van Delft, Hildesheim, Zürich, New York 1996 (Diss. Basel).

552 Zur Vorstellung von zwei Zeitmodellen siehe: Christiane Hertel, Vermeer. Reception and Interpretation, Cambridge University Press 1996, S. 187–204 (Das Kapitel: Veritas filia temporis).

553 Sara Hornäk, Spinoza und Vermeer. Immanenz in Philosophie und Malerei, Würzburg 2004, S. 216–218. Hornäk kommt bei ihrer Analyse von Vermeers *Dienstmagd mit Milchkrug* zu ähnlichen Schlussfolgerungen.

554 Zur Semantik des Spiegels siehe das vorangegangene Kapitel.

Abb. 93: Pieter Aertsen, Stillleben mit Christus bei Maria und Martha, 1552, Öl/Holz, Wien, Kunsthistorisches Museum

eminente Bedeutung zu. Weil der Spiegel ihr Bildnis nicht zeigt und überhaupt nichts Konkretes spiegelt, sondern *Licht* (das Licht der Erkenntnis!) reflektiert[555], wird er zum Raum der Reflexion, ein ‚leerer' Raum, den gleichsam die BetrachterInnen füllen müssen. Der Spiegel ist Zeichen für Reflexivität und Erkenntnis.

Vermeer setzt alles daran, uns bewusst zu machen, dass es sich bei dem Weltgericht um ein *Bild* handelt. Sein Gemälde zeigt ein profanes Interieur mit einem sakralen Werk. Das Thema des Jüngsten Gerichts verweist auf ein Altarbild. Es ist kein Motiv, das in holländischen Interieurs beheimatet war. Ein fremder Ort. Das Zitat eines Altarbildes in einem Kontext, in den es nicht gehört – Verfremdung. Den Gegensatz zwischen profaner und sakraler Szenerie kennen wir aus den Werken von Pieter Aertsen aus der Mitte des 16. Jahrhunderts, als Beispiel sei *Christus bei Maria und Martha* von 1552 genannt **(Abb. 93)**.[556] Das ist kein beliebiges Beispiel, denn das Thema *Maria und Martha* reflektiert selbst das Verhältnis zwischen dem Bereich des Geistigen (Christi Wort) und dem Profanen: Küche, Essen, Trinken, weltliches Leben. Aertsen thematisiert mit seinem dichotomen Bildaufbau, der keine perspektivische Raumkonstruktion zeigt, sondern in der Tat zwei Räume, zwei Welten neben- und gegeneinander stellt, die Widersprüche zwischen dem Sakralen und dem Profanen.[557] Später hat Velazquez die Thematik von *Maria und Martha* aufgegriffen **(Abb. 94)**. Ganz ähnlich wie bei Vermeer wird der sakrale Bereich zum *Bild im Bild*. Das Sakrale ist nicht mehr eine andere Realität, es ist nur noch ein *Bild*, ein Kunstwerk in einer profanen Welt.[558]

Vermeer pointiert den Kunstcharakter nicht lediglich durch den manieristischen Stil des Bildes. Der Akzent wird nicht auf die Darstellung des Weltgerichts gelegt, sondern auf den massiven Rahmen. Das Licht (die zentrale Kategorie bei Vermeer) fällt auf die leere Wand, die Frau und – nein, nicht auf das Bild, – sondern auf die vergoldeten Rahmenleisten. Sorgsam differenziert Vermeer die unterschiedlichen Formen und Verbindungen von Licht und Farbe. Das Gelb des Vorhanges signalisiert, dass die Farbe des Vorhanges gelb

Abb. 94: Diego Velázquez, Christus bei Maria und Martha, um 1618, Öl/Leinwand, London, National Gallery

ist, ein Gelb, dessen ‚objektive' Farbigkeit aber nicht bestimmbar ist, da die Farbe nur im Licht existiert und sich je nach Lichteinfall wandelt. Das Gelb korrespondiert mit dem schmalen Streifen des gelb-orangen Untergewandes der Figur, aber auch mit der gelben Aureole des Jüngsten Gerichts, deren Oval durch die Form der Lichtkonzentration beim Fenster wiederholt wird. Das Gelb um Christus wirkt nicht als Licht, es ist auch keine durch Licht gebrochene Farbe, sondern eben nur Lokalfarbe. Diese von Licht unabhängige Farbe entspricht eigentlich nicht dem Umgang mit Farbe und Licht der Kunst des späten 16. Jahrhunderts, aus dem der Stil des Bildes stammt. Diese Verwendung von Farbe ist es vor allem, die das Bild altertümlich, ja fast mittelalterlich erscheinen lässt. Es ist aber eben auch kein Goldgrund, der im Mittelalter die göttliche Sphäre bezeichnet hat. Golden ist hier allein der Rahmen.

Diese Beobachtungen werden durch jüngste Forschungen gestützt, die insbesondere im Anschluss an Arasse und Stoichita die Selbstreflexivität der Malerei bei Vermeer gegenüber einer rein emblematischen Leseweise stark machen. Ich denke vor allem an Bryan Jay Wolf *Vermeer and the Invention of Seeing* von 2001, die neuesten Arbeiten von Ivan Gaskell *Vermeer and the Limits of Interpretation* von 1998 und *Vermeer's Wager. Speculations on Art History* von 2000 sowie an Christiane Hertel *Vermeer. Reception and Interpretation* von 1996.[559] Die Untersuchungen dieser

555 Zur Bedeutung des Lichts bei Vermeer als Erkenntnis s. u.

556 Daniela Hammer-Tugendhat, Wider die Glättung von Widersprüchen. Zu Pieter Aertsens ‚Christus bei Maria und Martha', in: Peter K. Klein, Regine Prange (Hg.), Zeitenspiegelung. Zur Bedeutung von Traditionen in Kunst und Kunstwissenschaft. Festschrift für Konrad Hoffmann zum 60. Geburtstag, Berlin 1998, S. 95–107.

557 Dies spiegelt die Konflikte zwischen einem aufstrebenden Bürgertum und einem nie dagewesenen Warenangebot und dem Anspruch der Reformatoren sowie die Kämpfe zwischen Protestanten und Katholiken auf mehreren Ebenen: Warenwelt gegen religiöse Askese, *vita activa* gegen *vita contemplativa*, das Verhältnis zwischen sakralen und profanen Bildern. Im Zuge der Reformation erhielt die Episode besondere Brisanz. Calvin kritisierte die Abwertung der *vita activa* im Katholizismus und verteidigte den Wert der Arbeit. Diese Umwertung verband Calvin mit einer Kritik am Klosterleben.

558 Vermeer hat sich in einem seiner Frühwerke mit dem Motiv *Christus bei Maria und Martha* befasst. (Edinburgh, National Gallery of Scotland, um 1655.) Er überwindet den traditionellen Gegensatz zwischen Maria und Martha. Martha, die einen Korb mit Brot auf den Tisch stellt, wendet sich ebenso aufmerksam wie ihre Schwester Christus zu, der seinerseits sie anblickt. Kompositorisch sind alle drei harmonisch miteinander verbunden. Versöhnung statt Polarisierungen auch hier.

559 Hertel bezieht sich vor allem auf Norman Bryson (Vision and Painting. The Logic of the Gaze, London 1983). Zu nennen wären hier auch die beiden von Gottfried Boehm betreuten Dissertationen von Irena Netta zum Phänomen der Zeit bei Vermeer und von Thierry Greub über Vermeer oder die Inszenierung der Imagination.

Autoren konzentrieren sich auf andere Werke im Vermeerschen Oeuvre; die Ergebnisse sind aber durchaus aufschlussreich für das Verständnis der *Frau mit der Waage* und können zur Plausibilität meiner Lesart herangezogen werden.

Gaskell kritisiert in seinen beiden Studien zur *Stehenden Virginalspielerin* eine rein emblematische Lesweise, wie sie Eddy de Jongh exemplarisch durchgeführt hatte **(Abb. 95)**. Er schlägt eine Interpretation als *Schönheit der Frau und der Kunst verbunden durch die Metapher der Liebe* vor, geht aber gleichzeitig darüber hinaus. Es gehe nicht um emblematische Bedeutungen, wie sie de Jongh in Rückführung auf ein Emblem mit Cupido in Otto van Veens *Amorum Emblemata* von 1608 behauptet hatte. In dem Emblem hält ein Cupido, der allerdings nicht frontal, sondern im Profil zu sehen ist, ein Täfelchen mit einem Lorbeerkranz und der Zahl I hoch, während er mit seinem Fuß auf eine Tafel mit vielen Zahlen tritt. Die Botschaft, die im Motto und Epigramm verbalisert wird, *Vollkommene Liebe gibt es nur für einen,* sollte nach de Jongh auch für Vermeers Virginalspielerin gelten.[560] Gaskell hält dieser These zu Recht entgegen, dass auf dem Täfelchen, das Cupido so plakativ den BetrachterInnen entgegenhält, eben nichts geschrieben steht, es ist eine leere Fläche. Wir suchen eine Erklärung im *Bild im Bild*, aber das weisse Objekt ist blank. Cupido fordere uns auf, die Repräsentation bewusst als Repräsentation zu verstehen. Es gehe Vermeer eben gerade nicht um fixe Botschaften, sondern um die Bedingungen des Verstehens malerischer Fiktionen.[561] Überträgt man diesen methodischen Zugang auf unser Bild, ein Bild in dem es nicht nur um die profanen Dinge des Lebens geht wie Liebe, Schönheit und Kunst, sondern um das Verhältnis dieser profanen Welt zur sakralen, führt das zu radikalen Schlussfolgerungen: Das Jüngste Gericht soll nicht primär über seine Ikonografie und seinen manifesten Inhalt gelesen werden, vielmehr stehen die Effekte seiner Repräsentation zur Diskussion.

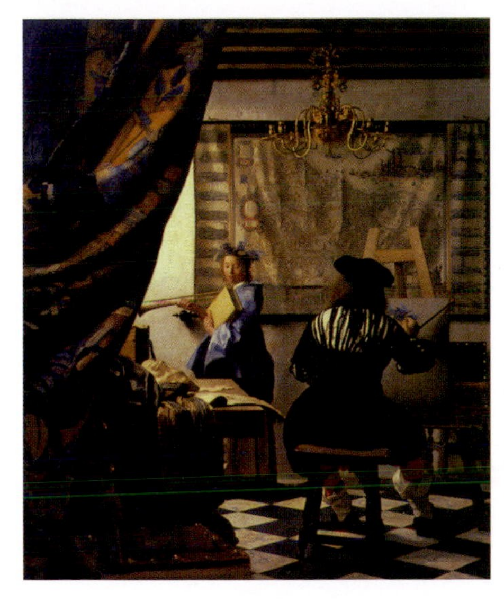

Abb. 95: Jan Vermeer, Stehende Virginalspielerin, um 1672/73, Öl/Leinwand, London, National Gallery

Abb. 96: Jan Vermeer, Das Mädchen mit dem Weinglas, um 1659/60, Öl/Leinwand, Braunschweig, Herzog Anton Ulrich-Museum

Abb. 97: Jan Vermeer, Die Malkunst, um 1665/1666, Öl/Leinwand, Wien, Kunsthistorisches Museum

Verwandte Gedanken finden sich in Bryan Jay Wolfs *Vermeer and the Invention of Seeing.*[562] Wolf ist kein Kunsthistoriker, sondern Professor für American Studies, hat aber vielleicht gerade deswegen keine Scheuklappen und einen breiten kulturwissenschaftlichen Zugang. In der Einführung seiner Analyse zu *Das Mädchen mit dem Weinglas*[563] **(Abb. 96)** schreibt er, Beobachtungen von Edward Snow[564] weiterdenkend:

> Vermeer takes Dutch domestic art and problematizes it. He cleanses it of its allegorizing tendencies, removes its latent didacticism, and substitutes a vision that is quietistic, self-reflexive, and often voyeuristic. Vermeer is possessive of his subjects, selfeffacing in his tone, and deconstructive of the very traditions that make his art possible.[565]

Das Bild *Das Mädchen mit dem Weinglas* verspreche eine Geschichte von Werbung und Verführung zu erzählen, die es aber nicht erzähle.

560 Eddy De Jongh, Zinne- en minnebeelden in de schilderkunst van de zeventiende eeuw, Amsterdam 1967, S.49f. De Jongh reagierte auf die Kritik in seinem Aufsatz *On Balance* von 1998 und differenzierte seine These, hielt aber letztlich daran fest, dass Vermeer von van Veens Emblem ausging, offen sei nur „The crucial question: how did the painter intend the inserted moral to function?“ (S.354). Dass das Bild vielleicht gar nicht moralisch-didaktisch gemeint sein könnte, kann sich de Jongh einfach nicht vorstellen.

561 Gaskell 1998, S.230: „I suggest that the structure and fiction of this painting are such that the attention of the viewer is drawn not to emblematic allusion as a principal means of establishing pictorial meaning, but rather to the condition under which such an allusion is created, and hence to the conditions of the apprehension of pictorial fictions.“ (Ivan Gaskell, Vermeer's Wager. Speculations on Art History, Theory and Art Museums, London 2000, S.83f.)

562 Wolf sieht in Vermeer den ersten Maler der Moderne. Er kontextualisiert Vermeer mit der visuellen Kultur Hollands im 17. Jahrhundert (S.12): „Seeing becomes, in the early modern period, a totalizing process [...].“ Es gehe um die neue Bedeutung des Ästhetischen für die Kultur der Moderne, S.168 „Vermeer's paintings align themselves with the autonomy of the bourgeois subjects they record, and in the process they claim for themselves forms of independence, modes of interiority, that rebut the intrusions of either the viewer or the market.“

563 Literatur zu diesem Bild siehe Wolf und AK Den Haag Washington, Kat.Nr. 6, S.114–119. Das Werk geht auf de Hoochs *Trinkende Frau mit Soldaten* von 1658 zurück (Paris, Louvre.) Wheelock (AK ebd.) sieht die Kernaussage des Bildes in der moralisierenden Feststellung, dass es den Männern im alltäglichen Leben an Beherrschung fehle. Tabak und Alkohol untergrüben die Moral. Er stützt sich dabei auf die Entdeckung von Rüdiger Klessmann, dass im Glasfenster die Allegorie der *Temperantia* (Enthaltsamkeit) mit Zügeln in der Hand dargestellt sei.

564 Snow 1994.

565 Wolf 2001, S.112.

Das Mädchen, dessen Modellfunktion offen gelegt werde, schaut aus dem Bild auf den Betrachter und damit verlasse es gleichsam die Bildgeschichte und gebe der Szenerie eine selbstreflexive Note. Für Wolf ist diese Unterbrechung (*interruption*) die Möglichkeit, über die Repräsentation selbst zu reflektieren. Was ist, fragt Wolf, wenn die Repräsentation als solche wichtiger wird als die Repräsentation moralischer Inhalte? Das sei eine Kunst, die nicht mehr dem Bereich von „agency", „desire" und „sexuality" entstamme, sondern „scopophilic", „self-reflexive" und somit „postnatural" sei.[566] Für unseren Zusammenhang ist insbesondere die Funktion des *Bildes im Bild* von Interesse. An der Rückwand hängt ein großes, hochrechteckiges männliches Dreiviertelporträt. Es ist das einzige Porträt in Vermeers *Bildern im Bild*. Der Porträtierte trägt eine schwarze Kleidung mit einem weißen Spitzenkragen und Manschetten, eine Mode, die in den dreißiger Jahren des 17. Jahrhunderts üblich war. Seine Vornehmheit wird durch den Handschuh unterstrichen, den er lässig in der abgewinkelten Linken hält. Die aufrechte, fast frontal ausgerichtete Haltung, die altertümliche Mode, der Blick aus dem Bild und nicht zuletzt die düstere Farbigkeit verleihen dem Dargestellten eine hohe Seriosität, ganz im Gegensatz zur häuslichen Szene. In dem Porträtierten wurde der abwesende Ehemann[567] ebenso vermutet wie ein Ahne der Familie.[568] Bryan Wolf bemerkt dazu:

> The figure within the painting thus introduces two functions of seeing: its work of surveillance and its work of disguise, both cast in the moralizing language of ‚thou shall' and ‚thou shall not'. Yet what is most interesting about this old-fashioned, morally righteous ancestor is not how he sees but the context of his vision: he sees from within a painting.[569]

Und weiter:

> His ‚obsolence' binds him to that which is also obsolete in Vermeer's canvas: the natural world, the place of agency and morality that Vermeer casts off – relinquishes – in the moment of interruption that marks the true starting point of the canvas.[570]

In *Mädchen mit dem Weinglas* ist es ein personalisiertes Über-Ich, das aber, ähnlich wie das Jüngste Gericht, eben lediglich als *Bild im Bild* funktioniert. Die moralische Instanz hängt als Bild an der Wand.

Bei der Frage nach den künstlerischen Reflexionsmöglichkeiten von Vermeer denkt man natürlich an jenes Werk, in dem Vermeer seine Position zur Bedeutung von Malerei explizit gemacht hat: an *De Schilderconst* (*Die Malkunst*), um 1666–67 (**Abb. 97**, S. 209). Es würde in unserem Zusammenhang zu weit führen, genauer auf dieses kapitale Werk und die entsprechende Forschungsliteratur einzugehen. Ich beschränke mich auf einige Aspekte, in denen ich eine Analogie zur *Frau mit der Waage* sehe.

Seit dem Aufsatz von Karl Gunnar Hultén von 1949 besteht in der Forschung zumindest darüber Einigkeit, dass das Mädchen nicht *Fama*, den Ruhm oder eine Siegesgöttin darstellen soll, sondern Clio, die Muse der Geschichte, wie sie in der *Iconologia* von Ripa von 1593, die 1644 ins Holländische übersetzt worden war, beschrieben ist: eine mit Lorbeer bekränzte Frau mit Buch (Thukydides) und Trompete.[571] Bemerkenswert ist nun aber, dass Vermeer keine Allegorie darstellt. Vielmehr gibt ein prächtiger Teppichvorhang den Blick frei in ein bürgerliches Interieur; wir sehen einen ungewöhnlich gekleideten Maler[572] von hinten an der Leinwand und sein Modell, ein Mädchen, das sich als Clio verkleidet hat. Unter ihrem blauen antikisierenden Umhang wird ihr zeitgenössisches Gewand sichtbar. Wir sehen nicht Clio, die Muse der Geschichte, sondern ein Mädchen, das Modell steht. Es ist die Kunst des Malers Vermeer, die das bürgerliche Mädchen in eine Göttin verwandelt. Der (gemalte) Maler, der nicht dasselbe sieht wie wir, malt nicht das Bild, das wir sehen und das als Gesamtbild Vermeers Konzeption von Malerei wiedergibt. Er malt in der Tat *nur* Clio und Clio *als* Allegorie. Skizziert ist auf seiner Leinwand ein Brustbild von Clio (die ganze Figur fände auf seiner Leinwand keinen Platz), somit nur der ‚verkleidete' Teil seines Modells, sodass (auf seinem Bild) der Modellcharakter unsichtbar würde. Ausgeführt ist lediglich der Lorbeerkranz. Vermeer würde niemals sein Bild oben mit dem Lorbeerkranz beginnen. Sichtbar auf der gemalten Leinwand ist somit nicht einmal die Muse der Geschichte, sondern lediglich ihr *Ruhm*. Ich folge Christiane Hertel und Bryan Wolf, wenn sie im Gegensatz zum Mainstream der Forschung davon ausgehen, dass sich Vermeer nicht mit dem Künstler im Bild identifiziert, sondern vielmehr eine ironisierende Kritik anbringt an einer imitierenden als auch an einer allegorisierenden Kunst. Die Vorstellung, dass durch mimetisches Abmalen eines (verkleideten) Modells ein theoretisches Konzept (Clio und alles, was mit der Muse der Geschichte und damit wohl auch der Historienmalerei impliziert ist) adäquat repräsentiert werden könne, wird ironisch gebrochen. In der Kenntlichmachung der Allegorie, genauer der Personifikation, als Maskerade macht Vermeer deren problematische Dialektik sichtbar: nicht nur, was es bedeutet, wenn ein abstrakter Begriff *verkörpert* wird und zwar ganz konkret durch eine weibliche Figur[573], sondern auch die andere Seite, die Walter Benjamin herausgearbeitet hat: die Entleibung, die Entwertung des Materiellen, der Umstand, dass die Dinge nicht mehr sich selbst bedeuten.[574] Die Präsenz der jungen Frau im Vermeerschen Bild hingegen beharrt auf der Widerständigkeit des Materiellen. Vermeer legt die Differenz zwischen Signifikant (das weibliche

566 Ebd. S. 117, S. 119.

567 Pierre Desargues, Vermeer, Biographical and Critical Study, Genf 1966, S. 128.

568 Wheelock in AK Den Haag, Washington 1995, S. 116.

569 Wolf 2001, S. 122.

570 Ebd. S. 123.

571 Karl Gunnar Hultén, Zu Vermeers Atelierbild, in: Konsthistorisk Tidskrift 18, 1949, S. 90–98.

572 Marieke de Winkel (1998, S. 333f) konnte die gängige Forschungsmeinung, es handle sich bei dem Kostüm um eine alte aus der Mode gekommene burgundische Tracht, widerlegen. Das auffallend geschlitzte Wams sowie die weiten Überzieher über den roten Strümpfen waren in den 1660er Jahren eine allerdings selten und nur zu gewissen besonderen Festlichkeiten getragene Mode. Hier irrt Bryan Wolf, wenn er das Kostüm nicht nur als aus der Mode, sondern die heruntergestreiften Überstrümpfe als grotesk ansieht, was, wie er meint, den Maler vollkommen ins Lächerliche ziehe. (Wolf 2001, S. 194.)

573 Zum problematischen Verhältnis zwischen Weiblichkeit (weiblichem Körper) und Allegorie: Wenk 1994; Schade, Wagner, Weigel 1994.

574 Walter Benjamin, Ursprung des deutschen Trauerspiels, Frankfurt a. M. 1969. Siehe auch: Sigrid Weigel, Von der „anderen Rede" zur Rede des Anderen, in: Schade u. a. 1994, S. 159–169.

Modell) und Signifikat (die Geschichte, die Historienmalerei etc.) offen. Die Personifikation der Clio zerstört sich so gleichsam selbst, oder, wie wir heute sagen würden: sie wird dekonstruiert.[575]

Dies belegt einmal mehr Vermeers künstlerische Reflexion, die die Instrumente und Effekte visueller Inszenierung als solche deklariert, wie wir das bei der *Frau mit der Waage* bezüglich der Repräsentation des *Bildes im Bild* als Repräsentation konstatiert haben. Verwandt ist auch der Umgang mit dem Allegorischen. In der *Frau mit der Waage* verunsichert Vermeer auf andere Weise eine strikt allegorische Lesart: Er erschüttert das Dogma der Allegorie, nämlich die Klarheit festgelegter Codes. Durch die Evokation mehrerer, unterschiedlicher, ja sich widersprechender Bedeutungen bricht die eindeutige Identifizierung weg. Das Subjekt tritt an die Stelle der Deutungsautorität und der eindeutigen allegorischen Beziehungen.[576] Die Verunsicherung ist eine doppelte. Handelt es sich denn überhaupt um eine allegorische Darstellung oder aber nicht doch um ein Genrebild? Die Tatsache, dass nichts gewogen wird, sondern die Waagschalen leer sind, das entindividualisierte Gesicht und der Umstand, dass die Figur weiblichen Geschlechts ist, weisen in Richtung Allegorie. Wäre eine männliche Figur dargestellt, könnte sie eher als konkrete Figur, als Geldwäger, gelesen werden und nicht als abstrakte Idee.[577] Diesen allegorisierenden Elementen widerspricht das häusliche, bürgerliche, realistisch inszenierte Interieur. Ähnlich wie in der *Malkunst* überwindet Vermeer diese polaren Positionen; er wendet sich gegen die abstrakte Allegorie ebenso wie gegen eine Vorstellung von Genrebild, das angeblich die ‚Wirklichkeit' beziehungsweise bloß das Alltägliche abbilde. Vielmehr demonstriert er, dass Bedeutungen von grundsätzlicher Relevanz auch in einer neuen Form vorgetragen werden können, einer Form, die man bereits zur Zeit Vermeers als *modern* zu bezeichnen begann.[578] Bereits van Mander verwendete den Begriff bezüglich Bloemaerts *Fröhlichen Gesellschaften*. Gerard Ter Borchs Vater schrieb in einem Brief an seinen Sohn vom 3. Juli 1635: „Wenn du malen willst, dann mach etwas in der modernen Art von Figurengruppen (*ordonantsij van modarn*)." Der Begriff bezog sich auf die beginnende Genremalerei, der Gegenbegriff war „antiek", was alles beinhaltete, was mit Historienmalerei, religiösen, mythologischen Stoffen und Allegorien gemeint war. Gerard de Lairesse hat in seinem Traktat *Het groot schilderboek* von 1707 den Gegensatz *antiek en modern* ex post theoretisiert.[579] Lairesse als Vertreter des Klassizismus bevorzugt den antiken Modus, der durch den Rückgriff auf die klassische Antike, die Renaissance und die Bibel legitimiert sei und somit allgemeine Gültigkeit und Dauer besitze. Demgegenüber sei der moderne Stil von Moden abhängig und beschäftige sich lediglich mit dem banalen Alltag. Die moderne Malerei könne bloß das Gegenwärtige darstellen und habe deswegen keinen Bestand. Vermeer stellt die zwei Modi antithetisch nebeneinander und etikettiert den antiken Modus gleichzeitig als vergangen und überholt. Er hebt damit das profane (Genre)Bild auf die Bedeutungsebene des Historienbildes.[580]

Die These, dass Vermeer in der *Frau mit der Waage* die mediale Inszenierung als solche zur Disposition stellt, wird somit durch den Vergleich mit seinen anderen Werken gestützt. *Das Bild im Bild* als Repräsentation auf seine Effekte hin zu befragen ist allerdings auf Grund der theologischen Thematik in diesem Werk von besonderer Brisanz. Das sakrale *Bild im Bild* dient nicht als unhinterfragte Instanz und Kommentar zur profanen Szene (weder affirmativ noch als Gegensatzpaar). Das mittelalterliche Denken in Analogien wird vorgeführt, funktioniert aber nicht mehr.[581] Die ikonologischen Deutungen, so unterschiedlich sie sein mögen, bleiben diesen Analogien verhaftet: So wie du wiegst, wirst du gewogen werden, wie auf Erden, so im Himmel usw. Das Paradigma, das moralische Muster, in dem wir die Szene beurteilen, hängt als Bild an der Wand und wird als (veraltetes) *Bild* kenntlich. *Das Bild im Bild* funktioniert nicht als ‚Wahrheit', nicht als Interpretationsrahmen. Vielmehr wird eben dieser Rahmen als Rahmen, das Zitat als Zitat offenkundig. Es ist, wie wir sahen, der Rahmen des Bildes, der auch die Figur umfasst, der betont und vom Licht hervorgehoben wird.[582] *Das Bild im Bild* produziert Bedeutungen und fordert uns zu Semantisierungen auf. Das Bild des Jüngsten Gerichts ‚zwingt' uns, das Gesamtbild in seinem Rahmen zu deuten. Das Bild führt uns vor, was wir alle tun: die Welt über Bilder (Konzepte) deuten. Unsere Wahrnehmung ist immer *gerahmt*, *framed*.

Vermeer zeigt uns den Rahmen, innerhalb dessen wir sehen und denken. Das klingt überraschend modern. Manche werden sagen: undenkbar in Vermeers Zeit. Aber hat nicht Descartes, ausgehend unter anderem von Kepler, der in seiner *Optik* begonnen hatte, das Instrumentarium des Sehens selbst, das Auge, zu untersuchen, eben dies für die Philosophie gefordert? Sein radikaler Zweifel an allen Wahrnehmungen, an gewohnten Denkweisen, hatte Descartes dazu geführt, die Methoden des Denkens selbst zu analysieren. Alltagserfahrungen sollten überwunden werden zu Gunsten eines kritischen, selbstreflexiven Denkens. Descartes denaturalisierte das Wissen. Analog zu Descartes, könnte man sagen, untersucht Vermeer auf der Ebene des Sichtbaren den Rahmen und die Instrumente unseres Denkens. Die Waagschalen sind leer. Geprüft wird das Werkzeug der Urteilsfindung.

575 Zu ähnlichen Schlussfolgerungen kommt Christiane Hertel (1996, S. 205–229, hier S. 229) in ihrer Benjaminschen Analyse von Vermeers umstrittenen Spätwerk *Allegorie des Glaubens:* „Viewing Vermeer's Allegory of Faith is painful because the event witnessed is the devaluation of allegorical authority as the threshold between the pastness of religion and the future of idealized secular woman. [...] In each [Malkunst, Allegorie des Glaubens, Frau mit Waage] the negativity of allegory is represented as an actual withdrawal within the painting. Clio, Christ, an Divine Justice withdraw themselves in these works, leaving behind a vacuum of authority that continues to challenge their beholders."

576 Weigel 1994, S. 166.

577 Siehe Anm. 573.

578 Zum Folgenden siehe: Albert Blankert, Vermeers moderne Themen, in: AK Den Haag, Washington 1995, S. 31–45; Lisa Vergara, Antiek and Modern in Vermeer's *Lady Writing a Letter with her Maid*, in: Gaskell 1998, S. 235–255, insbes. S. 245ff.

579 Zur prinzipiellen Diskussion immer noch grundlegend: Hans Robert Jauss, Schlegels und Schillers Replik auf die „Querelle des Anciens et des Modernes", in: ders., Literaturgeschichte als Provokation, Frankfurt a. M. 1970, S. 67–106. Ich danke Gotthart Wunberg für diesen Hinweis.

580 Analog hat Velazquez in seinem Bild der *Hilanderas* von 1657 (Madrid, Prado) einem profanen Sujet die Würde und Tiefendimension eines Historienbildes verliehen. Velazquez konfrontiert hier nicht nur eine profane Szene mit einem *Bild im Bild* mythologischen Inhalts, sondern zieht vier Realitätsebenen ein: die Szene im Vordergrund mit den Spinnerinnen, die Hoffräulein im Hintergrund, die *Athena und Arachne* als Theaterstück anschauen, und an der Wand im Hintergrund ein Teppich mit der Darstellung des Raubes der Europa, einem Teil des Teppichs, den Arachne im Wettbewerb mit der Göttin gewebt hatte und für den sie als Strafe in eine Spinne verwandelt worden war.

581 Michel Foucault, Die Ordnung der Dinge, Frankfurt a. M. 1974 (Les mots et les choses 1966), insbes. das 2. und 3. Kapitel.

582 Zur Bedeutung des Rahmens als Zeichen der Metamalerei: Stoichita 1998.

Vermeer stellt in zwei Modi zwei Welten einander gegenüber, wobei die traditionellen Analogieschlüsse außer Kraft gesetzt sind. Für uns wird dadurch gleichsam das Paradigma der Moderne, die Vorstellung von individueller Autonomie und Urteilsfindung gegenüber einer theologischen Welt-Ordnung anschaulich. Individuelle Urteilsfindung ist nun aber nicht lediglich Gegenstand der Repräsentation. Vielmehr *produziert* die ästhetische Inszenierung individuelle Urteilsfindungen, Wertungen, Deutungen. Das Bild verweigert die eindeutige (moralische) Botschaft – der Spiegel an der Wand gegenüber der Wägerin spiegelt nichts, es ist nur ein Lichtreflex, eine Metapher für Erkenntnis und Selbsterkenntnis.

Zeitgenössische Diskurse – Spinoza

In den sechziger Jahren des 17. Jahrhunderts, zur Zeit der Entstehung unseres Bildes, hatte Descartes' Einfluss in den Niederlanden seinen Höhepunkt erreicht.[583] Die neue Philosophie wurde nicht mehr nur in akademischen Zirkeln an den Universitäten diskutiert, sondern in breiteren Kreisen. Der Cartesianismus war sowohl als Referenzrahmen für die sich entwickelnden Naturwissenschaften wie aber auch in theologischen und politischen Debatten von eminenter Bedeutung. Das neue cartesische Denken wurde zu einem kulturellen und sozialen Phänomen erster Ordnung. Das Plädoyer gegen die überholten aristotelischen Anschauungen und für die Freiheit der Vernunft und eine vorurteilslose Analyse der Natur fand durch die technologische Entwicklung des Mikroskops enormen Auftrieb. Die von Cornelis Drebbel bereits zu Beginn des Jahrhunderts begonnenen mikroskopischen Untersuchungen wurden in der zweiten Hälfte des Jahrhunderts von Jan Swammerdam und Anthonie van Leeuwenhoek fortgeführt. Leeuwenhoek, der erstmals männliche Spermien unter dem Mikroskop entdeckte, lebte in Delft.[584] Es geht aber nicht darum, konkrete Einflüsse auf Vermeer nachzuweisen, sondern um die Skizzierung eines Klimas, in dem sowohl eine rationalistische Philosophie, Mathematik und Kartographie wie auch empirische Wissenschaften wie insbesondere die Optik und durch sie bedingte Forschungen möglich waren. Ermöglicht wurde dieses ,Klima' durch die fortgeschrittenste bürgerliche Gesellschaft der damaligen Zeit. Trotz der hohen Toleranz, die im damaligen Europa wohl einzigartig war, verlief dieser Prozess nicht ohne Widerstände und schwere Kämpfe. In den sechziger Jahren übertrugen einige radikale Denker Descartes' Prinzipien und Methoden auf die Theologie beziehungsweise die Bibel, ein naheliegender Schritt, den Descartes selbst aber vermieden hatte. Van Velthuysen, Van den Enden, Balling, Meijer, Koerbagh und andere forderten ein kritisches Bibelstudium, verwarfen die meisten ,unglaubwürdigen' Bibelstellen und setzten sich für eine Trennung von Kirche und Staat beziehungsweise eine Unterordnung der Kirche unter den Staat ein.[585] Koerbagh lehnte in seiner Schrift *Een bloemhof van allerley lieflijkheid sonder verdriet geplant* (*Ein Blumengarten mit allerlei Lieblichkeit ohne Verdruss gepflanzt*) von 1668 jegliche Vorstellung von übernatürlichen Phänomenen, Wundern und praktisch allen ,Glaubenstatsachen' ab. Die

Offenbarung und ihre Inhalte müssten der Prüfung durch die Vernunft unterzogen werden. Die Bibel müsse wie jedes andere alte Buch gelesen und verstanden werden.[586] Koerbagh wurde festgenommen, bei Gericht der Blasphemie für schuldig befunden und zu zehn Jahren Kerker und weiteren zehn Jahren Exil verurteilt. Die genannten Männer gehörten alle einem Kreis an,[587] einem Kreis um Spinoza.[588] Diese ‚Naturalisten', klagt eine zeitgenössische Quelle, würden die Religion lächerlich machen, ja sogar die Heilige Schrift und den Geist der Heiligen Schrift, und sie zweifelten, ob es überhaupt einen Gott gebe, zumindest einen Gott, der sich um das irdische Leben kümmere.[589] Spinoza war somit nicht der isolierte Einzelgänger, für den ihn die Forschung lange gehalten hatte. Seine Lebenszeit 1632–1677 deckt sich fast mit derjenigen Vermeers: 1632–1675. Geboren war er in Amsterdam als Sohn einer jüdischen portugiesischen Familie. 1656 wurde er aus der jüdischen Gemeinde ausgeschlossen. Seine erste Schrift *Principia philosophiae Cartesianae* wurde 1663 bei Jan Rieuwertsz. in Amsterdam publiziert, seine wichtigste Arbeit, die *Ethik*, war 1675 abgeschlossen, wurde allerdings erst posthum 1677 publiziert. Aber bereits in dem Traktat *Korte Verhandeling over God, de Mensch en deszelvs Welstand* aus den frühen 1660er Jahren unterzog er die Philosophie Descartes' einer Revision. Darin waren bereits die Grundgedanken der *Ethik* entwickelt.[590] Spinoza unterscheidet nicht wie Descartes zwischen den drei Substanzen: Gott, Denken (*res cogitans*, Geist) und Ausdehnung (*res extensa*, Körper). Für Spinoza sind das Attribute einer einzigen Substanz. Diese Substanz ist Gott. Gott ist nicht Urheber oder Ursache der Substanzen, die die Welt ausmachen. Vielmehr ist Gott die Substanz, die einzigartig, unteilbar und unendlich ist. Gott ist die Ursache seiner selbst und die immanente Ursache aller Dinge.[591] So überwindet Spinoza auch den Dualismus von Descartes. Geist (Seele) und Körper sind lediglich unterschiedliche Attribute der einzigen

583 Wiep van Bunge, Philosophy, in: Frijhoff, Spies 2004, S. 281–346. Descartes (1596–1650) lebte von 1630 bis kurz vor seinem Tode in den Niederlanden, meist in Amsterdam. Descartes war nicht der erste, der die traditionelle aritstotelische Philosophie in Frage stellte; Voraussetzungen waren Arbeiten von Kopernikus, Kepler, Galileo Galilei, Ramus, Gassendi, Bacon u. a.

584 Nach Vermeers Tod war Leeuwenhoek als sein Nachlassverwalter eingesetzt worden.

585 Der Arzt Lambertus van Velthuysen, seines Zeichens Direktor der WIC (Westindische Handelskompanie) seit 1665 und Mitglied des Stadtrates von Utrecht trat vehement für eine Trennung von Staat und Kirche ein. Er war hierin vor allem von Hobbes beeinflusst, dessen politische Ideen er seinen holländischen Landsleuten vermittelte. (Ebd., S. 320ff.)

586 Ebd. S. 340, Zitat aus Koerbagh (S. 664): „Who the father of this Savior really was is not known, and for that reason some ignorant people said he was god, eternal god, and a son of eternal god, and that he was born in time of a virgin without the help of a man: but those propositions are also outside Scripture, and contrary to the truth."

587 Dies gilt nicht für Velthuysen.

588 Baruch de Spinoza. Schriften und Briefe, hrsg. von Friedrich Bülow, Stuttgart 1955; Gillles Deleuze, Spinoza und das Problem des Ausdrucks in der Philosophie, München 1993; Gilles Deleuze, Felix Guattari, Was ist Philosophie?, Frankfurt a. M. 1996; Susan James, Passion and Action. The Emotions in Seventeenth-Century Philosophy, Oxford 2003 (1997); Hornäk 2004.

589 So van den Wijngaerdt in seiner Schrift *Oogh-water voor de Vlaemsch doops-gesinde gemeynte tot Amsterdam*, Amsterdam 1663, S. 19, siehe van Bunge 2004, S. 334. S. u. Kap. 5: Affekt-Wissen

590 Die *Ethik* selbst ist unter dem Titel *Ethica ordine geometrico demonstrata* erschienen und in fünf Bücher unterteilt. I: Von Gott; II: Von der Natur und dem Ursprung des Geistes; III: Von dem Ursprung der Natur der Affekte; IV: Von der menschlichen Knechtschaft oder von der Macht der Affekte; V: Von der Macht der Erkenntnis oder von der menschlichen Freiheit. Das Buch ist nach einer ‚geometrischen Methode' aufgebaut, insofern als Spinoza versucht, mittels Definitionen, Lehrsätzen, Axiomen und Beweisen seine Argumentation nach Kriterien der Logik zu entwickeln. Der Text findet sich im Internet unter: http://bdsweb.tripod.com/pdf/spinoza-ethik.pdf

591 Im streng kausalen Denken Spinozas ist Erkenntnis nur möglich, wenn wir jeweils die Ursache eines Dinges erkennen. Die Kausalkette findet ihr Ende in der Vorstellung der (göttlichen) Substanz, die ihre Ursache in sich selbst hat. Spinoza, Ethik, I, 3. Definition: „Unter Substanz verstehe ich was in sich ist und durch sich begriffen wird; d. h. etwas, dessen Begriff nicht den Begriff eines anderen Dinges nötig hat, um daraus gebildet zu werden."

Substanz.[592] Um sich zu offenbaren braucht Gott weder Worte, noch Wunder, noch sonstige Dinge, nur sich selbst. Gott offenbart sich einzig und allein in der Ordnung der Natur. Erkenntnis gründet somit nicht in der Abwendung von irdischen Dingen, sondern in der Hinwendung zu ihnen, da das Göttliche nur in den konkreten Ausdrucksformen erkannt werden kann.

Spinoza und sein Kreis lehnten die Vorstellung eines transzendenten und anthropomorphisierten Schöpfergottes ab.[593] Somit wird auch die Vorstellung eines Weltgerichts verabschiedet.

In seiner Ethik zeigt Spinoza die Verbindung zwischen der (göttlichen) Immanenz und dem Menschen. Das Wirkvermögen der (göttlichen) Substanz im Menschen, der *conatus*, bildet die Grundlage der Affektenlehre.

Conatus ist die Wirkkraft des Menschen. Die Erkenntnis und die Bejahung des eigenen Tätigkeitsvermögens führen zur Glückseligkeit. Die Ethik des Menschen ist mit seinem Glück verbunden und wurzelt allein in ihm selbst, da er ja Teil der Immanenz ist. Von außen an ihn herangetragene Wertsetzungen und Moralvorstellungen (Jüngstes Gericht) sind überflüssig. Eine Moral, die auf Belohnung und Strafe ausgerichtet ist, lehnt Spinoza ab.[594] Es geht um die Erkenntnis der vollen Eigenverantwortung ohne Rekurs auf äußere Verantwortungsinstanzen und um den Verzicht auf eigene Vorteile. Die immanente Begründung der Moral kommt einer Setzung der Autonomie der Moral gleich. Sich als Vernunftwesen durch sich selbst zu bestimmen, als Zweck an sich zu existieren, damit begründet Spinoza eine neue Form der Ethik, die sich von einer Morallehre, die auf Pflichten gründet, grundlegend unterscheidet.[595] Somit ist für ihn nicht nur die Furcht, sondern auch die Hoffnung ein schädlicher und nicht zu erstrebender Gefühlszustand.[596] Positiv sind Affekte, die mit der Vernunft übereinstimmen und die den Menschen befähigen, aktiv zu handeln.[597] Glück erlebt der Mensch in der Erkenntnis der Ewigkeit, einer Ewigkeit, die nicht als transzendentes Jenseits gedacht wird, sondern dem Leben selbst immanent ist, es ist die Verwirklichung von Ewigkeit in der Zeit.[598]

592 Dass „die denkende Substanz und die ausgedehnte Substanz ein und dieselbe Substanz sind, die bald unter diesem, bald unter jenem Attribut aufgefasst wird." (Spinoza, Ethik, II, 7. Lehrsatz, Anmerkung.)

593 Meijer schrieb 1666 ein (anonymes) Pamphlet, das ein Jahr darauf auch in holländischer Sprache erschien: *De Philosophie d'Uytleghster der H. Schrifture: Een wonderspreukigh Tractaet*. Darin fordert er explizit die Anwendung Cartesischer Methoden auf die Heilige Schrift: Alles anzuzweifeln, was darin geschrieben stünde, und nur das bestehen zu lassen, was jeglichem Zweifel standhielte. (Van Bunge 2004, S. 338).

594 Siehe insbes. Spinoza Ethik V, 41. Lehrsatz und Anmerkung.

595 Hornäk S. 113, 114.

596 Spinoza, Ethik III, 18. Lehrsatz, 2. Anmerkung.

597 Spinoza, Ethik, V, 42. Lehrsatz: „Die Glückseligkeit ist nicht der Lohn der Tugend, sondern die Tugend selbst; und wir erfreuen uns derselben nicht, weil wir die Lüste einschränken, sondern umgekehrt, weil wir uns derselben erfreuen, können wir die Lüste einschränken. Beweis: Die Glückseligkeit besteht in der Liebe zu Gott. [...] Diese Liebe entspringt aus der dritten Erkenntnisgattung. Daher muss diese Liebe auf den Geist, sofern er tätig ist, sich beziehen. Mithin ist sie die Tugend selbst. [...] Je mehr sodann der Geist dieser göttlichen Liebe oder Glückseligkeit sich erfreut, desto mehr erkennt er, d.h. eine um so größere Macht hat er über die Affekte und desto weniger leidet er von den Affekten, welche schlecht sind. Dadurch also, dass der Geist dieser göttlichen Liebe oder Glückseligkeit sich erfreut, hat er die Macht, die Begierden einzuschränken. Und weil das menschliche Vermögen, die Affekte einzuschränken, in der Erkenntnis allein besteht, darum erfreut sich niemand der Glückseligkeit, weil er die Affekte eingeschränkt hat, sondern umgekehrt, entspringt die Macht, die Affekte einzuschränken, aus der Glückseligkeit selbst."

598 Hornäk S. 134f. Dort auch das Zitat von Yirmiyahu Yovel (Spinoza. Das Abenteuer der Immanenz, Göttingen 1996, S. 217): „Deshalb besteht metaphysische Erlösung nicht in Unsterblichkeit, sondern in der Verwirklichung von Ewigkeit in der Zeit. Die dritte Gattung der Erkenntnis hilft mir, meine Endlichkeit, nicht meine Sterblichkeit zu überwinden. Ich bin erlöst, solange ich lebe."

599 Ich stimme grundsätzlich mit Sara Hornäk überein, die aufbauend auf immer wieder geäußerten Bemerkungen zu einer möglichen Verbindung zwischen Ver-

Das Weltgericht als veraltetes *Bild*

Ich sehe in Vermeers Bild eine Spinozas Philosophie analoge Denkstruktur.[599] Im gleichen Land, zu genau derselben Zeit (den sechziger Jahren), in denselben gesellschaftlichen Verhältnissen lebend und geprägt von denselben Diskursen hat der Maler Vermeer eine ähnliche Sicht auf die Welt *visualisiert* wie sie der Philosoph begrifflich gefasst hat. Wenn es sogar formulierbar war, dass das Jüngste Gericht lediglich eine anthropomorphisierte Vorstellung ist, ein *Bild,* warum sollte es dann nicht möglich sein, dies als Bild darzustellen? Wir werden nie eruieren können, ob Vermeer dies *bewusst* gedacht hat. *Es stellt sich so dar.* Vielleicht haben Bilder wie dieses dazu beigetragen, dass die Welt, das eigene Selbst und das In-der-Welt-Sein anders gesehen und erfahren werden konnten. Was bei Spinoza als Immanenz des Göttlichen in den Attributen beschrieben ist, wird bei Vermeer in der unergründlichen Schönheit der Dinge ansichtig.[600] Auf den Waagschalen wird nichts gewogen. Auf den Waagschalen liegt Licht. Treffend hat Sara Hornäk bei ihrer Analyse der *Dienstmagd mit Milchkrug* Vermeers Umgang mit dem Licht und der Bedeutung des Lichts beschrieben:

> Das Licht aber deutet über seine natürliche und abbildende Funktion hinaus gerade nicht auf eine außerhalb des Bildes angesiedelte Instanz hin. Es leuchtet vielmehr *in* den Dingen. Es lässt die Gegenstände und Menschen aus sich selbst heraus scheinen und versinnbildlicht dadurch eine Kraft, welche die Dinge braucht, um sich in deren Form überhaupt erst zeigen zu können. [...] Im Licht also findet die Immanenz das ihr adäquate Medium. Die nicht mit der sinnlich wahrnehmbaren Welt und ihrem ‚natürlichen' Lichteinfall übereinstimmende Bildwelt Vermeers konstituiert ihre eigene Realität, eine Welt, die den Gegensatz von innerweltlich und außerweltlich oder von natürlich und übernatürlich nicht mehr benötigt.[601]

meer und Spinoza diesem Verhältnis auf den Grund gegangen ist. (Zur diesbezüglichen Literatur siehe Hornäk S. 192ff. Die einzige ausführliche Arbeit zu diesem Thema vor Hornäk, Hubertus Schlenke, Vermeer mit Spinoza gesehen, Berlin 1998, ist nicht besonders aufschlussreich.) Allerdings identifiziert Hornäk Immanenz mit der Autonomie des Bildes, S. 189: „Wir befinden uns auf der Ebene der Immanenz, wenn die Zuschreibung von Bedeutung durch außerhalb des Kunstwerks angesiedelte Begründungsinstanzen aufgegeben, und das Bild zu einer eigenen Wirklichkeit wird, die, ohne auf anderes hinzudeuten, ihren Sinn selbst hervorbringt. Die in Vermeers Bildern auf unterschiedlichen Ebenen stattfindende Selbstbezüglichkeit ersetzt das Moment der Repräsentation." Dies bleibt einer (bürgerlichen) Vorstellung von künstlerischer Autonomie verpflichtet; demgegenüber gehe ich davon aus, dass Vermeer Immanenz *repräsentiert*. Hornäk legt den Schwerpunkt auf die Darlegung des Immanenzgedankens bei Spinoza und konzentriert sich dann auf eine Analyse von Vermeers *Dienstmagd mit Milchkrug. Die Frau mit der Waage* wird nur kurz als Hinweis auf *Ausgewogenheit* gestreift. (S. 236f)

600 In dem Werk *De Schilderconst* (*Die Malkunst*) hat Vermeer seine prinzipielle Auffassung von Malerei dargelegt (Abb. 97). Der Vorhang offenbart die Wahrheit der Malerei. Das Vorhangmotiv ist semantisch hoch aufgeladen; es verweist einerseits auf die Schleier-Metaphorik, die bereits bei den alten Aegyptern auf die Enthüllung der Wahrheit verweist, dann sowohl in der jüdischen Religion (Vorhänge vor dem Tempel Salomons, Vorhang vor dem Thora-Schrein) wie auch im Christentum weiterlebt. Offenbarung heißt *revelatio*, Enthüllung. Gleichzeitig erinnert das Vorhangmotiv immer auch an die Anekdote von Zeuxis und Parrhasios. Beide Seiten des Vorhangs in der *Malkunst* sind sichtbar und von unglaublicher Kostbarkeit. Der Vorhang ist das prunkvollste Stück in dem Ambiente. Er hat somit nicht nur Verweischarakter auf etwas anderes; der Vorhang selbst *ist* Teil der Offenbarung, die er offenbart. Das ist visualisierte Immanenz. S. u. Anm. 634–638. Daniela Hammer-Tugendhat, Arcana Cordis. Zur Konstruktion des Intimen in der Malerei von Vermeer, in: Gisela Engel, Brita Rang, Klaus Reichert, Heide Wunder (Hg.), Das Geheimnis am Beginn der europäischen Moderne. Zeitsprünge, Forschungen zur Frühen Neuzeit Bd. 6, 2002, S. 234–256, hier S. 252–254.

601 Hornäk 2004, S. 211.

Die bildliche Vorstellung von Licht *als* Immanenz findet eine Entsprechung bei Spinoza:

> Wahrlich, wie das Licht sich selbst und die Finsternis deutlich macht,
> so ist die Wahrheit die Norm ihrer selbst und des Falschen.[602]

Vermeers weibliche Figur verkörpert auf der Ebene des Sichtbaren das Ideal von innerer Ruhe und Ausgewogenheit. Diese innere Ruhe ist auch bei Spinoza Ziel seiner Affektenlehre, in der es nicht darum geht, Affekte zu unterdrücken, sondern die positiven Affekte zu stärken und ein inneres Gleichgewicht zu erlangen. Dies entspricht der Selbstzufriedenheit:

> Selbstzufriedenheit ist eine Lust, daraus entsprungen, dass der
> Mensch sich selbst und sein Tätigkeitsvermögen betrachtet.[603]

Die spezifische Repräsentation von Zeit in Vermeers Oeuvre, das Still-Stellen des Augenblicks, das Erleben von Ewigkeit im Gegenwärtigen findet ebenfalls eine Analogie bei Spinoza, der das Ewige im Zeitlichen, das Unendliche im Endlichen zu begreifen versucht. Bei Vermeer wie Spinoza ist diese Auffassung von Ewigkeit der christlich teleologischen End-Zeit entgegengesetzt.

Der Philosoph Spinoza und der Maler Vermeer entwarfen auf je spezifische Weise ein Welt-Bild, in dem die Vorstellung von (göttlicher) Immanenz *in* der Welt verbunden ist mit Erkenntnis und Selbsterkenntnis, mit einer bestimmten Affektlage (der Ausgewogenheit) und einer neuen, selbstbestimmten Ethik, die das moralische System von Belohnung und Strafe sowie die damit verbundene Konzeption von Jenseits und Weltgericht verabschiedet.

3 Adieu Laokoon – Die Verabschiedung eines kunsthistorischen Methodenstreits *Der Liebesbrief* von Gabriel Metsu

Malerei ist, wie ich zu zeigen versucht habe, kein ‚Spiegel', kein Abbild von Welt. Einige Werke der holländischen Malerei des 17. Jahrhunderts reflektieren das und machen ihren eigenen Zeichencharakter beispielsweise durch die Kommentar-Funktion der *Bilder im Bild* kenntlich. Diese Bilder lassen anschaulich werden, dass Malerei Bedeutungen produziert – wie die Sprache. Das Verhältnis von Bild und Sprache soll nun am Beispiel eines Werks von Gabriel Metsu untersucht werden: *Der Liebesbrief* **(Taf. 11)**.

(Liebes)Briefe

Das Motiv des Liebesbriefes avancierte zwischen den dreißiger und siebziger Jahren des 17. Jahrhunderts zu einem Lieblingsthema der holländischen Malerei.[604] Dargestellt sind (fast ausschließlich) Frauen in Innenräumen, die Briefe lesen, erhalten, seltener selbst schreiben. Dirck Hals, Willem Duyster, Pieter Codde, Gerard Ter Borch, Pieter de Hooch, Frans van Mieris, Jan Steen – es gibt kaum einen holländischen Genremaler, der sich nicht eingehend mit dieser Thematik befasst hätte. Von Vermeers kleinem Oeuvre sind sechs Bilder zu diesem Thema überliefert, von Ter Borch sechzehn **(Taf. 12, 13, Abb. 100, 101, 102, 126, 140, 141**, S. 220–223**)**.

Die Häufung des Briefmotivs in der Bildproduktion ist nur im Kontext der eminenten Bedeutung geschriebener und gedruckter Texte innerhalb der kulturellen Praxis in Holland im 17. Jahrhundert zu verstehen.

Gegenwärtig wiederum sind das Buch und der Brief von zentralem Interesse für die Forschung. Das aktuelle Interesse an der „Gutenberg-Galaxis" ist wohl durch den neuerlichen Medienumbruch bedingt, der für viele deren vermeintliches Ende zu signalisieren scheint.[605] Es wird nicht nur das Ende des Buches,

602 Spinoza, Ethik II, 43. Lehrsatz, Anmerkung.

603 Spinoza, Ethik, III, Affekt Definition XXV. Hornäk (2003, S. 222) beschreibt den affektiven Zustand der Dienstmagd mit Milchkrug ganz richtig als diese Form der Selbstzufriedenheit und setzt diesen Affekt gegen Demut ab, die Spinoza kritisch einstuft.

604 Eddy de Jongh in: AK Amsterdam 1976, S. 121, 270–271; Alpers 1985, S. 321–342; Ann Jensen Adams, 'Der sprechende Brief'. Kunst des Lesens, Kunst des Schreibens. Schriftkunde und schoonschrijft in den Niederlanden im 17. Jahrhundert, in: Leselust. Niederländische Malerei von Rembrandt bis Vermeer, Ausstellungskatalog, hrsg. von Sabine Schulze, Frankfurt a. M. (Schirn Kunsthalle) 1993, S. 69–92; Stoichita 1998, S. 190–197; Daniela Hammer-Tugendhat, Liebesbriefe. Plädoyer für ein neues Text-Bild-Verständnis der holländischen Malerei des 17. Jahrhunderts, in: Kunsthistoriker. Mitteilungen des österreichischen Kunsthistorikerverbandes, 10. Tagungsband, Wien 2000, S. 126–133; Daniela Hammer-Tugendhat, Der unsichtbare Text. Liebesbriefe in der holländischen Malerei des 17. Jahrhunderts, in: Horst Wenzel, Wilfried Seipel, Gotthart Wunberg (Hg.), Audiovisualität vor und nach Gutenberg, Wien 2001, S. 159–174; Love Letters. Dutch Genre Paintings in the Age of Vermeer, Ausstellungskatalog, hrsg. von Peter C. Sutton, Lisa Vergara, Ann Jensen Adams unter Mitarbeit von Jennifer Kilian und Marjorie E. Wieseman, Bruce Museum of Arts and Science, Greenwich, National Gallery of Ireland, Dublin, London 2003.

605 Geprägt wurde der Begriff von Marshall McLuhan, The Gutenberg Galaxy, London 1962, siehe auch: Norbert Bolz, Das Ende der Gutenberg-Galaxis, München 1995.

sondern auch das Ende des Briefschreibens verkündet. Allerdings reicht die Klage über den Untergang der Briefform ins ausgehende 19. Jahrhundert und somit viel weiter zurück als das elektronische Zeitalter. Theodor W. Adorno trauert bereits 1962 über die Veralterung des Briefes und konstatiert, dass sich heute eigentlich keine Briefe mehr schreiben ließen.[606] Die Frage, ob und inwieweit die elektronische Mail zum Verfall der Briefkultur führt, kann hier nicht diskutiert werden.[607] Aber dass sie die Struktur privater schriftlicher Kommunikation nachhaltig verändert, ist wohl kaum zu bezweifeln. Durchaus vergleichbar damit hatte die massive Expansion des Briefverkehrs im 17. Jahrhundert tiefgehende Auswirkungen auf die Bildung von Identitäten und auf die Struktur der Beziehungen zwischen den Individuen.[608] Tatsächlich erreichte die Kultur des Briefeschreibens bereits im 17. und nicht wie meist, insbesondere von der deutschsprachigen Forschung, behauptet wird, erst im 18. Jahrhundert ihren ersten Höhepunkt. Holland wird von der Brief-Forschung praktisch ignoriert.[609] Selbst Thomas Beebee, der in seinem Band *Epistolary Fiction in Europe 1500–1850* erstmals eine ausdrücklich paneuropäisch angelegte Studie vorlegt, geht zwar auf England, Frankreich, Deutschland, Italien und Spanien ein, erwähnt aber die Niederlande mit keinem Wort.[610] Die Gründe hierfür mögen vielfältig sein; neben den großen Nationalsprachen Deutsch, Französisch und Englisch tritt die holländische Sprache in den Hintergrund, da sie nur selten in andere Sprachen übersetzt wird. Vielleicht wird das Holländische auch der deutschen Sprache subsumiert, was angesichts der anders gearteten gesellschaftlichen, politischen und kulturellen Situation der beiden Länder im 17. Jahrhundert völlig verfehlt wäre. Es mag auch sein, dass die holländische

Taf. 11: Gabriel Metsu, Liebesbrief, um 1664–1667, Öl/Holz, Dublin, National Gallery of Ireland

Taf. 12: Jan Vermeer, Briefleserin am offenen Fenster, um 1657, Öl/Leinwand, Dresden, Gemäldegalerie Alte Meister

Taf. 13: Jan Vermeer, Briefleserin in Blau, um 1662–64, Öl/Leinwand, Amsterdam, Rijksmuseum

(Brief)Literatur nicht von vergleichbarer Bedeutung war; dennoch sollten in einer kulturwissenschaftlichen Perspektive zwei Aspekte bedacht werden: Das ist zum einen der unvergleichliche Reichtum und die Qualität von *bildlich* dargestellten Briefen in der holländischen Malerei, die in der zunehmend differenzierteren Brief-Forschung höchstens eine illustrative Rolle spielen. Sogar Beebee, der das Briefgenre explizit als spezifisches Diskursphänomen ernst nimmt und mit Verweis auf Foucault und die Cultural Studies einen breiten kulturwissenschaftlich orientierten Zugang zur Bedeutung des Briefes erschließt, ignoriert die Bedeutung von Bildern in diesem kulturellen Feld. Zum anderen ist die schiere Tatsache zu berücksichtigen, dass Holland im 17. Jahrhundert das Land mit der höchsten Alphabetisierungsrate Europas war und Briefe eine immense Rolle spielten. Der hohe Grad an Alphabetisierung war durch eine expandierende und sich internationalisierende Ökonomie bedingt und selbst wiederum ein

606 Im Nachwort der Neuauflage der Edition von Walter Benjamin *Deutsche Menschen. Eine Folge von Briefen*: „Sie [die Form des Briefes] ist veraltet [...]. Wer ihrer noch mächtig ist, verfügt über archaische Fähigkeiten; eigentlich lassen sich heute keine Briefe mehr schreiben." Hier zitiert nach Christa Hämmerle, Edith Saurer, Frauenbriefe – Männerbriefe? Überlegungen zu einer Briefgeschichte jenseits von Geschlechterdichotomien, in: Christa Hämmerle (Hg.), Briefkulturen und ihr Geschlecht. Zur Geschichte der privaten Korrespondenz vom 16. Jahrhundert bis heute, Wien 2003 (L'Homme, Schriften 7), S. 8. Die Autorinnen bemerken zu Recht, dass hier der Untergang einer spezifisch bürgerlich elitären Gefühlskultur beklagt wird.

607 Zu den divergierenden Einschätzungen: Hämmerle, Saurer 2003, S. 7–32, hier S. 8, mit weiterführender Literatur.

608 Klaus Beyrer, Hans-Christian Täubrich (Hg.), Der Brief. Eine Kulturgeschichte der schriftlichen Kommunikation, Heidelberg 1996; Rebecca Earle (Hg.), Epistolary Selves. Letters and Letterwriters, 1600–1945, Aldershot, Brookfield 1999; Hämmerle 2003.

609 Stellvertretend für viele: Regina Nörtemann, Brieftheoretische Konzepte im 18. Jahrhundert und ihre Genese, in: Brieftheorien des 18. Jahrhunderts. Texte, Kommentare, Essays, hrsg. von Angelika Ebrecht, Regina Nörtemann, Herta Schwarz unter Mitarbeit von Gudrun Kohn-Waechter und Ute Pott, Stuttgart 1990, S. 211–224. Das „Entdecken des deutschsprachigen Briefes" wird ins 18. Jahrhundert gesetzt, als Vorläufer im 17. Jahrhundert werden lediglich Frankreich und England genannt. (S. 213.)

610 Thomas O. Beebee, Epistolary Fiction in Europe 1500–1850, Cambridge University Press 1999.

Abb. 100 (Ausschnitt): Dirck Hals, Frau einen Brief zerreißend, 1631, Öl/Holz, Mainz, Mittelrheinisches Landesmuseum
Abb. 101: Dirck Hals, Sitzende Frau mit Brief, 1633, Öl/Holz, Philadelphia, Museum of Art
Abb. 102: Jan Vermeer, Der Liebesbrief, um 1669–1672, Öl/Leinwand, Amsterdam, Rijksmuseum

ökonomischer Faktor. Im 17. Jahrhundert wurden in den Niederlanden mehr Bücher gedruckt als in allen übrigen europäischen Ländern zusammengenommen.[611] Niederländische Drucker und Verleger druckten nicht nur für den eigenen Gebrauch, sondern in unterschiedlichsten lebenden und toten Sprachen für den Weltmarkt. Das Buch war aber nicht nur ein ökonomischer Faktor, sondern spielte für die Identitätsfindung der jungen holländischen Republik eine eminente Rolle. Schließlich wurde die Alphabetisierung durch die Calvinisten begünstigt, die allerdings vor allem das Lesen und weniger das Schreiben förderten. Vom Grad der Alphabetisierung kann man sich ein Bild machen, wenn man sich vor Augen hält, dass von dem ‚Bestseller-Autor', dem Moralisten Jacob Cats, bereits vor 1655 mehr als 300 000 Bücher gedruckt worden waren; bei einer Einwohnerzahl von 1,9 Mio heißt dies, dass in der Hälfte der Haushalte mindestens eines seiner Bücher vorhanden war.[612] Adriaen van Ostade hat Bauern und andere Vertreter niederer sozialer Schichten gemalt, die in Briefe vertieft und somit des Lesens kundig sind.[613] Briefe waren von zentraler Bedeutung für die Ökonomie, ebenso wie für die politische, gelehrte, theologische und private Kommunikation. Man muss sich vergegenwärtigen, dass etwa zehn Prozent der männlichen Bevölkerung nicht bei ihren Familien, sondern auf See beziehungsweise in den Kolonien weilte.[614] Der Gedankenaustausch zwischen den Gelehrten fand vorwiegend durch Briefe statt; viele Briefe wurden veröffentlicht. Das repräsentative Porträt Constantijn Huygens' durch Thomas de Keyser von 1627 zeigt den berühmten Sekretär des Statthalters Prinz Wilhelm von Oranien am Schreibtisch, auf dem alle möglichen Schreibutensilien ausgebreitet sind, im Begriff einem Boten einen Brief auszuhändigen (**Abb. 98**, S. 224). Huygens soll 78 000 Briefe (sic!) geschrieben haben im Bereich der Politik, der Organisation der Generalstaaten, aber auch Briefe an Gelehrte, Freunde und Familienmitglieder.[615] Einer der größten holländischen Dichter, Pieter Cornelisz. Hooft

Abb. 126: Gerard Ter Borch, Frau, einen Brief versiegelnd, 1658/59, Öl/Leinwand, New York, Privatsammlung
Abb. 140: Pieter Codde, Frau mit einem Brief, am Virginal sitzend, frühe 1630er Jahre, Öl/Holz, Boston, Privatsammlung
Abb. 141: Willem Duyster, Frau mit einem Brief und einem Mann, frühe 1630er Jahre, Öl/Holz, Kopenhagen, Staatliches Kunstmuseum

(1581–1647) korrespondierte täglich mit fast allen Gelehrten Hollands seiner Zeit und einem großen Freundeskreis über die unterschiedlichsten Fragen aus Literatur, Geschichte, Politik, den Wissenschaften oder aber reinen Herzensangelegenheiten.

Etwa um 1630, gleichzeitig mit dem Beginn der Liebesbrief-Darstellungen in der Malerei, explodierte der Markt für *Briefsteller.*[616] Diese Musterbücher entwarfen nicht nur Schreibmodelle für alle erdenklichen Gelegenheiten im Bereich des Rechts, der Politik, der Wirtschaft, des alltäglichen Lebens und auch ganz privater Korrespondenz, sie trugen auch zur Literalisierung der Gesellschaft bei und, wichtiger noch, sie modellierten einen bestimmten zivilisierten Umgang in der Kommunikation. Neben holländischen Briefstellern, wie Heyman Jacobis *Ghemeene Seyndtbrieven* von 1597 und Daniel Mostaerts *Nederduytsche Secretaris of Zendbriefschrijver* von 1635, gab es viele französische oder englische Musterbücher, die oft auch ins Holländische übersetzt worden sind. Bis 1800 erschienen in Holland 19 unterschiedliche Briefsteller in insgesamt 79 Ausgaben. Am beliebtesten war Jean Puget de la Serres *Le Sécretaire à la mode* von 1630, ein Buch, das bis 1664 neunzehnmal in Amsterdam aufgelegt worden ist und 1651 unter dem Titel *Fatsoenlicke Zend-brief-schryver* in holländischer Sprache erschien. In unserem Zusammenhang ist *Le Sécretaire à la mode* von besonderer Relevanz, enthält er doch die meisten Liebesbrief-Modelle. Die Quellen für diese Liebesbriefe waren vielfältig; sie schöpfen weitgehend aus fiktionaler und rhetorischer Literatur: vom Briefverkehr zwischen Abélard und Héloïse über Petrarca, Bembo und Erasmus zurück bis zu antiken Autoren wie Cicero und insbesondere zu Ovids *Heroides,* einer

611 Jochen Becker, Die Buchdruckkunst – eine niederländische Erfindung? Notizen zu einem monumentalen Mythos, in: AK Frankfurt a. M. 1993, S. 106–125; AK Dublin, Greenwich 2003, insbes. S. 26ff.
612 M. A. Schenkeveld van der Dussen, Niederländische Literatur im Goldenen Zeitalter, in: AK Frankfurt a. M. 1993, 55–68, hier 61f.
613 AK Dublin, Greenwich 2003, S. 23, Abb. 14, 15.
614 AK Dublin, Greenwich 2003, S. 27.
615 Ebd. S. 14f.
616 De Jongh in: AK Amsterdam 1976, S. 37ff; AK Dublin, Greenwich 2003, S. 34–35.

Abb. 98: Thomas de Keyser, Constantijn Huygens mit einem Briefboten, 1627, Öl/Holz, London, National Gallery

fiktionalen Briefsammlung antiker Heroinen.[617] In diesem wie auch in ähnlichen Handbüchern werden komplette Liebesbriefe für die unterschiedlichsten Gelegenheiten entworfen und die entsprechenden Antwortbriefe gleich mitgeliefert.[618] Puget de la Serre skizziert mögliche Entwicklungen einer Beziehung von schüchternen Anfängen bis zu diversen Finalisierungen. Bemerkenswert ist, dass den weiblichen Respondentinnen unterschiedlichste Reaktionsmöglichkeiten und Rollen angeboten werden von vornehmer Zurückhaltung, empörter Ablehnung über schrittweises Nachgeben bis zu leidenschaftlicher Erwiderung. Alle wurden berücksichtigt: Jungfrauen ebenso wie Witwen oder gar verheiratete Frauen. Diese Briefsteller waren die direkte Quelle für die in den sechziger Jahren des 17. Jahrhunderts sich entwickelnden Briefromane.[619] Fiktionale Literatur wurde somit zu Modellen für potentielle Briefe in den Briefmanualen, um dann wieder fiktionale Literatur zu werden, diesmal in Form des Romans. Die ersten Briefromane stammen aus Frankreich und England: Es sind die berühmten *Portugiesischen Briefe* von 1669, deren Autor nach neuesten Forschungen wohl in der Tat der angebliche Übersetzer Joseph Gabriel de Guilleragues ist[620], und Aphra Behns *Love-Letters between a Noble-Man and his Sister* von 1684. Aber schon vor den Briefromanen gab es in Holland das Genre des

617 AK Dublin, Greenwich 2003, S. 34–37.

618 Zu konkreten Beispielen in englischer Übersetzung siehe ebd.

619 Immer noch grundlegend: Bernard Bray, L'art de la lettre amoureuse. Des manuals aux romans (1550–1700), Den Haag, Paris 1967.

620 Die Briefe geben vor, von der portugiesischen Nonne Sor Mariana Alcoforado aus Beja/Alentejo zu stammen, Liebesbriefe, die sie angeblich aus dem Kloster an den französischen Offizier Marquis Noel Bouton de Chamilly geschrieben hat. Zur Frage der Autorschaft: Frédéric Deloffre, Guilleragues et les *Lettres portugaises*, in: Littératures classiques 15, 1991, S. 259–270; Martin Neumann, Die Aporie(n) leidenschaftlicher Liebe. Überlegungen zu den *Lettres portugaises*, in: Dickhaut 2006, S. 85–98.

621 M. A. Schenkeveld van der Dussen, „Schrijven voor vrienden; lezen over de schouder", in: Het woord aan de lezer. Zeven literatuurhistorische verkenningen, hrsg. von W. van der Berg, J. Storten, Groningen 1987, S. 110–126; AK Dublin, Greenwich 2003, S. 37f.

622 Auch wenn es, soweit ich das beurteilen kann, im 17. Jahrhundert in Holland keine Briefromane gab; aber die *lettres portugaises* wie auch der Briefroman von Aphra Behn dürften einer kulturellen Elite wohl bekannt gewesen sein.

623 Zur unsichtbaren Reaktion beziehungsweise der Psyche der Lesenden siehe letztes Kapitel.

624 Zur einschlägigen Literatur siehe Anm. 508.

625 National Gallery of Ireland, Dublin. Öl/Holz, 52,5/40,2 cm. Franklin W. Robinson, Gabriel Metsu, A Study of

Briefgedichts, den *dichtbrief,* Briefe in Gedichtform an einen Freund, die aber auf die Öffentlichkeit hin entworfen und publiziert wurden, veröffentlichte Intimität gleichsam.[621] Diese Briefgedichte heben sich durch ihre Ungekünsteltheit und Direktheit von der weitgehend an klassischen Vorbildern orientierten holländischen Literatur ab. Das Faszinosum der Briefromane und der Dichterbriefe ist das scheinbar Authentische. Darin liegt wohl die besondere Affinität zum Realismus der entsprechenden Brief-Bilder.

Metsus Bild *Der Liebesbrief*

Ich sehe in den holländischen Bildern von Frauen mit Briefen eine Analogie zu den *dichtbriefen* beziehungsweise zu den Briefromanen.[622] Allerdings gibt es einen fundamentalen Unterschied: Die Bilder sind ‚stumm'. In Briefen, im Briefgedicht, im Briefroman lesen wir, was geschrieben steht, wir kennen den Inhalt, wir kennen die Geschichte. In den Bildern geht es um Briefe, um sprachliche Nachrichten, aber es gibt keine Sprache. Die Briefe sind immer nur als weißes Papier sichtbar, zeigen keine lesbar visualisierte Schrift. Der (gemalte) Brief ist ein unsichtbarer Text. Dieser unsichtbare Text lässt in uns, den RezipientInnen, Phantasien über mögliche Inhalte und Reaktionen seiner Leserin entstehen. Wir erfinden gleichsam unsere eigene (Brief)Geschichte.

Es gab allerdings eine Möglichkeit, die unsichtbaren Worte des Briefes und die ebenso unsichtbare Reaktion der Lesenden[623] anzudeuten und zwar durch *Bilder im Bild.*[624] In dem Werk *Liebesbrief* von Gabriel Metsu (etwa 1664–1667 entstanden) wird ein bürgerliches Interieur entworfen, in dem eine junge Frau unter einem Spiegel sitzend einen Brief liest **(Taf. 11)**.[625] Ihre Aufmerksamkeit ist auf den Brief gerichtet, den sie ins Licht hält, nicht aber auf die Näh- oder Stickarbeit auf ihrem Schoß, Inbegriff weiblichen Fleißes und weiblicher Tugend.[626] Der auf den Boden gerollte Fingerhut pointiert den Wechsel ihrer Konzentration. Der einzelne Hausschuh am Boden ist erotisch konnotiert.[627] Ausgezogene Schuhe sind oft weiblichen Figuren in holländischen Interieurs zugeordnet.[628] In zahlreichen holländischen Redewendungen, aber auch in Mythen, Märchen und Hochzeitsriten findet sich der Schuh oder Pantoffel als Anspielung auf das weibliche Geschlechtsorgan.[629] „Men moet zijn voeten niet in eens anders

His Place in Dutch Genre Painting of the Golden Age, New York 1974, S. 59–61; De Jongh in: AK Amsterdam 1976, Kat. Nr. 39, S. 165; Alpers 1985 S. 330f; Asemissen, Schweikhart 1994, S. 138; Stoichita 1998, S. 190–197; Marjorie E. Wieseman, Caspar Netscher and Late Seventeenth-Century Dutch Painting, Doornspijk 2002, S. 58, 60; AK Dublin, Greenwich 2003, Kat. Nr. 19, S. 132f. Robinson datiert das Werk auf Grund der Einflüsse der Delfter Schule, insbesondere Vermeers, zu Recht in die Spätzeit um 1664–1667. Metsu, 1629 in Leiden geboren, lebte seit 1657 in Amsterdam, wo er 1667 starb. Zu diesem Bild gibt es ein Pendant mit einem männlichen Briefschreiber (ebenfalls in Dublin), dazu siehe das nächste Kapitel *Das Geschlecht der Briefe*.

626 Franits 1993; Rozsika Parker, The Subversive Stitch. Embroidery and the Making of the Feminine, London 1996 (1984).

627 Zur erotischen Symbolik von Schuhen in vielen holländischen Bildern: Aigremont, Fuß- und Schuhsymbolik und -Erotik, Leipzig 1909; Handwörterbuch des deutschen Aberglaubens, Bd. 7, 1987, Sp. 1292–1354: *Schuh* (Jungbauer); de Jongh in: AK Amsterdam 1976, S. 259–261; Daniela Hammer-Tugendhat 2000 *(*Kunst der Imagination/Imagination der Kunst) S. 148.

628 Franits (1993, S. 77–79) interpretiert die ausgezogenen Schuhe mit Rückgriff auf eine Stelle in Plutarchs *Conjugalia praecepta* als Symbol der Tugendhaftigkeit der Frau, die immer im Haus bleibt. Wie immer wird auch hier der jeweilige Kontext zu berücksichtigen sein.

629 Eine Erinnerung an diese Symbolik lebt noch im Grimmschen Märchen vom Aschenputtel fort.

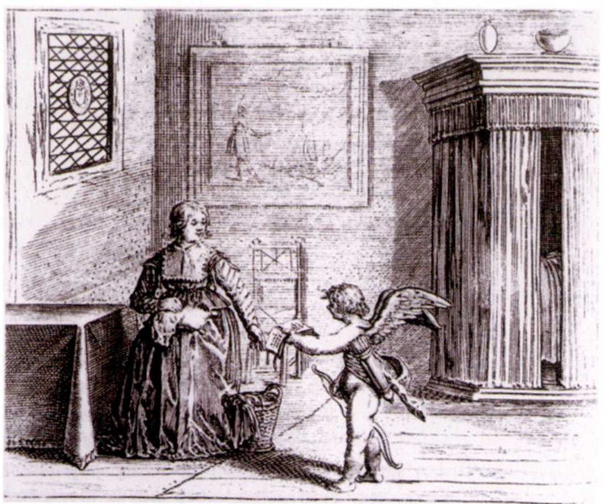

Taf. 11: Gabriel Metsu, Liebesbrief, um 1664–1667, Öl/Holz, Dublin, National Gallery of Ireland
Abb. 99: Jan Harmensz. Krul, Amor überreicht einer Frau einen Brief, 1644, Emblem, Pampiere wereld, Amsterdam, Universitätsbibliothek

schoenen steken" (Man soll seine Füße nicht in andrer Schuhe stecken) war eine sprichwörtliche Anspielung auf Ehebruch.[630] Neben der Lesenden steht eine Magd, die den Vorhang von einem Gemälde wegzieht, um den Blick auf ein Schiff freizugeben, das auf einem bewegten Meer zu sehen ist. Sie hält einen verschlossenen Brief in ihrer Hand, der nicht zufällig den Mittelpunkt des Bildes markiert.[631] Darauf hat der Künstler seine Signatur gesetzt: *Metsu, tot Amsterdam Poort* (Metsu, am Hafen von Amsterdam) und sich damit, wie Stoichita schreibt, als Absender und Urheber „der ganzen Kommunikations-Dramaturgie" deklariert.[632] Diese auffällige, ins Bild integrierte und damit auch semantisch aufgeladene Signatur enthält die einzigen ‚wirklichen' Worte in dem Bild.[633] Der Kessel, den die Magd gegen ihre Hüfte stemmt, ist mit großen Pfeilen markiert, eine für Gefäße dieser Art wohl einzigartige Verzierung. Die Pfeile können als Zeichen für die Liebespfeile des Amor gelesen werden. Die Figur des Amor wurde in der Emblematik häufig als Bote von Liebesbriefen eingesetzt **(Abb. 99)**. Für das Briefzeitalter ist es bezeichnend, dass Amor nicht durch Pfeile, sondern durch Briefe das Herz der Geliebten zu treffen versteht.

Die Magd erscheint somit in mehrfacher Hinsicht als Trägerin der Liebesbotschaft und sie ist es auch, die den Vorhang vor dem Seebild lüftet.

630 De Jongh 1976, S. 259.
631 Es handelt sich wohl nicht um den Umschlag des Briefes, den die Frau liest, denn Briefe wurden damals lediglich gefaltet und versiegelt und nur ganz ausnahmsweise in einen eigenen Umschlag gesteckt.
632 Stoichita 1998, S. 197.
633 Zur Semantik von künstlerischen Signaturen in der niederländischen Malerei: Karin Gludovatz, Die Signaturen Jan van Eycks. Autorschaftsnachweis als bildtheoretische Stellungnahme, Diplomarbeit, Kunsthistorisches Institut der Universität Wien, Wien 1999; dies., Der Name am Rahmen, der Künstler im Bild. Künstlerselbstverständnis und Produktionskommentar in den Signaturen Jan van Eycks, in: Wiener Jahrbuch für Kunstgeschichte LIV, 2005, S. 59–72; dies., Fährten legen, Spuren lesen. Die Künstlersignatur als poietische Referenz, München 2009.
634 Jan Assmann, Das verschleierte Bild zu Sais – griechische Neugier und ägyptische Andacht, in: Aleida und Jan Assmann (Hg.), Schleier und Schwelle Bd. 3: Geheimnis und Neugierde, München 1999, S. 45–66.
635 Moshe Barasch, Der Schleier. Das Geheimnis in den Bildvorstellungen der Spätantike, in: Ebd. Bd. 2: Geheimnis und Offenbarung, München 1998, S. 179–201.
636 Dieses Motiv hält sich durchaus bis in die Frühe Neuzeit, erinnert sei an die Darstellung der Geburt Christi von Hugo van der Goes, bei der zwei Propheten den Vorhang beiseite schieben, um das Wunder der Geburt Christi und somit – typologisch gesprochen – die Er-

Das Motiv des gelüfteten Vorhanges ist ebenfalls symbolisch aufgeladen. Der Vorhang (oder der Schleier) ist das Zeichen par excellence für die Offenbarung. Bereits in der Antike, bei Plutarch, wird das *verschleierte* Bild zu Sais als Inbegriff der Dialektik von Wahrheit und Verhüllung angesehen.[634] Es zeigt die aegyptische Inschrift „*Ich bin alles das da war, ist und sein wird". Kein Sterblicher hat jemals meinen Schleier gelüftet*". Der Vorhang/Schleier wurde zu *der* Metapher des Geheimnisses, in der griechisch-römischen Antike wie im Judentum und Christentum.[635] Der Vorhang verdeckt und enthüllt das Heilige. Man denke etwa an die Vorhänge im Tempel Salomons, an die Vorhänge vor dem Thora-Schrein oder an die Vorhänge in mittelalterlichen Apokalypsen-Darstellungen.[636] Gleichzeitig aber ist hier auch ein realer Vorhang gemeint, wie er zum Schutz der Gemälde in Holland tatsächlich in Gebrauch war.[637] Der Trompe l'oeil-Effekt des Vorhangs erinnert zudem an den Wettstreit von Zeuxis und Parrhasios und signalisiert damit unhintergehbar, daß wir es mit einem Bild, einem artifiziellen Gebilde zu tun haben.[638] Die Rückenfigur der Magd ist nicht nur eine Verdoppelung der weiblichen Bildfigur, sondern auch eine Verdoppelung der Position des Betrachters. Sie ist gleichsam eine Anleitung für die Betrachter, das Bild zu lesen, so wie die Frau den Text liest. Ein komplexes Netz wechselseitiger Bezüge bestimmt das Bild: Zwei weibliche Figuren, die eine in Vorder-, die andere in Rückenansicht – der geöffnete Brief/der verschlossene Brief – das Betrachten eines Textes/das Betrachten einer Malerei – das Sehen im Sinne von vernünftigem Erkennen im Gegensatz zum animalischen Sehen des Hundes.[639] Zu diesen semantisch aufgeladenen Gegenüberstellungen gehört auch das Nebeneinander von Bild und Spiegel.[640] In dem Spiegel spiegelt sich nichts außer einem Fragment des Fensterkreuzes. Es spiegelt sich nicht einmal die Rückenansicht der lesenden Frau, geschweige denn der Text des Briefes. Es ist das Bild an der Wand, das uns die Bedeutung des Gemäldes offenbart.

Was ist nun dieses Verdeckte, Verborgene, das vor unseren Augen zumindest teilweise enthüllt wird? Das Grau in Grau gehaltene Gemälde zeigt zwei abgetakelte Segelboote auf stürmischer See. Das Schiff auf See war in Holland eine beliebte Metapher im Liebesdiskurs, meist stand das Schiff oder der Schiffer für den Liebenden, die See für die Liebe.[641] Eddy de Jongh hat diese Sprachbilder aus Dichtung und Emblematik zusammengestellt, einige seien hier zitiert.[642] Cornelis Pietersz. Biëns vergleicht die Freier mit Schiffern, die das grundlose Meer befahren:

füllung ihrer Prophezeiungen zu offenbaren. Auch bei Raffaels *Sixtinischer Madonna* offenbart ein zurückgezogener Vorhang die göttliche Erscheinung.

637 Kemp 1986.

638 Nach Plinius d. Ä. (Naturalis Historia, Buch 35/65) soll der spätklassische Maler Parrhasios seinen Kollegen Zeuxis in einem Wettstreit der Malerei geschlagen haben: Nachdem Zeuxis Trauben so natürlich wiedergab, dass die Vögel versucht waren, daran zu picken, täuschte Parrhasios den Maler selbst, der den vermeintlichen – jedoch nur gemalten – Vorhang vor dem Bild wegziehen wollte. Die Anekdote gilt seither in der Kunsttheorie als Metapher für Kunst als täuschende Nachahmung der Natur. Zur Bedeutung des Vorhangs bei Vermeer s. o. Anm. 600.

639 Zum Gegensatz von menschlichem (erkennendem) und animalischem Sehen s. o. Kap. Spieglein, Spieglein an der Wand, S. 190.

640 Zur Bedeutung des Spiegels siehe Kap. Spieglein, Spieglein an der Wand.

641 Die überragende Bedeutung des Meeres für die holländische Gesellschaft ist die Ursache für die vielfältige metaphorische Verwendung von Meer, Schiff und Schiffer in allen möglichen Zusammenhängen. Dazu siehe v.a.: Lawrence Otto Goedde, Tempest and Shipwreck in Dutch and Flemish Art. Convention, Rhetoric, and Interpretation, The Pennsylvania State Univ. Press, University Park and London 1989.

642 De Jongh in: AK Amsterdam 1967, S. 50–55; De Jongh in: AK Amsterdam1976, S. 270.

Abb. 100: Dirck Hals, Frau einen Brief zerreißend, 1631, Öl/Holz, Mainz, Mittelrheinisches Landesmuseum

Abb. 101: Dirck Hals, Sitzende Frau mit Brief, 1633, Öl/Holz, Philadelphia, Museum of Art

Abb. 102: Jan Vermeer, Der Liebesbrief, um 1669–1672, Öl/Leinwand, Amsterdam, Rijksmuseum

> Even als de Scheepjes varen/In het grondeloose Meer ... Zijn de Vryers te ghelijcken.[643]

Otto van Veen wiederum setzt unerwiderte Liebe mit einem Schiff gleich, das nicht ankommt, erfüllte Liebe dagegen mit einem vor dem Wind segelnden Schiff. Bei Jacob Westerbaen sind

> Vryers gelijck de Schippers, die de baeren / Van ‚t ongestuyme diep des hollen Meyrs bevaeren', en is het ‚vryen een Zee, waer in men storm, en wind, / En stille kalmt, so wel als in de golven, vindt.

Im erläuternden Text zu einem Emblem in den Minnebeelden von Jan Harmensz. Krul von 1634 heißt es:

> Wel te recht mach de Liefde by de Zee vergeleecken werden
> aenghesien haer veranderinge
> die d'eene uyr hoop
> d'ander uyr vreese doet veroorsaecken: even gaet het met een Minnaer
> als het een Schipper doet
> de welcke sich op zee beghevende
> d'eene dagh goedt we'er
> d'ander dagh storm en bulderende wint gewaer wort.[644]

Auch in dem Emblem aus Kruls *Pampiere Wereld*, in dem Cupido einer Frau einen Liebesbrief überbringt (**Abb. 99**, S. 226), unterstreicht das *Bild im Bild* durch die Darstellung einer Seelandschaft mit Schiff und einem Mann am Ufer den amourösen Charakter der Szene.

Vor diesem Hintergrund ist es zu verstehen, dass auf so vielen Gemälden, die Frauen mit Briefen darstellen, Meerlandschaften als *Bild im Bild* figurieren (**Abb. 100** und **101**). Es sind eben diese Meeres- und Schiffsbilder, welche die (sprachlosen) Briefe als *Liebesbriefe* ausweisen. In den frühen Versionen von Dirck Hals aus den dreißiger Jahren ist jeweils die Stimmung auf dem Seebild der Gemütsverfassung der Protagonistin analog. Bei dem Bild *Frau, die einen Brief zerreißt*, unterstreicht die stürmische See auf dem Gemälde die dramatisch-düstere Stimmung; ganz im Gegensatz dazu wird auf dem Bild desselben Künstlers von 1633 die dickliche, zufrieden lächelnde Frau von einem harmonischen Meeresbild hinterfangen, das eine ruhige See und strahlendes Wetter suggeriert. Auch Vermeer hat Meeresbilder in seine Gemälde mit Brief-lesenden Frauen integriert (**Abb. 102**).[645]

Metsu hat aber nicht einfach ein Seebild dargestellt, sondern eine *stürmische* See. Man denkt an das Epigramm von Jan Harmensz. Krul, der in den *Minne-beelden,* seiner beliebten Emblemsammlung von 1640, in der *Pictura* ein Schiff mit geblähten Segeln zeigt. Neben dem Schiffer ist Amor mit an Bord, am fernen Ufer ist die geliebte Frau angedeutet (**Abb. 103**). Das Motto lautet: „Al zijt ghy vert, noyt uyt het Hert," („Auch wenn Ihr fern seid, seid Ihr niemals aus dem Herzen") und das Epigramm selbst:

643 Handt-boecken der christelijcke gedichten, Hoorn 1635, S. 188–189, hier zit. nach De Jongh 1976, S. 270.

644 Jan Harmensz. Krul, Minne-beelden: Toe-ghepast de lievende Ionckheyt, Amsterdam 1640. Hier zitiert nach AK Amsterdam 1976, S. 121.

645 Dazu s. u. im letzten Kapitel: Dirck Hals: Affekte. Siehe auch das Bild von Metsu *Frau, einen Brief schreibend* von etwa 1665, auf dem ein großes Seebild mit Schiff hinter der Figur zu sehen ist. (Privat, Abb. AK Dublin, Greenwich 2003, Kat. Nr. 20, S. 135.)

Abb. 103: Jan Harmensz. Krul, Emblem, Minne-beelden, Amsterdam 1640
Abb. 104: Heerman Witmont, Schiffe im Sturm, Feder/Holz, Privatsammlung

... de ongebonde Zee, vol spooreloose baren
Doet tusschen hoop en vrees, mijn lievend' herte varen:
De liefd' is als een Zee, een Minnaer als een schip,
U gonst de haven lief, u af-keer is een klip;
Indien het schip vervalt (door af-keer) komt te stranden,
Soo is de hoop te niet van veyligh te belanden:
De haven uwes gonst, my toont by liefdens baeck,
Op dat ick uyt de Zee van liefdens vreese raeck.
(Das wilde Meer, mit Wogen, die keine Spuren hinterlassen,
darauf fährt mein liebendes Herz zwischen Furcht und Hoffnung
Die Liebe ist wie das Meer, ein Liebender das Schiff,
ist die Liebe dir gesonnen, winkt der Hafen der Liebe,
ihre Abkehr bedeutet die Klippen.
Wenn das Schiff zerstört ist (durch die Abkehr der Liebe/der Geliebten)
und auf Grund sinkt,
gibt es keine Hoffnung auf eine sichere Landung.
Zeig mir mit der Liebe Leuchtfeuer den Hafen deiner Zuneigung,
sodass ich entkomme aus dem Meer der Liebesfurcht.)[646]

Die aufgewühlte See mit dem schwankenden Schiff auf unserem Bild steht somit für die Gefahren und die Emotionen der Liebe; das *Bild im Bild* steht stellvertretend für den Inhalt des Briefes beziehungsweise für die Stürme der Gefühle, die sich in der äußerlich ruhig lesenden Frau abspielen.

Die Vorstellung von Liebe als Meer und vom Liebenden als Schiffer oder Schiff sind Metaphern, Bilder in der Sprache. Diese *Sprach-Bilder* werden nun von den holländischen Malern als *Bild* dargestellt. Die Metapher wird aber nicht einfach verbildlicht, sondern als *Bild im Bild* repräsentiert.[647] So wird das Bild des Schiffes im Seesturm als *Bild*, als Metapher, gleichsam als Interpretationsrahmen bewusst gemacht. Diese scheinbar ‚reine' Malerei verweist somit auf die Welt der Liebesbriefe, auf geschriebene und gelesene Texte, auf Worte. Beim Anblick des Bildes werden mögliche Briefinhalte aufgerufen, Erinnerungen an vielleicht selbst verfasste oder erhaltene Briefe, an die Variationen der Briefsteller, an Briefgedichte. Die BetrachterInnen müssen, um das Bild verstehen zu können, in die Kultur der Liebesbriefe eingeweiht sein. Die Phantasie bei der Betrachtung des Bildes wird durch die Kenntnis dieser literarischen Gattung genährt, der Bezug auf die Sprache bleibt aber unbestimmt und assoziativ. Das Bild ist keine Illustration eines konkreten Textes; das Bild bezieht sich auf Sprache, dennoch geht es in Sprache nicht auf. Der Inhalt des Briefes (der Worte) erscheint als Bild im Bild, das Bild wiederum bezieht sich auf Worte, die eine Metapher, also ein Bild sind. Das Bild verweist auf Sprache, die ihrerseits auf Bilder verweist, Bild und Sprache bilden eine dialektische Einheit.

Der durchgehend graue (‚farblose') Ton des Seestücks schließlich lässt an Marinebilder denken, die mit der Feder auf Holz oder Leinwand *gezeichnet* sind, an die *penschilderij* in der Art des Willem van de Velde d. Ä. oder Heerman Witmont **(Abb. 104)**.[648] Es scheint denkbar, dass die Nähe von Bild und Sprache durch den Hinweis auf die Verwandtschaft von Bild und Schrift akzentuiert werden sollte. Schrift ist geschriebene und damit visualisierte Sprache. Sprache wird als Schrift – wie ein Bild – mit den Augen wahrgenommen. Kalligraphie spielte in den Niederlanden eine eminente Rolle; die Schönschrift war ein wesentliches Element in der Kunst des Briefschreibens.[649] (Reale) Briefe wurden zudem mit den gleichen Werkzeugen produziert wie die *penschilderij*: mit Feder und Tusche.

646 Jan Harmenszoon Krul, Minne-beelden, Amsterdam 1634, S. 2–3, hier zitiert nach De Jongh in: AK Amsterdam 1976, S. 270.

647 Es gibt die seltenen Ausnahmen: Tafelbilder, auf denen der Inhalt der Metapher das ganze Bildfeld füllt. Dies ist der Fall bei einem Gemälde eines anonymen holländischen Malers, das eine stürmische See mit einem Schiff in Seenot zeigt; am Ufer sind drei Liebespaare zu sehen. Dies ist gleichsam im Medium des Tafelbildes die Darstellung des Epigramms: die Visualisierung der Gefahren der Liebe durch die Repräsentation des Seesturms. (Abbildung siehe: Goedde 1989, S. 134f., Abb. 88.)

648 Ich danke Karl Schütz, Leiter der Gemäldegalerie des Kunsthistorischen Museums in Wien, für diesen Hinweis. Lof der Zeevaart, De Hollandse Zeeschilders van de 17e Eeuw, Ausstellungskatalog, hrsg. von Jeroen Giltaij und Jan Kelch (Hg.), Museum Boymans van Beuningen Rotterdam und Staatliche Museen zu Berlin, Gemäldegalerie im Bodemuseum, 1997. In dem Katalogbeitrag (S. 408, Kat. Nr. 96) zu Witmont äußert Friso Lammertse bereits die Vermutung, dass Metsu in seinem Dubliner Bild vielleicht auf ein *penschilderij* anspielen wollte, allerdings reflektiert er nicht die damit verbundenen Implikationen. Gegen diese These spricht jedoch der malerische Duktus des Seestücks in Metsus Bild.

649 Kalligraphie wurde so hoch geschätzt, dass Blätter mit Schönschrift neben Gemälden an die Wand gehängt worden sind. Es wurden hauptsächlich vier unterschiedliche Schriften gelehrt, die je nach Thema und Adressat gewechselt wurden. Die Schrift konnte innerhalb ein und desselben Textes variiert werden. Es wurden durchaus auch Ornamente, Figuren und alle möglichen Verzierungen eingestreut, Relikte der mittelalterlichen Buchmalerei. In der Kalligraphie zeigt sich die enge Verbindung von Schrift und Bild, aber auch die Verbindung von Schrift und Stimme. (Vondel beispielsweise verwendet in seiner Tragikomödie *Het Pascha* von 1612 unterschiedliche Schrifttypen, um etwa den Chor abzuheben.) Siehe: Ann Jensen Adams, Disciplining the Hand, Disciplining the Heart: Letter-Writing Paintings and Practices in Seventeenth-Century Holland, in: AK Dublin, Greenwich 2003, S. 63–76, insbes. S. 67. Zur programmatischen Repräsentation der Pikturalität von Schrift in den holländischen Bücherstillleben: Heike Eipeldauer, „books are different." Holländische Bücherstillleben im 17. Jahrhundert am Beispiel von Jan Davidsz. de Heem: Zum Verhältnis von Bild und Text, Sehsinn und Tastsinn, Diplomarbeit, Universität Wien 2007. Allgemein zu theoretischen Fragen von *Schriftbildlichkeit*: Sybille Krämer, ‚Schriftbildlichkeit' oder: Über eine (fast) vergessene Dimension der Schrift, in: Sybille Krämer, Horst Bredekamp (Hg.), Bild, Schrift, Zahl, München 2003, S. 157–176; dies., Operationsraum Schrift: Über einen Perspektivwechsel in der Betrachtung der Schrift, in: Gernot Grube, Werner Kogge, Sybille Krämer (Hg.), Schrift. Kulturtechnik zwischen Auge, Hand und Maschine, München 2005, S. 23–57.

Sprache und Bilder – Zu einem kunsthistorischen Methodenstreit

In der *Briefleserin* von Metsu wird im Medium der Malerei die Vernetzung/Koppelung von Bild und Sprache exemplarisch vorgeführt. Nun ist eben diese Beziehung zwischen Bild und Sprache der Kern des Methodenstreits, der sich nun schon seit Jahrzehnten in der Kunstgeschichte zur holländischen Malerei abspielt, der Streit zwischen Ikonologen und Anti-Ikonologen. Die Kontroverse dreht sich um die fundamentale Frage der jeweiligen Beziehung zwischen Bild und Sprache zur sichtbaren Wirklichkeit beziehungsweise zur gesellschaftlichen Realität. Ist die *realistische* holländische Malerei ein Abbild der visuellen Welt, ein Spiegel der sozialen Realität, ein Loblied auf die Schönheit der Erscheinungen, Kunst um der Kunst willen oder aber verstecken sich hinter der sichtbaren Oberfläche Symbole und (moralisierende) Botschaften?

Es waren die Arbeiten und entsprechenden Ausstellungen von Eddy de Jongh, welche die Forschungslandschaft zur holländischen Malerei seit den sechziger Jahren des 20. Jahrhunderts grundlegend veränderten und bis heute weitgehend bestimmen. Er widersprach der herrschenden Forschungsmeinung, die in der holländischen Genremalerei ein Abbild der holländischen Gesellschaft sieht.[650] De Jongh übertrug Panofskys ikonologische Methode, insbesondere dessen These des *disguised symbolism*[651], auf die holländische Genremalerei und deutete deren Realismus als *Scheinrealismus,* hinter dem sich die eigentliche, symbolische und meist moralisierende Bedeutung verstecke. Grundlage seiner Interpretationen war vor allem die Emblematik, die in Holland im 17. Jahrhundert in der Tat eine große Rolle spielte. De Jongh konnte einzelne Bildmotive in holländischen Genrebildern – wie beispielsweise die Meeresbilder mit Segelbooten als Metaphern der Liebe – überzeugend deuten. Die Forschung, insbesondere die niederländische, folgte de Jongh weitgehend, wobei die ikonologischen Analysen oft zu unterschiedlichen, ja diametral entgegengesetzten Deutungen führten. Prominenter Widerspruch kam von Svetlana Alpers mit ihrem Buch *The Art of Describing* von 1983 (*Kunst als Beschreibung* 1985). Alpers Kritik richtete sich gegen die Anwendung der ikonologischen Methode auf die holländische Malerei. Die Ikonologie mit ihrer Rückführung von bildender Kunst auf Texte sei für die italienische Kunst der Renaissance entwickelt worden, zur Erfassung holländischer Malerei sei sie inadäquat. Deren Bedeutung liege vielmehr in der Beschreibung von Oberflächen. Es gehe dabei um die Möglichkeit, Wissen über die Welt über optische Wahrnehmung zu erhalten, dies stehe in Einklang mit der enormen Bedeutung der zeitgenössischen Optik (Kepler, Descartes). Alpers nimmt den Realismus der holländischen Malerei ernst. Aber sie missversteht ihn nicht als Abbild einer natürlichen oder gesellschaftlichen Wirklichkeit, wie dies vordem der Fall war, sondern im Sinne von Roland Barthes' ‚Realismus-Effekt' (effet de réel) als eine bestimmte Form von Repräsentation, die mit den wissenschaftlichen Diskursen der Zeit in Einklang steht. In den letzten Jahren wurde die Verabsolutierung der ikonologischen Zugangsweise von unterschiedlichen Seiten kritisiert.[652] Die Fixierung auf die

Emblematik wie auch die Verabsolutierung einer *bestimmten* Bedeutung hat de Jongh selbst in seinen neueren Arbeiten in Auseinandersetzung mit der Kritik revidiert, etwa in seinem Aufsatz *On Balance* von 1998.[653] Neuerdings sind erfreulicherweise mehrere Arbeiten erschienen, die sich nicht mehr in diese Polarisierung zwängen lassen, sondern unterschiedliche Zugänge miteinander verbinden.[654]

Obgleich dieses polare Deutungsmuster innerhalb der Forschung zur holländischen Malerei immer noch virulent ist, scheint es mir angesichts dieser neueren Entwicklung obsolet, die Positionen nochmals darzulegen und in extenso zu diskutieren. Was in der Forschung jedoch nicht gesehen wird, ist, dass beide Seiten trotz gegenteiliger Positionen von derselben strukturellen Dichotomie beherrscht sind: von der Trennung von Wort und Bild. Es ist nun eben dieses Verhältnis von Wort und Bild, das gegenwärtig ein heiß debattiertes Feld ist. Das heißt: das zugrunde liegende Problem ist durchaus aktuell und die Relevanz geht über den Methodenstreit innerhalb der Kunstgeschichte zur holländischen Malerei hinaus. Meine These, dass die Ikonologen und ihre Gegner in diesem fundamentalen Punkt vom selben Paradigma ausgehen, soll im Folgenden dargelegt und auf seine historischen Ursachen hin untersucht werden.

Eddy de Jongh wird nicht müde zu betonen, dass die holländische Malerei kein l'art pour l'art sei, sondern eine tiefere Bedeutung habe. Dem ist ohne Einschränkung zuzustimmen. Bedeutung ist für de Jongh aber ausschließlich an Worte gebunden. Er geht von einer verkürzten Vorstellung des Text-Bild-Verhältnisses aus, in der Bilder als Illustrationen von Texten angesehen werden. Selbst in der Emblematik-Forschung ist deutlich gemacht worden, dass die *pictura* (das Bild) nicht die Illustration des Mottos und das Epigramm nicht die

650 De Jongh 1967; de Jongh 1976; grundlegend auch: Realism and Seeming Realism in Seventeenth-Century Dutch Painting, in: Franits 1997, S. 21–56, ursprünglich in Holländisch: Realisme en schijnrealisme in de Hollandse schilderkunst van de zeventiende eeuw, in: Ausstellungskatalog: Rembrandt en zijn tijd, Brüssel 1971, S. 143–194. Allerdings war de Jongh nicht der erste, welcher der allgemeinen Auffassung der holländischen Genremalerei als Abbild von lebendiger Wirklichkeit widersprach. Initiiert wurde dieser neue Zugang durch Hans Kauffmann, Die Fünf Sinne in der niederländischen Malerei des 17. Jahrhunderts, in: Kunstgeschichtliche Studien für Dagobert Frey, Breslau 1943, S. 133–157. Es folgten einige Arbeiten zu einzelnen Fragen wie Panofskys Studie zu Rembrandts *Danaë*, Herbert Rudolph zu *Vanitas*, Ingvar Bergström zum Stillleben und Konrad Rengers *Lockere Gesellschaft*. Für einen kurzen Überblick über die Forschungsgeschichte seit Hegel und Bohde: Möbius, Olbrich 1990, S. 7–45.

651 Erwin Panofsky, Jan van Eyck's Arnolfini Portrait, in: Burlington Magazine 64, 1934, S. 117–127; ders., Early Netherlandish Painting. Its Origin and Character, 2 Bde, Cambridge Mass. Press 1953.

652 Siehe insbesondere den von Wayne Franits 1997 herausgegebenen Band: Realism Reconsidered; W. Franits, The Relationship between Emblems and Dutch Paintings of the 17th Century, in: Marsyas. Studies in the History of Art, 22, 1983–1985, New York 1986, S. 25–32; Peter Hecht, The Debate on Symbol and Meaning in Dutch Seventeenth-Century Art: An Appeal to Common Sense, in: Simiolus 16, 1986, S. 173–187; Jochen Becker, Der Blick auf den Betrachter: Mehrdeutigkeit als Gestaltungsprinzip niederländischer Kunst des 17. Jahrhunderts, in: L' Art et les révolutions, Section 7, XXVIIe congrès international d'histoire de l'Art, Strasbourg 1989, S. 76–92; Jochen Becker, Are these Girls really so neat? On Kitchen Scenes and Method, in: Freedberg/Vries, S. 138–173, insbes. S. 139f; Eric Jan Sluijter, Didactic and Disguised Meanings? Several Seventeenth-Century Texts on Painting and the Iconological Approach to Dutch Paintings of this Period, in: Art in History, History in Art. Studies in Seventeenth-Century Dutch Culture, hrsg. von David Freedberg, J. de Vries 1991, S. 175–207, Wiederabdruck in: Franits 1997, S. 78–87; Weber 1994.

653 De Jongh 1998; de Jongh in: AK Den Haag, Washington 2005/06.

654 Siehe insbes.: Goedde 1989; Norman Bryson, Looking at the Overlooked. Four Essays on Still Life Painting, London 1990, insbes. S. 120ff zu *Vanitas;* Celeste Brusati, Artifice and Illusion. The Art and Writing of Samuel van Hoogstraten, The University of Chicago Press 1995; Honig 1997; Kettering 1993 (1997); Stoichita 1998, insbes. S. 190–197; die Aufsätze in Franits 1997; Gaskell 1998 und 2000, Arbeiten, in denen er sich von seinen eigenen früheren ikonologischen Ansätzen distanziert; Elizabeth Alice Honig, Desire and Domestic Economy, in: Art Bull. 83, 2001/2, S. 294–315. Eine ausgewogene Haltung nimmt bereits Peter C. Sutton im AK Philadelphia, Berlin, London 1984 ein.

Erklärung des Rätsels zwischen Motto und *pictura* sind.[655] Die drei Elemente des Emblems stehen vielmehr in einer flexiblen und spannungsgeladenen Beziehung zueinander, erhellen sich gegenseitig im Dienste einer Idee. Das Bild steht durchaus gleichwertig neben dem Text. Das heißt: Sogar in der Emblematik, in welcher der Zusammenhang zwischen Bild und Text ein denkbar enger ist, geht das Bild im Text nicht auf. Zudem aber sind Bilder eben keine Emblembücher. De Jongh verteidigt sein Konzept in dem 1993 erschienenen Katalog zur Ausstellung *Leselust* in Frankfurt folgendermaßen:

> Meine Betonung der Sprachlichkeit soll keineswegs die Bedeutung der formalen Aspekte Komposition, Kolorit, Formgebung und Wiedergabe der Stoffe relativieren. [...] Mir geht es gleichberechtigt um beide Aspekte, um Form und um Inhalt, von denen ich glaube, daß sie infolge der unlängst erfolgten Diskussion in unserer Wahrnehmung aus dem Gleichgewicht geraten sind. Daß Sprachlichkeit eine entscheidende Rolle spielt, scheint mir nun, wo die Polemik sich gelegt hat, nicht zweifelhaft zu sein, auch wenn dies mit Nachdruck bestritten wurde. Natürlich ist der Sprachgehalt nicht in jedem Kunstwerk gleich hoch. Leicht kann aufgezeigt werden, daß es durch das ganze 17. Jahrhundert hindurch [...] Künstler gab, denen der Esprit fehlte, ihren Bildern durch wirkliche oder verbildlichte Worte Gewicht zu verleihen.[656]

Es geht de Jongh gleichberechtigt um Form *und* um Inhalt. Form wird bei de Jongh somit lediglich formal gesehen, gleichsam als Verkleidung, nie aber als Trägerin von Inhalt. Wenn es keinen Text gibt, den Bildmotive illustrieren, fehlt den Bildern der Esprit, der Geist, der Sinn. Für de Jongh können demnach nur bestimmte Motive, die explizit auf Worte, auf Sprache verweisen, *bedeuten*, niemals aber die Form (die ästhetische Struktur, die Inszenierung) selbst.

Svetlana Alpers hat die Hierarchisierung des Text-Bildverhältnisses zu Gunsten des Textes zu Recht kritisiert. Jedoch verabsolutiert sie wiederum die Autonomie des Visuellen und minimalisiert die Bedeutung von Worten für die Bilder. In der Abhandlung über Inschriften auf holländischen Bildern schreibt sie zu den Zitaten auf Metsus Spinetten: „Die Beschriftung scheint, mit anderen Worten, keinen Schlüssel zur Deutung des Gemäldes zu liefern."[657] Selbst bei den Bücherstillleben, die explizit das Verhältnis von Text und Bild thematisieren, leugnet sie de facto die Bedeutung des jeweils auf Büchern, Briefen und anderen Medien Geschriebenen, indem sie schlicht nicht auf deren Inhalt eingeht.[658] Die Darstellung von Briefen signalisiert für Alpers visuelle Aufmerksamkeit ohne tiefere Bedeutung[659], die Texte in vielen holländischen Bildern „weiten den Blick, ohne den Sinnbezug der Werke zu vertiefen."[660] Bei der Beschreibung von Metsus *Liebesbrief* geht Alpers auf das Motiv des Bildes im Bild nicht ein. Alpers vertritt einen kulturwissenschaftlichen Zugang und sieht Bilder als *Repräsentationen* an. Es ist daher schwer nachvollziehbar und wohl nur durch ihre vehemente Offensive gegen die Ikonologen zu verstehen, dass sie ihrerseits die Bilder *gegen* die Worte verteidigt. Neben Alpers gibt es Anti-Ikonologen, die nicht annähernd so differenziert argumentieren und den *Bild*sinn gegen den *Sprach*sinn behaupten beziehungsweise den Bildern im Sinne eines *l'art pour l'art* überhaupt eine tiefere Bedeutung absprechen.[661]

Dichotomisierung von Sprache und Bild

So konträr die Positionen sich auch ausnehmen, verbindet sie strukturell dennoch eine allen gemeinsame Dissoziation von Sprache und Bild. Die Ikonologen hierarchisieren das Verhältnis von Bild und Sprache zu Gunsten der Sprache; Bilder können demnach über Bedeutung und Sinn nur verfügen, wenn sie sich direkt auf Sprache beziehen, wenn sie Worte illustrieren, nur ihr dezidiert sprachlicher Anteil, nachweisbar in konkreten Motiven, verweist auf Sinn. *Wie* etwas dargestellt ist, ist eine reine Formsache und trägt nichts zum Inhalt bei. Für Alpers wiederum spielen Worte für die Deutung von Bildern keine Rolle. Für jene Interpreten, die in holländischen Bildern ein Abbild von Wirklichkeit sehen oder aber ein reines l'art pour l'art, besteht ebenfalls eine stringente Differenz zur Sprache, der sie die semantische Dimension ja nicht absprechen würden.

Die Polarisierung von Wort und Bild, die den konträren Positionen gleichermaßen zu Grunde liegt, ist nun aber keine natürliche, kein Gesetz des jeweiligen Mediums, sondern ein historisch gewordenes Paradigma. Es war Gotthold Ephraim Lessing, der in seiner Schrift *Laokoon oder über die Grenzen der Malerei und Poesie* von 1766 die Differenzen zwischen Bild und Sprache wohl am präzisesten definierte und nachhaltig festschrieb.[662] Seine Setzungen wurden so internalisiert, dass sie zumindest bis zum

655 Arthur Henkel, Albrecht Schöne, Emblemata. Handbuch zur Sinnbildkunst des XVI und XVII Jahrhunderts, Stuttgart 1967, Sp. 1462 und 1467–1468; Albrecht Schöne, Emblematik und Drama im Zeitalter des Barock, München 1968 (2. Aufl.); Peter M. Daly, Emblem Theory. Recent German Contributions to the Characterization of the Emblem Genre, Wolfenbütteler Forschungen Bd. 9, Nendeln/Liechtenstein 1979; Carsten-Peter Warncke, Sprechende Bilder – sichtbare Worte. Das Bildverständnis in der frühen Neuzeit, Wolfenbütteler Forschungen Bd. 33, Wiesbaden 1987, S. 161–192; Thomas Cramer, Fabel als emblematische Rätsel. Vom Sinn der Illustrationen in den Fabelsammlungen von Posthius und Schopper, 1566. Ein Beitrag zur Kulturgeschichte des nichtlinearen Lesens, in: Wenzel 2001, S. 133–157.

656 De Jongh, Die „Sprachlichkeit" der niederländischen Malerei im 17. Jahrhundert, in: AK Frankfurt a. M. 1993, S. 23–33, hier S. 27. Alpers (1985, S. 376–381) hat zu Recht darauf hingewiesen, dass Bedeutung in der holländischen Emblemliteratur, insbesondere bei seinem prominentesten Vertreter, Jacob Cats, weniger durch geheime, schwer entzifferbare Botschaften vermittelt würde als vielmehr durch eine optisch leicht zu erschließende Bildersprache.

657 Alpers 1985, S. 312.

658 Es ist erstaunlich, dass innerhalb des Methodenstreits nicht genauer auf die Bücherstillleben eingegangen worden ist, denn dieses Genre ist der gemalte Kommentar zum Verhältnis von Bild, (Hand)Schrift, gedruckter Schrift und Text. Eipeldauer (2007) überwindet in ihrer Analyse die polaren Interpretationen, eine Analyse, welche die Materialität der Malerei in die Bedeutungsproduktion mit einschließt. Sie zeigt, „dass die Bücherstillleben in ihrem Versprechen umfassender Sinnlichkeit den traditionellen Dualismus von transparentem Geist und Sinn einerseits und Materie und Sinnlichkeit andererseits [...] konterkarieren: indem sie nämlich über die Darstellung des Buches, das gemeinhin mit der Vorstellung verbunden ist, Träger immateriellen Geistes zu sein, ‚Sinn als sinnlich verkörperten Sinn' vorführen." (S. 10).

659 Alpers 1985, S. 321.

660 Alpers 1985, S. 316.

661 So beispielsweise Peter Hecht, Dutch Seventeenth-Century Genre Painting. A Reassessment of Some Current Hypotheses, in: Franits 1997, S. 88–97.

662 Gotthold Ephraim Lessing, Laokoon oder über die Grenzen der Malerei und Poesie (1766), Reclam Ausgabe Nr. 271, Stuttgart 1998. Lessing hatte keine systematische Ästhetik geplant; die Schrift war eine Polemik gegen Winckelmanns Diktum von der „edlen Einfalt und stillen Größe" der griechischen Kunst. Lessing argumentiert gegen Winckelmann, dass der Schrei des Laokoon nicht aus ethischen, sondern aus ästhetischen Gründen ‚gedämpft' worden sei. Siehe u. a. die diskursanalytische Untersuchung: W. J. Thomas Mitchell, Iconology. Image, Text, Ideology, The University of Chicago Press 1987, Kapitel 2/4: Space and Time. Lessing's Laocoon and the Politics of Genre, S. 95–114.

Beginn des 20. Jahrhunderts den Diskurs bestimmten und heute immer noch wirksam sind. Lessings *Laokoon* signalisiert den endgültigen Bruch zwischen Malerei und Dichtung. Nach Lessing kann die Dichtung (die Sprache) Zeit repräsentieren, Malerei (bildende Kunst) jedoch lediglich den Raum.[663] Thema der bildenden Kunst sei der Körper, jedoch keine Handlungen, die zu beschreiben der Dichtung vorbehalten sei.[664] Das Unsichtbare – und damit das Reich der Ideen – könne nur die Dichtung, nicht aber die Malerei repräsentieren.[665] Bildende Kunst diene nicht, wie die Wissenschaft, der Wahrheit, sondern allein dem Vergnügen[666], ihr einziges Ziel sei die (ausdrucksfreie) Schönheit[667] und nicht Bedeutung. Erkenntnis sei vielmehr nur durch Sprache möglich. Trotz gegenteiliger Beteuerungen hierarchisiert Lessing die Beziehung von Dichtung und Malerei zu Gunsten der Dichtung, also der Sprache.

Natürlich ist Lessing nicht der einzige, der diese radikale Trennung von Malerei und Dichtung proklamiert. Seine Theorie fußt in einer Tradition der Ästhetik, die sich vor allem auf Edmund Burke und Du Bos zurückführen lässt;[668] zeitgleich mit Lessing hat Diderot ähnliche Thesen entwickelt.[669] Es gibt aber wohl kaum eine andere Schrift, in der die Differenz von Malerei und Dichtung, Sprache und Bild so vehement behauptet und durchargumentiert worden ist und die einen so nachhaltigen Einfluss hatte. Die Lessingsche These hat sich durchgesetzt, obwohl es zu seiner Zeit durchaus auch Stimmen gab, etwa von Herder, die die Nähe der beiden Künste betonten.[670]

Die Trennung von Sprache und Bild wurde in der Ästhetik festgeschrieben, aber sie war nicht eine Erfindung der Theorie. Ein ganzes Netz von Gründen führte zu diesem Paradigma der Differenz. Der Diskursivierung ging eine andere *Wahrnehmung* des Verhältnisses von Bild, Schrift und Sprache voraus. Von einer medientheoretischen Perspektive aus ist an erster Stelle der Buchdruck zu erwähnen. Durch diesen Medienumbruch wurde die selbstverständliche Verbindung von Bild und Schrift, wie sie in der mittelalterlichen Buchmalerei gegeben war, gelöst.[671] In der mittelalterlichen Initialkunst

663 Lessing spricht von Malerei und Dichtung, subsumiert aber unter Malerei die bildenden Künste überhaupt und unter Poesie „auch die übrigen Künste, deren Nachahmung fortschreitend ist." (S. 6).

664 Lessing 1998, insbes. S. 113f: „[...] so findet sich doch dieser wesentliche Unterschied unter ihnen, dass jener eine sichtbare fortschreitende Handlung ist, deren verschiedene Teile sich nach und nach, in der Folge der Zeit, ereignen, dieser hingegen eine sichtbare stehende Handlung, deren verschiedene Teile sich nebeneinander im Raume entwickeln. Wenn nun aber die Malerei, vermöge ihrer Zeichen oder der Mittel ihrer Nachahmung, die sie nur im Raume verbinden kann, der Zeit gänzlich entsagen muss: so können fortschreitende Handlungen, als fortschreitend, unter ihre Gegenstände nicht gehören, sondern sie muss sich mit Handlungen nebeneinander, oder mit bloßen Körpern, die durch ihre Stellungen eine Handlung vermuten lassen, begnügen. Die Poesie hingegen... [...] Gegenstände, die nebeneinander oder deren Teile nebeneinander existieren, heißen Körper. Folglich sind Körper mit ihren sichtbaren Eigenschaften die eigentlichen Gegenstände der Malerei. Gegenstände, die aufeinander, oder deren Teile aufeinander folgen, heißen überhaupt Handlungen. Folglich sind Handlungen der eigentliche Gegenstand der Poesie." S. 129: „Es bleibt dabei: die Zeitfolge ist das Gebiete des Dichters, so wie der Raum das Gebiete des Malers. Zwei notwendig entfernte Zeitpunkte in ein und ebendasselbe Gemälde bringen, so wie Fr. Mazzuoli den Raub der sabinischen Jungfrauen, und derselben Aussöhnung ihrer Ehemänner mit ihren Anverwandten; oder wie Tizian die ganze Geschichte des verlornen Sohnes, sein liederliches Leben und sein Elend und seine Reue: heißt ein Eingriff des Malers in das Gebiete des Dichters, den der gute Geschmack nie billigen wird."

665 Lessing 1998, S. 98ff.

666 Lessing 1998, S. 15: „[...] denn der Endzweck der Wissenschaften ist Wahrheit. Wahrheit ist der Seele notwendig; [...] Der Endzweck der Künste hingegen ist Vergnügen; und das Vergnügen ist entbehrlich."

667 Lessing 1998, S. 12, 16, 20, 53, 145. Gegen Winckelmann argumentiert Lessing, dass Laokoons Schrei deswegen nicht drastisch und schmerzverzerrt dargestellt sei, weil die Alten in der Antike zu Recht die Schönheit über den Ausdruck gestellt hätten. (S. 20). Natürlich muss man Lessings Plädoyer für die Autonomie der Kunst histo-

werden Schrift und Bild teilweise identisch, Buchstaben verwandeln sich in Ornamente, in Pflanzen, Tiere und menschliche Gebilde **(Abb. 105)**. Das Wort wird *geschaut* **(Abb. 106)**. Schrift wird in Bilder integriert **(Abb. 107)**. Ja sogar mündliche Rede wird visualisiert, oft durch leere Schriftbänder **(Abb. 108)**.[672] Der Buchdruck riss diese Symbiose von Bild und Schrift auseinander, obwohl in seinen Anfängen, insbesondere im Blockbuch und im Einblattdruck, die Verbindung noch bestand und Bild und Schrift erst allmählich getrennt konzipiert wurden.

Eine weitere Voraussetzung für Lessings Theorie war das perspektivische Bild. Das perspektivische Bild legt den Blick des Betrachters auf einen Augen-Blick fest. Nur auf der Grundlage des perspektivisch organisierten Bildes kann Lessing Malerei auf den *fruchtbaren Augenblick* festlegen und ihr damit die Möglichkeit der Repräsentation von Zeit absprechen.[673] Der mittelalterlichen und frühneuzeitlichen Kunst standen eine reiche Palette von Möglichkeiten zur Verfügung, einen zeitlichen Ablauf zu schildern, man denke an die kontinuierliche Erzählweise der Zyklen in Buchmalerei oder Fresken, die bereits in der römischen Trajanssäule entwickelt worden war und deren Strukturprinzipien im heutigen Comic weiterleben **(Abb. 109)**. In diesen Medien wurde Zeit auch auf der Ebene der Rezeption erfahrbar, durchaus analog zum Lesen. Ein zeitlicher Ablauf konnte auch in *einem* Gemälde repräsentiert werden wie etwa bei Memlings *Sieben Freuden Mariae* oder der *Passion Christi*, in denen zeitlich unterschiedliche Episoden in einem Bildraum vereinigt sind **(Abb. 110)**. Die frühen Niederländer aus dem Kreis um van Eyck haben es verstanden, den Bildraum zu einem Zeitraum zu machen, zu einem *Chronotopos*, wo Vergangenheit, Gegenwart und Zukunft in einem Bilde erfahrbar werden **(Abb. 111)**.[674] (Der Zug mit Christus in der Kreuztragung bewegt sich von Jerusalem im Hintergrund, der für Vergangenheit steht, in den Vordergrund, in die Gegenwart, die Hinrichtungsstätte Golgatha verweist links im Hintergrund wiederum auf die Zukunft.) Jedoch gibt es die Repräsentation von Zeit durchaus auch in nachmittelalterlichen und perspektivisch organisierten Bildern, insbesondere im Barock. Allerdings

risch betrachten als bürgerliches Statement gegenüber dem Adel und der Religion: „[...] so wünschte ich, dass man den Namen der Kunstwerke nur denjenigen beilegen möchte, in welchen sich der Künstler wirklich als Künstler zeigen könne, bei welchen die Schönheit seine erste und letzte Absicht gewesen. Alles andere, woran sich zu merkliche Spuren gottesdienstlicher Verabredungen zeigen, verdienet diesen Namen nicht, sondern ein bloßes Hilfsmittel der Religion war, die bei den sinnlichen Vorstellungen, die sie ihr aufgab, mehr auf das Bedeutende als auf das Schöne sahe [...]." (S. 80f). Zu den gattungsspezifischen Möglichkeiten, Schönheit darzustellen: S. 155–167. Zur Bannung der Angst vor Bildern durch Schönheit siehe Mitchell 1987, S. 95–114.

668 Warncke 1987, S. 28.

669 Ebd. S. 61.

670 Johann Gottfried Herder, Abhandlung über den Ursprung der Sprache (1772), in: ders., Sprachphilosophische Schriften, hrsg. von Erich Heintel, Hamburg 1960, S. 1–87. Für Herder ist die Verbindung der Sinne, insbesondere von Gehörsinn und Gesichtssinn, notwendige Voraussetzung für Erkenntnis und Reflexion.

671 Zur Verflechtung von Bild und Schrift im Mittelalter: Wenzel 1995; ders., Repräsentation und Wahrnehmung. Zur Inszenierung höfisch-ritterlicher Imagination im ‚Wellschen Gast' des Thomasin von Zerclaere, in: Gerd Althoff (Hg.), Zeichen – Rituale – Werte. Internationales Kolloquium des Sonderforschungsbereichs 496 Universität Münster, Münster 2004, S. 303–325; ders., Visio und Deixis. Zur Interaktion von Wort und Bild im Mittelalter, in: Mitteilungen des Deutschen Germanistenverbandes: Sprache und Bild II, Heft 2, 2004, S. 136–152; ders., Mediengeschichte vor und nach Gutenberg, Darmstadt 2007; ders., Die Beweglichkeit der Bilder, in: Asymmetrien. Festschrift zu Ehren von Daniela Hammer-Tugendhat, hrsg. von der Universität für angewandte Kunst Wien, Wien 2008, S. 91–98. Zur strukturellen Verwandtschaft von Lesen von Bildern und Lesen von Schrift: Sabine Groß, Schrift-Bild. Die Zeit des Augen-Blicks, in: Zeit-Zeichen, hrsg. von Christoph Tholen u. a., Weinheim 1990, S. 231–246.

672 Meyer Schapiro, Words, Script and Pictures: Semiotics of Visual Language, New York 1996.

673 Lessing 1998, insbes. S. 22ff. Dazu siehe: Groß 1990, insbes. S. 240.

674 Wolfgang Kemp, Die Räume der Maler. Zur Bilderzählung seit Giotto, München 1996.

Abb. 105: Book of Kells, Initiale Chi Rho, um 800, Dublin, Trinity College Library, Ms. 58, fol. 34r
Abb. 106: Drogo-Sakramentar, Initiale Te Igitur, Metz um 823–855, Paris, Bibl. nat., Cod. lat. 9428, fol. 15v
Abb. 107: Folkungepsalterium, Verkündigung, Nordengland, 2. Hälfte 12. Jahrhundert, Kopenhagen, Königliche Bibliothek, Hs. Thott 143, fol. 8

handelt es sich um eine ganz andere Erfahrung von Zeit. Es geht weniger um Narration von Geschehnissen in der Zeit als um die Erfahrung von Vergänglichkeit. In den Gemälden Caravaggios suggeriert das Schlaglicht, das scheinbar von einer Quelle außerhalb des Bildes auf das Geschehen fällt, dass das, was wir sehen, bei anderer Beleuchtung ‚anders' wäre, unsichtbar würde, ja gänzlich verschwinden könnte **(Abb. 112)**.[675]

Das zentralperspektivisch organisierte Bild produziert aber auch die Illusion, natürliches Abbild einer vorgegebenen Wirklichkeit zu sein. Es leugnet gleichsam seinen semiotischen Charakter. Nur auf Grund dieser Bildvorstellung ist es möglich, dass Lessing der Malerei lediglich Abbildfunktion zubilligt, ihren Zeichencharakter aber leugnet; allegorische Darstellungen sind für ihn ein Gräuel.[676] Werke, die nicht in erster Linie auf Schönheit, sondern etwa auf religiöse Bedeutung hin ausgerichtet sind, werden in dieser bürgerlichen Konzeption autonomer Kunst aus dem Bereich ‚Kunst' ausgegrenzt. Bildende Kunst, die (wie die Dichtung) auf Bedeutung und Ausdruck zielt, ist nach dieser Konzeption keine Kunst.

Lessings Theorie fußt auch auf der Privilegierung des Wortes gegenüber dem Bild durch die Reformatoren. Nachdenklich stimmt allerdings die zweigleisige Entwicklung in dem calvinistischen Holland. Wäre die Religion bestimmend, müsste man doch erwarten, dass in Holland die bildende Kunst nur eine untergeordnete Rolle spielen konnte. Wir wissen: das Gegenteil war der Fall, die Malerei war das Leitmedium. Aber zur Verschärfung der Trennung von Wort und Bild haben die Reformatoren wohl beigetragen.[677] Tiefgehender als die Religion hat die Entwicklung der Naturwissenschaften die Dissoziation von Wort und Bild verschärft. In den Anfängen der neuzeitlichen Wissenschaften seit der Renaissance war die Nähe von bildender Kunst und Wissenschaft, von Bild und Sprache noch gegeben: durch das beiden gemeinsame Interesse am Anschaulichen, an der Empirie und an der

Abb. 108: Engelbert Codex 20, Moralia des Hl. Gregor, Titelseite, Cleveland, The Cleveland Museum of Art
Abb. 109: Trajanssäule, Detail, Rom um 117 n. Chr.

Idee, die Welt über geometrisch-mathematische Gesetze erfassen zu können. Die Probleme der modernen Wissenschaft lagen meist nicht im Bereich von *Anschaulichkeit*. In einem logozentrischen Diskurs schienen die Gesetzmäßigkeiten der Natur nur über eine neutral gedachte Sprache begreifbar; Bilder wurden als lediglich abbildhaft oder aber als imaginär ausgegrenzt.

Man muss sich auch bewusst machen, dass *Aussagen* über das Verhältnis von Bild und Text *sprachlich* verfasst sind. Autoren neigen dazu, ihr eigenes Medium, die Sprache, über das visuelle zu stellen. Dies sollte man bei der Lektüre aller Abhandlungen, Traktate oder Theorien über Text und Bild im Auge behalten.

Der Streit über das Verhältnis von Bild und Sprache reicht bis in die Antike zurück, in der bereits unterschiedliche Meinungen zum Status von Bildern und ihrem Verhältnis zur Wahrheitserfassung vertreten worden sind. Platon war Bildern gegenüber skeptisch, da sie Dinge nur unvollständig wiedergeben könnten, die ihrerseits nur ein mangelhaftes Abbild der eigentlichen Ideen seien. Der Kunst- und Bilderverachtung Platons steht die aristotelische Auffassung gegenüber, der zufolge die Entfaltung des Denkens auf der Basis von Anschauung beruht. *Mimesis* bedeutete für Aristoteles nicht lediglich Nachahmung von Natur, sondern *imitatio* von deren Wesensbegriff. Somit sind das Sehen und die für das Sehen gestalteten Kunstwerke adäquate Mittel zur Erkenntnis.[678] In der Frühen Neuzeit wurde die mittelalterliche Anschauung eines Miteinanders und einer gegenseitigen Verschränkung von Text und Bild weitergeführt und

675 Hammer-Tugendhat 2008, S. 177–189.
676 Lessing 1998, insbes. S. 86–106.
677 Zum Bildverständnis der Reformatoren siehe Stoichita 1998, insbes. S. 110–124; Häslein 2004, insbes. S. 23–53. Es erstaunt, dass Alpers auf die Bedeutung des Wortes im Calvinismus nicht eingeht. Dies ist symptomatisch für ihre Negierung der Bedeutung von Sprache für die holländische Malerei.
678 Warncke 1987, S. 21ff.

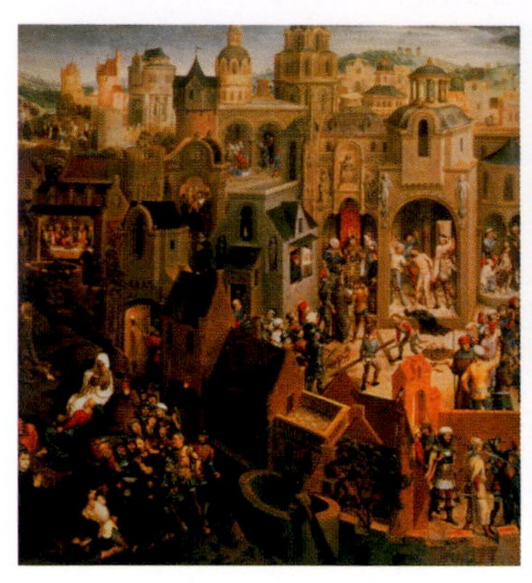

Abb. 110: Hans Memling, Passion Christi, Ende 15. Jahrhundert, Öl/Holz, Turin, Galleria Sabauda
Abb. 111: Kopie nach dem Meister des Turiner Stundenbuches (Eyck-Kreis), Kreuztragung Christi, 16. Jahrhundert, Öl/Holz, Budapest, Museum der Bildenden Künste

mit neuplatonischen und aristotelischen Vorstellungen verbunden.[679] Konstitutiv wurde ein wortanaloges Verständnis von Bildern, das immer wieder mit dem Schlagwort *ut pictura poesis* beschrieben wurde. Aber in Umkehrung der ursprünglichen Bedeutung bei Horaz als Aufforderung für eine bilderreiche Sprache wurde für eine Gleichstellung des Bildes mit dem Wort plädiert. Es gilt die Auffassung von sprechenden Bildern als quasi sichtbare Worte.[680] Allerdings wird nun das Bild einer *literarischen* Ästhetik unterworfen. Die gültige Kommunikationslehre, die Rhetorik mit ihrer Forderung nach *imitatio*, *inventio* und *decorum* wird auch auf die Bilder angewandt. Das beginnt mit Albertis *De pictura* von 1435 und wurde in Malereitraktaten bis ins 17. Jahrhundert in Abwandlungen wiederholt.[681] Aber erst im logozentrischen Diskurs des 18. Jahrhunderts, der Zeit Lessings, werden den beiden Medien essentielle Differenzen zugeordnet und die verbalen Zeichen den ikonischen in ihrem Wahrheits- und Erkenntnisgehalt dezidiert übergeordnet. Logos, Geist und Vernunft wurden nun lediglich der Sprache zugetraut, nicht aber Bildern, die mit den Sinnen und Affekten verbunden wurden.[682] Malerei und Literatur driften auseinander. Es gibt keine andere Kultur, in der Wort und Bild derart getrennt gedacht worden sind wie in der europäischen Moderne seit dem 18. Jahrhundert.[683] Die Theorie der Ästhetik wurde so internalisiert, dass die Kunst vor der Moderne gleichsam in Vergessenheit geriet. Das Schisma wurde durch die Institutionalisierung der jeweiligen Disziplinen festgeschrieben: Literaturwissenschaft/Linguistik auf der einen, Kunstgeschichte auf der anderen Seite. Es kam zu der grotesken Situation, dass etwa mittelalterliche Buchmalereien, deren Sinn sich nur in der Verbindung beider Medien erschließt, von den einzelnen Fachdisziplinen künstlich in Bilder und Texte gespalten wurden und diese ‚Fragmente' dann mit der Methode der jeweiligen Disziplin isoliert beschrieben und interpretiert worden sind.[684] Die Kunstgeschichte folgte meist entweder einem Weg der totalen Isolierung der Form im Sinne einer autonomen Stilgeschichte oder aber sie identifizierte sich mit der Hegemonie der Sprache – die angeblich allein den Geist repräsentiert – und billigte Bildern nur dann

Abb. 112: Caravaggio, Die Berufung des Evangelisten Matthäus, 1600, Öl/Leinwand, Rom, San Luigi dei Francesi, Contarelli-Kapelle

Sinn und Bedeutung zu, wenn sie Sprache illustrieren. Der Verlust der Erinnerung an das innige Zusammenleben der beiden Medien ging so weit, dass die einschlägige Forschungsliteratur zum Text-Bildverhältnis in der Avantgarde-Kunst des frühen 20. Jahrhunderts eine Revolution erblicken konnte. Wolfgang Max Faust hat in seinem Standardwerk *Bilder werden Worte. Zum Verhältnis von bildender Kunst und Literatur. Vom Kubismus bis zur Gegenwart* von 1977 die Ikonisierung der Literatur und die Lingualisierung der bildenden Kunst, die Grenzüberschreitung der beiden Medien beziehungsweise ihre gegenseitige Durchdringung als ein zentrales Anliegen der europäischen Avantgarde seit dem zweiten Jahrzehnt des 20. Jahrhunderts beschrieben. Die einschlägige Ausstellung sowie der Katalog *Die Sprache der Kunst. Die Beziehung von Bild und Text in der Kunst des 20. Jahrhunderts* von Toni Stooss in Wien 1993 wiederholten die Thesen von Wolfgang Max Faust.[685] Die Beschreibungen der unterschiedlichen Text-Bild-Beziehungen im Kubismus, Futurismus, Dadaismus, Konstruktivismus, Surrealismus, in der abstrakten Kunst[686], in der Literatur, bei Duchamp, Klee und der Kunst nach 1945 sind in ihrer Differenziertheit und Analyse hervorragend und erhellend. Falsch ist allerdings, dass die Überwindung der Trennung von Bild, Schrift und Sprache als neue Erfindung der Kunst des 20. Jahrhunderts gefeiert wird. So waren die Kubisten Braque, Picasso und Gris nicht die ersten, die Schrift in Bilder integrierten.

679 Im Neuplatonismus kann man im Unterschied zu Platon über Bilder mittels Verstand und Imagination durchaus zu Erkenntnissen gelangen. Warncke 1987, S. 23f. Zur Verflechung von Text, Schrift und Bild im Mittelalter siehe: Wenzel 1995.

680 Warncke 1987, insbes. S. 24ff; Rensselaer W. Lee, Ut pictura poesis: The Humanistic Theory of Painting, in: The Art Bulletin 22, 1940, S. 197–269; ders., Ut Pictura Poesis. The Humanistic Theory of Painting, New York 1967.

681 Warncke 1987, S. 24ff; Klaus Dirscherl, Elemente einer Geschichte des Dialogs von Bild und Text, in: ders., Bild und Text im Dialog, Passau 1993, S. 15–26, insbes. S. 18–22.

682 Dazu siehe insbes. Mitchell 1987.

683 Das abc der Bilder, Ausstellungskatalog, hrsg. von Moritz Wullen in Zusammenarbeit mit Andrea Müller, Anne Schulten und Marc Wilken, Staatliche Museen zu Berlin in Zusammenarbeit mit dem Hermann von Helmholtz-Zentrum für Kulturtechnik, Berlin 2007, S. 10.

684 Dazu grundlegend die Arbeiten von Horst Wenzel, siehe Anm. 671.

685 Die Sprache der Kunst. Die Beziehung zwischen Bild und Text in der Kunst des 20. Jahrhunderts, Ausstellungskatalog, hrsg. von Eleonora Louis und Toni Stooss, Kunsthalle Wien, Wien 1993.

686 Faust zeigt überzeugend, dass auch in der abstrakten Kunst Sprache eine Rolle spielt und zwar in Form des zum Verständnis notwendigen Kommentars. Es gibt kaum Künstler, die so viel zu ihrem Werk geschrieben haben wie Kandinsky, Mondrian und Malewitsch.

Abb. 107: Folkungepsalterium, Verkündigung, Nordengland, 2. Hälfte 12. Jahrhundert, Kopenhagen, Königliche Bibliothek, Hs. Thott 143, fol. 8

Abb. 113: Meister E. S., Figurenalphabet, um 1466, Kupferstich, Washington, National Gallery of Art

Abb. 114: El Lissitzky, Figurenalphabet, Kinderbuchentwurf „Die vier Grundrechnungsarten" (1 Arbeiter + 1 Bauer + 1 Rotarmist = 3 Genossen), 1928, Aquarell, Sammlung Sophie Lissitzky-Küppers

Wir kennen dieses Verfahren aus dem gesamten Mittelalter und auch aus der Frühen Neuzeit **(Abb. 107)**. Schriftbilder von Lissitzky (und später die Werbegrafik) haben ihre Vorfahren in der mittelalterlichen Buchmalerei und den spätmittelalterlichen Figurenalphabeten **(Abb. 113, Abb. 114)**.[687] Die Ikonisierung der Schrift, beginnend bei Mallarmés *Un coup des dées* oder Apollinaire, die dann in den sechziger Jahren zur *Visuellen Poesie* führte, hat eine lange und *fast* ungebrochene Tradition, die von den Figuren- und Bildgedichten der Antike über das Mittelalter bis in die Neuzeit reicht **(Abb. 115–119)**.[688] Vilem Flusser hat diese Konvergenz etwas überspitzt und provokant so apostrophiert:

> Die Struktur unserer Kommunikation, die um uns herum entsteht, ähnelt deutlich jener Struktur, wie sie vor der Erfindung des Buchdrucks, also im Mittelalter, vorherrschte. Die gegenwärtige Kommunikationsrevolution ist im Grunde nichts anderes als die Rückkehr zu einer ursprünglichen Situation, welche durch den Buchdruck und die allgemeine Alphabetisierung durchbrochen und unterbrochen wurde. Wir sind dabei, zu einem Normalzustand zurückzukehren, welcher nur 400 Jahre lang durch den Ausnahmezustand, genannt ‚Neuzeit' unterbrochen war.[689]

Ich meine natürlich nicht, dass die spezifischen Text-Bild-Verbindungen der Avantgarde mit der Kunst des Mittelalters und der Frühen Neuzeit gleichzusetzen sind. Auch die Audiovisualität der weitgehend oralen Kultur des Mittelalters ist nicht dieselbe wie die aktuelle Audiovisualität, die durch die Neuen Medien geprägt ist. Allerdings wurden Bilder auch im Mittelalter und in der Frühen Neuzeit nicht als Abbilder einer sichtbaren Wirklichkeit rezipiert, sondern als Zeichen – durchaus vergleichbar mit der Avantgarde.[690] In der vorwissenschaftlichen Welt erschien die ganze Welt als Buch, als Text, allen Erscheinungen wurden Bedeutungen zugeschrieben. Sprache und Bilder waren ebenbürtige Möglichkeiten,

von den sichtbaren Dingen zu unsichtbaren Wahrheiten zu gelangen. Jedoch wurden diese Bedeutungen als manifeste, göttlich sanktionierte angesehen und nicht als kulturelle Codierungen. Das Anliegen der Avantgardekunst war aber just dies: die Darstellung des Zeichens als *Zeichen*. Die Integration der Sprache in die kubistischen Bilder weist diese als Konstruktionen, als Zeichen aus. Kubistische Bilder wollen nicht ikonisch als Abbilder gesehen werden, sondern – wie Sprache – als Zeichensysteme.

In der Thematisierung von sprachlichen und ikonischen Zeichen als Zeichen kann eine Analogie zur Entstehung der Semiotik bei Saussure und Peirce gesehen werden. Es ist bemerkenswert, dass in Wissenschaft und Kunst gleichzeitig, aber unabhängig voneinander, an verwandten Problemstellungen gearbeitet wurde. Darauf genauer einzugehen würde in unserem Zusammenhang zu weit führen, festhalten möchte ich jedoch, dass es in der *Kunst* der Avantgarde eine interpikturale Reflexion zum Status ikonischer und verbaler Zeichen und ihrem Verhältnis zueinander beziehungsweise zur (außerkünstlerischen) Realität gab.[691] Als Beispiel sei auf Paul Klee verwiesen, der in besonderer Weise figürliche und nicht-figürliche (‚rein' malerische) Elemente mit Schriftzeichen poetisch verbunden

687 Zur Beziehung von moderner Kunst, insbesondere Lissitzky, und moderner Typographie: Johanna Drucker, The Visible Word: Experimental Typography and Modern Art 1909–1923, Chicago University Press 1994.

688 Klaus Peter Dencker, Text-Bilder. Visuelle Poesie international. Von der Antike bis zur Gegenwart, Köln 1972; Ulrich Ernst, Carmen figuratum. Geschichte des Figurengedichts von den antiken Ursprüngen bis zum Ausgang des Mittelalters, Köln, Weimar, Wien 1991; ders., Von der Hieroglyphe zum Hypertext. Medienumbrüche in der Evolution visueller Texte, in: Die Verschriftlichung der Welt. Bild, Text und Zahl in der Kultur des Mittelalters und der Frühen Neuzeit, hrsg. von Horst Wenzel, Wilfried Seipel, Gotthart Wunberg, (Schriften des Kunsthistorischen Museums Wien Bd. 5), Wien 2000, S. 213–239.

689 Vilem Flusser, Kommunikologie, hrsg. von Stefan Bollmann und Edith Flusser, Frankfurt a. M. 1998, S. 53.

690 Zur Zeichentheorie im Mittelalter siehe: Winfried Nöth, Handbuch der Semiotik, Stuttgart, Weimar 2000, insbes. S. 9–14 und die dort angegebene und weiterführende Literatur.

691 Ganz explizit und reflektiert bei René Magritte, man denke an seine Werke zum Thema *ceci n`est pas une pipe*. Bereits von 1926 datiert die Zeichnung mit der Gegenüberstellung einer ‚realistisch' dargestellten Pfeife und einer abstrahierten, verbunden mit dem Wort *pipe*. 1929 folgte das Ölbild *La trahison des images* (*Der Verrat der Bilder*) mit der Darstellung einer Pfeife und dem Schriftzug *ceci n'est pas une pipe* (*Das ist keine Pfeife*). 1966 wurde die Reihe mit *Les deux mystères* abgeschlossen: Das Bild *La trahison des images* ist nun als Staffeleibild abgebildet, darüber schwebt eine weitere Pfeife. Magritte lotet die jeweilige Differenz zwischen ikonischem und verbalen Zeichen zum Referenten aus. Bekanntlich hat Michel Foucault auf diese Arbeiten und auf Briefe von Magritte mit seinem Aufsatz *Ceci n'est pas une pipe* von 1973 reagiert. Zur Analogie zwischen Magritte und der Sprachphilosophie Wittgensteins: Suzi Gablik, Magritte, München, Wien, Zürich 1971.

Abb. 115: Simias von Rhodos, Figurengedicht, 300 v. Chr. (Rekonstruktionsversuch 1969 von G. Wojaczek)
Abb. 116: Figurengedicht Cygnus (Schwan), Ende 14. Jahrhundert, Kloster Göttweig, Ms. 7
Abb. 117: Johann Leonhard Frisch, Berliner Bär, 1700

hat **(Abb. 120)**.[692] In dem Bild *Legende vom Nil* dekliniert er unterschiedliche Repräsentationssysteme, zeigt ihre Verwandtschaften und Differenzen auf und lässt erfahrbar werden, dass wir die jeweiligen Elemente nur durch ihre gegenseitige Kontextualisierung als solche erkennen und deuten können. Die abbreviierten Zeichen auf den blauen Farbflächen können wir nur deshalb als *Schiff* und als *Meer* beziehungsweise *Himmel* deuten, weil sie sich gegenseitig kontextualisieren. Der scheinbare Widerspruch zwischen Schriftzeichen, die Bedeutung signalisieren, und malerischem Hintergrund, blaue Farbflächen, die wir geneigt sind als ‚reine' Malerei (ohne Bedeutung) anzusehen, wird aufgehoben. Der Titel *Legende vom Nil* verweist auf den Ursprung der Schrift in der aegyptischen Hieroglyphe und die Einheit von Bild und Schrift im Pictogramm. Die Ruderer erinnern nicht zufällig an Noten in der Musik: Die dadurch bewirkte Assoziation an den Rhythmus des Ruderschlages, verbunden mit der tänzerischen Bewegung der stehenden Figur, bindet auch die Schwesterkünste Musik und Tanz ein. Klee demonstriert die unauflösliche Beziehung von ikonischen und verbalen Zeichen in der Generierung von Bedeutung – durchaus im Sinne der Semiotik. Allerdings – und dies schafft eben nur die Kunst – vermittelt sich bei aller analytischen Reflexion ein Bild voll Poesie, Heiterkeit und Emotion.

Die Kunst der Avantgarde hat die Beziehung von Wort und Bild und die Überwindung ihrer Trennung in unterschiedlichsten Formen zum Thema gemacht. Die Disziplin der Kunstgeschichte hingegen hat fast ein Jahrhundert dazu gebraucht. Aber auch heute noch wird in der Regel die Ebenbürtigkeit von Wort und Bild beziehungsweise die gegenseitige Grenzüberschreitung zwar der Kunst der Avantgarde zugebilligt, nicht jedoch der Kunst vor dem 20. Jahrhundert. Insbesondere die Kunst von der Renaissance bis zum Beginn des 20. Jahrhunderts wird meist immer noch entweder mimetisch als reine Abbildung

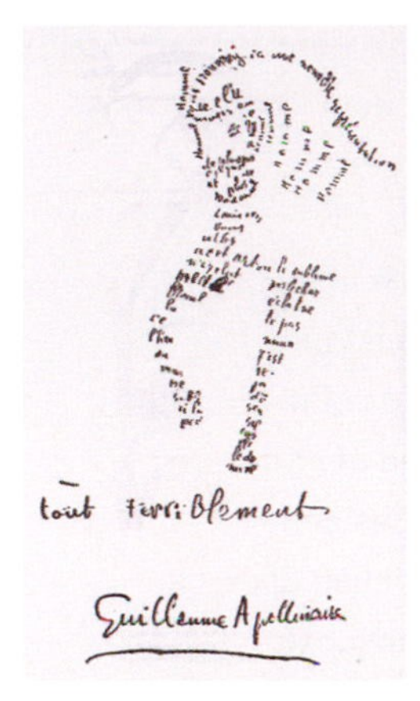

Abb. 118: Guillaume Apollinaire, Pferd, 1917
Abb. 119: Claus Bremer, Taube, 1968
Abb. 120: Paul Klee, Legende vom Nil, 1937, Pastellfarben/Baumwolle/Jute, Bern, Kunstmuseum

interpretiert oder umgekehrt als sprachzentriert. Eben diese Spaltung zeigte sich in dem Forschungsstreit zur holländischen Malerei.

Aber nicht nur in der Kunstgeschichte (zur holländischen Kunst des 17. Jahrhunderts im Besonderen und im Allgemeinen), sondern auch in aktuellen Reflexionen zum Text-Bildverhältnis innerhalb der Kulturwissenschaften (!) hält sich hartnäckig dieses polare Deutungsmuster einer essentiellen Differenz zwischen Wort und Bild. Dies ist bemerkenswert. Denn die Ausgangsbasis der Kulturwissenschaften bilden die Semiotik, die Foucaultsche Diskurstheorie und Transdisziplinarität, die davon ausgehen, dass wir die Welt nur über *Zeichen* vermittelt wahrnehmen und Zeichensysteme nicht auf verbale Sprache reduziert werden können, sondern es vielmehr gerade um die Vernetzung unterschiedlicher Symbolsysteme und sozialer Praxen geht. Neben einer Ausdifferenzierung semiologisch und diskursanalytisch orientierter Ansätze ist es auch der aktuelle Medienumbruch mit einer neuen Audiovisualität, der zu einer Wandlung der Wahrnehmung von Text und Bild und damit auch der Theoriebildung geführt hat.

Dennoch lassen sich in den Kulturwissenschaften unterschiedliche Spielarten der Persistenz des Differenzdiskurses bezüglich Bild und Text beobachten. Oft wird zwar der bildenden Kunst seit der Avantgarde eine sprachanaloge

692 Marianne Vogel, Zwischen Wort und Bild. Das schriftliche Werk Paul Klees und die Rolle der Sprache in seinem Denken und in seiner Kunst, München 1992; Rainer Crone, Paul Klee und die Natur des Zeichens, in: Rainer Crone, Joseph Leo Koerner, Alexandra Stosch, Paul Klee und Edward Ruscha. Projekt der Moderne – Sprache und Bild, München 1998, S. 25–72; Joseph Leo Koerner, Paul Klee und das Bild des Buches, in: ebd., S. 89–136. Foucault bezeichnete Paul Klee als *den* Repräsentanten der modernen Malerei: „Mir scheint, dass die Malerei von Klee für unser Jahrhundert am besten repräsentiert, was Velazquez für das seine war. Sofern Klee in sichtbarer Form alle Gesten, Akte, graphische Zeichen, Linien, Skizzen, Oberflächen erscheinen lässt, aus denen die Malerei besteht, macht er aus dem Akt des Malens selbst das freigelegte und funkelnde Wissen der Malerei." (Michel Foucault, Dies ist keine Pfeife, mit einem Nachwort von Walter Seitter, Berlin, Wien 1983, S. 61f.). Klee habe mit der hierarchisierenden Ordnung von sprachlichen und visuellen Zeichen gebrochen. Erstmals verschränke sich in seinem Werk das System der Repräsentation durch Ähnlichkeit und das System der Referenz durch Zeichen miteinander. (Ebd. S. 26f.)

semantische Potenzialität zuerkannt, nicht aber der Kunst vor dem 20. Jahrhundert. Stellvertretend für viele sei Klaus Dirscherl zitiert.[693] In der Einleitung zu dem von ihm 1993 herausgegebenen Band *Bild und Text im Dialog* schreibt der Autor:

> Die hierarchische Unterordnung des Bildes unter den Text, die in der Illustration berühmter Literatur gleichsam selbstverständlich ist und erst im 20. Jahrhundert in Frage gestellt werden sollte [...], diese Prägung der Bilder durch die Texte gilt für die Malerei noch lange über die Renaissance hinaus. [...] Vom mimetischen Bildkontinuum, das dem Betrachter einen textunabhängigen und quasi wirklichkeitsgetreuen Blick auf die Welt liefert, wie ihn später die impressionistische Landschaft gestattet, sind wir im 17. und 18., aber auch im 19. Jahrhundert noch weit entfernt. [...] Prinzipielle Eigenständigkeit scheint das mimetische Medium der Malerei – zumindest zeitweise – erst mit dem Realismus und Impressionismus des 19. Jahrhunderts zu gewinnen.[694]

Dagegen ist Folgendes einzuwenden: Die Hierarchisierung zwischen Malerei und Sprache zu Gunsten der Sprache ist unrichtig. (Holländische) Malerei war im 17. Jahrhundert durchaus eigenständig und diente nicht der Illustration von Texten. Es ist unsinnig, als Alternative zur Sprachabhängigkeit der Malerei die *Mimesis* zu setzen. Wenn ein Bild „textunabhängig" ist, ist es deswegen nicht mimetisch und nicht „wirklichkeitsgetreu." Es gibt keine ‚wirklichkeitsgetreuen', mimetischen Bilder, ebensowenig wie Bilder, die *vollkommen* text- beziehungsweise sprachunabhängig sind. Metsus *Liebesbrief* ist keine Illustration von Sprache, dennoch ist das Bild eingebettet in die Welt der Liebesbriefe, also der Sprache. Es verweist einerseits durch das *Bild im Bild* konkret auf die Metaphern im Liebesdiskurs und es ist als *tableau* nur denkbar im Kontext der Schrift- und Lesekultur Hollands, insbesondere der Kultur der Liebesbriefe.

Auch im vorangegangenen Kapitel habe ich versucht zu zeigen, wie Vermeer in seinem Werk *Frau mit Waage* einen pikturalen Diskurs führt und mit rein malerischen Mitteln die Möglichkeiten und Bedingungen der Bedeutungsproduktion reflektiert. Vermeer illustriert keinen vorgegebenen Text; ebensowenig geht es ihm um eine ‚wirklichkeitsgetreue' Abbildung (einer Frau mit Waage im Interieur). Sprachabhängigkeit (und Bedeutung) oder aber *Mimesis* sind unsinnige Alternativen. Vielmehr produzieren Bilder immer Bedeutung, analog der Sprache, vernetzt mit Sprache – aber mit anderen medienspezifischen Mitteln.

Eine weitere Spielart eines reduktionistischen Modells des Verhältnisses von Bild und Sprache ist die Beschränkung auf die Verbindung von Bild und Schrift. Es kann jedoch nicht lediglich darum gehen, die Verwobenheit von Bild und Schrift aufzuzeigen, wie das die rezente Ausstellung und der entsprechende Katalog *Das abc der Bilder* in Berlin 2007 postulieren. Selbst in diesem Katalog, der für die Aufhebung der traditionellen Trennung von Bild und Schrift plädiert und sich darin ganz innovativ gibt, lesen wir:

> Bilder ohne Textinformation scheint der Mensch nur in dosierten Mengen auszuhalten.[695]

Die Trennung des Kommunikationskosmos in eine Bilder- und eine Textgalaxie erweise sich als realitätsfern und künstlich. Die Bildkultur seit der Frühen Neuzeit habe sich selbstbezüglich ausschließlich mit der Verfeinerung und Ausdifferenzierung ihrer selbst beschäftigt. Obwohl die Resultate dieser Spezialisierung mit der Entwicklung von Perspektive, Chiaroscuro etc. weltweit Bewunderung hervorriefen, könne nicht darüber hinweggetäuscht werden,

> ... dass es sich um eine geradezu überzüchtete Kommunikationsform handelt, die nur in musealen Schonräumen lebensfähig und für den Menschen erträglich ist.[696]

Trotz Kritik an Semiotik und modernen Kommunikationstheorien wie Systemtheorie oder Konstruktivismus wegen ihrer angeblichen „Trennungspolitik“[697] wird Bildern somit ihr eigenes genuines semantisches Potenzial abgesprochen. So wird trotz gegenteiliger Beteuerung und dem hohen Anspruch einer Neuformulierung des Text-Bild-verständnis an der traditionellen Missachtung des pikturalen Mediums festgehalten.

Die Dichotomisierung von Wort und Bild wird paradoxerweise nun auch von Teilen der neu etablierten Bildwissenschaften fortgesetzt – allerdings mit umgekehrten Vorzeichen. Sigrid Schade hat zu Recht die Pirouetten von *iconic*, *pictorial*, *performative* etc. *turns* zurückgewiesen und mit dem Rückgriff auf Norman Bryson vorgeschlagen, von *semiotic inquiry* zu sprechen.[698]

693 Das Zitat ist beliebig und gleichzeitig symptomatisch für die immer noch herrschende Auffassung auch bei SpezialistInnen im Bereich der Text-Bild-Forschung. So schreibt Wendy Steiner (in ihrem Vorwort zu: The Colours of Rhetoric. Problems in the Relation between Modern Literature and Painting, The University of Chicago Press 1982, S. XI): „As I see it, this importance lies in the fact that painting has until very recently been taken as mimetic, a mirror of the world."

694 Klaus Dirscherl 1993, S. 15–26, hier S. 20f.

695 AK Berlin 2007, S. 10, Einleitung von Moritz Wullen.

696 Ebd. S. 10.

697 Ebd. S. 8.

698 Innerhalb der Bildwissenschaften gibt es sehr unterschiedliche, ja gegensätzliche Strömungen. Gemeint sind hier nicht die dezidiert inter- und transdisziplinär ausgerichteten Forschungen, die in Richtung *visual culture* orientiert sind und nicht-künstlerische Bilder erforschen. Aber in der Disziplin Kunstgeschichte selbst hat sich dieser Begriff auch etabliert, so bei Hans Belting, der einen anthropologisch ausgerichteten Bildbegriff entwickelt hat. (Hans Belting, Bild-Anthropologie. Entwürfe für eine Bildwissenschaft, München 2001; Hans Belting (Hg.), Bilderfragen. Die Bildwissenschaften im Aufbruch, München 2007). Gottfried Boehm hat mit der Beschwörung eines angeblichen *iconic turn* den Versuch unternommen, die bedrohte Autonomie des Bildes zu retten und jegliche Frage nach einer außerhalb des Ikonischen liegenden Bedeutung (sprachlich, diskursiv, sozial) auszumerzen. (Gottfried Boehm, Die Wiederkehr der Bilder, in: ders., (Hg.), Was ist ein Bild, München 1994, S. 11–38; ders., Jenseits der Sprache? Anmerkungen zur Logik der Bilder, in: Christa Maar, Hubert Burda (Hg.), Iconic Turn. Die neue Macht der Bilder, Köln 2004, S. 28–43.) Es ist unbegreiflich, wie dieser *iconic turn*, der von Boehm als Gegenpol zu einem falsch verstandenen, weil ausschließlich auf (verbale) Sprache reduzierten Begriff des *linguistic turn* so Furore machen konnte. Der so genannte *pictorial turn* wiederum, den der US-amerikanische Anglist T. J. W. Mitchell proklamiert hat, bezieht sich auf die neue und wachsende Bedeutung des Visuellen in der gesellschaftlichen Kommunikation im Rahmen neuer Technologien. (W. T. J. Mitchell, Picture Theory. Essays on Verbal and Visual Representation, Chicago 1994; Der Pictorial Turn, in: Privileg Blick. Kritik der visuellen Kultur, hrsg. von Christian Kravagna, Berlin 1997, S. 15–40.) Zur Kritik an den Absurditäten der *turns* siehe die Analyse von Sigrid Schade mit ihrem Plädoyer, den von Norman Bryson geprägten Begriff *semiotic inquiry* zu verwenden (Bal, Bryson 1991). Sigrid Schade, Vom Wunsch der Kunstgeschichte,

Innerhalb der Kulturwissenschaften hat sich in den letzten Jahren und Jahrzehnten, unter anderem bedingt durch die Erfahrung mit den Neuen Medien, eine intensive Forschung zum Verhältnis von Text, Schrift, Bild und Zahl entwickelt.[699] Meine Überlegungen sind Teil dieser Diskussion zur Überwindung der Bild-Text-Dichotomisierung. Es soll hier ausdrücklich vermerkt werden, dass die feministische Kunstwissenschaft und *Gender Studies* durch ihre frühe Rezeption von Theorien der Semiotik, von Foucault, Barthes, Lacan und Derrida daran einen wesentlichen Anteil haben.[700]

Gegenwärtig wird die in den Kulturwissenschaften formulierte These einer Vernetzung von Bild und Sprache von der Gebärdensprachforschung, der Primaten- und Hirnforschung sowie der Wahrnehmungstheorie bestätigt.[701] Die gegenseitige Vernetzung von Bild und Sprache aufzuzeigen ist notwendig, aber ungenügend. Die immer noch vorherrschende Hierarchisierung von Sprache und Bild zu Gunsten der Sprache muss nicht unbedingt die Form eines Differenzdiskurses annehmen. Ebenso geläufig ist die (scheinbare) Gleichsetzung von Bild und Sprache, die Vorstellung, dass Bilder *wie Texte gelesen* werden sollen. In der Rede vom Diskurs wird oft (durchaus nicht immer) die *Materialität* von Kultur und vor allem die Materialität der Zeichen vernachlässigt.[702] Bedeutung/Sinn ist immer an ein Medium gebunden. Es gibt keine medienfreie Erkenntnis des Realen, kein praemediales Denken und kein reines, medienfreies Abbild von Welt. Bedeutung ist nicht zu haben ohne Medium und somit ohne Zeichen*materialität*. Die jeweiligen Arten von Bedeutungsgehalten sind eng mit den jeweiligen materiellen Zeichensubstraten verknüpft, sie liegen ihnen nicht als ‚neutrale' kognitive Formen voraus.[703] Somit ist Bedeutung/Sinn/Inhalt an die spezifische *Materialität* des Mediums gekoppelt. Sprache und Bilder sind Medien[704]; sie sind nicht (neutrale) Abbilder des Realen, sondern generieren ihre je spezifische Eigensemantik. Das Mediale an den Zeichen, so Peter Koch und Sybille Krämer, ist nicht nur Bedingung der

Leitwissenschaft zu sein. Pirouetten im sogenannten ‚pictorial turn', in: horizonte. Beiträge zu Kunst- und Kunstwissenschaft, 50 Jahre Schweizerisches Institut für Kunstwissenschaft, hrsg. von Jürg Albrecht, Kornelia Imesch, Stuttgart 2001, S. 369–378; dies., What do „Bildwissenschaften" Want? In the Vicious Circle of Iconic and Pictorial Turns, in: Inscriptions/Transgressions. Kunstgeschichte und Gender Studies, hrsg. von Kornelia Imesch, Jennifer John, Daniela Mondini, Sigrid Schade, Nicole Schweizer, Bern 2008, S. 31–51. Siehe auch: Maar, Burda 2004, insbesondere den Aufsatz von Willibald Sauerländer, Iconic turn? Eine Bitte um Ikonoklasmus, S. 407–426.

699 Siehe u.a. jeweils mit weiterführender Literatur: Roland Barthes, Rhetoric of the Image. Semiotics, An Introductory Reader, London 1985; Roland Barthes, Ist die Malerei eine Sprache? in: Ders., Der entgegenkommende und der stumpfe Sinn. Kritische Essays III, Frankfurt a. M. 1990; Mitchell 1987; Oskar Bätschmann, Bild-Text: Problematische Beziehungen, in: Kunstgeschichte – aber wie? hrsg. von der Fachschaft München, Berlin 1989; Volker Bohn (Hg.), Bildlichkeit, Frankfurt a. M. 1990; Word & Image Interactions. A Selection of Papers Given at the Second International Conference on Word and Image, Universität Zürich 1990, hrsg. von Martin Heusser u. a., Basel 1993; Ulrich Weisstein, (Hg.), Literatur und Bildende Kunst, 1992; W. J. Thomas Mitchell, Picture Theory, Chicago University Press 1994; Boehm 1994; Nelson Goodman, Sprachen der Kunst. Entwurf einer Symboltheorie, Frankfurt a. M. 1995; Wenzel 1995; Wenzel 2001, weitere Lit. von Wenzel siehe Anm. 671; Dirk Matejovski, Friedrich Kittler (Hg.), Literatur im Informationszeitalter, Frankfurt, New York 1996; Bredekamp, Krämer 2003; Barbara Naumann, Edgar Pankow (Hg.), Bilder-Denken. Bildlichkeit und Argumentation, München 2004; Maar, Burda 2004.

700 Im deutschsprachigen Raum siehe insbesondere die Arbeiten von Sigrid Schade und Silke Wenk.

701 Es gab bereits bei den Primaten im Gehirn einen Konvergenzpunkt, in dem somästhetische, visuelle und auditive Informationen zusammenkamen. Neuere Primaten- und Gebärdensprachforschungen belegen, dass die Verständigung durch Gesten der gesprochenen Sprache wohl vorausging beziehungsweise mit ihr

Möglichkeit ihrer Übertragbarkeit, sondern der Sinnbildung selber.[705] Es geht, so Ludwig Jäger, um eine Aufwertung des Status der Materialität des Zeichens:

> Ihre [der Zeichen] Funktion kann dann nicht mehr auf die der Repräsentation, des Transports bzw. der Übertragung von Inhalten beschränkt werden, weil sie konstitutiv an der Genese dieser Inhalte beteiligt sind.[706]

Die Theorie der *Transkription* des Kulturwissenschaftlers und Linguisten Ludwig Jäger scheint mir geeignet, sowohl die Vernetzung unterschiedlicher Medien wie die autochthone Eigensemantik von Medien (beispielsweise von Bild und Sprache) theoretisch fassen zu können.

> Semantische und ästhetische Effekte verdanken sich – so Jäger – nicht der Bezugnahme beziehungsweise den verschiedenen Arten der Bezugnahme von Symbolsystemen auf eine vorsymbolische Welt, sondern sie ergeben sich aus bestimmten Eigenschaften beziehungsweise Prozessierungsformen der medialen Dispositive selbst. Man könnte auch sagen, sie verdanken sich den (von medialen Dispositiven bereitgestellten) Arten der Bezugnahme, die sich in einem erkenntistheoretischen Sinn nicht prioritär zwischen Symbolsystemen und der Welt abspielen, sondern die sich zunächst einmal zwischen verschiedenen (medialen) Symbolsystemen und zum zweiten auch innerhalb desselben Symbolsystems vollziehen.[707]

Die Bezugnahmen können also intramedial (innerhalb desselben Mediums) oder intermedial (Übersetzungen von einem Medium in ein anderes) sein. Diese Formen der Bezugnahme von *intra*medialer rekursiver Selbstbezüglichkeit von Medien und die *inter*mediale

verbunden war. Wir können heute somit davon ausgehen, dass die Sprache von Anbeginn an audio-visuell war. Sprache war bereits vor ihrer Fixierung durch die Schrift auch ein visuelles Medium. Siehe dazu: Ludwig Jäger, Sprache als Medium. Über die Sprache als audio-visuelles Dispositiv des Medialen, in: Wenzel, Seipel, Wunberg 2001, S. 19–42, mit weiterführender Literatur. Zur Frage der Wahrnehmung, dass Bilder wie Texte gelesen werden: Groß 1990; zur hirnphysiologischen Erkenntnis, dass Bilder ebenso wie Sprache nicht Abbilder sind, sondern Konstruktionen im Hirn: Wolf Singer, Das Bild in uns – Vom Bild zur Wahrnehmung, in: Maar, Burda 2004, S. 56–76.

702 Zur Bedeutung des Materials in der bildenden Kunst: Monika Wagner, Das Material der Kunst. Eine andere Geschichte der Moderne, München 2001.

703 Ludwig Jäger, Text-Bild-Verständnisse, in: Asymmetrien. Festschrift zu Ehren von Daniela Hammer-Tugendhat, hrsg. von der Universität für angewandte Kunst Wien, Wien 2008, S. 35–44, hier S. 38.

704 Jäger kritisiert zu Recht, dass in der aktuellen Mediendebatte oftmals ignoriert wird, dass Sprache ein Medium (das Archimedium) ist und von einem auf Technologie verkürzten Medienbegriff ausgegangen wird. Medien sind keine technischen Mittel der Informationsübertragung. Hinter den Klagen vieler Medienkritiker, wie etwa Baudrillard, stünde immer noch die cartesische Fiktion einer medienfreien und damit unverstellten Erkenntnismöglichkeit von Welt; es gebe keine Krise, sondern lediglich eine Komplexitätszunahme medial-symbolischer Semantiken. Ludwig Jäger, Transkriptivität. Zur medialen Logik der kulturellen Semantik, in: Ludwig Jäger, Georg Stanitzek (Hg.), Transkribieren. Medien/Lektüre, München 2002, S. 19–42; ders., Transkription. Überlegungen zu einem interdisziplinären Forschungskonzept, in: Walter Bruno Berg, Rolf Kailuweit, Stefan Pfänder (Hg.), Migrations et transcriptions: Europe et Amerique latine de voies en voix, Freiburg (im Druck); ders., 2001, S. 19–42.

705 Peter Koch, Sybille Krämer, Einleitung, in: Dies. (Hg.), Schrift, Medien, Kognition. Über die Exteriorität des Geistes, Tübingen 1997, S. 9–26, hier S. 12.

706 Jäger, Transkription, 2009 (im Druck).

707 Jäger, Asymmetrien, 2008, S. 39.

Kopplung differenter medialer Skripturen sind es, nach Jäger, die den „symbolischen Welterzeugungsapparat in Gang halten."[708] Kulturelle Semantik verläuft nicht in monomedialer Weise der Welterzeugung, sondern durchgängig in Prozessen der Intermedialität, es geht somit um die Untersuchung der performativen Praktiken kommunikativer Kulturen unter der Perspektive ihrer intermedialen Differenz-Logik.[709] Grundlegend in unserem Zusammenhang ist die Konstatierung von medienspezifischen Eigensemantiken: dass die jeweiligen Arten von Bedeutungsgehalten eng mit den jeweiligen materiellen Zeichensubstraten verwoben sind:

> Die Semantik nichtsprachlicher Medien – etwa die der Bilder – besteht deshalb auch nicht darin, dass sie etwas *bildlich* sagen, was auch *sprachlich* oder anders gesagt werden könnte. Neutrale Inhalte/Informationen, die gleichsam unversehrt (‚originaliter') zwischen verschiedenen Medien übertragen werden können, sind nicht denkbar, weil es nur mediale Varianten von Inhalten gibt, für die kein prämediales Original existiert. Jede Form der Übertragung eines Inhaltes aus einem in ein anderes Medium nimmt deshalb notwendig die Form der Transkription, d. h. der Neukonstitution unter medial veränderten Bedingungen an.[710]

> Jede Theorie, die nichtsprachlichen Medien eine genuine Semantik abspricht, ist also zugleich ein Angriff auf ihre ästhetische Form.[711]

Gegenwärtig sind wir also in der Lage, auf Grund der Ausdifferenzierung kulturwissenschaftlicher, semiologischer und diskursanalytischer Theorien sowie historischer und (hirn)physiologischer Untersuchungen, mitbedingt wohl auch durch den Medienumbruch und die neuerliche Audiovisualität, Bild und Sprache sowohl in ihrer Verflechtung und den wechselseitigen Verweisungsstrukturen wie auch in ihrer Eigensemantik gerecht zu werden.

Den unsinnigen Streit der KunsthistorikerInnen können wir getrost begraben. HistorikerInnen, Kultur- und LiteraturwissenschaftlerInnen wiederum wären gut beraten, ihre Sprachfixierung zu Gunsten eines (immer beschworenen, aber selten ernst genommenen) interdisziplinären Blicks aufzugeben. Bildliche Zeugnisse sind ebenso Teil der Kultur wie sprachliche.[712]

Die Einbeziehung nichtsprachlicher Medien, in unserem Fall der Malerei, könnte zu einschneidenden Verschiebungen in der historischen Wahrnehmung führen: Es wäre zu überlegen, ob nicht der Höhepunkt der Briefkultur bereits in der zweiten Hälfte des 17. und nicht erst im 18. Jahrhundert anzusetzen ist. Hier, in Holland, hat sich die erste Blüte bürgerlicher Kultur entfaltet und dies nicht zuletzt im Medium der Malerei.[713]

4 Das Geschlecht der Briefe

Ein Charakteristikum von Briefen ist es, dass sie Mittel der Kommunikation sind. Man schreibt Briefe, empfängt Briefe und antwortet auf Antworten. Im privaten Bereich, insbesondere im Feld der Liebe, mag es vorkommen, dass der eine/die eine Briefe immer nur *schreibt*, der andere/die andere Briefe nur empfängt und *liest*. Diese Form der Einseitigkeit wird man allerdings eher als Ausnahme denn als Regel ansehen dürfen. Mit Sicherheit kann man davon ausgehen, dass jemand einen Brief geschrieben haben muss, wenn es eine/einen andere/n gibt, die/der ihn liest. Betrachtet man jedoch die holländische Genremalerei, könnte der paradoxe Eindruck entstehen, nur Frauen hätten Liebesbriefe erhalten und gelesen, selten einen geschrieben; Männer dagegen hätten nie einen Liebesbrief erhalten und nie einen verfasst. In den Werken von Dirck Hals, Pieter Codde, Pieter de Hooch, Jan Steen, Frans van Mieris, Jan Vermeer und anderen sind es ausschließlich Frauen, die solch private Briefe erhalten, lesen, kaum jedoch selbst schreiben. Einzig von Ter Borch sind vier Gemälde mit Brief schreibenden Männern beziehungsweise einem lesenden Mann überliefert **(Abb. 123, 124)**. Allerdings sind es keine bürgerlichen Männer in bürgerlichen Interieurs, sondern ausnahmslos Offiziere, Mitglieder des Militärs.[714] Nur bei zwei von diesen Bildern können wir, auf Grund der am Boden liegenden Pic-Herzkarte, auf einen amourösen Charakter des Briefes schließen. Bei dem jungen Offizier, der einen Brief liest, bleibt der Kontext unbestimmt. Auch sind diese Männer nie allein mit ihrer Post, sondern immer in männlicher Gesellschaft. Von Ter Borch kennen wir zwar auch ein Bild mit einem lesenden Mann allein, aber es ist kein Liebesbrief, es ist überhaupt keine private Post, sondern ein gedrucktes Flugblatt, ein

708 Jäger, Asymmetrien, 2008, S. 38.

709 Ludwig Jäger, Transkriptive Verhältnisse. Zur Logik intra- und intermedialer Bezugnahmen in ästhetischen Diskursen, in: Gabriele Buschmeier, Ulrich Konrad, Albrecht Riethmüller (Hg.), Transkription und Fassung in der Musik des 20. Jahrhunderts. Beiträge des Kolloquiums in der Akademie der Wissenschaften und der Literatur, Mainz 2004, Stuttgart 2007, S. 103–134. Vgl. auch Mitchell 1994, S. 94f: „All media are mixed media."

710 Jäger, Transkription, 2009 (im Druck).

711 Jäger 2008, S. 38.

712 Der *paragone* zwischen Bild und Text wurde auch in Holland geführt. (Für die enge Verbindung von Bild und Literatur in Holland siehe insbesondere Schenkeveld van der Dussen 1991 und 1993.) Ich möchte hier nur ein Beispiel zitieren, das zeigt, wie über die Frage, ob die Malerei in der Lage sei, das Unsichtbare darzustellen, zwischen einem Schriftsteller und einem Maler gestritten worden ist. Joost van den Vondel, der bedeutendste holländische Dramatiker seiner Zeit, hatte zu einer Radierung von Rembrandt (1641), die den berühmten Mennonitenprediger Cornelis Anslo porträtierte, folgende Zeilen verfasst:

> Ay Rembrant, maal Cornelis stem
> Het zichtbre deel is ,tminst van hem:
> ,t Onzichtbre kent men slechts door d'ooren
> Wie Anslo zien wil moet hem hooren.
> (Ach, Rembrandt, mal' Cornelis' Stimme,
> das Sichtbare ist der geringste Teil von ihm.
> Das Unsichtbare erfasst man ausschließlich
> über die Ohren.
> Wer Anslo sehen will, der muss ihn hören.)

(Zitat und deutsche Übersetzung aus: Schenkeveld van der Dussen 1993, S. 66).
Auf der Radierung ist lediglich Anslo abgebildet, der mit einer Geste auf die Schrift verweist. In dem danach entstandenen Gemälde hat Rembrandt Anslos Frau als Zuhörerin integriert und den Zeige- in einen Redegestus verwandelt **(Abb. 121, 122)**. Die Verse von Vondel stehen auf der Rückseite der Rötelzeichnung, die Rembrandt zur Vorbereitung des Gemäldes angefertigt hatte. Die Antwort des Malers auf die Kritik des Dichters ist: Er, Rembrandt, kann das Wort, die Rede, das Unsichtbare darstellen – aber eben mit den Mitteln der Malerei. Dazu siehe das Kapitel *Die Stimme malen* in: Pächt, S. 173–188. Pächt macht weiter darauf aufmerksam, dass Rembrandt mit seinem *Hundertguldenblatt* gleichsam selbst eine Predigt gehalten hat.

713 Dies wird im letzten Kapitel ausgeführt.

714 Zu Ter Borch: S. J. Gudlaugsson, Gerard ter Borch, 2 Bde, Den Haag 1959–60; Gerard ter Borch, Ausstellungskatalog, National Gallery of Washington, American Federation of Arts, New York, hrsg. von Arhtur

Abb. 121: Rembrandt, Porträt des Mennonitenpredigers Cornelis Claesz. Anslo, 1641, Radierung/Kaltnadel
Abb. 122: Rembrandt, Der Mennonitenprediger Cornelis Claesz. Anslo und seine Frau Aeltje Gerritsdr. Schouten, 1641, Öl/Leinwand, Berlin, Staatliche Museen, Gemäldegalerie

Medium öffentlicher Kommunikation.[715] Caspar Netscher, der Schüler Ter Borchs, hat, neben seinen vielen Gemälden, die weibliche Figuren mit Briefen zeigen, ein Bild mit einem einzelnen (bürgerlich gekleideten) Mann gemalt, der einen Brief verfasst **(Abb. 125)**.[716] Das Bild ist eine veritable Ausnahme. Im Melancholiegestus, den Kopf in die Hand gestützt, scheint der junge Mann im Schreiben gleichsam innezuhalten; er blickt sinnend in die Ferne. Die Intimität des Settings legt nahe, den Brief als einen privaten, vielleicht sogar als Liebesbrief zu interpretieren, obwohl keine Attribute eindeutig in diese Richtung weisen. Aber die erste Erwähnung des Werks in dem Dresdner Inventar von August dem Starken (1722) lautet: „Ein Gelehrter schreibt einen Brief". Bereits im frühen 18. Jahrhundert waren die Geschlechterrollen offensichtlich schon so festgelegt, dass eine Semantisierung in Richtung Privatheit oder gar Liebe ausschied.

Obwohl Briefe ein Medium der wechselseitigen Kommunikation sind, gibt es nur ganz wenige Pendant-Bilder, die diesen Aspekt auch darstellen. Die Forschung geht im allgemeinen davon aus, dass zu Ter Borchs *Offizier, einen Brief schreibend* ein Pendant gehörte: *Frau, einen Brief versiegelnd* **(Abb. 126)**.[717] Es sind nur zwei

K. Wheelock, Yale University Press, New Haven, London 2005. Siehe auch: AK Dublin, Greenwich 2003, S. 90–107; Alison McNeil Kettering, Gerard ter Borch's Military Men: Masculinity Transformed, in: Wheelock, Seeff 2000, S. 100–119. Ter Borch hat sich wie kein anderer holländischer Künstler mit der veränderten Situation nach dem Friedensschluss von 1648 mit Mitgliedern des Militärs befasst. Er zeigt Soldaten und Offiziere unheroisch, in privaten Situationen, auch in ihrer Einsamkeit und Dislozierheit. Sein Geburtsort Zwolle und sein späterer Wohnort Deventer in Overijssel waren Garnisonstädte; diese Erfahrung mag einer der Gründe für sein Interesse gewesen sein. Kettering betont zu Recht den neuen, alternativen und friedfertigen Charakter von Mitgliedern des Militärs in der Kunst von Ter Borch, der durch den Frieden von Münster 1648 ermöglicht worden ist. Die Merkwürdigkeit, dass es ausnahmslos militärische und keine bürgerlichen Männer sind, die in die private Briefthematik involviert sind, wird nicht angesprochen.

715 Detroit, Institute of Arts, etwa 1680 entstanden. AK Washington, New York 2005, Kat. Nr. 50, S. 180.

716 Wieseman 2003, Kat. Nr. 11, S. 108ff.

717 AK Dublin, Greenwich, Kat. Nr. 8 und 9, S. 99–104.

718 *Mann einen Brief schreibend*, Musée Fabre, Montpellier, *Frau, einen Brief erhaltend*, Timken Museum of Art, San Diego, Abb. AK Dublin, Greenwich Kat. Nr. 16. und 17, Abb. S. 124 und 125, um 1660 entstanden.

719 Die Annahme von Pendants wird neben den stilistischen Übereinstimmungen durch die gleiche Größe

Abb. 123: Gerard Ter Borch, Offizier, einen Brief schreibend, um 1658/59, Öl/Lwd., Philadelphia, Museum of Art
Abb. 124: Gerard Ter Borch, Offizier, einen Brief lesend, um 1657/58, Öl/Leinwand, Dresden, Staatliche Kunstsammlungen, Gemäldegalerie
Abb. 125: Caspar Netscher, Mann, einen Brief schreibend, 1664, Öl/Holz, Dresden, Staatliche Kunstsammlungen, Gemäldegalerie

weitere Beispiele solch korrespondierender Bilder bekannt, beide von Gabriel Metsu **(Abb. 127)**, der Ter Borchs Erfindung weiterführte.[718] Sein Bild *Mann, einen Liebesbrief schreibend* ist das Pendant zu dem im letzten Kapitel besprochenen *Liebesbrief* **(Taf. 11)**.[719] Auffallend ist die prächtigere Ausgestaltung des Interieurs mit dem kostbaren Perserteppich und dem massiven vergoldeten Bilderrahmen. Das geöffnete Fenster, dem der männliche Schreiber sich zuwendet, sowie die Weltkugel verweisen auf seine Außenorientierung im Unterschied zu dem durch einen Vorhang abgeschirmten und durch Wäschekorb und Näharbeit als weiblich charakterisierten Innenraum der Leserin. Auf beiden Pendants von Metsu sind es die Männer, welche die Briefe schreiben, sie sind die Autoren, sie sind die Aktiven, die Frauen erhalten beziehungsweise lesen die Briefe.[720]

Die Welt der Briefe war zweigeteilt. Männer korrespondierten, wie im letzten Kapitel ausgeführt, im Medium des Briefes über alle erdenklichen Belange der Wissenschaft, Bildung, Religion, wirtschaftlicher und politischer Organisation und, wie bereits erwähnt, durchaus auch über private Themen. Briefe von Frauen hingegen waren auf den privaten Bereich beschränkt.[721] In der Kunst war der Brief ein beliebtes männliches Attribut sowohl in Genrebildern[722] wie in

der beiden Werke gestützt, ebenso wie durch ihr gemeinsames Aufscheinen seit der ersten Erwähnung beim Verkauf bei Hendrick Sorgh, Amsterdam, am 28. März 1720, siehe Robinson 1974, S. 39–41; AK Dublin, Greenwich 2003, Kat. Nr. 18 und 19, S. 128–133. Merkwürdig bleibt allerdings, dass die beiden Tafeln weder kompositionell noch farblich aufeinander abgestimmt sind.

720 In dem Beispiel von Ter Borch ist es auch der Mann, der schreibt; aber die Frau ist dabei, ihren Brief zu versiegeln.

721 Es gibt noch wenig Arbeiten zur Anzahl der Frauen, die in Holland im 17. Jahrhundert des Lesens und Schreibens kundig waren. Im Verhältnis zu anderen europäischen Ländern war der Grad der Alphabetisierung sicherlich sehr hoch. Allerdings muss man davon ausgehen, dass viele Frauen zwar lesen, aber nicht schreiben konnten. Es war durchaus üblich, auch private Briefe von einem Schreiber verfassen zu lassen. Die Mägde, die auf den Brief-Bildern dargestellt sind und oft als Botin fungierten, konnten wohl in den seltensten Fällen lesen, geschweige denn schreiben. Die Calvinisten förderten das Lesen (der Bibel) bei Frauen und Mädchen, aber nicht das Schreiben. Siehe: Adams in: AK Frankfurt a. M. 1993, insbes. S. 70ff; Adams in: AK Dublin, Greenwich 2003, insbes. S. 64.

722 Siehe beispielsweise die Darstellungen alter Männern und Notare mit Briefen bei Adriaen van Ostade, Abb.: AK Dublin, Greenwich 2003, Kat. Nr. 28–30, S. 155–161.

Abb. 126: Gerard Ter Borch, Frau, einen Brief versiegelnd, 1658/59, Öl/Leinwand, New York, Privatsammlung
Abb. 127: Gabriel Metsu, Mann, einen Brief schreibend, 1665–67, Öl/Lwd., Dublin, National Gallery of Ireland
Taf. 11: Gabriel Metsu, Liebesbrief, um 1664–1667, Öl/Holz, Dublin, National Gallery of Ireland

Porträts. Briefe zeichneten die dargestellten Männer als belesen, gebildet und von öffentlicher Bedeutung aus. Werden die dargestellten Briefe allerdings weiblichen Personen zugeordnet, werden sie anders, eben als Liebesbriefe semantisiert. Briefe fehlen bezeichnenderweise bei weiblichen Porträts, zuhauf finden sie sich dagegen in Genrebildern, bei Frauen in Interieurs. Somit sind keine konkreten (weiblichen) Persönlichkeiten gemeint, sondern imaginäre Bilder von Weiblichkeit. Die Erfindung des Briefthemas fällt zeitlich zusammen mit der Darstellung von Frauen in ihrem privaten bürgerlichen Heim: Dirck Hals, einer der Pioniere der Genremalerei, beginnt in den frühen dreißiger Jahren, Frauen mit Kindern oder eben mit Briefen darzustellen **(Abb. 100, 101)**. Das Interieur wird als der Ort des Weiblichen par excellence definiert.[723] Die männlichen Verfasser der in diesen Interieurs ankommenden Briefe bleiben jedoch – mit den wenigen genannten Ausnahmen – unsichtbar. Es muss sie allerdings gegeben haben, sonst wäre diese Form der Kommunikation nicht möglich gewesen. In der Forschung wird diese Asymmetrie konstatiert. So bemerkt Ann Jensen Adams in dem Ausstellungskatalog *Leselust* von 1993, dass Briefschreibende Männer eine Ausnahme sind und zieht daraus den Schluss: „Besondere Aufmerksamkeit sollte daher den zahlreichen Brief-schreibenden Frauen in der niederländischen Malerei des 17. Jahrhunderts geschenkt werden."[724] Ich denke, man muss über die bloße Feststellung dieses paradoxen Phänomens hinausgehen. Ein Ergebnis aus der

723 Im Gegensatz zum öffentlichen Raum, der durch die omnipräsenten Gruppenbilder von Männern und den fast ausschließlich männlich besetzten Historienbildern markiert ist, (siehe Teil I, 2. Kap.) wird der private Raum neben Porträts, Landschaftsbildern und Stillleben maßgeblich durch Genrebilder bestimmt. Innerhalb der Genrebilder nimmt das Interieurbild einen prominenten Platz ein. Das Interieurbild reflektiert u.a. den neuen Ort der bürgerlichen Kunst, eben den privaten Innenraum. S.u.: *Imagination,* Anm. 866. (Stoichita 1998, S. 180–181). Das Interieur im Bild wird weiblich konnotiert. (De Mare 1992; Honig 1997; Art and Home. Dutch Interiors in the Age of Rembrandt. Ausstellungskatalog, Denver Art Museum und The Newark Museum, hrsg. von Mariet Westermann, Zwolle 2001; Marta Hollander, An Entrance for the Eyes. Space and Meaning in Seventeenth-Century Dutch Art, Berkeley, University of California Press 2002). Die Grenzziehung zwischen öffentlichem und damit männlichem sowie privatem und damit weiblichen sozialen Raum wird u.a. durch die Differenz zwischen öffentlichen und privaten Bildern geschaf-

Abb. 100: Dirck Hals, Frau einen Brief zerreißend, 1631, Öl/Holz, Mainz, Mittelrheinisches Landesmuseum
Abb. 101: Dirck Hals, Sitzende Frau mit Brief, 1633, Öl/Holz, Philadelphia, Museum of Art

Analyse des ersten Teils dieser Arbeit war die prinzipielle Frage nach dem jeweils Nicht-Repräsentierten. Was oder wer wird in welchem Kontext unsichtbar gemacht, und welche *realen Effekte* bewirkt diese ‚Unsichtbarmachung'?

Als erster Schritt sollen die literarischen Verarbeitungen des Briefthemas befragt werden. Die Briefsteller, von männlichen Autoren verfasst, richteten sich primär an Männer; Männern allein stand es zu, eine amouröse Briefbeziehung zu initiieren. Der Frau ziemte lediglich die Antwort.[725] Das Deckblatt von Puget de la Serres *Secretaris d'A le Mode door de Heer van der Serre,* 1652 in Amsterdam erschienen, zeigt einen *männlichen* Briefschreiber nachdenklich vor einem leeren Briefpapier sitzen (**Abb. 128**, S. 256). Wenn es um eine soziale Praxis geht, um reale Autorschaft, wird der männliche Adressat also durchaus sichtbar gemacht. Als aufschlussreiche Parallele zu den Bildern sind die Briefromane anzusehen. Mit wenigen Ausnahmen wurden die Briefromane von Männern verfasst, die eine weibliche Person ‚sprechen' lassen. Auch in der bildenden Kunst sind es durchwegs männliche Künstler, die Frauen mit Liebesbriefen imaginieren; bemerkenswert ist deshalb umgekehrt, dass von der Haarlemer Genremalerin Judith Leyster kein einziges Werk zu diesem Thema überliefert ist.[726] Ein herausragendes literarisches Beispiel sind die *Liebesbriefe einer portugiesischen Nonne* von 1669, eines der ersten

fen. In den Interieurbildern sehen wir fast ausschließlich Frauen, Frauen mit Kindern, mit Mägden, bei der Hausarbeit und eben auch mit Briefen. Männer, obwohl sie ja in eben denselben Innenräumen lebten, sind fast nie repräsentiert und wenn, dann sind sie meist als Besucher charakterisiert. Zur prekären Rolle von Frauen im öffentlichen Raum, am Markt, siehe den hervorragenden Aufsatz von Honig 2001, S. 294–315.

724 AK Frankfurt a. M. 1993, S. 89. In ihrem späteren Artikel im AK von Dublin, Greenwich von 2003 betont Adams allerdings den fiktionalen Charakter der Bilder von Brief-lesenden Frauen.

725 Frauen antworten, sind rezeptiv, hören zu; der Mann verfügt über das Wort. Man beachte, wie dies auch in Rembrandts Werk, in dem das Wort von überragender Bedeutung ist, durchgehalten ist, siehe etwa *Anslo und seine Frau* (**Abb. 122**, S. 252).

726 Zu Judith Leyster: Frima Fox Hofrichter, Judith Leyster. A Woman Painter in Holland's Golden Age, Doornspijk 1989. Judith Leyster brillierte vor allem in Genreporträts und *Fröhlichen Gesellschaften*, insbesondere Musizierenden. Als Schülerin von Frans Hals in Haarlem war ihr das Briefthema, das dessen Bruder Dirck Hals entwickelt hatte, sicherlich bekannt.

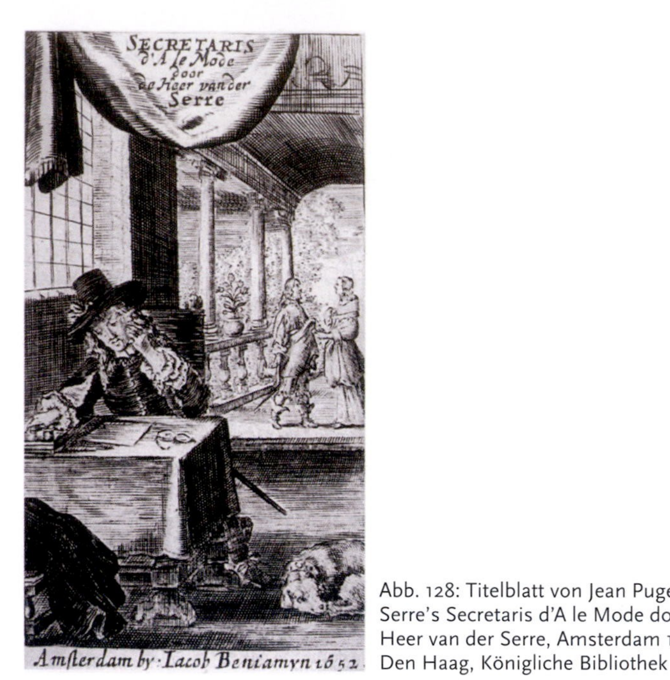

Abb. 128: Titelblatt von Jean Puget de la Serre's Secretaris d'A le Mode door de Heer van der Serre, Amsterdam 1652, Den Haag, Königliche Bibliothek

und berühmtesten Exemplare dieses Genres. Die Forschung geht heute davon aus, dass der angebliche Übersetzer Joseph Gabriel de Guilleragues auch der Erfinder der Briefe war.[727] Die von ihm verwendete Briefform suggeriert Authentizität, das ist das Faszinosum des Genres.[728] Die Fiktion von Authentizität korrespondiert mit dem Realismus der holländischen Bilder. Die Effekte sind verwandt: Wir vermeinen, ein wahres Abbild genuiner Weiblichkeit zu schauen beziehungsweise deren eigene, unverfälschten Worte zu lesen. Die bedeutendsten Figuren der englischen Briefliteratur des 18. Jahrhunderts, Samuel Richardsons *Pamela* und *Clarissa*, sind zu Ikonen einer Vorstellung von Weiblichkeit geworden, hinter deren scheinbarer Authentizität ihr männlicher Autor gleichsam verschwunden ist. Gottfried Keller hat dann in der Erzählung *Die missbrauchten Liebesbriefe* aus seiner Novellensammlung *Die Leute von Seldwyla* (1874) die Suggestion weiblicher Autorschaft dermaßen auf die Spitze getrieben, dass ihre Fiktionalität durchschaubar wird: Der erfolgreiche Geschäftsmann Viggi Störteler fühlt sich zu Höherem berufen; er möchte seine dichterische Begabung profilieren. Zu diesem Zwecke verreist er für längere Zeit und zwingt seine Gattin Gritli, ihm auf seine Liebesbriefe jeweils einen Antwortbrief zu schicken, bereits in der Absicht, die so entstandene Korrespondenz zu veröffentlichen. Gritli sieht sich außer Stande in dem hochgestochenen Schreibstil zu respondieren und greift in ihrer Verzweiflung zu einer List: Sie lässt den in sie verliebten Nachbarn und Schullehrer Wilhelm an ihre Gegenliebe glauben und ihn Liebesbriefe an sie verfassen. Nun schreiben beide Männer Liebesbriefe an Gritli, die diese akribisch abschreibt und unter ihrem Namen dem jeweils anderen Mann zukommen lässt. So verkehren männliche Autoren untereinander in der Fiktion eines weiblichen Briefpartners.

Warum sind dann aber die „großen Briefschreiber, die heute noch erinnert werden, alle weiblich?“[729] Erinnert sei etwa an Madame Sévigné, Lady Montagu, Rahel Varnhagen und Jane Carlyle. Also gab und gibt es dennoch eine besondere weibliche Kompetenz im Bereich der Briefliteratur? In der Tat ist seit dem Beginn des 18. Jahrhunderts weibliches Schreiben zu einem Synonym für das Briefschreiben geworden. Briefe zu schreiben galt als weibliche *écriture* schlechthin. Dem Genre wird ein weibliches Geschlecht zugeschrieben. Christian Fürchtegott Gellert, der einflussreichste Theoretiker der deutschen Briefliteratur, hat in seinen *Gedanken von einem guten deutschen Briefe* (1742) und in dem Werk *Briefe, nebst einer praktischen Abhandlung von dem guten Geschmacke* (1751) den weiblichen Briefstil zum Ideal des Briefschreibens erklärt und dies mit der angeblichen Kongruenz der Natürlichkeit des weiblichen Geschlechts mit der Natürlichkeit des (guten) Briefes begründet.[730]

Umgekehrt wurde mit dieser Zuschreibung weibliches Schreiben auf ein *privates* Schreiben reduziert.[731] Briefschreiben war die einzige medial erweiterte Sprachaktivität, welche die Gesellschaft den Frauen zubilligte.[732] Die Definition privater Briefe als angeblich genuin weibliche Form der Kommunikation signalisierte gleichzeitig die Ausgrenzung der Frauen von jeglicher Art des öffentlichen Schreibens, sei es Dichtung oder wissenschaftlicher Diskurs. Die eigentliche Autorposition blieb ihnen verwehrt. Allerdings haben viele Frauen die Möglichkeit des Briefeschreibens ergriffen und haben sich damit ein Stück Emanzipation, Reflexion und Selbstautorisation verschafft.[733]

Fazit: Im 17. Jahrhundert *beginnt* in der holländischen Malerei auf der Ebene des *Sichtbaren* ein Diskurs, der sich allmählich im 18. Jahrhundert begrifflich verfestigt hat, der das Schreiben von Briefen als genuin weibliches Genre definiert.[734] In der sozialen Praxis war diese Festschreibung – zumindest in Holland im 17. Jahrhundert – nachweislich noch nicht gegeben. Männer von Bedeutung wie Huygens, Hooft und andere brillierten in privater Korrespondenz, Liebesbriefe inbegriffen. Die Grenze von privater und öffentlicher Korrespondenz war noch nicht scharf gezogen.[735] Mir ist auch keine zeitgenössische Schrift aus Holland bekannt, in der das Genre Brief als weiblich apostrophiert worden wäre. Es lässt sich somit zeigen, dass und wie das ‚genuin‘ weibliche Briefschreiben allmählich produziert worden ist. Briefe wurden im Übergang

727 Siehe Anm. 620.
728 Anette C. Anton, Authentizität als Fiktion. Briefkultur im 18. und 19. Jahrhundert, Stuttgart, Weimar 1995, insbes. S. 1–32.
729 So die Frage des Literaturwissenschaftlers Karl Wagner in: Konstanze Fliedl, Karl Wagner, Briefe zur Literatur. (Ein Briefwechsel), in: Hämmerle 2003, S. 35–53, hier S. 36.
730 Hämmerle, Saurer in: Hämmerle 2003, S. 7, 20.
731 Selbstredend ist die Briefthematik eingebettet in den übergreifenden bürgerlichen Diskurs, der Weiblichkeit prinzipiell mit Privatheit, Häuslichkeit, Liebe und dem gesamten emotionalen Feld identifiziert.
732 Hämmerle 2003; Elizabeth Goldsmith (Hg.), Writing the Female Voice. Essays on Epistolary Literature, Boston 1989; Earle 1999.
733 Birgit Wagner, Briefe und Autorschaft. Suor Maria Celestes Briefe aus dem Kloster, in: Hämmerle 2003, S. 71–86; Wagner, Laferl 2002.
734 In der holländischen Malerei gab es im dritten Viertel des 17. Jahrhunderts zumindest noch Ansätze bei Ter Borch und Netscher, auch männliche Protagonisten in Sachen privater Korrespondenz und Liebesbriefen darzustellen. Diese Versuche wurden nicht weitergeführt im Unterschied zu den unzähligen Gemälden mit Frauen und Liebesbriefen.
735 Viele, durchaus private Briefe wurden veröffentlicht, oft wurden Briefe laut vorgelesen. Hämmerle 2003, insbes. S. 23–26, Adams in: AK Dublin, Greenwich 2003, insbes. S. 64f.

zum 18. Jahrhundert *tatsächlich* ein Feld für Frauen, das sie produktiv genutzt haben. Zur Entstehung dieses Diskurses haben die gemalten Fiktionen einen nicht unwesentlichen Beitrag geleistet. Die ‚realistische' holländische Malerei des 17. Jahrhunderts ist keine Widerspiegelung der damaligen sozialen Realität. Jedoch ist es eben dieser Realismus, der die geschlechtsspezifischen Asymmetrien nicht als soziale Konstrukte, sondern als natürliche Ordnung erscheinen lässt. Die Malerei hat dazu beigetragen, bestimmte geschlechtliche Identitäten, ‚Realität' zu produzieren.

5 Affekt / Emotion / Imagination

Es ist, wie wir sahen, symptomatisch, dass auf Bildern mit Liebesbriefen fast ausschließlich weibliche Figuren dargestellt sind, geht es doch um private Korrespondenz, um Liebe, um Emotion. Die Repräsentation von Emotionen, ihr Verhältnis zu kulturellen Codes und die Produktion von Imagination bei den BetrachterInnen sollen uns in diesem letzten Kapitel beschäftigen.

Gefühle als das Andere der Vernunft waren lange Zeit im wissenschaftlichen Diskurs tabu, aus der Wissenschaft als irrational, subjektiv und somit ‚unwissenschaftlich' ausgegrenzt.[736] Dies galt und gilt teilweise auch noch für die Kunstgeschichte, die damit wesentliche Aspekte ihrer Gegenstände ignoriert. Die Tabuisierung des Emotionalen bezieht sich auf die Ebenen der Repräsentation wie auch der Produktion und Rezeption. Gegenwärtig jedoch erleben wir einen Emotions-Boom. Die Rede über Affekte, Emotionen ist allgegenwärtig. Ausstellungen, Vorträge, Tagungen, Publikationen und Forschungsprojekte zu diesem Thema haben Hochkonjunktur.[737] Initiiert wurde dieser neuerliche *turn* nicht von den Geistes-, Kunst- oder Kulturwissenschaften, sondern von den Neurowissenschaften. Nachdem die Neurobiologen Antonio Damasio, Joseph LeDoux, Wolf Singer und andere seit den frühen neunziger Jahren des letzten Jahrhunderts die enge Vernetzung von Denken und Fühlen im menschlichen Gehirn nachgewiesen haben, befassen sich SoziologInnen, PhilosophInnen, KulturwissenschaftlerInnen, HistorikerInnen, Medien-, Kommunikations- und FilmwissenschaftlerInnen mit Emotionen.[738] Vor allem Antonio Damasio hat mit seinen Schriften zur Popularisierung der Hirnforschung beigetragen.[739] Ich finde es zwar irritierend und befremdlich, dass es der *Hirnforschung* bedurfte, die im

736 Siehe dazu das Plädoyer für eine kulturwissenschaftliche Emotionsforschung von Thomas Anz: Zur Resonanz von Daniel Golemans „Emotionale Intelligenz" und aus Anlass neuerer Bücher zum Thema „Gefühle" in: literaturkritik.de, Nr. 2, 3, März 1999 (http://www.literaturkritik.de/txt/1999-02-03.html).

737 Aufruhr der Gefühle, Ausstellungskatalog, hrsg. von Wiebke Ratzeburg, Museum für Photographie Braunschweig, Kunsthalle Göppingen, 2004. Symptomatisch ist der Exzellenzcluster *Languages of Emotion*, der als eines der ganz wenigen Forschungsprojekte in den Geisteswissenschaften an deutschen Universitäten aktuell bewilligt worden ist und seit Herbst 2008 an der FU Berlin unter Leitung von Winfried Menninghaus seine interdisziplinäre Arbeit aufgenommen hat. Ute Frevert, Direktorin am Max-Planck-Institut für Bildungsforschung in Berlin, baut dort einen Forschungsbereich *Geschichte der Gefühle* auf.

738 Siehe insbes. mit jeweils weiterführender Literatur: Catherine Lutz, Lila Abu-Lughod (Hg.), Language and the Politics of Emotion, Cambridge 1990; Florian Rötzer (Hg.), Große Gefühle, Kunstforum 1994; W. Gerrod Parrott (Hg.), The Emotions. Social, Cultural and Biological Dimensions, London 1996; Hartmut Böhme, Gefühl, in: Vom Menschen. Handbuch. Historische Anthropologie, hrsg. von Christoph Wulf, Weinheim, Basel 1997, S. 525–48; Claudia Benthien, Anne Fleig, Ingrid Kasten (Hg.), Emotionalität. Zur Geschichte der Gefühle, Köln, Wien u. a. 2000; Oliver Grau, Andreas Keil (Hg.), Mediale Emotionen. Zur Lenkung von Gefühlen durch Bild und Sound, Frankfurt a. M. 2005; Rom Harre, Antje Krause-Wahl, Heike Oehlschlägel, Serjoscha Wiemer (Hg.), Affekte. Analysen ästhetisch-medialer Prozesse, Bielefeld 2006; Katharina Sykora (Hg.), Fotografische Leidenschaften, Marburg 2006. Für die Filmwissenschaft insbes.: Gertrud Koch (Hg.), Auge und Affekt, Frankfurt a. M. 1995; Hermann Kappelhoff, Matrix der Gefühle: das Kino, das Melodrama und das Theater der Empfindsamkeit, Berlin 2004.

739 Antonio R. Damasio, Descartes Irrtum. Fühlen, Denken und das menschliche Gehirn, München 1994; Ich fühle, also bin ich. Die Entschlüsselung des Bewusstseins, München 2000; Der Spinoza-Effekt. Wie Gefühle unser Leben bestimmen, München 2003. Die Hirnforschung konnte belegen, dass die kortikalen Gehirnstrukturen, die für die Kognition zuständig sind, eng mit den subkortikalen Strukturen, dem limbischen System, verknüpft sind, somit rationale mit nicht-rationalen, emotionalen Prozessen zusammenlaufen.

hegemonialen Diskurs tief verankerte Dichotomie von Geist/Vernunft versus Gefühl endlich überwinden zu können, aber man kann darin auch eine grundsätzliche Chance sehen, unsere abendländischen Denkstrukturen kritisch zu reflektieren. In den Kulturwissenschaften ist eine gewisse Euphorie zu beobachten, dass im Diskurs über die *Affekte* eine Verbindung mit den Naturwissenschaften hergestellt werden könnte, insbesondere mit den Biowissenschaften.[740] Hier gibt es aber durchaus auch skeptische Stimmen, die auf die unüberbrückbaren Differenzen zwischen einem kulturwissenschaftlich und/oder psychoanalytisch orientierten Zugang und dem naturwissenschaftlichen verweisen.[741] Insbesondere das Phantasma eines unmittelbaren und *sprachunabhängigen* Wissens über die Wahrheit der Gefühle wird zu Recht kritisiert. Das *Begehren nach dem Affekt,* das Dispositiv des Affektiven, dessen Wirksamkeit sich nicht nur in den Wissenschaften, sondern auch in der Kunst und in der Netzwelt zeigt, wird als illusionäre Sehnsucht nach unmittelbarer Erfahrung und Leugnung der Spaltung des Subjekts analysiert.[742] Ebenso sollte die Parallelität zwischen der aktuellen Affekteuphorie und den Manipulations- und Überwältigungsstrategien gegenwärtiger Macht- und Politikmechanismen stutzig machen.[743]

Problematisch wird der Rekurs auf die Neurobiologie allemal, wenn damit, was großteils der Fall ist, die Vorstellung verbunden wird, Emotionen seien anthropologische Konstanten, naturhaft, ahistorisch und allen Menschen gleichermaßen eigen.

Ich gehe im Folgenden davon aus, dass Emotionen, auch wenn sie zweifellos biologische Komponenten haben, immer auch kulturell codiert

740 Stellvertretend : Gerhard Roth, Das Gehirn und seine Wirklichkeit. Kognitive Neurobiologie und ihre philosophischen Konsequenzen, Frankfurt a. M. 1997 (1994). Für Roth ist „Kognition nicht möglich ohne Emotion." (S. 178).

741 Zur Kritik seitens der Kulturwissenschaft u. a.: Sigrid Weigel, Pathos – Passion – Gefühl, in: dies., Literatur als Voraussetzung der Kulturgeschichte. Schauplätze von Shakespeare bis Benjamin, München, Paderborn 2004, S. 147–172. Zur Inkompatibilität mit der Psychoanalyse: Edith Seifert, Seele-Subjekt-Körper: Freud mit Lacan in Zeiten der Neurowissenschaft, Gießen 2007.

742 Marie-Luise Angerer, Vom Begehren nach dem Affekt, Zürich, Berlin 2007. Angerers Buch ist sicher eine der fundiertesten Analysen und Kritiken des aktuellen Affektdiskurses. Sie argumentiert vom Standpunkt einer psychoanalytisch und poststrukturalistisch orientierten Subjekttheorie aus gegen Strömungen insbesondere in der aktuellen Medien- und Filmtheorie und dem Cyberfeminismus, die, aufbauend auf Bergson, Deleuze und Tomkins durch ein Eintauchen in angeblich basale Affekte, Sprache, Repräsentation, jede Form medialer Vermittlung und damit (kultureller) Bedeutung verabschieden wollen. Angerer interpretiert dies als Versuch einer radikalen Abwendung vom (falsch verstandenen?) *linguistic turn,* als Versuch, die Sprache auszuschalten, um zu einer Unmittelbarkeit zwischen Physis und Gefühl zu gelangen. Zur historischen Genese dieser Sehnsucht nach einem sprachunabhängigen Wissen um die Wahrheit der Gefühle: Weigel 2004. In die gleiche Richtung zielt m. E. der aktuelle Evidenz-Diskurs. Dazu siehe das Gespräch zwischen Ludwig Jäger und Helmut Lethen: „Es gibt nicht zwei Klassen von Welten diesseits und jenseits der semiotischen Demarkationslinie, sondern viele Welten, die alle medial gefärbt sind." Der Linguist Ludwig Jäger spricht mit Helmut Lethen über die *turns* in den Kulturwissenschaften und warum es einen solchen hin zur Substanz, Präsenz und Wirklichkeit gibt, in: IFKnow, 2. Heft, 2008, S. 3f (Kurzfassung) und in: Zeitschrift für Kulturwissenschaften 2009/1, S. 89–94.

743 Dazu neben Angerer 2007 auch: Ute Frevert, Auch Gefühle haben ihre Geschichte. Über die Emotionalisierung des öffentlichen Raums und einige verwandte Phänomene, in: NZZOnline vom 26. Juli 2008.

744 Nach den grundlegenden Arbeiten von Aby Warburg zum Wiederaufleben antiker Pathosformeln in der Renaissance hat sich die Disziplin lange vor eingehenderen Untersuchungen im Feld der Emotionen gescheut. Aby Warburg, Gesammelte Schriften, hrsg. von Gertrud Bing unter Mitarbeit von Fritz Rougemont, Leipzig, Berlin 1932. Zu Warburg siehe diesbezüglich insbes.: Die Beredsamkeit des Leibes. Zur Körpersprache in der Kunst, Ausstellungskatalog, hrsg. von Ilsebill Barta Fliedl, Christoph Geissmar, Albertina Wien, Salzburg, Wien 1992; Rhetorik der Leidenschaft: zur Bildsprache der Kunst im Abendland. Meisterwerke aus der Graphischen Sammlung Albertina und aus der Portraitsammlung der Österreichischen Nationalbibliothek, Ausstellungskatalog, hrsg. von Ilsebill Barta Fliedl, Kokuritsu-Seiyō-Bijutsukan, National Museum of Western Art, Tokyo, Museum für Kunst und Gewerbe, Hamburg, 1999. Siehe auch: Fritz Saxl, Die Ausdrucksgebärden der bildenden Kunst, in: Bericht über den XII. Kongreß der Deutschen Gesellschaft für Psychologie in Hamburg vom 12.–16. April 1931, Jena 1932. Michael Baxandall, Die Wirklichkeit der Bilder. Malerei und Erfahrung im Italien des 15. Jahrhunderts, Frankfurt a. M. 1988, darin das Kapitel: Der Körper und

sind, sich historisch gewandelt haben und nur über Sprache und Repräsentationen vermittelt werden können, beziehungsweise dadurch auch geformt werden. Mich interessieren die *Diskurse* über die Bedeutung, Funktion und Wertung von Emotionen und deren Verhältnis zu den ästhetischen Artikulationen. Ich stütze mich dabei neben kunsthistorischen Forschungen[744] vor allem auf kulturwissenschaftliche und historische Arbeiten der letzten Jahre.[745] Ich beschränke mich im Wesentlichen auf das Motiv der *Brieflesenden Frau*. Ich schreibe hier keine Geschichte der Repräsentation der Affekte in der holländischen Kunst des 17. Jahrhunderts. Dieses Kapitel versteht sich lediglich als Beitrag in diese Richtung. Die Begrenzung ausgerechnet auf dieses Thema ist jedoch nicht zufällig, vielmehr ist der Bildgegenstand symptomatisch. Auch lassen sich an den Variationen und Veränderungen des Motivs in der Zeit von etwa 1630–1670 tiefgreifende Verschiebungen bezüglich der Auffassung von Affekten/Emotionen ablesen.

Vorab eine Klärung der von mir verwendeten Begriffe, die sich im weiteren inhaltlich füllen werden. Ich schreibe von *Affekten*[746], *Leidenschaften* (*passiones*) und *Gemütsbewegungen*, also Begrifflichkeiten, die im 17. Jahrhundert in Holland gebräuchlich waren. Im Holländischen sprach man in Anlehnung an das Griechische oder Lateinische von *hartstocht* (*passio*) oder *affect*, auch von *gemoedsaandoening* oder *gemoedsbeweging*.[747] Ich verwende auch das Wort *Emotion*, ein Begriff, der von Descartes in seinem *Traité sur les passions de l'âme* 1649 erstmals gebraucht worden war und in dem die Vorstellung von Gemütsbewegung (movere) aufgehoben ist. Ich vermeide das Wort *Gefühl*; es entspricht dem holländischen *gevoel* und wurde erst beginnend mit dem ausgehenden 17.

seine Sprache, S. 76–93. Auf breiter Basis hat sich das Graduiertenkolleg *Psychische Energien* an der Universität Frankfurt unter Leitung von Klaus Herding dem Thema gewidmet, ebenso die interdisziplinäre Tagung und die entsprechende Publikation: Klaus Herding, Bernhard Stumpfhaus (Hg.), Pathos, Affekt, Gefühl. Die Emotionen in den Künsten, Berlin, New York 2004. Thomas Kirchner, L'Expression des passions. Ausdruck als Darstellungsproblem in der französischen Kunst und Kunsttheorie des 17. und 18. Jahrhunderts, Mainz 1991; Freedberg 1989; Richard Meyer (Hg.), Representing the Passions. Histories, Bodies, Visions, Getty Research Institute, Los Angeles 2003. Am 17. und 18. 11. 2006 fand in Kingston (Can.) unter Leitung von Franziska Gottwald eine Tagung statt: Passions in the arts of early modern Netherlands. Die Ergebnisse sind leider noch nicht publiziert und stehen mir nicht zur Verfügung. Zu spezifischen Problemstellungen bezüglich der Darstellung von Affekten s. u.

745 Peter N. und Carol Z. Stearns, Emotionology: Clarifying the History of Emotions and Emotional Standards, in: American Historical Review 1985, 90, S. 813–836; Rüdiger Campe, Affekt und Ausdruck. Zur Umwandlung der literarischen Rede im 17. und 18. Jahrhundert, Tübingen 1990; Volker Kapp, (Hg.), Die Sprache der Zeichen und Bilder. Rhetorik und nonverbale Kommunikation in der frühen Neuzeit, Marburg 1990; James 1997 (2003); Stephen Gaukroger (Hg.), The Soft Underbelly of Reason: The Passions in the Seventeenth-Century, London u.a. 1998; Albrecht Koschorke, Körperströme und Schriftverkehr. Mediologie des 18. Jahrhunderts, München 1999; Querelles. Jahrbuch für Frauenforschung Bd 7: Kulturen der Gefühle in Mittelalter und Früher Neuzeit, 2002; Barbara H. Rosenwein, Worrying about Emotions in History, in: The American Historical Review 107/3, 2002, S. 821–845; Gerhard Jaritz (Hg.), Emotions and Material Culture, Wien 2003; Stephen Jäger, Ingrid Kasten (Hg.), Codierungen von Emotionen im Mittelalter/Emotions and Sensibilities in the Middle Ages, Berlin, New York 2003; J.A. Steiger u.a. (Hg.), Passion, Affekt und Leidenschaft in der Frühen Neuzeit. 11. Jahrestreffen des Wolfenbüttler Arbeitskreises für Barockforschung, Herzog August Bibliothek, Wiesbaden 2004; Rüdiger Schnell, Historische Emotionsforschung. Eine mediävistische Standortbestimmung, in: Frühmittelalterliche Studien, 38, 2004, S. 173–276; Gail Kern Paster, Katherine Rowe, Mary Floyd-Wilson (Hg.), Reading the Early Modern Passions. Essays in the Cultural History of Emotion, University of Pennsylvania Press, Philadelphia 2004; Kirsten Dickhaut, Dietmar Rieger, (Hg.), Liebe und Emergenz. Neue Modelle des Affektbegreifens im französischen Kulturgedächtnis um 1700, Tübingen 2006; Christina Lutter, Geschlecht, Gefühl, Körper – Kategorien einer kulturwissenschaftlichen Mediävistik? in: L'HOMME. Europäische Zeitschrift für feministische Geschichtswissenschaft, („Geschlechtergeschichte, gegenwärtig") 18. Jg. Heft 2, 2007, S. 9–26; siehe auch die in den Anm. 738, 741 und 742 angegebene Literatur.

746 Hartmut Grimm, *Affekt*, in: Karl-Heinz Barck u.a. (Hg.), Ästhetische Grundbegriffe, Bd. 1, Stuttgart, Weimar 2000, S. 16–49.

747 WNT (Woordenboek der Nederlandsche Taal) 1889, BD IV. Hoogstraten verwendet in seinem kunsttheoretischen Traktat *Inleyding tot de Hooge Schoole der Schilderkonst von* 1678 folgende Begriffe: *driften des gemoeds, lijdingen der ziele, hartstochten*, (S. 109), siehe dazu: Weststeijn 2005, Kap. IV: De uitbeelding der hartstochten, S. 137–174, hier S. 138.

Abb. 129: Dirck Hals, Frau einen Brief zerreißend, 1631, Öl/Holz, Mainz, Mittelrheinisches Landesmuseum
Abb. 130: Dirck Hals, Sitzende Frau mit Brief, 1633, Öl/Holz, Philadelphia, Museum of Art

im 18. Jahrhundert gebräuchlich; es verweist auf ein anderes, neues ‚Emotions-Dispositiv' in Richtung *Empfindsamkeit,* in dem die Leidenschaften eher ausgegrenzt sind.[748]

Affekte – Dirck Hals

Die ersten uns überlieferten profanen Darstellungen von Frauen mit Briefen stammen von Dirck Hals.[749] Dirck Hals (1591–1656), Maler in Haarlem und Bruder von Frans Hals, war einer der Pioniere der Genremalerei, bekannt durch seine *Lockeren Gesellschaften* im Freien und im Interieur und durch kleinformatige, intime Genreszenen des Alltags.[750] Drei Versionen von Frauen mit Briefen sind für Dirck Hals gesichert, zwei weitere ihm zugeschrieben.[751] In den beiden Versionen von 1631 und 1633 wird jeweils die affektive Stimmungslage möglichst genau und für die BetrachterInnen nachvollziehbar geschildert **(Abb. 129, Abb. 130)**. Die Affektlage wird durch folgende Bildelemente charakterisiert: durch die entsprechende Gestik und Mimik der dargestellten Figur, das *Bild im Bild* und durch die ästhetische Inszenierung, insbesondere durch den Einsatz von Licht und Schatten und die spezifische Farbigkeit. Entscheidend ist, dass alle Bildelemente übereinstimmen und sich gegenseitig kontextualisieren und steigern. In der früheren Version **(Abb. 129)** zerreißt die Frau den Brief; die Ikonografie verweist auf ein dramatisches Narrativ. Dieser Dramatik entspricht die Platzierung der Figur – asymmetrisch an den linken Bildrand und damit ins Licht gerückt, somit die gähnende Leere des düsteren Raumes spürbar machend. Die übertriebene diagonale Führung der weißen Schürze apostrophiert die Bewegung der Figur als innere Bewegung. Die Frau wirkt eher als würde sie stehen beziehungsweise kippen als wirklich auf dem Stuhl sitzen. Der nach draußen gewendete Kopf mit himmelwärts blickenden Augen verstärkt die abrupte Bewegung ebenso wie der Fuß in der Luft, von dem der Hausschuh herunterzufallen droht. Das in Dunkel getauchte, fast leere Zimmer mit den starken Schatten unterstreicht die desolate, unheimliche Stimmung. Der zweite Stuhl, der als einziges zusätzliches Inventar so prominent und zugleich isoliert unter dem Gemälde mit dem Seesturm platziert ist, verweist auf einen *Abwesenden*. Den letzten Akzent liefert das *Bild im Bild*: der furchterregende Seesturm. Wie anders das Werk in Philadelphia **(Abb. 130)**: Eine frontale Figur, mitten im Raum und diesen fast füllend. Lässig sitzt sie auf ihrem Stuhl, den Arm um die Stuhllehne geschlungen, den Fuß sicher auf dem Fußwärmer. Hier ist der zweite Stuhl in ihre Nähe gerückt, sodass sie ihn auf der Projektionsfläche mitumfängt. Lächelnd blickt sie mit ihrem Vollmondgesicht aus dem Bild. Diese heitere Figur ist festlich gekleidet mit einem goldenen Gewand und einer hellblauen Jacke mit großem weißem Kragen. Das gemalte Seestück hinter ihr könnte harmonischer und ruhiger nicht sein. Natürlich kennen wir nicht den Inhalt der Briefe, aber wir *sehen*, dass es sich im einen Fall um eine schlechte und im anderen um eine gute Liebes-Botschaft handelt.

Emotion – Rembrandt

Wir kehren noch einmal zu Rembrandts *Bathseba* zurück **(Taf. 1)**.[752] Selbstredend entstammt dieses Werk einer anderen, religiösen Ikonografie. Die Versionen von Hals, und dies ist auch das Neue, sind *profane* Werke von Frauen mit Briefen. Die beginnende Blüte der Briefkultur zeitigt Wirkungen in der Kunst: sie verändert die Ikonografie des biblischen Bathseba-Motivs und sie schafft entsprechende Neuerungen in der sich entfaltenden profanen Malerei. Es ist, wie wir sahen, symptomatisch, dass Bathseba in jener Zeit der sich entwickelnden Briefkultur in Holland nicht mehr, wie in der Bibel beschrieben, von einem Boten abgeholt wird, sondern dass die Kommunikation vielmehr durch einen Brief hergestellt wird. Ebenso bezeichnend ist es, dass das Motiv des Liebesbriefes jetzt in die profane Kunst eindringt. Die profanen Versionen gründen nun aber nicht in einer sanktionierten Geschichte mit einer althergebrachten Ikonografie.

748 WNT IV. Am Ende des 17. und Beginn des 18. Jahrhunderts verstand man unter *gevoel* Tastsinn, Gefühl im Sinne von *sentiment* und Meinung. Zur Semantik von *Gefühl* und den Schwierigkeiten, die sich durch eine unreflektierte Verwendung dieses historisch so beladenen Begriffs in der Hirnforschung ergeben, siehe Weigel 2004. Siehe auch: Brigitte Scheer, *Gefühl*, in: Karl-Heinz Barck u.a. (Hg.), Ästhetische Grundbegriffe, Bd. 2, Stuttgart, Weimar 2001, S. 629–660.

749 Zu den kaum später entstandenen Gemälden von Frauen mit Briefen von Pieter Codde und Willem Duyster s. u.

750 Britta Nehlsen-Maarten, Dirck Hals 1591–1656. Oeuvre und Entwicklung eines Haarlemer Genremalers, Weimar 2003; Franits 2004, S. 31–34; Peter C. Sutton, Dutch Genre Paintings in the Age of Vermeer, in: AK Dublin, Greenwich 2003, S. 16 und ebd. die Katalogbeiträge S. 79–84.

751 Das dritte gesicherte Werk (ehem. Slg. Khanenko, Kiew) dieses Themas datiert ebenfalls von 1631, es entspricht in den Maßen (47/57cm) in etwa dem Werk in Mainz, auch die Komposition ist verwandt. Die Frau sitzt am Tisch, hat den einen Arm aufgestützt, den anderen, der den Brief hält, an ihrer Seite herabhängend. Der Blick scheint fragend und sehnsuchtsvoll in die Ferne zu schweifen. Das Motiv auf dem *Bild im Bild* kann ich auf der Abbildung nicht entschlüsseln. Nehlsen-Marten S. 180ff, Kat. Nr. 360, S. 313, Abb. 206. Die anderen beiden Versionen, die ihm zugeschrieben werden, zeigen ein junges Mädchen bei Kerzenlicht sitzend, in der Amsterdamer Version offensichtlich laut einen Brief lesend. Siehe: Nehlsen-Marten, S. 183, Kat. Nr. 363 und 364; lediglich die Version im ehem. Auktionshaus Muller, Amsterdam ist abgebildet (Abb. 209); für das Werk der Accademia Carrara, Bergamo, siehe AK Dublin, Greenwich 2003, Kat. 1, S. 79ff, Ab. S. 81.

752 Siehe erstes Kapitel, in dem ich analysierte, mit welchen ästhetischen Mitteln und Inszenierungen Rembrandt Effekte von Verinnerlichung und Psychisierung produziert.

Taf. 1: Rembrandt, Bathseba, 1654, Öl/Leinwand, Paris, Louvre
Abb. 131: Rembrandt, Hamans Schmach, um 1665, Öl/Leinwand, St. Petersburg, Eremitage

Bei Rembrandts *Bathseba* kennen wir die biblische Geschichte und somit den ungefähren Inhalt des Briefes. Dieses Wissen und damit die Lenkung der Assoziationen entfällt beim profanen Bild, da es kein autorisiertes Narrativ gibt.

Rembrandt benötigt somit aber auch kein allegorisches Beiwerk (wie Bilder mit Seestürmen), um den Inhalt des für uns ja nicht lesbaren Briefes zu umschreiben. Allerdings ist es auch ein Charakteristikum von Rembrandt, auf allegorische Verweise zu verzichten. Ähnlich wie die Dame von Dirck Hals hat Bathseba den Brief bereits gelesen; gezeigt wird ihre Reaktion auf die Lektüre. Die affektive Reaktion der Figur selbst wird jedoch bei den beiden Künstlern unterschiedlich inszeniert. Im Unterschied zu Hals verlegt Rembrandt die psychische Reaktion in Bathsebas *Gesicht*. Das Gesicht wird zum dominanten Ausdrucksträger. Im Gesicht spiegeln sich die zwiespältigen Gefühle und die Nachdenklichkeit der Figur. An ihrem Körper, in ihren physischen Gesten ist davon nichts zu bemerken. Ich habe im ersten Kapitel ausgeführt, wie neu und ungewöhnlich die Verbindung eines begehrenswerten nackten weiblichen Körpers mit einem individualisierten *nachdenklichen* Gesicht war. Etwas überspitzt könnte man sagen: traditionell würde man auf diesem Körper innerhalb dieser Ikonografie einen anderen Kopf erwarten: einen *nur* schönen, nicht individualisierten, der nicht diese Form von Subjektivität ausstrahlt. So wird der Blick immer wieder auf das Gesicht als Herzstück des Bildes gelenkt. Als *Epiphany of the face* hat Joseph Leo Koerner dies treffend apostrophiert.[753] Koerner hat die eminente Bedeutung des Gesichts im Werk von Rembrandt exemplarisch dargelegt. Zu Recht verweist er auf die privilegierte Position des Gesichts in der Kunst des Nordens[754] und auf die Vorreiterrolle von Alois Riegl in der Erforschung dieses holländischen Spezifikums zur

Repräsentation von ‚Innerlichkeit'.[755] Riegl hat auch auf die in der Kunst des Nordens häufig auftretende Diskrepanz zwischen körperlicher Bewegung und dem Blick der Bildfiguren verwiesen, die eben diese Form von *Aufmerksamkeit* erst schafft, welche die Vorstellung eines psychischen Innenlebens der Figuren evoziert.[756]

Selbstredend verwendet Rembrandt auch körperliche Gesten und Haltungen, um bestimmte Affekte oder Emotionen darzustellen, dennoch kann man von einer Verschiebung der Bedeutung vom Körper zum Gesicht sprechen.[757] Es gibt viele Werke in Rembrandts Oeuvre, in denen die Privilegierung des Gesichts auf Kosten der Körper und allegorischer Zeichen noch extremer ist. Ich nenne als Beispiel das Bild, das meist als *Hamans Schmach* bezeichnet und um 1665 datiert wird **(Abb. 131)**. Bezeichnenderweise konnte sich die Forschung nicht auf einen Titel beziehungsweise auf das Thema dieses Bildes einigen. Es scheint mir durchaus wahrscheinlich, dass mit der Figur im Vordergrund mit der Hand am Herzen Haman gemeint ist; die rechte Figur mit der Krone wäre dann König Ahasver und der alte Mann Mordechai.[758] Die Forschung geht jedoch in die Irre, wenn sie versucht, einen bestimmbaren Moment innerhalb der Erzählung festzumachen, beispielsweise den Augenblick, da der König Haman befiehlt, Mordechai in einem Triumphzug durch die Stadt zu führen. In dieser Szene war Mordechai nicht anwesend, auch bleibt sein bekümmerter Gesichtsausdruck unerklärlich. Es ist bezeichnend, dass die konkrete textliche Vorlage, das spezifische Narrativ, nicht eruierbar ist. Das liegt nicht nur an dem zeitlichen Abstand (auch für Rembrandts Zeitgenossen war das wohl nur schwer enträtselbar), sondern an der totalen Eliminierung einer erkennbaren Handlung und jeglichen Umraums und die Reduktion auf drei Figuren, die nur mehr fragmentarisch ins Bild kommen und fast zur Gänze auf die Gesichter reduziert sind. Lediglich bei der Figur des Haman wird die Geste der Hand zusätzlich eingesetzt – Hände als Ausdrucksträger spielen in der Tat eine wichtige Rolle in Rembrandts Oeuvre.

Otto Pächt hat der tiefe Schatten, der sich wie eine Binde über Hamans geschlossene Lider senkt, an das Sprachbild „Er verhüllte sein Haupt" erinnert; dieser Satz aus dem Text des Esther-Buches könnte Rembrandt inspiriert haben.[759] Die Verhüllung des Hauptes zur Darstellung des Undarstellbaren ist nun aber ein antiker Topos und verweist auf den Mythos des griechischen Malers Timanthes von Kythnos, welcher der Renaissance und dem Barock durch

753 Joseph Leo Koerner, Rembrandt and the Epiphany of the Face, in: RES 12, 1986, S. 5–32.

754 Ebd. S. 12, Anm. 21: „[...] all represent aspects of the face's privileged position in northern art, a phenomenon whose character and significance remains largely unexplored."

755 Ebd. S. 12: „Riegl refuses, that is, to indulge in that peculiar art historical habit of trying to read into the represented face the sitter's thoughts and feelings." S. 13: „Thus shifting attention away from guesswork about character and thought, Riegl sets the stage for an enquiry into the *invention* and uses of interiority as it is conveyed by the represented face."

756 Riegl 1902. Dazu siehe auch Koerner 1986, insbes. S. 25ff.

757 Häufig ist auch das Phänomen einer Diskrepanz zwischen Gesichtsausdruck und körperlicher Bewegung festzustellen, dazu Koerner 1986, S. 25ff. Zur eminenten Bedeutung des Gesichts im Kino: Gilles Deleuze, Das Bewegungs-Bild. Kino I. Übersetzt von Ulrich Christians und Ulrike Bokelmann, Frankfurt a. M. 1989; Koch 1995; Christa Blümlinger, Karl Sierek (Hg.), Das Gesicht im Zeitalter des bewegten Bildes, Wien 2002.

758 Hamans Komplott gegen den Juden Mordechai wurde von König Ahasvers jüdischer Frau, Esther, aufgedeckt; dies führte zum Sturz des Großwesirs und zur Rettung des jüdischen Volkes. Rembrandt hat sich wiederholt mit dem Buch Esther befasst. Siehe Anm. 26.

759 Pächt 1991, S. 161.

Plinius und Cicero überliefert worden ist.[760] Rembrandt war die Erzählung durch van Mander bekannt, der diese Episode in seinem Lehrgedicht wiedergab.[761] Die Geschichte erzählt von Timanthes' Versuch, die Opferung der Iphigenie zu malen. Er wollte das Drama und den Schmerz in den Gesichtern der Umstehenden schildern. Doch er sah sich nicht in der Lage, auch das Antlitz des Agamemnon darzustellen. Denn er wollte nicht nur den unendlichen Schmerz über den Verlust der Tochter zeigen, sondern auch das Bewusstsein von Schuld. Diese komplexe Aufgabe überstieg die Möglichkeiten der Darstellung. Timanthes half sich mit einem Kunstgriff: Er verhüllte das Gesicht Agamemnons mit einem Schleier. Rembrandt, so scheint mir, nahm die Herausforderung an: Schmerz und Schuldbewusstsein zugleich anschaulich zu machen und zwar im *Gesicht*. Das Undarstellbare, das Unsichtbare sichtbar machen.

Wie bei der *Bathseba* wird jede Handlung stillgestellt, das Drama ganz in das Innere der Figuren verlegt. So wird eben nicht ein bestimmter Moment innerhalb der Erzählung pointiert, sondern der tiefe Gehalt der gesamten Geschichte aufgerufen beziehungsweise als menschliche Konfliktsituation verallgemeinert. Wir bekommen kein barockes Schauspiel geboten, in dem die Körper ihre leidenschaftlichen Affekte ausagieren, keine Affekte, die als spontane und für die Betrachter nachvollziehbare Weise als Reaktion auf ein äußeres Ereignis eindeutig lesbar sind.

Durch die Privilegierung des Gesichts als Ausdrucksträger des affektiven Innenlebens unterscheidet sich (der späte) Rembrandt nicht nur von Dirck Hals, sondern viel mehr noch von der gesamten italienischen Tradition der Renaissance und vom zeitgenössischen Barock, man denke etwa an Rubens. Dort sprechen der Körper und die Gesten, was die menschliche Seele im Inneren bewegt. Diese Auffassung entspringt einem Dispositiv, das die Renaissance von der Antike übernommen hat.[762] Es beruht auf der Vorstellung, dass affektive Vorgänge im Menschen sich in äußeren körperlichen Zeichen manifestieren, die man lesen kann. Zwischen der äußeren Erscheinung (den physischen Bewegungen, den Gesten und der Mimik) und der Psyche des Menschen wird eine quasi natürliche Beziehung vorausgesetzt.[763] Grundlagen hierfür sind die humoralpathologische Medizin mit der Vier-Säftelehre und den entsprechenden Temperamenten sowie die damit zusammenhängende Rhetorik. Wegweisend wurden namentlich die Rhetoriken von Aristoteles, Cicero und Quintilian. Für die bildende Kunst (wie auch für die Schauspielkunst) wurde insbesondere die Lehre von der *actio* relevant: die Lehre von der nonverbalen Kommunikation. Die Rede sollte von einer angemessenen Körpersprache begleitet werden. Nach Quintilian können stumme Gesten in einem Bild das Herz so beeindrucken, dass deren Wirkung die Worte eines Redners überträfen. Leon Battista Alberti hat die Grundregeln der Rhetorik unter der Devise *ut pictura poesis* für die bildende Kunst reklamiert.[764] In seiner Schrift *Della pittura* von 1435 verlangt er neben *imitatio, inventio* und den drei Pflichten des Redners *docere, delectare, movere* auch die angemessene Darstellung der Affekte durch entsprechende Körperbewegungen und Gesten. Für Leonardo war der

Ausdruck menschlicher Gefühle durch die Haltung und Bewegung des Körpers die Grundlage der Bildkunst:

> „Il bono pittore a da dipingere due cose principali, cioè l'homo e il concetto della mente sua, il primo è facile, il secondo difficile perché s'ha á figurare con gesti e movimenti delle membra."[765]

Leonardo empfahl nicht nur das Studium der antiken Kunst, sondern auch jenes außerkünstlerischer Quellen wie die Beobachtung der Prediger und der Stummen.[766] Es gab kein Lexikon der Gesten und ihrer Bedeutung, aber ein tradiertes Wissen über die *Pathosformeln*.[767] In der Anstandsliteratur des 16. Jahrhunderts, allen voran in Castigliones *Cortegiano*, wurden die rhetorischen Regeln von der *actio* zu praktischen Benimmregeln: der perfekte Hofmann sollte seinen gesamten Körper zu einem Instrument der Sprache machen.[768] Die Physiognomik wiederum versuchte hinter den möglichen angelernten Verstellungen und Täuschungen gleichsam die ‚Wahrheit' des Menschen zu erkennen.[769] So schrieb der berühmte Physiognomiker der Renaissance, Giambattista Della Porta 1586:

> Die Physiognomik ist eine fast göttliche Wissenschaft. [...] Denn durch die äußeren Zeichen, die man am menschlichen Körper beobachten kann, lässt sie deren Sitten und Natur erkennen, sie scheint bis zu den geheimsten Orten der Seele durchzudringen, zu den intimsten Orten des Herzens.[770]

Der physiognomische Diskurs diente somit nicht lediglich der Erkenntnis der ‚inneren Wahrheit' des Individuums, sondern der Festschreibung und Normierung zum Zwecke der eindeutigen Lesbarkeit. Das Interesse an der

760 C. Plinius Secundus, Naturalis Historiae, Buch 35, 72f, in: Naturkunde, hrsg. von R. König, München 1987, S. 60f; M.T. Cicero, Orator, 22, 74, hrsg. von B. Kytzler, München 1980, S. 60f, hier zitiert nach: Ralf Konersmann, Der Schleier des Timanthes. Perspektiven der historischen Semantik, Frankfurt a. M. 1994, insbes. S. 13; Claudia Benthien, Schweigen als Pathosformel in der Frühen Neuzeit, in: Steiger 2005, S. 109–144.

761 Karel van Mander, Schilder-Boeck, hrsg. und übersetzt von Rudolf Hoecker, Quellenschriften zur holländischen Kunstgeschichte, 1916, S. 134–167 (Holländischer Originaltext, jeweils mit deutscher Übersetzung), Kommentar: S. 334–336, hier fol. 26r, 40–43.

762 Natürlich verfügte auch die mittelalterliche Kunst, insbesondere seit Giotto, über die Möglichkeit, durch körperliche Gesten, physiognomischen Ausdruck, bewegte Gewandfalten usw. seelische oder geistige Zustände zu vermitteln. Die Affekt*theorie* basierte auf Augustinus und Thomas von Aquin, die beide ihrerseits auf der antiken Tradition, insbesondere Aristoteles und Cicero, aufbauten. Grimm in: Barck 2000, S. 21–25; J. Schmidt in: Historisches Wörterbuch der Rhetorik, Bd. I, hrsg. von Gert Ueding, Darmstadt 1992, S. 224–226.

763 Kapp 1990; Campe 1990.

764 Lee 1940; ders. 1967.

765 Leonardo da Vinci, Della pittura, parte II, fol. 60v, zitiert nach: Lionardo da Vinci, Das Buch von der Malerei, hrsg., übers. und erläutert von Heinrich Ludwig, Bd. 1, Wien 1882 (Quellenschriften für Kunstgeschichte und Kunsttechnik des Mittelalters und der Renaissance, hrsg. von R. Eitelberger Bd. XV) S. 216, Nr. 180.

766 Baxandall 1984 (1977), S. 76–93.

767 Zur Verwendung und Bedeutung des Begriffs *Pathosformel* bei Warburg und seinen Nachfolgern: Martin Warnke, Pathosformel, in: Werner Hofmann, Georg Syamken, Martin Warnke, Die Menschenrechte des Auges. Über Aby Warburg, Frankfrut a. M. 1980, S. 61–67. Siehe auch: Fritz Saxl, Die Ausdrucksgebärden der bildenden Kunst, in: Bericht über den XII. Kongress der Deutschen Gesellschaft für Psychologie in Hamburg 1931, Jena 1932, S. 13–25, wieder abgedruckt in: Aby M. Warburg, Ausgewählte Schriften und Würdigungen, hrsg. von Dieter Wuttke, Baden-Baden 1979, S. 419–431.

768 Kapp 1990, insbes. S. 44ff.

769 Jean-Jacques Courtine, Claudine Haroche, Histoire du visage. Exprimer et taire ses émotions (XVIe-début XIXe siècle), Paris 1994 (1988); Rüdiger Campe, Manfred Schneider (Hg.), Geschichten der Physiognomik. Text, Bild, Wissen, Freiburg i. Br. 1996.

770 Giambattista Della Porta, De humana physiognomonia Libri IIII, Vici Aequensis 1586. Zitiert nach Courtine, Haroche 1994, S. 43. Übers. D. H.-T.

Abb. 132: Rembrandt, Selbstbildnis mit aufgerissenen Augen, 1630, Radierung, Wien, Albertina
Abb. 133: Rembrandt, Das kleine Selbstbildnis, um 1657, Öl/Holz, Wien, Kunsthistorisches Museum
(siehe Farbtafel auf S. 161)

Bedeutung des Gesichts zur Erfassung des menschlichen Inneren teilte Rembrandt mit den Physiognomikern. Aber in diametralem Gegensatz zu deren Versuchen der Kategorisierung und Vereindeutigung zeigte Rembrandt die Unfassbarkeit, Ambiguität und Mehrdeutigkeit des menschlichen Gesichts.[771]

Die Privilegierung des Gesichts, insbesondere der Augen als *Fenster zur Seele,* findet eine theoretische Parallele bei Karel van Mander.[772] In dem Lehrgedicht *Den grondt der edel vry schilder-const* innerhalb seines *Schilder-Boeck* (1603) wendet er sich, aufbauend auf seinem Lehrer de Heere, gegen die These *ut pictura poesis.*[773] Im sechsten Kapitel *Darstellung der Affekte, Gemütsbewegungen, Begierden und Leidenschaften der Menschen*[774] entfernt sich van Mander von seinen italienischen Quellen.[775] Die Art und Weise, wie die Affekte externalisiert werden sollen, ist neu: Es sind nicht die körperlichen Bewegungen, sondern lediglich die Zeichen im Gesicht und insbesondere die Augen, welche die Geheimnisse der Seele preisgeben. Van Mander verzichtet jedoch, in Absetzung zur Physiognomik, auf jegliche Fixierung bestimmter Gesichtstypen, ja er widerlegt sogar deren Glauben an die eindeutige Lesbarkeit der Gesichtszüge und den Rückschluss auf den Charakter des jeweiligen Menschen.[776] Die Augen sind es, welche die Boten des Herzens (*boden des herten*) sind, sie sind das Lager der Begehrlichkeit wie auch reiner Tugend (*De ooghen den legher der begeerlijckheyt oock nieuwers degher*), sie sind der Spiegel des Geistes (*spieghelen des gheests*).[777] Es lässt sich somit eine Übereinstimmung zwischen dem holländischen Theoretiker van Mander und dem Maler Rembrandt bezüglich der einzigartigen Bedeutung des Gesichts und der Augen zur Repräsentation eines komplexen Innenlebens feststellen.

Der *Modus der Affektdarstellung* variierte zwischen den *Gattungen* und *Medien* und ist dementsprechend gattungs- und medienspezifisch unterschiedlich zu beurteilen. Im Unterschied zum Historienbild sollten im Porträt und im Selbstporträt keine starken Emotionen demonstriert werden, denn der Porträtierte sollte ja als ein Individuum vorgeführt werden, das seine Affekte unter Kontrolle hält.[778] Rembrandt hat nun in den frühen dreißiger Jahren mehrere Selbstporträts gemacht, die ihn in momentanen affektiven Zuständen zeigen: zornig, erschreckt, melancholisch **(Abb. 132)**. Hier steht er durchaus noch in der barocken, italienischen Tradition. Es sind Radierungen, keine Ölbilder, aber eben auch keine Zeichnungen, also nicht reine Studienblätter zur Verwendung für Historienbilder; vielmehr waren die Grafiken durchaus auch zum Verkauf bestimmt. *Tronies*, aber mit künstlerischem Eigenwert.[779] Es ist somit bemerkenswert, dass Rembrandt sich selbst in einem starken emotionalen Zustand zeigt. Er übertrug den Modus der Affektdarstellung vom Historienbild auf das Selbstporträt. Durch diese Übertragung beziehungsweise Verschmelzung von Pathos-Figuren mit dem eigenen Porträt wurden Affekt-Typen zu individualisierten Personen.

In diesen frühen Radierungen sind es klar definierbare momentane mimische und gestische Ausdrucksgebärden, die als Reaktion auf ein äußeres Ereignis gelesen werden können und deren seelisches Korrelat (Zorn, Erschrecken) erkennbar und benennbar ist. In Rembrandts Oeuvre lässt sich eine Entwicklung beobachten, die von diesen barocken expressiven Affektstudien zu einer anderen Konzeption im Spätwerk führt.[780] In den späten Selbstporträts werden keine bestimmten Affekte vorgeführt, vielmehr spiegelt das Gesicht gleichsam die Summe des Lebens wider, eine nicht fassbare psychische Komplexität, eine Vielfalt durchaus widersprüchlicher Emotionen **(Abb. 133)**. Auch in den Historienbildern wie in der *Bathseba* oder in *Hamans Schmach* wird äußere Bewegung stillgelegt, das

771 Koerner 1986.

772 Van Mander 1916; Karel van Mander, Den grondt der edel vry schilder-const, hrsg. von Hessel Miedema, 2 Bde, Utrecht 1973, mit fundiertem Kommentar. Walter S. Melion, Shaping the Netherlandish Canon. Karel van Manders Schilder-Boeck, The University of Chicago Press, Chicago, London 1991. Allerdings ist die Vorstellung, dass die Augen das Tor zur Seele sind, ein alter Topos, der bis in die Antike zurückreicht und sich auch in der mittelalterlichen Literatur findet; die Privilegierung der Augen als Ausdrucksträger gegenüber dem gesamten Körper hat in der niederländischen Tradition eine besondere Rolle gespielt.

773 Melion 1991, S. 136f.

774 Wtbeeldinghe der Affecten, passien, begeerlijckheden, en lijdens der Menschen.

775 Van Mander 1916, fol. 22v–fol. 29r; Van Mander 1973, S. 492–51; Melion 1991, S. 66–69.

776 Van Mander fol. 25v, 33–34. Das Beispiel ist der griechische Staatsmann Phocion, der seine Landsleute erfolgreich getäuscht hatte, indem er seinen Hang zum raschen Zorn verbarg und so „denjenigen, die dem Unsinn von Trogum, Adamantes und Aristoteles folgten, Kummer brachte."

777 Van Mander fol. 24v, 26 und fol. 25r, 26. Es geht van Mander vor allem um die Blickführung und zwar sowohl der Protagonisten im Bild wie der BetrachterInnen. Er illustriert dies mit der Geschichte von Paris, wie dieser beim Bankett des Menelaus lediglich durch seine begehrlichen Blicke, nicht aber durch seine durch die Konvention festgelegte Körpersprache, Helena seine Liebe signalisierte, welche diese heimliche Botschaft auch sofort verstand. Van Mander, fol. 24r, 20. Siehe dazu auch Melion 1991, S. 67.

778 Hannah Baader, Das Gesicht als Ort der Gefühle. Zur Büste eines jungen Mannes aus dem Florentiner Bargello von ca. 1460, in: Querelles 2002, S. 222–240, insbes. S. 226.

779 Ernst van de Wetering, Rembrandt's Self-Portraits. Problems of Authenticity and Function, in: RRP Bd. 4, hrsg. von Ernst van de Wetering: The Self-Portraits 1625–1669, 2005, S. 89–317; zu den *expression studies in the mirror* S. 170f, zu den *tronies* S. 172ff.

780 Zur Interiorisierung von Emotion bei Künstlern der zweiten Hälfte des 17. Jahrhunderts s. u.

Abb. 134: Rembrandt, Judas bringt die Silberlinge zurück, 1629, Öl/Holz, England, Privatsammlung

Narrativ in den physiognomischen Ausdruck und somit in das Innere der Figuren verschoben. Das Drama wird als Psycho-Drama inszeniert.[781]

Van Hoogstraten hat in seinem Malereitraktat die besonderen Qualitäten berühmter Künstler herausgearbeitet; bezüglich der überzeugendsten Darstellung von Affekten gebühre Rembrandt der erste Platz: Er sei der unbestrittene Meister in der Repräsentation der *lijdingen des gemoeds*.[782] Auch für Arnold Houbraken, der den Künstler durchaus auch kritisiert hat, blieb Rembrandt bezüglich der Darstellung von Gemütsbewegungen unübertroffen.[783] Die Begeisterung von Constantijn Huygens, Sekretär des Prinzen Frederick Hendrick von Oranien-Nassau, selbst Dichter und einer der gebildetsten Gelehrten seiner Zeit, galt bereits Rembrandts Fähigkeit, *Emotionen* darzustellen. In seiner Autobiografie (1629) hielt er eine Lobrede auf Rembrandts Frühwerk *Judas bringt die Silberlinge zurück* **(Abb. 134)**:

> „Als Beispiel nenne ich das Gemälde von der Reue des Judas, der dem Hohenpriester die Silberlinge zurückbringt, seinen Lohn für den unschuldigen Herrn. Man stelle ganz Italien daneben, ja, alles, was seit der frühesten Antike an Wundern der Schönheit überliefert ist. Die Gebärde dieses einen der Verzweiflung anheim gefallenen Judas (um von all den anderen beeindruckenden Figuren dieses einen Gemäldes ganz zu schweigen), dieses einen Judas, der völlig außer Sinnen aufschreit, der um Vergebung fleht, der wahrhaftig keine Hoffnung mehr hat und auf dessen Antlitz jede Spur einer Hoffnung ausgelöscht ist; den Blick verwildert, die Haare zerrauft, die Kleider zerrissen, die Arme verdreht, die Hände bis aufs Blut ineinander

verkrampft; in blinder Raserei ist er auf die Knie niedergefallen, sein ganzer Körper windet sich in erbärmlicher Abscheulichkeit. Dieses Gemälde halte ich neben all die Schönheit, die Jahrhunderte hervorgebracht haben. Das will ich den Ignoranten vorhalten, die behaupten wollen, heutzutage könne nichts mehr geschaffen oder in Worten ausgedrückt werden, was die Antike nicht bereits früher ausgedrückt oder geschaffen hätte. Ich bleibe bei meiner Behauptung: keinem der Protogenes, Apelles oder Parrhasius wäre es je in den Sinn gekommen oder würde ihm, sollte er je auf die Erde zurückkommen, jemals in den Sinn kommen können, was von einem Jungen, einem Holländer, von einem Müller, der noch nicht einmal einen Bart trägt, in einer einzigen Menschenfigur ausgedrückt und in seiner Totalität wiedergegeben wurde. Staunen überfällt mich, während ich dies ausspreche. Heil Dir, Rembrandt! Troja, ja, ganz Asien nach Italien zu überbringen ist eine geringere Leistung als den höchsten Ehrentitel von Griechenland und Italien an Holland zu übergeben, und das von einem Holländer, der sich noch kaum vor die Tore seiner Vaterstadt gewagt hat."[784]

Affekt-Wissen

Es ist sattsam bekannt: Rembrandt galt und gilt als *der* Maler der Gefühle. Im Allgemeinen wurde dies aber einfach dem Genie Rembrandt zugeschrieben. Die Kunstgeschichte hat diese Form der Repräsentation von Emotion personalisiert und als spezifisches Charakteristikum Rembrandtscher Kunst ausgegeben, oft mit seiner Biografie begründet und bestenfalls innerhalb des Mediums Malerei diskutiert. Im Sinne einer kulturwissenschaftlich orientierten Forschung, die nach der Geschichte der Affekt-*Diskurse* fragt, erscheint es mir notwendig, die künstlerischen Repräsentationen innerhalb der zeitgenössischen literarischen und theoretischen Diskurse zu kontextualisieren. Dieses Defizit könnte nur im Rahmen eines breit angelegten Forschungsprojekts aufgehoben werden. Ich möchte im Folgenden dennoch einige Beobachtungen und Überlegungen anführen, die mir in diesem Zusammenhang relevant erscheinen.

781 Koerner (1986, S. 25): „Rembrandt's study of the face is bound up with his own transformation as an artist. [...] Coming to portraiture from history painting, Rembrandt is able to infuse the physiognomic likeness with a sense of movement, expressivity, and plot that were totally lacking in, say, the mannerist portraits of Goltzius. On the other hand, in his history paintings, Rembrandt exploits the privileging of the face as it occurs in portraiture, in order to internalize all events and texts into the drama of an active and legible physiognomy."

782 Hoogstraten 1678, S. 75, siehe: Weststeijn 2006, S. 171f.

783 Arnold Houbraken, *De groote schouburgh der nederlantsche konstschilders en schilderessen* 1753: Große Schouburgh der niederländischen Maler und Malerinnen, übersetzt von Alfred von Wurzbach 1. Bd, in: Quellenschriften für Kunstgeschichte und Kunsttechnik des Mittelalters und der Renaissance, 24, Wien 1880, S. 112–113: „[...] auch war er unerschöpflich, sowohl in Hinsicht auf Gesichtszüge und Haltung, als auch im Costüm. In dieser Hinsicht ist er vor allen anderen zu rühmen, insbesondere aber jenen gegenüber, welche stets dieselben Physiognomien und Costüme, als wenn alle Menschen Zwillinge wären, in ihren Bildern anbringen. Ja, hierin übertraf er alle, und ich kenne keinen, der die Skizzen nach ein und demselben Gegenstande in so mannigfaltiger Weise geändert hätte. Dies resultiert aber aus eingehenden Beobachtungen der mannigfaltigsten Gemüthsbewegungen, die zu einem bestimmten Ereignisse die erforderliche Veranlassung waren und sich in den Gesichtszügen der Menschen, insbesondere durch einen bestimmten Ausdruck, oder durch die verschiedenartigsten Bewegungen des Körpers zu erkennen geben."

784 Hier zitiert nach: Dudok van Heel in: AK Berlin, Amsterdam, London 1991, S. 53. Das lateinische Originalzitat: Strauss, van der Meulen 1979, S. 68.

Für Huygens konnte die emotionale Ausdrucksfähigkeit nur deshalb das entscheidende Qualitätskriterium sein, das Rembrandt selbst über die besten Künstler der Antike erhob, weil die Leidenschaften und Emotionen *das* Thema schlechthin waren. Der Affektbegriff entwickelte sich im 17. Jahrhundert zu einem Schlüsselbegriff des Welt- und Selbstverständnisses; anders ausgedrückt: im 17. Jahrhundert liegt der Höhepunkt der Affektdiskussion.[785] In der Theologie trifft dies nicht nur für die Rhetorik der Gegenreformation zu, sondern ebenso, wenn auch mit scheinbar anti-rhetorischen Vorzeichen, für die Reformatoren; im profanen, politischen Feld gilt es nicht nur für die höfische Moralistik, sondern auch für die sich entwickelnde (bürgerliche) Ethik und Staatstheorie.[786] Der holländische calvinistische Theologe und Gelehrte Gerhard Johann Vossius pries nicht nur die Affekte, die dem vernünftigen Denken gehorchen, sondern Affekte überhaupt als Tugenden, die für sich bestehen: „Jam quam praeclara res sunt affectus, si non modo rationi possunt obedire, sed in eo ipso consistit virtus."[787] Etwas später wird für den Juristen und Philosophen Christian Thomasius das Affektenwissen *die* „höchstnötige Wissenschaft", so „dass ein Mensche ohne dieselbige ohnmöglich in der Welt fortkommen kann" und dies gilt für hermeneutische, moraldidaktische, rhetorische, medizinisch-therapeutische sowie ethische Bereiche.[788] Die Repräsentation der Affekte bestimmt nicht nur das barocke Theater der Gegenreformation und des Hofes, sondern gilt auch für das bürgerliche Holland. So beschreibt der Dichter Daniel Heinsius das Theater als *palaestra affectuum*, als Schule der Affekte.[789] Jan Konst hat nachdrücklich darauf aufmerksam gemacht, dass und wie individuelle Erfahrung in die holländische Literatur des 17. Jahrhunderts einfließt und die Repräsentation von Emotionen eine neue und eminente Rolle spielt. Das primäre Anliegen der Schriftsteller und Dichter Joost van den Vondel, P. C. Hooft, Six van Chandelier, Jeremias de Decker, Constantijn Huygens und Bredero sei es gewesen,

785 Grimm 2000, S. 29f.

786 Grimm ebd. mit weiterführender Literatur. Norbert Elias, Über den Prozeß der Zivilisation, 2 Bde, Bern, München 1969 (1936). Zur Spezifik jesuitischer Affekttheorie siehe u.a.: Barbara Malmann-Bauer, Nicolas Caussinus' Affekttheorie im Vergleich mit Descartes' Traité sur les passions de l'âme, in: Steiger 2005, S. 353–390. Zur Bedeutung der Affekte in der protestantischen Diskussion: Ralf Georg Bogner, Bewegliche Beredsamkeit, passionierende Poesie. Zur rhetorischen Stimulierung der Affekte in der lutherischen Literarisierung der Leidensgeschichte Jesu, in: Steiger 2005, S. 145–165; Bernd Wannenwetsch, Affekt und Gebot. Zur ethischen Bedeutung der Leidenschaften im Licht der Theologie Luthers und Melanchthons, ebd., S. 203–215.

787 Gerhard Johann Vossius, De theologia gentili, et physiologia Christiana (1641), in: Vossius, Opera, Bd. 5, (Amsterdam 1700), 334, hier zitiert nach: Grimm 2000, S. 25, Anm. 49.

788 Christian Thomasius, Die neue Erfindung einer wohlgegründeten und für das gemeine Wesen höchstnötigen Wissenschaft das Verborgene des Herzens anderer Menschen auch wider ihren Willen aus der täglichen Konversation zu erkennen (1692), hier zitiert aus: Grimm 2000, S. 30.

789 Grimm 2000, S. 26.

790 Jan Konst, Rezension von Frijhoff, Spies 1999, in: www.leidenuniv.nl/host/mnl/tntl/117/117-4/konst.nl. Konst kritisert zu Recht die gängige Auffassung, neuerlich wiederholt bei Frijhoff und Spies in Nachfolge von W.A.P. Smit, diese Literatur als in erster Linie belehrend anzusehen.

791 Genannt seien hier etwa *Jephtha* (1659), *Lucifer* (1654) (ein Stück, in dem sogar Lucifer nicht einfach als böser Teufel charakterisiert wird) oder auch Potiphars Weib im Josefsdrama (1640), deren innerer Konflikt durchaus mit Verständnis nachgezeichnet wird, s. o. Teil I, 2. Kap.: Die unmögliche Umkehrung I: Frauen als ‚Vergewaltiger' oder *Potiphars Weib*. Jan Konst, Woedende wraakghierigheidt en vruchtelooze weeklachten. De hartstochten in de Nederlandse tragedie van de zeventiende eeuw, Assen 1993; Konst 1997; Konst 1999; Langvik-Johannessen 1963.

792 Schenkeveld 1991, S. 124.

793 Leuker 1992.

794 Nevitt 2003. Zu erwähnen sind auch die Gedichte von Tesselschade Roemers: De gedichten van Tesselschade Roemers, hrsg. von A. Agnes Sneller, Hilversum 1994; Sneller 2001.

795 Anthony Levi, French Moralists. The Theory of the Passions. 1585 to 1649, Oxford 1964; Campe 1990, insbes. S. 304–400; James 2003 (1997); Gaukroger 1998; David Summers, *Cogito* Embodied: Force and Counterforce in René Descartes's *Les passions de l'âme*, in: Meyer 2003, S. 13–36.

796 René Descartes, Die Leidenschaften der Seele. (Les

die Leser zu rühren und zu emotionalisieren, weniger sie zu belehren.[790] Es wäre aufschlussreich, die differenzierte Schilderung widersprüchlicher und ambivalenter Emotionen in Vondels Dramen mit den Figuren von Rembrandt in Beziehung zu setzen[791]; ebenso die Stücke *Aran und Titus* (1641) und *Medea* (1667) von Jan Vos, dem großen Bewunderer Rembrandts und Gegenspieler von Andries Pels (der um 1670 die calvinistisch-klassizistische Wende durchsetzte und das Theater als moralische Anstalt verteidigte). Vos hat in diesen Stücken eine bewusste Inszenierung von Chaos gewagt, Theater wie das Leben, gegen klassische Regeln.[792] Zu untersuchen wären auch die Bezüge zu den *kluchten,* den Komödien und Schwänken[793], und zum Liedgut.

Bemerkenswert sind nun aber nicht lediglich der hohe Stellenwert von Leidenschaften in bildender Kunst, Literatur und Theater, sondern die Art und Weise, wie über Leidenschaften gesprochen beziehungsweise die Orte, wo über Affekte verhandelt wird. Die Zuständigkeit verändert sich; es sind nun nicht mehr primär Theologie und Rhetorik, die sich mit den Affekten befassen, sondern die Philosophie, allen voran Descartes und Spinoza, in Frankreich Mallebranche, in England Hobbes.[795] Das heißt, es geht weniger um eine Moralisierung der Affekte wie in der Theologie, auch nicht um einen rhetorischen Umgang, sondern um die Erforschung, um eine Analyse der Affekte, ihrer Ursachen und Verkettungen sowie deren Verhältnis zu Körper und Seele. Es geht um Affekt-Wissen. Descartes postuliert in seiner Schrift *Les passions de l'âme* (1649)[796], er schreibe *en physicien.*[797] Der Philosoph setzt sich bewusst von der scholastischen Moraltheologie ab[798], wie auch von den *Alten*, also der aristotelischen und stoischen Tradition.[799]

Les passions de l'âme (1649) von Descartes ist meines Erachtens von besonderer Relevanz; diese fundamentale Schrift mit nachhaltiger Wirkung wurde in Amsterdam verfasst, am gleichen Ort und zur gleichen Zeit, als Rembrandt

passions de l'âme). Französisch-Deutsch, hrsg. und übersetzt von Klaus Hammacher, Hamburg 1996 (1984).

797 „Mon dessin n'a pas été d'expliquer les passions en orateur, ni même en philosophe moral, mais seulement en physicien." Hier zitiert nach James 2003, S. 95. Descartes bezieht sich insbesondere auf die Entdeckung des Blutkreislaufes durch William Harvey, welche die alte Konzeption der Humoralpathologie außer Kraft setzte. Dazu u.a. Summers 2003, S. 13f.

798 Aufschlussreich ist eine Gegenüberstellung zwischen Descartes und der Affekttheorie des Jesuiten Caussin: Descartes geht es um ein medizinisch naturphilosophisches Erfassen der Ursachen von Affekten und den präzisen Zusammenhang von körperlichen und seelischen Reaktionen. Caussin hingegen versucht, durchaus noch in der rhetorischen Tradition, Menschen über die Führung der Affekte zu manipulieren. Descartes geht im Gegensatz zu Caussin von der Überzeugung aus, dass Menschen aus vernünftiger Einsicht selbst ihre Affekte zum Guten hin steuern könnten. Siehe: Barbara Malmann-Bauer, in: Steiger 2005, S. 353–390. Dennoch gibt es natürlich Verbindungen zur theologischen Tradition, etwa zu Juan Luis Vives, De anima et vita, Basel 1555, reprint London 1964, dazu siehe: Campe 1990, S. 313–323.

799 Descartes beginnt seinen Traktat folgendermaßen: „Es gibt nichts, an dem besser offenbar wird, wie sehr die Wissenschaften, die wir von den ‚Alten' erhalten haben, fehlerhaft sind, als an dem, was sie über die Leidenschaften geschrieben haben. [...] ist dennoch das, was die Alten darüber gelehrt haben, so geringfügig, und zum größten Teil so wenig glaubhaft, dass ich nur irgendwelche Hoffnung haben kann, der Wahrheit näher zu kommen, wenn ich mich von den Wegen fernhalte, denen sie gefolgt sind. Deswegen bin ich verpflichtet, hierüber in der gleichen Weise zu schreiben, als wenn ich über eine Materie handelte, die niemals jemand vor mir berührt hat." (Descartes, 1996 Art. 1). Die Absetzung von Aristoteles ist erstaunlich scharf, insbesondere wenn man bedenkt, dass Descartes in den grundsätzlichen Mustern von Passivität und Aktivität dem aristotelischen Denken strukturell verhaftet blieb. Allerdings dreht er das Verhältnis von Körper und Seele um: Der Leidenschaft erregende Gegenstand wirkt primär auf den Körper, dieser reagiert automatisch und wirkt auf die Seele; d.h. dass die Seele für die Entstehung von Leidenschaft nicht (mehr) verantwortlich ist, verantwortlich ist sie, was sie aus den Leidenschaften macht. Dazu: Carole Talon-Hugon, Vom Thomismus zur neuen Auffassung der Affekte im 17. Jahrhundert, in: Die Affekte und ihre Repräsentation in der deutschen Literatur der Frühen Neuzeit, hrsg. von Jean-Daniel Krebs, Bern u.a. 1996, S. 65–71. Zu den Wurzeln in der Naturphilosophie: Michaela Boenke, Körper, *spiritus*, Geist. Psychologie vor Descartes, München 2005.

hier arbeitete. Wir wissen nicht, ob sich der Künstler und der Philosoph jemals begegnet sind, ob Descartes Rembrandts Bilder gesehen hat oder umgekehrt Rembrandt in Kontakt mit den Schriften des Philosophen kam.[800] Die folgenden Gedanken sind nicht in Richtung eines direkten Einflusses misszuverstehen. Die Geisteswissenschaften, auch die Kunstgeschichte, tendieren oft dazu, die Beziehung zwischen künstlerischen Produkten und (normativen) Texten auf ein direktes Abhängigkeitsverhältnis zu verkürzen. Ich sehe zwischen Rembrandts künstlerischen Umsetzungen und Descartes theoretischen Formulierungen *analoge Strukturen*; Grundlage dieser inneren Verwandtschaft war eine gemeinsame Lebens- und Erfahrungswelt im bürgerlichen Amsterdam, der damals wohl freiesten Stadt der abendländischen Welt. Der Künstler und der Philosoph haben diese Erfahrungen auf je spezifische Weise umgesetzt und dargestellt.

Bei der Lektüre von *Les passions* erkennt man – entgegen einer oftmals verzerrten Rezeption –, dass Descartes die Affekte als integralen, notwendigen und sinnvollen Bestandteil des Menschen ansah[801]; seine Trennung von Körper und Geist führte keineswegs zu einer Trennung von Vernunft und Emotion.[802] Affekte sind nach Descartes ein Schwellenphänomen; sie vermitteln zwischen Körper und Seele. Dies geschieht durch die *spiritus* (*esprits animaux, Lebensgeister*) in der Zirbeldrüse im Gehirn – strukturell eine der gegenwärtigen neurobiologischen Konzeption einer Vernetzung von Physischem und Psychischem in den Schaltzentren des Gehirns durchaus verwandte Vorstellung.

Für Descartes stehen Fragen der Ethik im Vordergrund des Interesses. Sein Anliegen ist es zu zeigen, dass der Mensch in der Lage ist, die durch die *spiritus* unwillkürlich gebildeten Affekte, Vorstellungen und Triebe durch seinen Willen zu lenken. Der Mensch kann sich selbst willentlich umdisponieren.[803] In unserem Zusammenhang spielt dieses Thema keine besondere Rolle; auch seine Versuche, die von ihm selbst gesetzte Trennung von Körper und Seele und die dadurch verursachten Schwierigkeiten bei der Definition der Affekte zu überwinden, sind hier nicht von Belang. Bezüglich einer Verbindung zu Rembrandt interessieren mich bei Descartes wie

800 Zu der Parallele von Rembrandt und Descartes bezüglich der Farb-und Lichtkonzeption siehe: Hammer-Tugendhat 2008, S. 177–189.

801 Descartes Art. 211: „Jetzt jedoch, wo wir sie (die Leidenschaften) alle kennen, haben wir viel weniger Anlass, sie zu fürchten als wir vordem hatten. Denn wir sehen, dass sie alle von Natur aus gut sind und dass wir nur ihren schlechten Gebrauch und Übermaß zu meiden haben ..."

802 Ein Beleg für die enge Verbindung von Affekt und Vernunft ist der Umstand, dass Descartes *admiration* als ersten seiner sechs Grundaffekte setzt. *Admiration* ist mit *Verwunderung* zu übersetzen, es ist das *Staunen*, das für Platon und Aristoteles die Bedingung der Philosophie darstellte. (Descartes Art. 53; Art. 70; Hammacher in: Descartes 1996, LI f.)

803 Siehe insbes. Boenke 2005, S. 359f.

804 Spinoza 1955. Die *Ethica, ordine geometrica demonstrata* erschien kurz nach seinem Tod 1677. S. o. Kap. 2: Zeitgenössische Diskurse – Spinoza.

805 Die antike Affekttheorie ist nur in Zusammenhang mit der philosophischen Gesamtstruktur von Aristoteles zu verstehen, seinem Hylaemorphismus, der Vorstellung eines Zusammenwirkens von Materie (materia prima), die vollkommen passiv ist, und *morphe*, Form, die aktiv gedacht ist. Das Seele-Körper-Komposit verfügt über das Vermögen, Empfindungen von außen zu verspüren und zu bewerten, beispielsweise als lustvoll oder unlustvoll. Affekte sind immer auch Urteile, beispielsweise ist meine Wut das Begehren nach Rache, gerichtet auf einen bestimmten Menschen, weil der mich verletzt hat. (James 2003, S. 37–44.)

806 Descartes Art. 1, 17. „Denn das Leiden ist für Descartes etwas anderes als eine bloße Wirkung, wobei Tun und Leiden umkehrbar sind, weil die passive Wahrnehmung zugleich geistiges Tun wie Denken, Wünschen und Wollen, und zwar Selbstwahrnehmung ist, d.h. eine Idee enthält, die nichts anderes als dieses Tun selbst ist, also das Handeln selbst [...]. (Hammacher in: Descartes 1996 L). James 2003, insbes. S. 86–108; Boenke 2005, insbes. S. 356; Summers 2003, S. 14ff. Für Spinoza, der prinzipiell nicht von der Körper/Geist-Trennung ausgeht, hat die Seele ohnehin passive wie aktive Vermögen. Affekte können für Spinoza immer nur durch andere Affekte verändert werden.

auch bei der etwas später entstandenen *Ethik* von Spinoza[804] gewisse Äußerungen, die Emotionen als inneres, subjektives und komplexes Phänomen beschreiben und damit ein neues Verständnis für psychische Prozesse erkennen lassen.

In der aristotelischen Tradition waren Affekte immer eine passive Reaktion auf einen von *außen* kommenden Reiz, Affekte hatten ein Objekt und Gründe in der Außenwelt, deswegen wurden sie als *passio*, als etwas passiv Erlittenes angesehen.[805] Trotz der vehementen Distanzierung von *den Alten* folgt Descartes der grundsätzlichen Vorstellung von aktiven und passiven Vermögen der Seele, allerdings gesteht er der Seele bezüglich der Affekte durchaus auch aktive Vermögen zu.[806] Wie Dinge uns affizieren, hängt nun aber nach Descartes nicht von deren Eigenschaften ab, sondern von der Bedeutung, die wir ihnen geben. Die Gründe für bestimmte Emotionen werden in das Innere des Subjekts verlegt, ja, dieses Bewusstsein des eigenen Fühlens macht Subjektivität im modernen Sinn überhaupt erst aus.[807] Descartes unterscheidet drei Möglichkeiten von Leidenschaften (*passions*): Wahrnehmungen, die von außen kommen (*perceptions*), solche, die vom Körper verursacht werden (*sensations*) und Emotionen (*emotions*), die allein in der Seele selbst hervorgerufen werden.[808] Die Vorstellung von Emotionen, die im Inneren der Seele begründet sind, ist neu und bereitet den Boden für die Entwicklung hin zur Psychologie.[809] „The new, Cartesian man must become able to consider his perceptions as representations of his own mental operations and not as consequences of physical causes", wie Carter dies treffend beschreibt.[810] Diese ‚Seelenschau' ist eine säkularisierte Form der Introspektion, die nicht mehr wie in der christlich-mittelalterlichen Tradition auf eine göttliche Instanz bezogen ist. Vorstellungen, Imaginationen oder Erinnerungen können nach Descartes wie auch nach Spinoza dieselben Affekte hervorrufen wie konkrete, gegenwärtige Dinge. Oft ist der ursprüngliche Anlass für einen bestimmten Affekt dem Bewusstsein beziehungsweise dem Gedächtnis entzogen, da er in der frühen Kindheit verursacht worden war. Descartes gibt hierfür zwei Beispiele:

807 Summers 2003, S. 18: „For Descartes, sensations, appetites, and passions are ‚subjective' in a modern sense of that modern word. In fact, the very idea of the subjective as *feeling* in contrast to the physical-mathematical ‚objective' is taking shape in Descartes's writing: what we call subjective experiences ‚arise from the close and intimate union of soul and body', they are *for a consciousness* and, taken together, constitute an individual life."

808 Descartes Art. 25. – Art. 29.

809 Descartes Art. 147 *Von den inneren Erregungen der Seele (Des emotions interieurs de l'âme)*: „Ich füge hier nur noch eine Betrachtung an, die mir sehr dazu zu dienen scheint, zu verhindern, dass wir Ungemach durch die Leidenschaften erfahren. Sie besteht darin, dass unser Gut und Übel hauptsächlich von den inneren Erregungen abhängt, die in der Seele nur durch sie selbst erregt werden. Darin unterscheiden sie sich von den Leidenschaften, die immer von einer Bewegung der Lebensgeister abhängen. [...] Und wenn wir ausgefallene Abenteuer in einem Buch lesen oder auf einem Theater dargestellt sehen, erregt das manchmal in uns Trauer, manchmal Freude oder Liebe oder Hass, und überhaupt stellen wir alle die Leidenschaften unsrer Einbildung dar, je nach der Unterschiedlichkeit der Themen. Aber zugleich haben wir die Freude, sie von uns veranlasst zu empfinden, und das ist eine intellektuelle Freude, die genauso gut aus der Trauer, wie aus allen übrigen Leidenschaften entstehen kann." Ganz ähnlich Spinoza: „Der Mensch wird durch das Vorstellungsbild eines vergangenen oder zukünftigen Dinges in den selben Affekt der Freude und Trauer versetzt, wie durch das Vorstellungsbild eines gegenwärtigen Dinges." (Spinoza, Ethik, 3. Teil, Lehrsatz 18.) Siehe dazu Campe 1990, insbes. S. 332ff. Nach Joan Dejean (Mapping the Heart, in: Querelles 2002, S. 72–84) hat Descartes hier erstmals den Begriff *emotion* verwendet. Sie verweist zu Recht auf die eminente Bedeutung der Erfindung neuer Begriffe und sieht darin einen gänzlich neuen Zugang zur Frage der Affekte.

810 Richard B. Carter, Descartes' Medical Philosophy. The Organic Solution of the Mind-Body-Problem, Baltimore and London, The Johns Hopkins University Press 1983, S. 72.

> […] das Prinzip noch einmal zu wiederholen, auf das sich alles, was ich geschrieben habe, stützt, dass es nämlich zwischen unserer Seele und unserem Körper eine derartige Verbindung gibt, dass, wenn wir eine körperliche Tätigkeit einmal mit einem Gedanken verbunden haben, sich späterhin die eine von beiden nicht darbietet, ohne dass sich die andere zugleich auch darstellt, dass es aber nicht immer dieselben Tätigkeiten sind, die man mit denselben Gedanken verbindet. […] So zum Beispiel ist es leicht aufzufinden, wie alle ungewöhnlichen Aversionen, die einige etwa hindern, Rosenduft ertragen zu können, oder die Gegenwart einer Katze oder ähnliche Dinge, nur daher kommen, dass sie zu Beginn ihres Lebens durch dergleichen Dinge verletzt worden sind […]. Und der Rosenduft kann so starke Kopfschmerzen bei einem Kind verursachen, als es noch in der Wiege lag, oder auch eine Katze kann es sehr erschrocken haben, ohne dass jemand darauf geachtet hätte oder dass es selbst noch davon irgendwie Erinnerung hätte. Dennoch bleibt die Idee der Aversion, die es dann für jene Rose hatte oder gegenüber jener Katze, in seinem Hirn bis zum Ende seines Lebens eingeprägt.[811]

Descartes physiologischer Erklärung über die *spiritus*, die sich in einer Falte des Gehirns eingraben, können wir heute nicht folgen; aber die Artikulation der dahinter stehenden Erfahrung unbewusster Emotionen, deren Ursprung in die Kindheit zurückweist, die für das Individuum subjektiv erlebbar, aber gleichzeitig nicht erklärbar ist, diese Erfahrung teilen wir; Sigmund Freud hat diese Phänomene später psychoanalytisch gedeutet. Die Diskursivierung menschlicher Psyche, die Formulierung ihrer Rätselhaftigkeit, Komplexität und Widersprüchlichkeit verbindet meines Erachtens Descartes und auch Spinoza mit Rembrandt. Descartes und Spinoza erkennen, trotz der Aufzählung von Grundaffekten, dass sich die Emotionen vermischen und somit unzählige emotionelle Stimmungslagen zustande kommen können[812], und – dies scheint mir besonders bemerkenswert – dass ein Individuum ganz widersprüchliche Emotionen gleichzeitig erleben kann. Descartes erläutert dies folgendermaßen:

> Und obgleich diese Emotionen der Seele oft mit den Leidenschaften, die ihnen ähnlich sind, verbunden sind, können sie auch oft mit anderen zusammentreffen und selbst aus solchen entstehen, die ihnen konträr entgegengesetzt sind. Wenn zum Beispiel ein Ehemann sein totes Weib beweint, die – wie es gelegentlich vorkommt – er sich ärgern würde, wieder auferstehen zu sehen, kann es dazu kommen, dass die Trauerfeierlichkeiten und die Abwesenheit einer Person, an deren Unterhaltung er gewöhnt war, bewirken, dass sein Herz sich aus Traurigkeit zusammenzieht. Das kann aus gewissen Überbleibseln der Liebe und des Mitleids geschehen,

die sich seiner Vorstellung darbieten und aufrichtige Tränen seinen Augen entlocken, was nicht verhindert, dass er zugleich eine geheime Freude im Innersten seiner Seele fühlt.[813]

In Rembrandts Werk, sowohl in den Selbstporträts wie in den Historienbildern, kann eine Entwicklung von der (barocken) Repräsentation konkreter Affekte hin zu komplexen Gefühlslagen beobachtet werden, man denke an die *Bathseba* oder an *Hamans Schmach* (**Taf. 1, Abb. 131–133**, S. 264, S. 268). Ich sehe eine Verwandtschaft zwischen den künstlerischen Repräsentationen bei Rembrandt, insbesondere in seinem Spätwerk, und den Schriften der beiden Philosophen: Es ist zunächst die fundamentale Bedeutung, die den Emotionen grundsätzlich zugestanden wird, und weiter die Einsicht, dass es vielfältige, sich überlagernde und somit widersprüchliche Emotionen geben kann. Es ist die Erkenntnis, dass Emotionen individuell unterschiedlich sind und dass sie oft unbewusst bleiben. Der Gang der Philosophen „ins Unsichtbare und Dunkle zurück ist im Gegensatz zum alten Gang aus dem Inneren heraus unmetaphorisch und analytisch“[814]; diese treffende Charakterisierung Campes trifft auch auf Rembrandts Versuch zu, das unsichtbare Innere des Menschen zu visualisieren. Sowohl die philosophischen Theorien wie Rembrandts Bilder resultieren aus menschlichen Erfahrungen ambivalenter Gefühlslagen, welchen nun mit besonderer Aufmerksamkeit und einer analytischen Haltung begegnet wird. Allerdings fallen auch die Differenzen auf und die daraus resultierende Wirkung und Relevanz der künstlerischen beziehungsweise der philosophischen Artikulationen für die aktuelle Rezeption. Descartes erkennt beispielsweise die individuelle Unterschiedlichkeit emotionaler Reaktionen. So schreibt er:

Derselbe Eindruck, den die Anwesenheit eines schreckenerregenden Objekts auf die Hirndrüse macht und der bei einigen Menschen Furcht veranlasst, ruft bei andern Mut und Kühnheit hervor. Der Grund dafür liegt darin, dass alle Gehirne nicht in gleicher Weise ausgestattet sind […].[815]

Die treffende Beobachtung individueller Unterschiedlichkeit im emotionalen Haushalt findet nun aber eine biologische und für uns in ihrer konkreten historischen Spezifik nicht mehr akzeptable Erklärung. Hingegen lässt sich die entsprechende künstlerische Differenzierung in der Darstellung unterschiedlicher Charaktere mit je spezifischen emotionalen Reaktionen bei Rembrandt anders lesen: jeweils abhängig von sozialen, alters- und geschlechtsbedingten

811 Descartes Art. 136.
812 Spinoza, Ethik, Lehrsatz 57 (1955, S. 168): „Jeder Affekt eines jeden Individuums weicht vom Affekt eines andern Individuums ab, weil sie sich in ihrem Wesen unterscheiden.“ Ebd. Lehrsatz 59 (S. 172): „Affekte können sich ganz unterschiedlich zusammensetzen, sodass so viele Verschiedenheiten entstehen können, dass man sie gar nicht aufzählen kann.“
813 Descartes Art. 147.
814 Campe 1990, S. 331f.
815 Descartes Art. 39: „[…] so dass die gleiche Bewegung der Hirndrüse, die bei einigen Furcht hervorruft, bei anderen bewirkt, dass die Lebensgeister in die Poren des Hirns eindringen, die einesteils zu den Nerven führen, welche der Bewegung der Arme zur Verteidigung dienen, andernteils zu denjenigen, die das Blut gegen das Herz treiben, wie es erforderlich ist, um geeignete Lebensgeister hervorzurufen, um diese Verteidigung aufrecht zu erhalten und den Willen dazu aufrecht zu erhalten.“

Taf. 11: Gabriel Metsu, Liebesbrief, um 1664–1667, Öl/Holz, Dublin, National Gallery of Ireland
Abb. 140: Pieter Codde, Frau mit einem Brief, am Virginal sitzend, frühe 1630er Jahre, Öl/Holz, Boston, Privatsammlung

Unterschieden.[816] Dies ist aufschlussreich für das Verhältnis zwischen der künstlerischen Darstellung bestimmter Phänomene – welche auf Grund der gemeinsamen kulturellen Disposition vom Künstler wie auch vom Philosophen wahrgenommen werden – und deren theoretischer Begründung. Die Kunst ist offensichtlich eher in der Lage, diese Erfahrungen für uns heute nachvollziehbar zu machen als die *Erklärungen* der Theorie.

Interiorisierung – Vermeer

Wir kehren zu Metsus *Liebesbrief* zurück, betrachten das Werk nun aber unter dem Gesichtspunkt der Affektdarstellung (**Taf. 11**). Das Bild folgt der Ikonografie der profanen Interieurdarstellungen von Frauen mit Liebesbriefen. Noch ganz in der Tradition von Dirck Hals (S. 262) offenbart das *Bild im Bild* das Motiv des Briefes. Aber im Unterschied zu Dirck Hals verweisen weder der Körper und die Gesten der weiblichen Figur noch die gesamte ästhetische Inszenierung des Interieurs auf die Stürme der Gefühle, die jedoch das *Bild im Bild* signalisiert. Im Gegensatz zu Hals – und noch mehr zu Rembrandt – verweigert auch das Gesicht der Lesenden jegliche Auskunft über ihr Inneres. Die Stürme der Gefühle werden ausschließlich metaphorisch im *gemalten* Seesturm artikuliert.

Die Tilgung von (starker) Affektdarstellung ist keine Erfindung von Metsu. Er folgt damit einer Entwicklung, die seit der Mitte des Jahrhunderts von prominenten holländischen Genremalern vertreten wurde und deren Beginn mit dem Namen Ter Borch verbunden ist.[817] Es war Ter Borch, der das Briefthema zu einem zentralen Motiv seines

Abb. 141: Willem Duyster, Frau mit einem Brief und einem Mann, frühe 1630er Jahre, Öl/Holz, Kopenhagen, Staatliches Kunstmuseum
Abb. 135: Gerard Ter Borch, Die Neugier, um 1660, Öl/Lwd., New York, The Metropolitan Museum of Art

Werks machte, nicht weniger als sechzehn Variationen sind seit den späten 1640er Jahren überliefert; er popularisierte das Genre. Gleichzeitig – und das ist bezeichnend – war es Ter Borch, der ausgehend vom späten Rembrandt, Pieter Codde und Willem Cornelisz. Duyster **(Abb. 140, 141)** begann, seine Bildfiguren in affektiv ungeklärten beziehungsweise unklärbaren Gemütszuständen zu zeigen.[818] Oft sind es mehrere Figuren wie bei der *Neugier* **(Abb. 135)** oder dem *Brief*, Werke, in denen auch die Beziehungen zwischen den Figuren rätselhaft bleiben. Es werden Narrative angedeutet, die dennoch nicht erzählt werden; es wird den BetrachterInnen überlassen, sich eine Geschichte auszudenken. So etwa die stehende Figur in der *Neugier*: Obwohl prominent im Vordergrund platziert und mit ihrem Blick die BetrachterInnen avisierend, ist ihre Funktion im Bildgeschehen nicht fassbar. Charakteristisch für Ter Borch ist die aufrechte Haltung der Frauenfigur und der Verzicht auf jegliche Mimik. Auch an den Einzelfiguren von lesenden oder schreibenden Frauen[819] sind niemals starke oder eindeutige Affekte abzulesen; über die psychische Verfasstheit der Dargestellten werden wir im Unklaren belassen.

816 Man denke an Rembrandts Historienbilder, bei denen mehrere Figuren auf ein und dasselbe Ereignis ganz unterschiedlich reagieren, beispielsweise *Simson an der Hochzeitstafel, Rätsel aufgebend* (1638, Dresden, Gemäldegalerie).

817 Gudlaugsson 1959–1960; Gerard Ter Borch, Zwolle 1617 – Deventer 1681, Ausstellungskatalog Landesmuseum Münster 1974; Kettering (in: Franits) 1997; AK Dublin, Greenwich 2003, S. 90–107; Sutton in: ebd., S. 17–22; Adams in: ebd., S. 63ff; AK Washington, New York 2005.

818 Zur neuen Bedeutung von Privatheit und deren Visualisierung in Rembrandts Radierung *Jan Six am Fenster stehend und lesend* (1647), in der erstmals die Verbindung von privatem Lesen und Introspektion thematisiert wird: David Smith, I Janus: Privacy and the Gentleman Ideal in Rembrandt's Portraits of Jan Six, in: Art History 11, 1988, S. 42–63. Smith geht davon aus, dass Rembrandts Erfindung Ter Borch, Pieter de Hooch und Vermeer beeinflusst hat. Zur Bedeutung von Carel Fabritius in diesem Prozess: David R. Smith, Carel Fabritius and Portraiture in Delft, in: Art History 13, 1990, S. 151–174. Zum Verhältnis zu den beiden Amsterdamer Malern Codde (1599–1678) und Duyster (1598/99–1635): AK Dublin, Greenwich 2003, insbes. S. 16ff, S. 84–89.

819 Ter Borch war auch der erste, der Frauen nicht nur Briefe empfangend oder lesend dargestellt hat, sondern (aktiv) Briefe schreibend: *Frau, einen Brief schreibend* von 1655 (Den Haag, Mauritshuis, AK Dublin, Greenwich 2003, Kat. Nr. 5).

Taf. 12: Jan Vermeer, Briefleserin am offenen Fenster, um 1657, Öl/Leinwand, Dresden, Staatliche Kunstsammlungen, Gemäldegalerie
Abb. 136: Jan Vermeer, Röntgenbild von Briefleserin am offenen Fenster

Exemplarisch soll diese neue Repräsentationsform anhand zweier Werke von Vermeer erläutert werden.[820]

In dessen kleinem Oeuvre finden sich sechs Werke von Frauen[821] mit Liebesbriefen. Das ist bemerkenswert, hat sich der Künstler doch außer mit dem Motivkreis der Musik mit keinem anderen Thema so intensiv beschäftigt. Vermeers früheste Version ist die *Briefleserin am Fenster* (um 1657) **(Taf. 12)**. Wie bereits Ter Borch verzichtet Vermeer hier auf den allegorischen Verweis mittels des Motivs des *Bildes im Bild*.[822] Das Wissen, dass es sich bei Bildern von Frauen mit Briefen um Liebe handelt, war bereits verankert. Der Verzicht auf allegorische Zeichen lässt sich an diesem Bild im Produktionsprozess selbst nachvollziehen. Röntgenfotos haben ergeben, dass ursprünglich ein großes Gemälde mit einem Amor an der Wand hing, ein Bild, das Vermeer mehrmals in seine Werke integriert hat **(Abb. 136)**.[823] Vermeer hat diesen *Amor* dann aber übermalt und ihn buchstäblich hinter einem Vorhang versteckt. Auf die eminente, mehrfache Bedeutung des Vorhangs in der holländischen Malerei und auch im Oeuvre Vermeers wurde bereits verwiesen.[824] Hier spielt Vermeer bewusst mit dem Ort der Anbringung: ist der Vorhang Teil des dargestellten Raumes oder aber gleichsam vor der Bildebene zu denken? Jedenfalls verdeckt er einen Teil des Interieurs und macht uns bewusst, dass wir nicht alles, was ist, sehen können. Der Vorhang verhüllt und enthüllt.[825]

Der zur Seite geschobene Vorhang gibt den Blick frei auf ein Interieur, in dem eine junge Frau vor einem geöffneten Fenster steht und in das Lesen eines Briefes vertieft ist. Das geöffnete Fenster erlaubt keinen Blick ins Freie, es signalisiert lediglich das

Außen, woher der Brief kommt. Vermeer gelingt es mit seiner ästhetischen Inszenierung Nähe und Ferne, Intimität und Distanz gleichzeitig zu evozieren und somit eine Essenz der Briefkultur zu visualisieren. Das Lesen eines (Liebes-) Briefes bedeutet Kommunikation mit einem Abwesenden, die gleichwohl intim ist. Dies ist eine neue Form der Kommunikation, die durch den Brief ermöglicht wurde.[826] Es geht um Liebe, aber der Geliebte ist nicht da, statt Körper gibt es Schrift, statt Umarmung phantasierte Beziehung.[827] Nähe und Ferne zugleich. Der Blick ins private Interieur ist ein intimer Blick, der Nähe suggeriert. Der Eindruck von Nähe wird dadurch gesteigert, dass sich die BetrachterInnen im selben Raum wie die Frauenfigur wähnen. Dieser Effekt wird durch das Weglassen von Boden, Decke und abschließender Seitenwand hervorgerufen. Gleichzeitig wird die weibliche Figur jedoch durch ihre Kleinheit in dem großen Raum wiederum entrückt. Der Tisch mit dem unmotiviert aufgestauten Teppich und der gekippten Fruchtschale bilden buchstäblich eine Barriere.[828]

Die junge Frau liest mit dem Ausdruck höchster Aufmerksamkeit, was durch die niedergeschlagenen Augen und die leicht geöffneten Lippen vermittelt wird. Aber von dem Inhalt des Briefes und ihren konkreten Gefühlen erfahren wir nichts. Ihr aufrechter Körper mit den streng rechtwinklig abgebogenen Armen signalisiert Kontrolle. Sie zeigt weder durch Gesten noch durch Mimik, was in ihrem Inneren vorgeht. Gerade dadurch, dass kein spezifischer Affekt gezeigt wird, werden wir auf den unsichtbaren, intimen Ort der Emotion aufmerksam gemacht. Die Inszenierung von Nähe *und* Ferne, von Intimität *und* Unzugänglichkeit verstärkt diesen Eindruck. Der Effekt dieser widersprüchlichen Spannung zwischen Artikulation von Emotion und Nichtdefinition dieser Emotion und der

820 Hammer-Tugendhat 2002, S. 234–256.

821 Bezeichnenderweise fehlen in Vermeers Oeuvre männliche Protagonisten mit Liebesbriefen. Es gibt zwei Werke mit männlichen Einzelfiguren im Interieur: Der Astronom (1668, Paris, Louvre) und der Geograph (1669, Frankfurt a. M., Städelsches Kunstinstitut). Hier werden aber keine Liebesbriefe geschrieben oder gelesen, hier wird geforscht. Das Interieur ist ein Studiolo.

822 Wie im Kapitel über Vermeers *Frau mit der Waage* dargelegt, hat Vermeer durchaus Gemälde in seine Bilder integriert, dann aber meist mit komplexen und nicht einfach illustrierenden Bezügen. Ich möchte hier nochmals an die Debatte erinnern, die ich im Kapitel *Adieu Laokoon* umrissen habe. Nach de Jongh dürfte dieses Bild von Vermeer im Gegensatz zu den entsprechenden Werken von Dirck Hals oder Metsu streng genommen schlicht *nichts* bedeuten, da die dezidierten Verweise auf sprachliche Quellen fehlen.

823 Das Bild des Amor geht offensichtlich auf ein Original von van Everdingen zurück, das wohl im Besitz Vermeers war. Er hat dieses Gemälde mehrfach in seine Bilder integriert: in *Die Unterbrochene Musikstunde* (New York, Frick Collection), in *Die Stehende Virginalspielerin* (London, National Gallery) und, allerdings bis zur Unkenntlichkeit fragmentiert, in *Das Schlafende Mädchen* (New York, Metropolitan Museum). Zu den unterschiedlichen Bedeutungen des Amor in Vermeers *Bildern im Bild*: Gaskell 1998, S. 225–233.

824 Siehe: *Umkehrungen: die Frau im Bett* im ersten Kapitel in Teil I und in Teil II die Anm. 600, 634–638.

825 Der Vorhang offenbart hier nicht wie in einer langen Tradition das Heilige, das Göttliche, sondern die sichtbare Welt. Diese Profanisierung wird noch brisanter, wenn man sich vor Augen führt, dass eine ikonografische Quelle für das Motiv der brieflesenden Frau die Verkündigung an Maria war. Im Spätmittelalter wird Maria oft lesend präsentiert. Horst Wenzel (1995, S. 287–291) hat auf Darstellungen aufmerksam gemacht, in denen der Engel Maria einen Brief überreicht. Entsprechend werden bei Vermeer die göttlichen Strahlen zu einem realen Licht, das durch das geöffnete Fenster einströmt.

826 Der private Brief spielte bereits im Mittelalter eine gewisse Rolle; aber die enorme Verbreitung der Briefkultur in der holländischen Gesellschaft des 17. Jahrhunderts durch die gestiegene Alphabetisierung bedeutet doch einen Qualitätssprung. Siehe u.a.: Karen Cherewatuk, Ulrike Winthaus (Hg.), Dear Sister. Medieval Women and the Epistolary Genre, University of Pennsylvania Press, Philadelphia 1993.

827 Die Welt des Liebesbriefes ist eine imaginäre. Dies impliziert auch eine Sublimierung der Gefühle, die von Zeitgenossen wahrgenommen und geschätzt wurde; so schreibt etwa James Howell in seinem 1642 in England veröffentlichten Buch 'Instructions for Forraine Travell': „Von allen Formen des tiefen menschlichen Nachdenkens ist die Reflexion über die abwesenden Freunde die Vergnüglichste: und das vor allem dann, wenn es versüßt und genährt wird durch Briefe; durch Korrespondenz, die die Liebe mittels der Kraft des Geistes erweckt und die Seelen auf viel süßere Weise miteinander verbindet als jede Umarmung." Zitiert nach Adams 1993, S. 85.

828 Die Früchte, Äpfel und Pfirsiche, stehen für Fruchtbarkeit und Erotik; die Schale ist in Richtung ihres Schoßes gekippt.

Taf. 13: Jan Vermeer,
Briefleserin in Blau,
um 1662–64, Öl/Leinwand,
Amsterdam, Rijksmuseum

Ausschluss des Betrachters aus dieser inszenierten Intimität ist die Erkenntnis, dass Emotionen sich im Inneren des jeweiligen Individuums abspielen und unsichtbar sind. Die Unzugänglichkeit dieses Inneren wird durch das Spiegelbild der jungen Frau im geöffneten Fenster nochmals apostrophiert. Seit dem *Paragone* der Renaissance (also dem Wettkampf zwischen den Medien, hier der Konkurrenz zwischen Malerei und Bildhauerei bezüglich einer allumfassenden Darstellungsmöglichkeit) dienen Spiegelbilder unter anderem zur Ermöglichung einer vermeintlich ‚totalen' Erfassung des menschlichen Körpers oder Gesichts. Die Bleiverglasung des Fensters wiederum assoziiert das Raster, mit dessen Hilfe seit der Renaissance der menschliche Körper exakt konstruiert werden sollte. Bei Vermeer aber funktioniert das Spiegelbild gegenteilig: das Fensterraster zerstückelt das Gesicht, gibt nur verschwommene Fragmente wieder. Das verschwommene Spiegelbild unterstreicht die innere Unzugänglichkeit der Lesenden. Die wissenschaftlichen Instrumentarien, die mathematische Perspektive, die Gesetze der Optik, die Camera Obscura, alles Mittel der Erkenntnis, die Vermeer virtuos beherrschte, spiegeln offensichtlich nur die Präsenz der Erscheinungen, ohne diese aber substantiell erfassen zu können. Um mit Daniel Arasse zu sprechen: Vermeer arbeitet mit äußerster Präzision daran, die Erkennbarkeit und die genaue Bezeichnung des von ihm Abgebildeten zu verwischen oder zu verhindern.[829]

Diese Beobachtungen lassen sich an den anderen Versionen dieses Themas im Oeuvre Vermeers bestätigen. In dem Bild *Die Briefleserin in Blau*[830] (um 1662–64) konzentriert Vermeer den Innenraum noch konsequenter auf das ‚Innen' **(Taf. 13)**. Der Innenraum wird gleichsam zum Innen der Figur. Es gibt keine begrenzenden Seitenwände, keinen

Boden, keine Decke. Das Bild ist in leichter Untersicht mit hoher Horizontlinie angelegt, dadurch befinden sich die BetrachterInnen gleichsam im selben Raum und werden ganz nah an die Bildfigur herangerückt. Das Auge kann nicht in weitere Räume eindringen, die Fläche der Wand schließt den Raum. Das Außen, die ‚Welt' wird nicht einmal mehr durch ein Fenster repräsentiert, das Außen dringt nur vermittelt in diesen privaten Raum: durch das Licht und durch die Landkarte[831], welche die Ferne bezeichnet, aus der auch der Brief kommt.

Die so inszenierte Nähe wird aber auch hier wieder kontrastiert durch die Verstellung des Vordergrundes mit dem dunkel behangenen Tisch und dem Stuhl sowie die Versunkenheit der Figur in die Lektüre. Das geöffnete Kästchen, das uns den Einblick verwehrt, wiederholt dieses ‚Innen des Innen', das uns gleichzeitig suggeriert und entzogen wird. Wir partizipieren an der Gegenwart und absoluten Konzentration der weiblichen Figur; über das Objekt ihrer Aufmerksamkeit, über den Inhalt des Briefes und ihre damit verbundenen Emotionen wissen wir nichts. Wir realisieren, *dass* intensive Emotionen im Spiele sind. Nichts, aber auch gar nichts erfahren wir von dieser monumentalen Frauenfigur in ihrer aufrechten Haltung. Die Strenge dieser Haltung wird durch die Komposition unterstrichen: Die Gegenstände rahmen die Figur und passen sie gleichsam in ein Koordinatensystem ein. Diese Darstellungsform entspricht der Praxis des Lesens: Lesen bindet die Aufmerksamkeit des Menschen, legt körperliche Aktionen still und zentriert die Kommunikation ins Innere des Individuums. Anders ausgedrückt: Das Briefthema ist das kongeniale Motiv für diese Auffassung des Psychischen.[832]

Emotionen werden bei Vermeer somit als privat, intim und für andere nicht lesbar repräsentiert.[833] Als „inaccessable otherness" hat dies Edward Snow in seiner Vermeer-Monografie beschrieben.[834] Dies entspricht, wie ich meine, der *Inkommunikabilität*, die Niklas Luhmann als *die* Entdeckung des 18. Jahrhunderts bezeichnet hat.[835] Luhmanns Quellen sind jedoch ausschließlich literarische, insbesondere

829 Arasse 1996, S. 143.

830 AK Den Haag, Washington 1995, Kat. Nr. 9, S. 134–139, mit weiterführender Literatur.

831 Zur Bedeutung von Landkarten bei Vermeer und in der holländischen Malerei: Richard Helgerson, Genremalerei, Landkarten und nationale Unsicherheit im Holland des 17. Jahrhunderts, in: Ulrich Bielefeld, Gisela Engel (Hg.), Bilder der Nation. Kulturelle und politische Konstruktionen des Nationalen am Beginn der europäischen Moderne, Hamburg 1998, S. 123–153; Alpers 1985, S. 213–286; Stoichita 1998, S. 197–208.

832 Diese Interpretation von Emotion als individuell und für andere nicht lesbar findet sich aber auch bei anderen Themen bei Vermeer, beispielsweise bei dem *Schlafenden Mädchen* (um 1657, New York, Metropolitan Museum). Hierzu: Hammer-Tugendhat, Arcana Cordis, 2002, S. 234–256.

833 Zu ganz ähnlichen Schlussfolgerungen kommen Nevitt (2001, S. 89–110) und Adams (2003, S. 63–76). Siehe auch: Wolf 2001, insbes. S. 143–188. Es ist symptomatisch, dass in den Frühwerken das Briefthema fehlt und gleichzeitig in Gemälden wie der *Kupplerin* von 1656 menschliche Kommunikation noch direkt und physisch verbildlicht wird. (Dresden, Gemäldegalerie).

834 Die Beschreibung bei Snow (1994) ist so treffend, dass sie hier wiedergegeben sei: „The letter, the map, the woman's pregnancy, the empty chair, the open box, the unseen window – all are intimations of absence, of invisibility, of other minds, wills, times and places, of past and future, of birth and perhaps loss and death. Yet with all these signs of mixed feelings and a larger context, Vermeer insists on the fullness and sufficiency of the depicted moment – with such force that its capacity to orient and contain takes on metaphysical value." (S. 4). „But if we attempt to force a story out of *Woman in Blue,* we violate our agreement with the painting and become voyeurs peering into a world that our own gaze renders distant and superficial." (S. 6). Es ist in der Forschung nicht geklärt, ob die Frau schwanger ist. Zum Für und Wider der Schwangerschaftsthese siehe: Winkel 1998, S. 330–332.

835 Niklas Luhmann, Liebe als Passion. Zur Codierung von Intimität, Frankfurt a. M. 1994 (1982), S. 153–161. Luhmann räumt allerdings ein, dass diese Tendenz bereits im 17. Jahrhundert beginnt: „Schon das 17. Jahrhundert hatte damit begonnen, die großen heroischen Abenteuer und ihre glücklichen bzw. tragischen Ausgänge nach innen zu verlegen – besonders was Liebe angeht." (S. 153).

die französische Literatur. Aber die Charakterisierung dieser neuen Form von Literatur entspricht durchaus den Bildern Vermeers, Ter Borchs und anderer zeitgenössischer holländischer Künstler:

> Die komplexe psychische Realität der Beteiligten ist nicht voll mitteilbar [...].[836]

> Die Erfahrung von Inkommunikabilität ist ein Aspekt der Ausdifferenzierung von Sozialsystemen für Intimität. Sie widerspricht der Intimität nicht, sie entspricht ihr.[837]

> Es geht, sehr viel radikaler noch, um das Problem, ob es nicht, und zwar gerade in Intimbeziehungen, Sinn gibt, der dadurch zerstört wird, dass man ihn zum Gegenstand einer Mitteilung macht.[838]

Auf die Relevanz dieser Konvergenz von der Literatur des 18. Jahrhunderts und der holländischen Malerei des 17. Jahrhunderts werden wir noch zu sprechen kommen.

Imagination – Hoogstraten

Ann Jensen Adams bezeichnet den privaten Brief der Frühen Neuzeit als Oxymoron: Einerseits soll er von den spontanen innersten Regungen des Individuums sprechen, andererseits waren die sprachlichen Wendungen und Ausdrucksformen hochgradig codifiziert.[839] Die Briefmanuale stellen lediglich die zu Sprachformeln stilisierten Umgangsformen eines breiteren Dispositivs dar. Diese Doppelstruktur der Liebesbrief-Kultur – die Entfaltung subjektiver, individueller Äußerungen und gleichzeitig die Konventionalität und Fixierung in kulturellen Codes – zeigt sich in kaum überbietbarer Radikalität in einem Bild, das Samuel van Hoogstraten zugeschrieben und in die späten fünfziger Jahre des 17. Jahrhunderts datiert wird **(Taf. 14)**.[840]

Hoogstraten stellt in seiner Liebesbriefversion überhaupt keine menschlichen Figuren mehr dar. Vielmehr zeigt er uns lediglich drei

836 Luhmann 1994, S. 153.
837 Ebd. S. 155.
838 Ebd.
839 Adams in: AK Dublin Greenwich 2003, S. 63–76, hier S. 64.
840 Für eine monografische und damit ausführlichere Behandlung des Bildes: Daniela Hammer-Tugendhat, Kunst der Imagination/Imagination der Kunst. *Die Pantoffeln* Samuel van Hoogstratens, in: Klaus Krüger, Alessandro Nova (Hg.), Imagination und Wirklichkeit. Zum Verhältnis von mentalen und realen Bildern in der Kunst der frühen Neuzeit, Mainz 2000, S. 139–153. Le Siècle de Rembrandt, Ausstellungskatalog, Petit Palais, Paris 1970, Nr. 117, S. 110–111 (genaue Beschreibung der Provenienz und der Zuschreibungen); Sumowski Bd. 2, 1983, S. 1304, Nr. 894 (mit ausführlicher Bibliografie); Georgel, Lecoq 1983, S. 158, 169, 242; Daniel Arasse, Le Détail. Pour une histoire rapprochée de la peinture, Paris 1992, S. 145–148; Bettina Werche in: AK Frankfurt a. M. 1993, S. 228, Nr. 47; Stoichita 1998, S. 66–67; Brusati 1995, insbes. S. 83–86, 204; Delft Masters, Vermeer's Contemporaries. Illusionism through the Conquest of Light and Space, Ausstellungskatalog, hrsg. von Michiel C.C. Kersten u. Danielle H. A. C. Lokin, Stedelijk Museum het Prinsenhof, Delft, Zwolle 1996, S. 201; J. Foucart, Le tableau du mois Nr. 29: *Les Pantoufles* par Samuel van Hoogstraten, (handout im Louvre, siehe Dokumentation im Louvre) September 1996; Svetlana Alpers, Picturing Dutch Culture, in: Franits 1997, S. 64; Innenleben. Die Kunst des Interieurs. Vermeer bis Kabakov, Ausstellungskatalog, Städelsches Kunstinstitut, Frankfurt am Main, Ostfildern-Ruit 1998, insbes. die Aufsätze von Sigrid Metken und Wolfgang Kemp. 1842 wurde das Werk erstmals erwähnt im *catalogue*

leere Räume. Das Briefmotiv existiert nur als *Bild* an der Wand. Die Briefleserin auf dem *Bild im Bild* ist zudem eine Rückenfigur. Es werden somit keinerlei Affekte dargestellt; dennoch, so meine These, werden diese in den RezipientInnen evoziert. Hoogstraten initiiert mit seinem Bild Imagination. Gleichzeitig ist das Bild eine Selbstreflexion des Mediums Malerei und ihrer affektiven Wirkkraft.

Wir blicken – von einer Schwelle aus – in drei hintereinanderliegende Räume, die jeweils durch eine vollkommen geöffnete Tür dem Blick dargeboten werden. An der gegenüberliegenden Wand des ersten Raumes lehnt ein Besen, daneben hängt ein großes Handtuch von einem Holzregal, der Türrahmen wird von Flachs gerahmt – alles Zeichen weiblichen Hausfleißes. Durch eine linksseitig geöffnete Tür blicken wir in einen Gang; das von rechts einfallende Licht verweist auf eine vierte, nicht sichtbare Tür, die offenbar nach draußen führt. In diesem hell beleuchteten Gang ist nichts anderes zu sehen als eine kreisförmige Matte mit zwei grünlich-farbenen Holzpantinen.

Der Betrachter ‚stolpert' über diese Schuhe, man wird beim Blick in den Raum gleichsam zum Innehalten gezwungen und angehalten, über deren semantische Bedeutung nachzudenken. Ausgezogene Schuhe finden sich häufig auf holländischen Genrebildern, ich erinnere an den *Liebesbrief* von Metsu. Ikonologische Untersuchungen sind zu gegensätzlichen Ergebnissen gelangt: Unzählige Redewendungen, Mythen, Märchen und Hochzeitsriten belegen deren Bedeutung als erotische Anspielungen.[841] Demgegenüber wurde das Motiv der ausgezogenen Schuhe mit einem Quellenverweis auf Plutarch als Symbol der Tugendhaftigkeit interpretiert. Daraus lässt sich nur der Schluss ziehen, dass das Zeichen *ausgezogene Schuhe* auf holländischen Genrestücken semantisch aufgeladen ist, aber unterschiedliche Assoziationen (gleichzeitig) wachrufen kann. Die Schuhe in Hoogstratens Bild stehen nicht im ersten Zimmer, nicht neben den eindeutigen Attributen weiblichen Fleißes, aber auch nicht im dritten, dem intimen Gemach. Ihr Ort ist der Zwischen-Raum. Es könnte nicht deutlicher gemacht werden, dass die semantische Fixierung der Schuhe nicht bestimmbar ist als eben durch ihren Ort *zwischen* den Räumen. Dieser Gang hat keine andere Bestimmung als die eines *Zwischen-Raums*. Schuhe und Zwischenraum interpretieren sich gegenseitig als Offenheit, Unbestimmtheit.

raisonné von John Smith (cat. raisonné of the works of the most eminent Dutch, Flemish and French painters, supplément, 9, London 1842, S. 569, Nr. 20), der es als nicht signiert und nicht datiert beschrieb und als ein Werk Pieter de Hoochs führte. Auch W. Bürger-Thoré (Van der Meer van Delft. Gazette des Beaux-Arts, 1866, S. 22) bezeichnete das Bild, das er für eine Ausstellung nach Paris holte, als ein Werk Pieter de Hoochs und stützte sich dabei auf eine inzwischen eingefügte Signatur und eine Datierung 1658. 1883 war die Signatur PDH wieder verschwunden; das Bild wurde nun unterschiedlichen Malern zugeschrieben: Pieter Janssens Elinga? (Hofstede de Groot, De Schilder Janssens, een navolger van Pieter de Hooch, in: Oud Holland 9, 1891, S. 292–293); Umkreis von Vermeer um 1660 (Clotilde Brière Misme, Au Musée du Louvre. La donation de Croy. Les tableaux hollandais, in: Gazette des Beaux Arts 1933, S. 231–238); Hendrik van der Burgh (G. Bazin, siehe Dokumentation im Louvre). Erst 1956 schrieb E. Plietzsch (Randbemerkungen zur holländischen Interieurmalerei am Beginn des 17. Jahrhunderts, in: Wallraf-Richartz-Jahrbuch 18, 1956, S. 175, Anm. 1) das Werk Samuel van Hoogstraten zu, eine Zuschreibung, die von der Forschung – wie ich meine zu Recht – allgemein akzeptiert wurde. Das Gemälde muss nach 1655 entstanden sein, dem Entstehungsjahr des Originals von Ter Borch, dessen Paraphrase Hoogstraten wiederum kopierte, und vor dem 1662 bereits in England entstandenen *Blick in einen Korridor* (Dyrham Park, Gloucestershire, National Trust), das bereits die Wendung zum Klassizismus signalisiert. Stilistisch lässt sich das Bild am ehesten mit dem Perspektivkasten in der National Gallery in London in Verbindung bringen.

841 S. o. Anm. 627–630.

Taf. 14 Samuel van Hoogstraten, Die Pantoffeln, um 1658–60, Öl/Lwd., Paris, Louvre
Abb. 139: Samuel van Hoogstraten, Die Pantoffeln, Detail, (siehe Tafel 14)

Eine dritte Tür mit einem massiven Schlüsselbund öffnet den letzten Raum, dessen auratisches Licht durch den goldenen Damast, der über den Tisch gebreitet und mit dem auch der Stuhl bezogen ist, intensiviert wird. Neben dem Bild ist ein gerahmter Spiegel angebracht, der bezeichnenderweise nichts spiegelt.[842] Der Blick durch die aufgeschlossenen Türen in das hinterste Gemach ist der Blick in einen intimen, weiblichen Bereich. Diese Intimität, das Private, Verschlossene wird dem Auge des Betrachters geöffnet. Der Schlüsselbund, der sich signifikant vom hellen Hintergrund abhebt, steckt unmittelbar unter der gemalten weiblichen Figur im Schloss. Der Schlüssel deutet nicht nur auf die häusliche Schlüsselgewalt der Frau, sondern seit dem Mittelalter auch auf eine sexuelle Symbolik. In der *Emblemata Amatoria* von Pieter Cornelisz. Hooft von 1611 beispielsweise hält *Amor* ein Schloss mit einem Schlüssel in der Hand; der Titel *Een die my past* (in etwa: *einer der mir passt*) verdeutlicht die Botschaft. Der Schlüssel wird in mehreren holländischen Genrebildern, insbesondere bei Jan Steen, als sexuelle Metapher verwendet.[843] Der Schlüssel fungiert aber auch als *clavis interpretandi*. Der Schlüssel (*sleutel*) war in Holland im 17. Jahrhundert eine gebräuchliche Metapher für die Entschlüsselung von Wahrheit. Der Schlüssel öffnet die Tür (das Bild), doch was wir sehen, ist wieder nur ein Bild.

Die eigentliche Erzählung, die Akteure finden sich lediglich im gemalten Bild an der Wand. Hoogstraten macht das Motiv des *Bildes im Bild*, das bei seinen Kollegen ein Bildelement unter anderen ist, zum eigentlichen Bildthema. Was ist das nun für ein Bild, dem Hoogstraten eine so zentrale Funktion zuweist? Das Gemälde zeigt eine stehende weibliche Rückenfigur in silbrigem Satin-Kleid im Stile Ter Borchs vor einem roten Himmelbett und einen kleinen, ebenfalls rot gekleideten Jungen mit einem großen Hut in

Abb. 137: Gerard Ter Borch, Galante Konversation (Väterliche Ermahnung), um 1654, Öl/Leinwand, Amsterdam, Rijksmuseum
Abb. 138: Caspar Netscher, Frau, einen Liebesbrief lesend (Paraphrase nach Ter Borch), nach 1655, Aufbewahrungsort unbekannt

der Hand hinter einem Stuhl. Ursprünglich ist die Forschung davon ausgegangen, dass Hoogstraten ein Original von Ter Borch kopierte, und zwar die sogenannte *Väterliche Ermahnung* **(Abb. 137)**, heute in Berlin beziehungsweise in Amsterdam, die knapp vor 1655 angesetzt wird, da die Kopie von Caspar Netscher, einem Schüler Ter Borchs, mit dieser Jahreszahl datiert ist.[844] Den Titel *Väterliche Ermahnung* erhielt das Werk 1765 von dem deutschen Stecher Johann Georg Wille, der seinem Reproduktionsdruck diesen Namen beifügte. Der Titel gab eine bestimmte Sichtweise vor: Das Bild wurde zum anekdotisch gefärbten Anstandsbild. Seit den zwanziger Jahren des 20. Jahrhunderts wurde Ter Borchs Bild ganz anders gelesen. Die ikonologisch ausgerichtete Forschung sah darin ein moralisierendes Warnbild von der Käuflichkeit der Liebe.[845] Der Vater mutierte zum Offizier, die Tochter zur Hure und die Mutter zur Kupplerin. Zwischen die Finger des Mannes wurde ein Geldstück phantasiert, das allerdings weder in der Berliner noch in der Amsterdamer Version oder in der Kopie Netschers zu sehen ist. Dass dasselbe Bild so konträr gelesen werden kann, liegt nicht nur in der jeweils historisch bedingten veränderten Rezeption, sondern in der Ambivalenz des Bildes selbst, das eben diese subjektiv unterschiedlichen Reaktionsweisen provoziert. In neueren Forschungen wurde gezeigt, dass die Quintessenz von Ter Borchs Frauenfiguren gerade in ihrer Uneindeutigkeit

842 Das Motiv des Spiegels radikalisiert die Frage nach Bedeutung und Funktion des Bildes, dazu siehe das Kapitel *Spieglein, Spieglein an der Wand*.
843 Malcolm Jones, Sex and Sexuality in Late Medieval and Early Modern Art, in: Erlach, Reisenleitner, Vocelka 1994, S. 187–304, hier S. 219 (Der Schlüssel, der ins Schloss passt, als Metapher für den Koitus); Peter L. Donhauser, A Key to Vermeer? in: Artibus et historiae 14 No 27, 1993, S. 85–101, Abb. des Emblems von Hooft: S. 94, Abb. 10, Abb. der entsprechenden Bilder von Steen: S. 96, 97, Abb. 14, 15.
844 Gudlaugsson 1959, 1960, 1. Bd. S. 97 und 2. Bd. Kat. Nr. 110. Netschers Kopie befindet sich im Museum in Gotha, ebd. Kat. Nr. 110 II a Taf. 12, Abb. 1.
845 Erstmals bei W. Drost, Barockmalerei in den germanischen Ländern (Handbuch der Kunstwissenschaft), Potsdam 1926, S. 187; Jan Kelch, Katalogtext in: AK Philadelphia 1984, Kat. Nr. 9, S. 144–145; J. P. Guépin, Die Rückenfigur ohne Vorderseite, in: Ak Münster 1974, S. 31–38. So auch Gudlaugsson 1959/60.

liegt. Alison Kettering hat die in weißen Satin gekleideten weiblichen Figuren Ter Borchs als Inbegriff weiblicher Idealität bezeichnet: In ihrer Schönheit, Passivität und vornehmen Zurückhaltung entsprachen sie sowohl den moralisierenden Benimmbüchern wie der damals aktuellen petrarkistischen Poesie; gleichzeitig aber macht die Autorin auf die Verstörung aufmerksam, welche die ambivalente Kontextualisierung bei den Zeitgenossen bewirken musste.[846]

Die Idealität bei gleichzeitiger Undefinierbarkeit bescherte dieser Rückenfigur eine beispiellose Karriere. Gerade weil sie nicht durch ein bestimmtes Narrativ definiert war, konnte diese Figur nun unterschiedlich kontextualisiert werden. So wird sie als Einzelfigur im Interieur zitiert, bei der Toilette, beim Musizieren oder mit anderen Figuren kombiniert, wie etwa mit einer afrikanischen Dienerin.[847] So konnte sie auch in unveränderter Form und Haltung als Briefleserin Verwendung finden. Eine dieser Kopien hat Hoogstraten kopiert **(Abb. 138)**.[848] Er hat nun aber den Brief, der bereits bei dem Vorbild nur fragmentarisch als weiße Ecke eines Papiers sichtbar war, zum Verschwinden gebracht. Warum können wir diese Szene dann überhaupt als Briefleserin deuten? Die Kontextualisierung der Rückenfigur mit dem kleinen Jungen, der durch seine (wartende) Haltung und den großen Hut, den er abgenommen hat, als Bote gekennzeichnet ist, semantisiert diese neutrale Figur und somit die ganze Szenerie. Wir erkennen das Motiv, nicht weil wir es sehen, sondern weil wir es wissen. Hoogstraten zitiert ein Bild aus einer eingeübten und bekannten Bildtradition; selbstredend setzt die richtige Deutung die Lesekompetenz der RezipientInnen voraus. Hoogstraten hätte natürlich selbst eine eigene Version des Briefthemas erfinden können; er aber zitiert – und er zitiert ein Zitat, eine Kopie. Dadurch macht er das Zitat als Zitat kenntlich. Hoogstraten stellt sich somit in einen Traditionszusammenhang, lässt die Bilder als kulturelle Codes erfahrbar werden. Es ist ein interpikturaler Diskurs, oder mit Ludwig Jäger gesprochen: eine intramediale Transkription.[849]

Wie bereits dargelegt, verweisen die Bilder mit Briefen auf die Briefkultur und somit auf Sprache. Analog zu den Bildern waren auch die Briefe, die doch vorgaben, Ausdruck privatester, authentischer Emotionen zu sein, durch Konventionen strukturiert. Populäre Briefsteller mit festgelegten Wendungen gaben den Gefühlen der Liebenden eine Sprache beziehungsweise kreierten erst diese spezifische Form von ‚Gefühl'. Die Kalligraphie, die *schoonschrift*, erlebte in Holland im 17. Jahrhundert einen Höhepunkt; Handbücher zur Einübung unterschiedlicher Schriften für unterschiedliche Sprachen und vor allem zu unterschiedlichen Zwecken wurden populär. Auch hier zeigt sich die Dialektik von kultureller Disziplinierung und Subjektivität. Die Handschrift galt quasi als Ausfluss der Natur des Menschen; gleichzeitig mussten sich die Schreibenden höchster Disziplinierung und langer Übung unterwerfen.[850] Das ‚Persönlichste' ist artifiziell.

Auch die Rückenfigur selbst entsprach in ihrer Haltung, die Vornehmheit bei gleichzeitiger Passivität vermittelt, und dem weißen Satinkleid, das wiederum Reinheit und Reichtum gleichermaßen signalisiert, einem durchaus festgeschriebenen Weiblichkeitsideal. Roodenburg hat gezeigt, wie sich die Elite der holländischen Gesellschaft, und zwar nicht nur die aristokratische, sondern nach der Jahrhundertmitte zunehmend auch die bürgerliche, durch *self-fashioning* von den niederen Schichten bewusst abgegrenzt hat.[851] Grundlegend waren Benimmbücher, allen voran Castigliones' *Cortegiano* (1528) und Erasmus' *De civilitate morum puerilium* (1530), Stefano Guazzos *La Civil Conversatione* (1574), später dann auch Werke wie *Natuurlyk en schilderkonstig ontwerp der menschkunde* von Willem Goeree (Amsterdam 1682).[852] Die Regeln dieser Anstandsbücher muss man sich vernetzt denken mit verwandten Diskursen wie etwa den Schriften von Jacob Cats, der Physiognomik oder Malereitraktaten (Van Mander, Hoogstraten, Lairesse), vor allem aber mit Körperpraktiken, die insgesamt zu einem bestimmten *Habitus* führten.[853] Die Sprache des Körpers galt als natürliche und damit als Garant für Wahrhaftigkeit.[854] Ein zentraler Begriff war *welstand,* wohl am ehesten mit *aufrechter Haltung* zu übersetzen. Aufschlussreich sind die geschlechtsspezifischen Differenzierungen: Ein zur Seite geneigter Kopf ist für einen Mann fehl am Platz[855], für eine Dame hingegen erwünscht, Zeichen weiblicher Anmut und Demut. Die leicht geneigte Kopfhaltung der Ter Borchschen Rückenfigur entspricht diesem Ideal wie auch insgesamt ihre aufrechte Haltung. Sie ist recht eigentlich eine Gewandfigur, die nichts vom Körper sichtbar werden lässt außer das winzige Stück des Nackens über dem hochgestellten schwarzen Kragen. Das Satinkleid soll mit seiner fließenden Silhouette möglichst wenig Absichtlichkeit verraten. Das Weiß des Satins entsprach allerdings nicht der realen Mode; bei Porträts, auch von Ter Borch, wird der weiße Stoff lediglich durch einen Schlitz im schwarzen Überkleid sichtbar.[856] Insgesamt also: eine ideale *Weiblichkeitshülle*.

846 Kettering (1997, S. 98–115) geht von unterschiedlichen Rezeptionsmöglichkeiten aus; die Zeitgenossen könnten im Bild eine Szene gesehen haben, in der ein Offizier um ein junges Mädchen wirbt im Sinne eines Eheantrages.

847 Zu den Kopien: Gudlaugsson 1959/60, 1, S. 97 u. 2, Kat. Nr. 110; Barbara Weber, Im Spannungsfeld von Subjektivität und Kommerz. Die Kopien der Rückenfigur aus Gerard Ter Borchs „Die Väterliche Ermahnung", Diplomarbeit, Wien 2008. Der Ordnung halber sei auch die Dissertation von Fatma Yalçin erwähnt: Anwesende Abwesenheit. Untersuchungen zur Entwicklungsgeschichte von Bildern mit menschenleeren Räumen, Rückenfiguren und Lauschern im Holland des 17. Jahrhunderts, München, Berlin 2004. (Die Dissertation lässt die Mindestanforderungen an eine wissenschaftliche Arbeit vermissen, so werden Kopien von geringer Qualität, die bereits von Gudlaugsson Ter Borch abgeschrieben und zum Teil ins 18. Jahrhundert datiert worden sind, ohne jede Diskussion als Originale Ter Borchs angeführt.)

848 Verbleib unbekannt, zuletzt dokumentiert: Kunsthandel N. Katz, Basel 1948. Gudlaugsson (1959/60, 110 IIn) schreibt das Werk Netscher zu und datiert es in die Zeit 1656–69. Zu Netscher: Wieseman 2002.

849 U. a.: Jäger 2008, S. 35–44.

850 Adams 2003. Zu Recht verweist Adams auf die Forschung von Norbert Elias *Über den Prozess der Zivilisation* (1936, 1969) und von Herman Roodenburg zur Körpersprache. Hinzuzufügen wären die Arbeiten von Luhmann und insbesondere von Foucault. Zur Kalligraphie siehe auch Anm. 649.

851 Herman Roodenburg, On „Swelling" the Hips and Crossing the Legs: Distinguishing Public and Private in Paintings and Prints from the Dutch Golden Age, in: Wheelock 2000, S. 64–84; Roodenburg 2004. Roodenburg zeigt dies konkret an Constantijn Huygens, der als Dichter aus der Bildungselite und Sekretär am Hof der Oranier eine Figur an der Grenze von Adel und Bürgertum war. Huygens hat neben seiner Biografie und vielen Briefen auch ein Tagebuch hinterlassen, in dem er sich vor allem zur Erziehung seiner Kinder geäußert hat.

852 Guazzos Buch wurde bereits 1603 ins Holländische übersetzt, der *Cortegiano* erst 1652. Siehe auch Nevitt 2003, S. 71ff.

853 Roodenburg bezieht sich bewusst auf diesen Begriff von Bourdieu, um darzulegen, wie durch Diskurse und performative Akte gewisse Haltungen und Gesten internalisiert und dann tatsächlich gleichsam zur eigenen Natur geworden sind.

854 Dazu siehe auch Kapp 1990, insbes. S. 47.

855 Huygens hat für seinen Sohn Constantijn eine gefährliche Operation in Kauf genommen, weil dessen Hals schief gewachsen war. Siehe: Roodenburg 2000, S. 64f; Roodenburg 2004, S. 78.

856 Kettering 1997, S. 103.

Trotz der Festschreibungen durch Traditionen und Codes (der Bilder, Briefe und der weiblichen Figur) stimuliert Hoogstratens Bild die Imagination der BetrachterInnen und weckt vielfältige Assoziationen.

Das wird zunächst durch die Konzeption der weiblichen Figur bewirkt. Ihre aufrechte Haltung lässt keinerlei Affekte erahnen, obwohl wir (durch das Liebesbriefthema) wissen, dass Affekte im Spiel sind. Durch die Eliminierung des Briefes wird bereits die Vorstellungskraft der BetrachterInnen gefordert, die Figur überhaupt als einen Brief lesend zu ,sehen'. Zudem ist die Rückenfigur die Projektionsfigur par excellence.[857] Die Rückenfigur verwehrt uns jegliche Wahrnehmung ihres mimischen Ausdrucks. Die BetrachterInnen können diese leere Weiblichkeitshülle mit ihren eigenen Phantasien aufladen. Es ist aber auch die Rückenfigur, die unsere Neugier und unser Begehren aktiviert[858], insbesondere da wir wissen, dass es sich bei dem unsichtbaren Brief um einen Liebesbrief handelt.

Auch die gesamte Inszenierung des Bildes von Hoogstraten setzt die Imaginationen der BetrachterInnen in Gang. Man projiziert die eigenen Gedanken und Emotionen in diese leeren Räume und auf das *Bild im Bild*. Die vielen moralisierenden Deutungen, die das Werk als Warnbild vor erotischen Ausschweifungen und Aufforderung zur Tugend lesen, spiegeln dann eben auch die moralisierenden Zwangsvorstellungen so mancher KunsthistorikerInnen.[859] Je nachdem wie wir die drei Räume zueinander in Beziehung setzen und die dargestellten Dinge (Schuhe, zugeklapptes Buch[860], ausgelöschte Kerze[861] etc.) semantisieren, ergeben sich vielschichtige Sinnachsen. Man kann zwischen dem ersten, dem Raum häuslicher Arbeit, und dem letzten, dem Raum der Liebe, der Verführung und des Begehrens, eine gefährliche Spannung empfinden, die Raumsegmente und die entsprechenden Objekte antithetisch lesen.[862] Die Räume lassen sich aber auch als Abbilder realer Zimmer interpretieren, als bürgerliches Heim, in dem ein Bild mit erotischer Thematik hängt und dem Interieur neue Bedeutung verleiht. Eine weitere Lesart ist die schrittweise Initiation vom Raum des Betrachters in das Reich der Kunst, vom Banalen

857 Rückenfiguren sind ein Lieblingsthema der niederländischen Malerei: von den Figürchen, die in die Landschaft blicken bei der *Rolin-Madonna* von Jan van Eyck und den Menschen in der Kirche in der *Totenmesse* des Turiner Stundenbuches über Pieter Bruegel d. Ä. bis zu den Kircheninterieurs von de Witte u. a.

858 Johann Wolfgang Goethe hat bekanntlich Willes Stich nach Ter Borch als *tableau vivant* in seinen *Wahlverwandtschaften* eingebaut. (J. W. Goethe, Werke, Hamburger Ausgabe, hrsg. von E. Trunz, 11. Aufl., München 1982, 6. Bd., 5. Kap. des 2. Teils, S. 393f.) Der Ausruf von einem der Zuschauer „tournez s'il vous plaît!" belegt zweierlei: die Faszination der Rückenansicht und gleichzeitig das Bewusstsein, dass die Erfüllung des Wunsches die Zerstörung der Illusion zur Folge hätte. Zur Aktualität der Problematik: Klaus Krüger, Der Blick ins Innere des Bildes. Ästhetische Illusion bei Gerhard Richter, in: Pantheon 53, 1995, S. 149–166.

859 So Gerhard Langemeyer (im Ausstellungskatalog *Stillleben in Europa*, im Westfälischen Landesmuseum Münster 1979), Vanessa Betinck (Sammelmappe zu dem Bild *Interieur ohne Personen*, von C. Bisshop, von ihr Hendrik van den Burgh zugeschrieben, Berlin 1882), Bettina Werche (AK Frankfurt a. M. 1993) und Jacques Foucart (in einem Handout des Louvre von 1996). Zur Auseinandersetzung mit diesen moralisierenden Interpretationen: Hammer-Tugendhat 2000 (Kunst der Imagination), insbes. S. 139–141.

860 Das Buch wird nicht näher definiert, weder als Bibel, wissenschaftliches Werk noch als leichte Lektüre; zudem ist es geschlossen. Ich habe (2000, S. 148f) vorgeschlagen, es im Sinne eines *paragone* zwischen Malerei und Dichtung zu lesen: Das Buch bleibt geschlossen, der Brief unsichtbar – das Bild hingegen wird geöffnet, das Bild erzählt: *ut pictura poesis*.

861 Die ausgelöschte Kerze ausschließlich als Vanitassymbol, als Hinweis auf unkeuschen Lebenswandel, zu deuten, scheint fragwürdig. Die ausgelöschte Kerze findet sich auf unzähligen holländischen Genrebildern, die sicher nicht als Anspielung auf Unkeusch-

zum ‚Erhabenen' und der Liebe. Unsere Phantasie mag uns verführen, hinter der Tür die ‚eigentliche' Handlung zu vermuten, vielleicht ein Bett, in dem sich das abspielt, was das Gemälde an der Wand als Erwartung suggeriert – aber sehen, wissen können wir dies nicht. Vielleicht handelt das Bild von einer Verführung. Aber nicht von einer Verführung durch den Antrag eines leiblich anwesenden Mannes, sondern durch einen Brief. Verführung durch einen Text, durch Worte. Im Bild wird eine Frau umworben, gleichzeitig wird aber der Betrachter verführt, nicht durch Worte, sondern durch das Bild.[863]

Hoogstraten hat somit alles daran gesetzt, unterschiedliche Assoziationen zu erzeugen. Gleichzeitig aber reflektiert er mit pikturalen Mitteln die imaginäre und affektive Wirkkraft der Malerei.

Stoichita hat die Tür als Zeichen der Selbstreflexion holländischer Interieurmalerei bezeichnet. Der *doorkijkje* wurde in der Malerei wie in der Kunsttheorie zur Metapher der Malerei.[864] Hoogstratens Gemälde zeigt: Die Malkunst öffnet die Türen, lässt Unsichtbares sichtbar werden. Aber was wir sehen, ist wieder ‚nur' ein Bild. Der Betrachter, von der Schwelle ins Bild blickend, ist gleichzeitig *im* Bild und *außerhalb* des Bildes. Zudem wird durch die Fragmentierung fast aller Gegenstände bewusst gemacht, dass wir nicht alles sehen können. Das Bild reflektiert auch sein eigenes ‚Außen': Der Lichtstrahl von außerhalb des Bildes verweist auf ein Reales jenseits der Leinwand.

Durch all diese künstlerischen Strategien wird den BetrachterInnen bewusst gemacht, dass sie auf ein *Bild* blicken und dass somit all ihre Imaginationen ihre eigenen Imaginationen sind. Der Spiegel neben dem Gemälde spiegelt nichts, wir sind es, die ihn semantisieren.

Hoogstraten ist diese Medienreflexion durchaus zuzutrauen. Er war einer der wenigen holländischen Künstler, die ein Malereitraktat verfassten: *Inleyding tot de hooge Schoole der Schilderkonst, anders de Zichtbaere Werelt* (*Einführung in die hohe Schule der Malerei oder die sichtbare Welt*) (1678).[865] Im ersten Buch seines Traktats, in einem Kapitel über das Ziel der Malerei *was sie ist und was sie produziert,* definiert er die Malerei folgendermaßen:

heit gelesen werden sollen. Angezündete Kerzen auf Bildern, deren Szenerie bei Tageslicht spielt, sind mir nicht bekannt.

862 Antithesen über die Semantik von Dingen zu veranschaulichen ist charakteristisch für Hoogstraten, man vergleiche mit dem *Trompe-l'oeil-Stillleben mit Brief* in Kromeriz von 1654, in dem die dargestellten Gegenstände den liturgischen mit dem profanen Bereich beziehungsweise die *vita contemplativa* mit der *vita activa* kontrastieren. Hana Seifertová, Augenbetrüger und ihre Motivation im 17. Jahrhundert. Zur Ausstellung „Das Stillleben und sein Gegenstand", in: Dresdner Kunstblätter 1984, 1, S. 49–56.

863 In zeitgenössischen holländischen Texten wird beschrieben, wie durch das Auge sinnliche Gefühle und Lust entstehen. Die Wertung dieser Wirkung fällt unterschiedlich aus. Diese Überlegungen, so schreibt Sluijter in seiner Analyse holländischer Malereitraktate (1991, S. 188, S. 204f, Anm. 74), wurden insbesondere in Zusammenhang mit der Darstellung von Verführungsszenen angestellt, in deren Zentrum meist eine junge Frau steht: *Das Auge ist nie befriedigt, Begehren nie gestillt, so lange man in Kunst und Liebe involviert ist,* schreibt van der Venne. Diese Analogiebildung zwischen Liebe und Kunst bezüglich des Begehrens wurde somit auch gedanklich reflektiert.

864 Stoichita (1998 S. 71ff) verweist auf die Titelseite von Philip Angels *Lof der Schilder-Konst* von 1642, deren Pictura-Personifikation eine Tafel mit einem *doorkijkje* in der Hand hält. (Abb. ebd. S. 71).

865 Hans-Jörg Czech, Im Geleit der Musen. Studien zu Samuel van Hoogstratens Malereitraktat Inleyding tot de hooge schoole der schilderkonst: anders de zichtbaere werelt, Münster 2002 (Niederlande-Studien 27); ders., Klassizismus mit niederländischem Antlitz. Fundierung und Propagierung im kunsttheoretischen Werk von Samuel van Hoogstraten, in: Ekkehard Mai (Hg.), Holland nach Rembrandt. Zur niederländischen Kunst zwischen 1670 und 1750, Köln, Weimar, Wien 2006, S. 97–118; Weststeijn 2006.

De Schilderkonst is een wetenschap, om alle ideen, ofte denkbeelden, die de gansche zichtbaere natuer kan geven, te verbeelden: en met omtrek en verwe het oog te bedriegen. (Die Malerei ist eine Wissenschaft, um alle Ideen oder Vorstellungen [‚Denkbilder'!], welche die ganze sichtbare Natur darzubieten vermag, zu verbildlichen und mit Konturen und Farben das Auge zu betrügen.)

Hoogstraten spricht nicht von allen Erscheinungen oder Gegenständen in der Natur, sondern von *Ideen* und *Denkbildern*.

Das Werk ist auch ein Nachdenken über den neuen Ort der Kunst: das private Heim.[866] Es ist aber nicht lediglich ein Interieurbild wie viele andere; indem Hoogstraten seine Komposition auf *menschenleere* Räume und ein Tafelbild an der Wand reduziert, thematisiert er den neuen Ort und die Funktion bürgerlicher Malerei schlechthin. Das Tafelbild im privaten Raum ermöglicht eine neue Qualität der Rezeption: eine gänzlich individuelle. Diese Rezeption ist durchaus vergleichbar mit derjenigen beim Lesen eines Romans. Koschorke hat für die Literatur des 18. Jahrhunderts dargelegt, wie das Eintauchen in die Romanlektüre die privateste, individuellste aber auch isolierendste Form des Lesens darstellt und eine Steigerung von Einbildungskraft hervorbrachte.[867]

Coda

Rückblickend können wir sagen: Von barocken, noch in der Tradition der Rhetorik stehenden Liebesbrief-Versionen von Dirck Hals, in welchen der Körper spricht, was in der Seele vorgeht, über die Konzentration der Affektrepräsentation im Gesicht bei Rembrandt, zur Interiorisierung von Emotion bei Metsu, Ter Borch und Vermeer (wobei Ter Borch und Vermeer großteils sogar auf die Allegorisierung durch *Bilder im Bild* verzichten), führt der Weg bis zu Hoogstraten. Bei Hoogstraten werden gar keine Personen und somit keine Affekte dargestellt. Die Emotionen werden unsichtbar, sie wandern gleichsam nach innen, letztlich: in die RezipientInnen.

Emotionen lassen sich somit auf vielfältige Weise darstellen, nicht nur, wie man vielleicht annehmen könnte, durch körperliche Gesten und

866 Stoichita 1998, S. 61–74 und S. 180f. Das Interieurbild wurde für das Interieur geschaffen und reflektiert das Interieur. Siehe Anm. 723.

867 Koschorke 1999, insbes. ab S. 169.

868 Beide Künstler lebten in Amsterdam. Duyster hat nur ein kleines Oeuvre (etwa 35 Gemälde) hinterlassen, er starb jung an der Pest (1589/99–1635). Codde, obwohl ihm eine längere Lebenszeit beschieden war: 1599–1678, schuf seine wichtigsten Werke auch in den dreißiger und frühen vierziger Jahren. Er war auch als Dichter aktiv. Beide malten vor allem kleinfigurige Genreszenen, Codde vor allem *Fröhliche Gesellschaften* mit Tanz und Musik, Duyster Wachstubenszenen (*cortegaardjes*). Die einzig mir bekannte Monografie über diese beiden hochinteressanten Künstler ist die Dissertation von Caroline Bigler Playter, Willem Duyster and Pieter Codde: The ‚Duystere Werelt' of Dutch Genre Painting, c. 1625–1635, Harvard University 1972; die Arbeit stand mir leider nicht zur Verfügung. Siehe auch: AK Dublin, Greenwich 2003, S. 84–89; Franits 2004, S. 57–64. In diesem Zusammenhang muss auch Esaias van de Velde erwähnt werden, von dem zwar keine Briefbilder überliefert sind, der aber in seinen *Fröhlichen Gesellschaften im Freien* bereits im zweiten Jahrzehnt des 17. Jahrhunderts komplexe psychische Beziehungen zwischen den Figuren entwickelt hat. Van de Velde arbeitete im zweiten Jahrzehnt in Haarlem. Dazu: Nevitt 2003, insbes. S. 57–65. Nevitt hat den Künstler zu Recht als eine Quelle für Ter Borch bezeichnet.

869 Vgl. insbes. Reinhart Koselleck, Vergangene Zukunft. Zur Semantik geschichtlicher Zeiten, Frankfurt a. M. 1979, insbes. S. 125f, 132, 137,154, 323ff, 336, 367.

Mimik. Vielmehr lassen sich Emotionen auch durch allegorische Verweise wie *Bilder im Bild*, semantisch aufgeladene Dinge und durch eine entsprechende ästhetische Inszenierung repräsentieren beziehungsweise evozieren.

Dieser Weg ist eine Entwicklung, die nicht umkehrbar wäre. Dennoch wird man der künstlerischen Komplexität der Ausdrucksformen nicht gerecht, wenn man sie in ein lineares Entwicklungskonzept pressen will. Kaum später als Dirck Hals – und wohl von diesem beeinflusst – sind die Liebesbriefbilder von Pieter Codde und Willem Duyster anzusetzen, welche die Konzeptionen nach der Jahrhundertmitte vorweg zu nehmen scheinen.[868] Codde hat bereits in den frühen dreißiger Jahren für das Liebesbriefthema eine Rückenfigur konzipiert **(Abb. 140)**. Die Frau sitzt reglos quer zur Lehne vor dem Virginal, den offensichtlich gelesenen Brief in der schlaff herabhängenden Hand. Wir erhalten keinen Aufschluss über den Inhalt des Briefes oder ihre Gefühlslage. Aber ihre Haltung mit dem leicht nach unten geneigten Kopf, das fahle, ins Nichts verlaufende Landschaftsbild an der Wand, die abgestellte Viola da Gamba mit dem schwarzen, fast durchsichtigen Schleier über dem Knauf und der dunkle, unheimliche Schatten scheinen nichts Gutes zu verheißen. Die affektiv aufgeladene, aber ungeklärte Szenerie in Duysters Version **(Abb. 141)** wiederum kann als Vorstufe von Ter Borchs psychologisch komplexen Bildern gelten.

Diese *Gleichzeitigkeit des Ungleichzeitigen*[869] trifft auch für die Zeit Vermeers und das späte 17. Jahrhundert zu. Hier finden sich unterschiedliche, ja gegensätzliche Affektrepräsentationen, allerdings nicht unter gleichen Bedingungen im selben Land. Neben den holländischen Versionen gibt es nach wie vor die barocke Affektrhetorik, insbesondere in den katholisch gegenreformatorischen Ländern, in Italien, Deutschland und Österreich. In Frankreich wiederum präsentierte Charles le Brun, Hofkünstler und Direktor der Académie Royale 1668 seinen *traité des passions*, Zeichnungen von menschlichen Gesichtern in unterschiedlichen Affektzuständen **(Abb. 142)**.[870] Alle menschlichen Leidenschaften sollten in ihrem mimischen Ausdruck systematisiert werden. Aber die Fixierung von Emotion führt zu deren Stillstellung und Auslöschung. An die Stelle von ausdrucksstarken Gesichtern treten erstarrte Masken. Das Ziel ist klar: Die menschlichen Leidenschaften sollen durch die Vernunft gebannt werden. Hier spricht der Machtdiskurs des französischen Hofes.[871] Le Brun hat sich bei der Ausformulierung der

870 Jennifer Montagu, The Expression of the Passions. The Origin and Influence of Charles le Brun's *conférence sur l'expression générale et particulière*, Yale University Press, New Haven, London 1994; Thomas Kirchner, L'expression des passions: Ausdruck als Darstellungsproblem in der französischen Kunst und Kunsttheorie des 17. und 18. Jahrhunderts, Mainz am Rhein 1991; Lars Olof Larsson, Der Maler als Erzähler. Gebärdensprache und Mimik in der französischen Malerei und Kunsttheorie des 17. Jahrhunderts am Beispiel Charles Le Bruns, in: Kapp 1990, S. 173–189.

871 Politik wie katholische Kirche bedienten sich bewusst einer auf der Rhetorik basierenden Strategie zur Affektsteuerung ihrer Untertanen. So schreibt etwa Jean-François Senault in *De l'usage des passions* (1641) in der Dedikation an Richelieu: „Mais se que j'admire davantage en vostre conduite, et ce qui la rend plus semblable à celle de Dieu, c'est que prenant les hommes par leurs Passions, vous les faites servir à vos desseins, sans leur en donner la connoissance." („Aber das, was ich besonders an Ihrem Verhalten bewundere und was dieses dem Verhalten Gottes ähnlich erscheinen lässt, ist, dass Sie die Menschen Ihren Zielen gefügig machen, ohne dass diese es merken, indem Sie die Menschen bei ihren Leidenschaften packen.") Hier zitiert nach Thomas Kirchner, ‚De l'usage des passions.' Die Emotionen bei Künstler, Kunstwerk und Betrachter, in: Herding, Stumpfhaus 2004, S. 357–377, hier S. 364. Sehr verwandt auch die Schrift des spanischen Jesuiten Baltasar Gracián: *Oráculo manual y arte de prudencia* (1647), siehe ebd. S. 364.

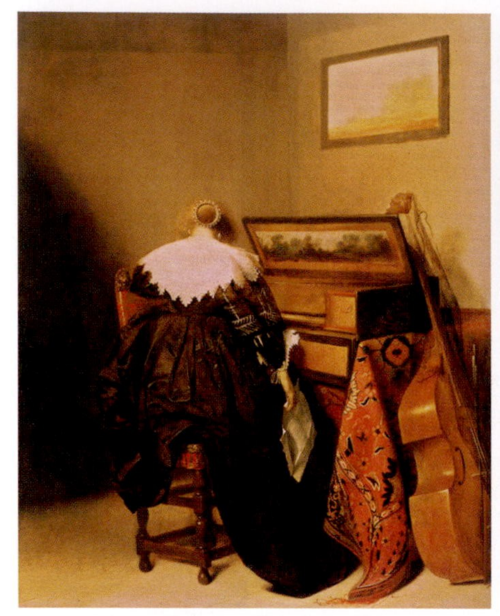

Abb. 140: Pieter Codde, Frau mit einem Brief, am Virginal sitzend, frühe 1630er Jahre, Öl/Holz, Boston, Privatslg.
Abb. 141: Willem Duyster, Frau mit einem Brief und einem Mann, frühe 1630er Jahre, Öl/Holz, Kopenhagen, Staatliches Kunstmuseum

einzelnen Affekte dezidiert auf den *Traité de l'âme* von Descartes bezogen; in der Folge wurde die Arbeit Descartes meist auch so rezipiert und damit missverstanden. Descartes hat ausdrücklich auf das problematische Verhältnis von Innen und Außen verwiesen.[872] Sein Skeptizismus wandte sich prinzipiell gegen die Spiegelmetaphorik, gegen eine Vorstellung einer Identität von Wahrnehmung und objektivem Sein.[873] Le Brun steht vielmehr im Diskurs der Physiognomik.[874] Der physiognomische Diskurs versuchte die innere Wahrheit des Individuums in seiner äußeren Erscheinung zu erkennen, zu benennen, festzuschreiben, zu typologisieren und zu normieren. Giambattista Della Porta, der bedeutendste Physiognomiker der Renaissance, der das einschlägige Wissen aus Antike, arabischer Überlieferung und Mittelalter zusammenfasste, ist Le Brun näher als Descartes. Das Phantasma der Beherrschbarkeit und das Begehren zu *wissen*, mit Sicherheit zu wissen, was im Inneren des Anderen vorgeht, prägt auch die systematischen Zeichnungen Le Bruns. Diese Gesichter, die jeweils einen und nur einen klar definierten Affekt mit je festgelegten Elementen visualisieren (Bewegung der Augenbrauen etc.), stehen im denkbar größten Gegensatz zu Rembrandts späten Bildnissen, welche die Tiefe,

872 Descartes (1996, S. 173, 175) Art. 113 (Von den Augen- und Gesichtsbewegungen): „Obgleich man jedoch leicht die Augenbewegungen bemerkt und weiß, was sie bedeuten, ist es deswegen nicht so leicht, sie zu beschreiben, weil eine jede von ihnen aus verschiedenen Veränderungen zusammengesetzt ist, welche in der Bewegung und dem Aussehen der Augen vorkommen und die so spezifisch und so klein sind, dass eine jede von ihnen nicht getrennt festzustellen ist, wenn man auch das, was aus ihrer Verbindung hervorgeht, sehr leicht feststellen kann. [...] Sie sind so wenig verschieden voneinander, dass es Menschen gibt, die fast die gleiche Miene machen, wenn sie weinen, wie andere, wenn sie lachen. Sicher gibt es auch bestimmte, die gut bemerkbar sind, wie etwa die Stirnfalten im Zorn und gewisse Nasen- und Lippenbewegungen beim Unwillen und beim Beleidigtsein. Aber diese scheinen nicht so sehr natürlich als gewollt zu sein. Im allgemeinen können alle Bewegungen, sowohl des Gesichts wie der Augen durch die Seele verändert werden, denn, wenn jemand seine Leidenschaft verbergen will, stellt er sich stark eine entgegengesetzte vor. Man kann also diese

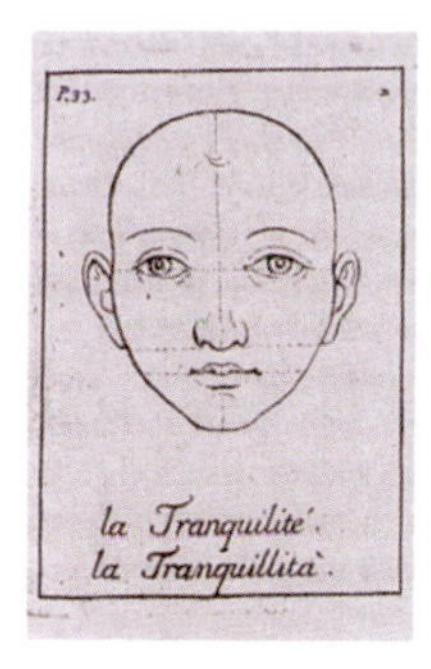

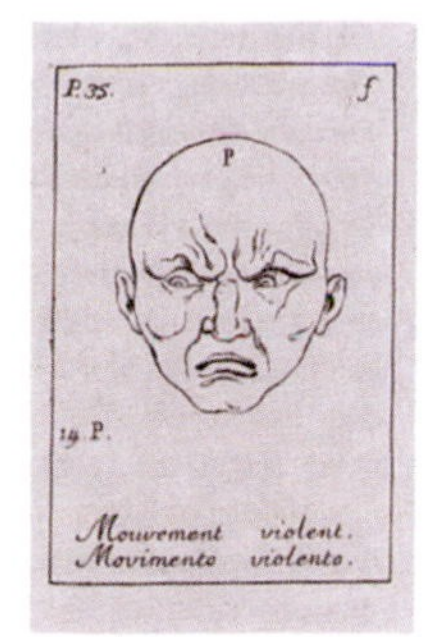

Abb. 142: Charles Le Brun, Conférence sur l'expression générale et particulière des passions, 1687

Komplexität und Undefinierbarkeit menschlicher Emotionen vermitteln wollen. Ebenso differieren sie von Ter Borchs oder Vermeers Auffassung. Vermeer scheint mir gleichsam die Gegenposition zu diesem physiognomischen Diskurs zu repräsentieren. Seine Kunst steht für die Bejahung des Individuums, dessen bloße Präsenz als Präsenz erfahrbar gemacht wird, dessen Geheimnisse aber nicht benannt und damit nicht getilgt werden. Vielleicht liegt die Poesie Vermeerscher Bilder auch in dieser Akzeptanz von Privatheit menschlicher Psyche. Durch die künstlerische Artikulation dieser Vorenthaltung von Wissen stiftet Vermeer Privatheit, Intimität und Subjektivität.[875]

Die genannten Positionen sind die unterschiedlichen, konträren Antworten und Haltungen auf ein und dasselbe Phänomen: auf die Individualisierung und Privatisierung, innerhalb derer das Gesicht im Zentrum der Selbst-und Fremdbeobachtung steht.[876] Die Frage nach dem Verhältnis von innen und außen, von Seele/Geist/Psyche und Körper, von innerer ‚Wahrheit' und trügerischem Schein, diese Frage war nicht neu. Sie wurde bereits in der Antike gestellt, etwa in Euripides' *Medea*:

Bewegungen ebensogut gebrauchen, seine Leidenschaft zu verheimlichen als sie auszudrücken."

873 Hier sind Descartes Untersuchungen zur Optik (*La dioptrique*) zu nennen; Summers 2003, insbes. S. 21–26.

874 Zur Physiognomik: Courtine, Haroche 1994; Claudia Schmölders, Das Vorurteil im Leibe. Eine Einführung in die Physiognomik, Berlin 1995; Campe, Schneider 1996 (mit ausführlicher Bibliografie); Claudia Schmölders (Hg.), Der exzentrische Blick. Gespräch über Physiognomik, Berlin 1996; Petra Löffler (Hg.), Das Gesicht ist eine starke Organisation, Köln 2004.

875 Aleida und Jan Assmann schreiben in der Einleitung zu ihrem Buch *Geheimnis und Öffentlichkeit* (Schleier und Schwelle Bd. 1, München 1997, S. 8) mit Berufung auf Georg Simmel: "Menschen grenzen sich gegeneinander ab durch vorenthaltenes Wissen; das gilt nicht nur für Individuen – ohne dies Prinzip des vorenthaltenen Wissens gäbe es keine Intimität, keine Privatheit und keine darauf basierende Personalität [...]."

876 Courtine, Haroche 1994, beispielsweise S. 10: „S'exprimer, se taire, se découvrir, se masquer: ces paradoxes du visage sont ceux de l'individu [...]."

O Zeus, warum hast du für Gold, das verfälscht ist, / deutliche Kennzeichen den Menschen gegeben. Wodurch man aber eigentlich unter den Männern den Schlechten herauskennen sollte, / dafür ist kein Merkmal von Natur dem Körper eingeprägt![877]

Die Diskussion über die Verlässlichkeit der Zeichen wurde durchaus auch im Mittelalter geführt, hier ging es wohl vorwiegend um den Gegensatz zwischen christlich-theologischer Auffassung: *das Äußere ist das Gegenbild des Inneren* und der höfischen Devise: *das Äußere ist das Abbild des Inneren*.[878]

Aber in der Frühen Neuzeit stellen sich diese Fragen unter veränderten Rahmenbedingungen neu und spitzen sich zu. Hier wäre im Sinne einer kulturwissenschaftlich orientierten Geschichte der Emotionen[879] ein größeres interdisziplinäres Forschungsprojekt vonnöten, das unter anderem folgenden Fragen nachgehen müsste: den Veränderungen im Affekterleben und Affektwissen in Beziehung zu den Veränderungen im Bereich des Körperwissens, der Medizin, der Philosophie, der Didaxe und Theologie, den Künsten sowie den gesellschaftlichen und ökonomischen Entwicklungen. Dabei müsste, wie bereits angedeutet, auf die *Differenzen* der jeweiligen Medien und Diskurse geachtet werden. Die Widersprüche, die sich aus dem unterschiedlichen Erbe aus antiker Medizin und Philosophie versus christlich-theologischer Konzeption von Körper und Seele ergaben mit ihren entsprechenden Konsequenzen bezüglich der Wertung von Affekten, müssten thematisiert werden. Die diversen *topoi*, die Orte, von wo aus, in welchem Koordinatensystem und mit welchen Wertvorstellungen über Affekte gesprochen wird, müssten stärker in den Blick kommen.[880] Es liegt auf der Hand, dass in theologischen Traktaten, Anstandsbüchern, aber auch Schriften von Philosophen, denen es um Vernunft und Erkenntnis geht, anders, moralischer, normativer über Emotionen gesprochen wird, als dies in der Kunst der Fall ist.[881] Die bildende Kunst wiederum müsste in ihrem eigenen semantischen Potenzial ernst genommen werden und nicht, was auch bei KunsthistorikerInnen fast ausnahmslos Usus ist, durch sprachliche Diskurse, normative Schriften, Rhetoriken und Kunsttraktate *erklärt* werden. Vielmehr könnten gerade die jeweiligen Spannungen und Überschneidungen zwischen den Feldern und Disziplinen aufschlussreich sein. Bei den Künsten müssten neben den visuellen und sprachlichen Medien unbedingt auch die Musik und der Tanz einbezogen werden.[882] Ebenso müssten die Differenzen und Interdependenzen zwischen dem höfischen und dem beginnenden bürgerlichen Diskurs in ihren Vernetzungen untersucht werden. Der Zweifel an der äußeren Selbstrepräsentation entwickelte sich durchaus auch innerhalb des höfischen Milieus[883]; umgekehrt lässt sich der bürgerliche Diskurs nicht einfach durch die Suche nach dem inneren Selbst, nach den ‚natürlichen' Gefühlen charakterisieren. Das holländische Bürgertum hat sich die höfischen Benimmbücher zu eigen gemacht, und die ‚Natürlichkeit' von Gefühlen basierte auf Codierungen, wurde, wie wir sahen, durch entsprechende Diskurse erst hervorgebracht und durch Erziehung erworben. Desgleichen wäre der Einfluss des Protestantismus auf den Affektdiskurs im Unterschied zum gegenreformatorischen Katholizismus zu analysieren. Zur Erfassung der Spezifik der holländischen Bilder sollte die holländische zeitgenössische Literatur einbezogen werden und selbstredend müsste die Untersuchung in der Malerei auf andere Motive, Themen und KünstlerInnen ausgeweitet werden.

Dennoch lassen sich einige Aspekte festhalten, denen genauer nachzugehen lohnend wäre. Es gibt innerhalb der Veränderung der Rahmenbedingungen zwei Elemente, die das 17. Jahrhundert mit unserer aktuellen Situation verbinden, gleichsam eine Parallele darstellen. Die Veränderungen in der Medizin/Neurobiologie und der Medientechnologie legen das nahe. Das ist aufschlussreich für das Verständnis des Beziehungsgeflechts zwischen dem emotionalen Haushalt und anderen Bereichen und sozialen Praktiken sowie der damit verbundenen Erkenntnis, dass und wie Emotionen kulturell geprägt sind. Im 17. Jahrhundert erschütterte die Entdeckung des Blutkreislaufes durch William Harvey (1628) nachhaltig das bisherige medizinische Wissen, das seit der Antike, dem Mittelalter und der Renaissance die Vorstellung vom Inneren des Menschen geprägt hatte. Das neue medizinische Wissen stellte die alte Humoralpathologie in Frage, damit aber auch das ganze System der Analogien: der Analogie des Menschen zu anderen Lebewesen, zu den Sternen, aber auch das Spiegelverhältnis von innen und außen. Das astrobiologische Paradigma hatte mit seinen Korrespondenzen die Medizin mit der Affektenlehre, der Rhetorik, der Physiognomik und der Moral verbunden. Durch die beginnende naturwissenschaftlich orientierte Medizin wurde der Körper von der Seele geschieden, entspiritualisiert, entzaubert. Descartes hat die Erkenntnisse von Harvey in seiner Philosophie verarbeitet und Körper und Geist konsequent getrennt. Die

877 Euripides, Medea II, 516–519. Georg Otten, Die Medea des Euripides. Ein Kommentar zur deutschen Übersetzung, Berlin 2005, S. 151f.

878 Horst Wenzel, ‚Des menschen muot wont in den ougen.‘ Höfische Kommunikation im Raum der wechselseitigen Wahrnehmung, in: Campe, Schneider 1996, S. 65–98. Siehe auch: Caroline Walker Bynum, Did the Twelfth Century Discover the Individual?, in: dies., Jesus as Mother: Studies in the Spirituality of the High Middle Ages, Berkeley University of California Press 1982, S. 82–109; Barbara Rosenwein, Y avait-il un „moi“ au haut Moyen Age?, in: Revue historique CCCVII/1, S. 31–51.

879 Selbstredend könnte es sich nur um eine Geschichte der *Diskurse* und *Repräsentationen* handeln; die Gefühle der Menschen vergangener Zeiten lassen sich nicht eruieren.

880 Für das Mittelalter haben vor allem die Forschungen von Barbara Rosenwein auf die Differenzen beziehungsweise auf die Überschneidungen der Wertung von Emotionen innerhalb einer Gesellschaft aufmerksam gemacht, etwa zwischen christlich-theologischen und höfisch-ritterlichen Kreisen. Siehe auch: Lutter 2007; Christina Lutter, „Wunderbare Geschichten“. Frömmigkeitsvorstellungen und -praxis in *miracula* des 12. Jahrhunderts, in: Jörg Rogge (Hg.), Religiöse Ordnungsvorstellungen und Frömmigkeitspraxis im Hoch- und Spätmittelalter, Memmingen 2008, S. 41–61.

881 Vgl. Bachorskis Ausführungen zur Literatur des 16. Jahrhunderts (1991, S. 528): „Was beispielsweise in Traktaten nur als Triebäußerung auftaucht, die gedämpft werden muss, steht in einer unabsehbaren Menge von Schwänken als Lust im Mittelpunkt, die über alle Regeln von Kirche, Recht und Staat triumphiert.“

882 Auch im 17. Jahrhundert galt die Musik als affektintensive Kunstgattung. Siehe hierzu Grimm 2000. Es ist bezeichnend, dass Musikinstrumente auf so vielen holländischen Genrebildern eine eminente Rolle spielen.

883 Explizit beispielsweise bei La Rochefoucauld, siehe: Manfred Schneider, La Rochefoucauld: Die Lesbarkeit des Trugs, in: Campe, Schneider 1996, S. 267–281. Aber die Erfahrung des menschlichen Inneren als „verschlossen, unzugänglich und unauslotbar“ findet sich bereits in Shakespeares *Hamlet*, dort als qualvoller Gegensatz zur höfischen Inszenierung, siehe: Aleida Assmann, „An we had the trick to see't.“ Geheimnis und Neugierde in Shakespeares Hamlet, in: Aleida und Jan Assmann (Hg.), Schleier und Schwelle Bd. 3: Geheimnis und Neugierde, München 1999, S. 210–221. Klaus Reichert (Hamlets Falle. Das Paradox der Kultiviertheit, in: Klaus Reichert, Der fremde Shakespeare, München, Wien 1998, S. 57–86) hat gezeigt, dass Hamlet noch keine Sprache zur Artikulation seiner privaten Gefühle gefunden hatte. Vielleicht könnte man sagen, dass Vermeer und seine Künstlerkollegen ein halbes Jahrhundert nach Shakespeare in der holländischen Kultur, deren bürgerliche Privatsphäre bereits ausdifferenziert war, eine ‚Sprache‘ dafür gefunden haben.

Beziehung von innen und außen, von individueller Psyche und sicht- und lesbaren körperlichen Zeichen stellte sich anders und komplexer dar und musste neu definiert werden. Auch gegenwärtig radikalisiert das neue medizinische Wissen innerhalb der Neurobiologie die Diskussion über das Verhältnis von Physis und Psyche und damit über die *Gefühle*. Ebenso tiefgreifend sind wohl die Effekte der Medienrevolution auf den jeweiligen Affekthaushalt. Die Auswirkungen des Endes der Rhetorik und der verstärkten Literalisierung auf den Wandel der Gefühlskultur und die Entstehung der *Empfindsamkeit* im Laufe des 18. Jahrhunderts sind mehrfach beschrieben worden.[884] Gegenwärtig revolutionieren die Neuen Medien mit ihren Technologien und Überwältigungsstrategien nicht nur die Kommunikation, sondern durchaus auch das affektive Leben der Individuen. Die Forschungen in der Neurobiologie und die Revolutionierung der Medientechnologien haben wohl dazu beigetragen, dass der Affektdiskurs (nach langer Pause) gegenwärtig wieder so virulent ist. Zum Verständnis und zur kritischen Einschätzung der aktuellen Situation wäre ein Vergleich mit den Diskursen des 17. Jahrhunderts erhellend. Hierbei sind insbesondere die jeweiligen Differenzen aufschlussreich, beispielsweise dass im 17. Jahrhundert über Affekte immer in Zusammenhang mit ethischen Fragen reflektiert worden ist. Andererseits diskutieren wir heute, ob und wie Gefühle kulturell codiert und geprägt sind, Fragen, die im anthropologischen Diskurs des 17. Jahrhunderts nicht denkmöglich waren. Der kulturhistorische Blick auf die vergangene Zeit schafft die Voraussetzung, die eigene Gegenwart gleichsam im Profil sehen zu können, die Möglichkeiten und Grenzen der aktuellen Debatten schärfer zu fassen, verbunden etwa mit der Frage, welche Disziplinen gegenwärtig für zuständig erachtet werden, sich mit welchen Paradigmen überhaupt mit den Emotionen zu befassen.[885]

Einer sprach- und literaturzentrierten Forschung sei empfohlen, endlich auch die visuellen Medien in die kulturwissenschaftliche Betrachtung einzubeziehen. Im vorliegenden Fall ist dies die Malerei. In der holländischen Malerei wurden in der zweiten Hälfte des 17. Jahrhunderts Repräsentationsformen entwickelt, die Emotionen als komplex, individuell und unsichtbar beschreiben und sie gleichsam ins Innere

884 Campe 1990; Koschorke 1999; Roger Chartier, Lesen und Schreiben in Europa, München 1999, jeweils mit weiterführender Literatur.

885 Die Rahmenbedingungen, die bestimmte Disziplinen vorgeben, sind sehr unterschiedlich und bestimmen wesentlich, wie über Gefühle gesprochen werden kann. Gegenwärtig sind dies nicht mehr primär die Philosophie, sondern insbesondere die Neurobiologie, die Psychologie, die Soziologie und die Medienwissenschaften.

886 Hierzu vor allem Koschorke 1999, der den Wandel der Gefühlskultur „mit der Durchsetzung einer bis dahin unerreichten Wirkungstiefe schriftkultureller Standards verknüpft" sieht (S. 12) und einen neuen Code der Intimität feststellt, „dessen technische Bedingung die schriftliche Verkehrsform ist: der Brief." (S. 175). Durch die private Versenkung in das Lesen (Briefe, Romane) wird die Einbildungskraft gesteigert (u.a. S. 298).

887 Weil das Motiv des Liebesbrief-Lesens symptomatisch ist, scheint es mir auch legitim, die Frage der Affektmodellierung anhand dieses – zugegebenermaßen eingeschränkten – Themas zu diskutieren.

888 Zu der schwierigen Definition des Begriffs ‚Subjektivität', zur Frage einer Geschichte des Selbst und der Selbstwahrnehmung als Individuum beziehungsweise zum Verhältnis von Subjektivität und dem Imaginären: Charles Taylor, Quellen des Selbst. Die Entstehung der neuzeitlichen Identität, Frankfurt. a. M. 1994; Reto Luzius Fetz (Hg.), Geschichte und Vorgeschichte der modernen Subjektivität, Berlin u. a. 1998, darin insbes. der Aufsatz von Roland Hagenbüchle, Subjektivität: Eine historisch-systematische Hinführung, S. 1–79; Hans-Georg Soeffner, Thomas Luckmann, Die Objektivität des Subjektiven. G. Ungeheuers Entwurf einer Theorie kommunikativen Handelns, in: Hermeneutische Wissenssoziologie: Standpunkte zur Theorie der Interpretation, hrsg. von Ronald Hitzler, Konstanz 1999, S. 171–185; Rudolf Behrens (Hg.), Ordnungen des Imaginären. Theorien der Imagination in funktionsgeschichtlicher Sicht. Beiheft der Zeitschrift für Ästhetik und allgemeine Kunstwissenschaft, Hamburg 2002.

des Subjekts verlegen. Dieser Rückzug in die Innerlichkeit wird von der Forschung – der Literaturwissenschaft, Soziologie und Geschichtswissenschaft – gemeinhin in das 18. Jahrhundert datiert. Die Forschung konzentriert sich dabei vor allem auf Frankreich, Deutschland und England. Holland findet keine Beachtung. Die neue Innerlichkeit und Empfindsamkeit (sensibilité) hängt mit der bürgerlichen Entwicklung zusammen, die nachweislich in Holland im 17. Jahrhundert am fortgeschrittensten war. In den späten Bildern von Rembrandt, bei Ter Borch, Vermeer und Hoogstraten finden sich bereits Formen von Innerlichkeit, die in der Literatur erst zu Beginn des 18. Jahrhunderts fassbar wird. In den Bildern mit Liebesbrief lesenden Frauen in Innenräumen wird der von der Forschung[886] beschriebene Zusammenhang von bürgerlicher Privatheit, Briefkultur, Intimität und Affektmodellierung *anschaulich*.[887] Hoogstraten wiederum *reflektiert* dieses Beziehungsgeflecht im *Medium der Malerei*.

Diese scheinbar so ‚mimetische' Malerei ist nicht bloß Beschreibung sichtbarer Wirklichkeit oder Widerspiegelung sozialer Realität. Sie eröffnete neue Möglichkeiten und Räume affektiver Kultur und Imagination. Die holländische Malerei des 17. Jahrhunderts hat damit einen aktiven Beitrag zur Bildung einer modernen Subjektivität geleistet.[888]

Teil II: **Farbtafeln 9–14**

Frans van Mieris
Frau vor dem Spiegel, um 1670

Jan Vermeer
Frau mit Waage, um 1664

Gabriel Metsu
Liebesbrief, um 1664–1667,

Jan Vermeer
Briefleserin am offenen Fenster, um 1657

Jan Vermeer
Briefleserin in Blau, um 1662–64

Samuel van Hoogstraten
Die Pantoffeln, um 1658–60

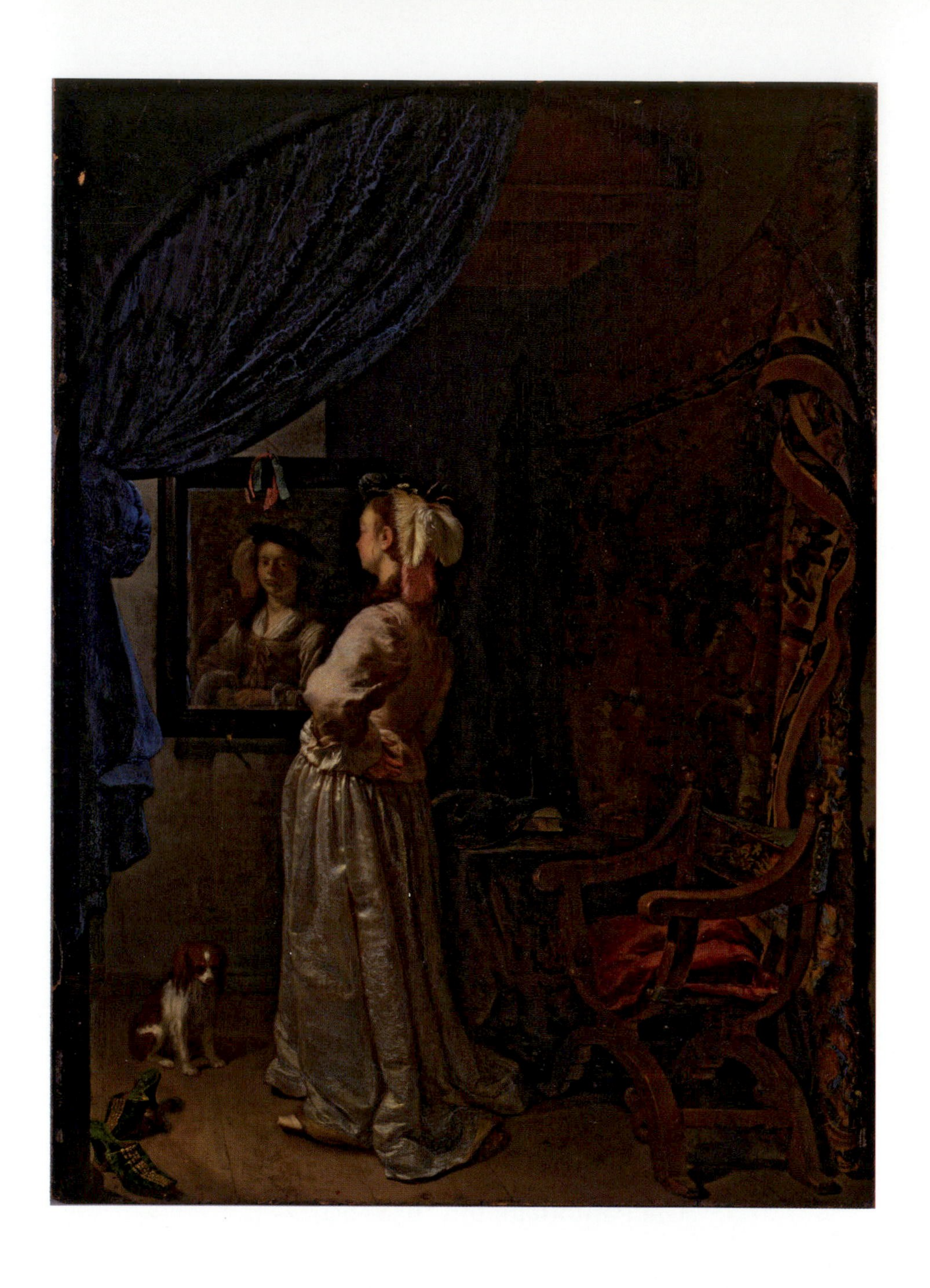

Tafel 9: Frans van Mieris, Frau vor dem Spiegel
um 1670, Öl/Eichenholz, 43/31,5 cm
München, Alte Pinakothek

Tafel 10: Jan Vermeer, Frau mit Waage
um 1664, Öl/Leinwand, 42,5/38 cm
Widener Collection, Washington
National Gallery of Art

Tafel 11: Gabriel Metsu, Liebesbrief
um 1664–1667, Öl/Holz, 52,5/40,2 cm
Dublin, National Gallery of Ireland

Tafel 12: Jan Vermeer, Briefleserin am offenen Fenster
um 1657, Öl/Leinwand, 83/64,5 cm
Dresden, Gemäldegalerie Alte Meister

Tafel 13: Jan Vermeer, Briefleserin in Blau
um 1662–64, Öl/Leinwand, 46,5/39 cm
Amsterdam, Rijksmuseum

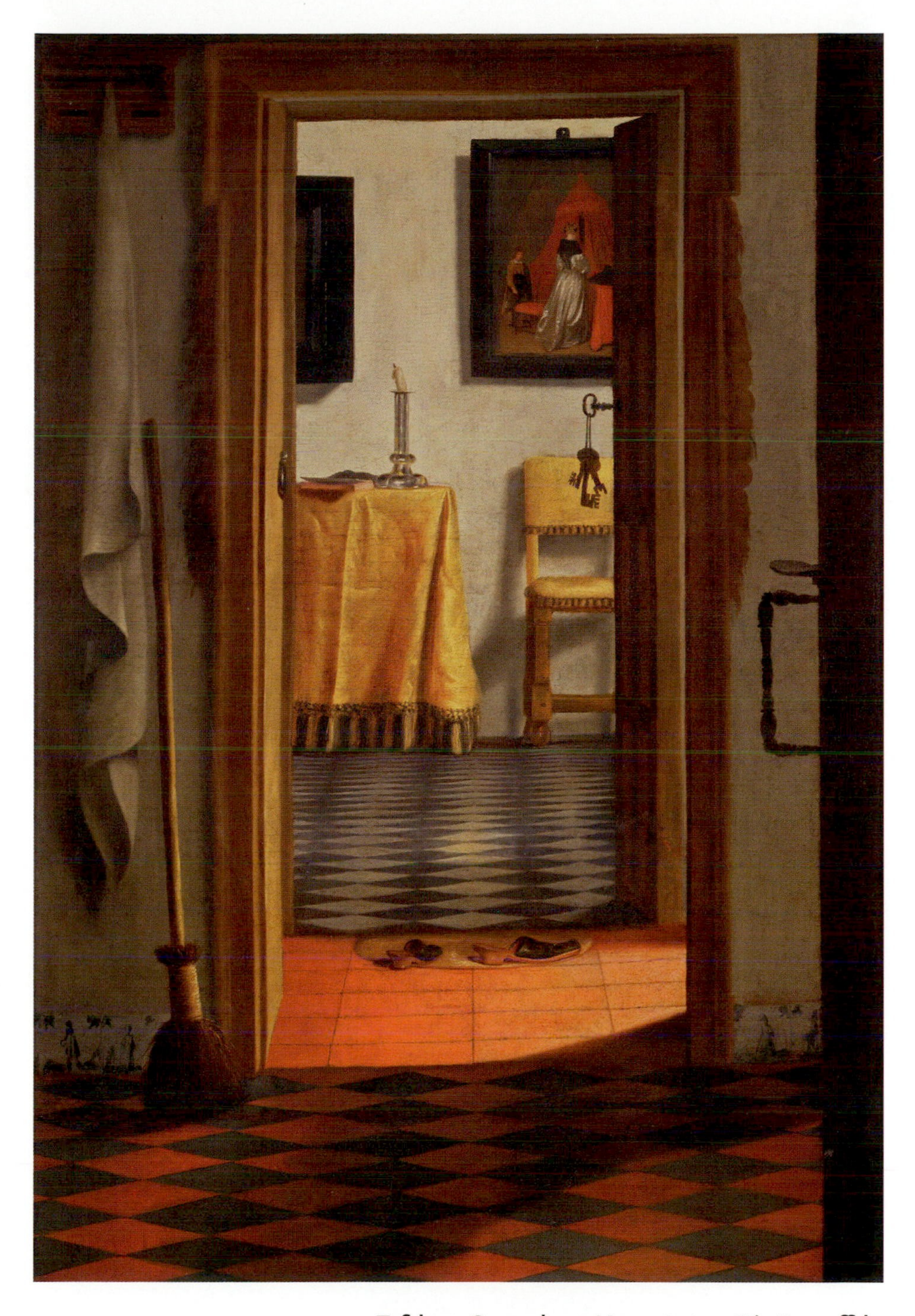

Tafel 14: Samuel van Hoogstraten, Die Pantoffeln
um 1658–60, Öl/Leinwand, 103/70 cm
Paris, Louvre

Literaturverzeichnis

Es werden nur Titel angeführt, die mehrfach zitiert oder für diese Arbeit von besonderer Relevanz sind.

Adams, Ann Jensen, „Der sprechende Brief". Kunst des Lesens, Kunst des Schreibens. Schriftkunde und schoonschrijft in den Niederlanden im 17. Jahrhundert, in: AK Frankfurt 1993, S. 69–92

Adams, Ann Jensen (Hg.), *Rembrandt's Bathseba Reading King Davids Letter*, Cambridge University Press 1998

Adams, Ann Jensen, Disciplining the Hand, Disciplining the Heart: Letter-Writing Paintings and Practices in Seventeenth-Century Holland, in: AK Dublin, Greenwich 2003, S. 63–76

Aigremont, *Fuß- und Schuh-Symbolik und -Erotik*, Leipzig 1909

Aillaud, Gilles / Blankert, Albert / Montias, John Michael, *Vermeer*, Paris 1987 (1986)

Alpers, Svetlana, Described or Narrated? A Problem in Realistic Representation, in: *New Literary History* 8, 1976, S. 15–41

Alpers, Svetlana, *Kunst als Beschreibung. Holländische Malerei des 17. Jahrhunderts*, Köln 1985 (*The Art of Describing. Dutch Art in the Seventeenth Century*, University of Chicago Press 1983)

Alpers, Svetlana, *Rembrandt als Unternehmer*, Köln 2003 (1989, engl. 1988)

Ames-Lewis, Francis / Rogers, Mary (Hg.), *Concepts of Beauty in Renaissance Art*, London 1997

Angerer, Marie-Luise, *Vom Begehren nach dem Affekt*, Zürich, Berlin 2007

Arasse, Daniel, *Vermeer's Ambition*, Dresden 1996

Asemissen, Hermann Ulrich / Schweikhart, Gunter, *Malerei als Thema der Malerei*, Berlin 1994

Assmann, Aleida und Jan (Hg.), *Schleier und Schwelle*, Bd. 2: *Geheimnis und Offenbarung*, München 1998, Bd. 3: *Geheimnis und Neugierde*, München 1999

Baar, Mirjam de / Löwensteyn, Machteld / Monteiro, Marit / Sneller, Agnes (Hg.), *Choosing the Better Part. Anna Maria van Schurman (1607–1678)*, Dordrecht, Boston, London 1996

Bachorski, Hans Jürgen (Hg.), *Ordnung und Lust. Bilder von Liebe, Ehe und Sexualität in Spätmittelalter und Früher Neuzeit*, Trier 1991

Bal, Mieke, *Reading Rembrandt. Beyond the Word-Image Opposition*, Cambridge University Press 1991

Bal, Mieke / Bryson, Norman, Semiotics and Art History, in: *The Art Bulletin* 73/2, 1991, S. 176–208

Bal, Mieke, Reading Bathseba: From Mastercodes to Misfits, in: Adams 1998, S. 119–146

Baltrusaitis, Jurgis, *Der Spiegel. Entdeckungen, Täuschungen, Phantasien*, Gießen 1996 (1986)

Barta, Ilsebill / Breu, Zita / Hammer-Tugendhat, Daniela / Jenni, Ulrike / Nierhaus, Irene / Schöbel, Judith (Hg.), *Frauen, Bilder, Männer, Mythen. Kunsthistorische Beiträge*, Berlin 1987

Baxandall, Michael, *Die Wirklichkeit der Bilder. Malerei und Erfahrung im Italien des 15. Jahrhunderts*, Frankfurt a. M. 1988

Beaujean, Dieter, *Bilder in Bildern. Studien zur niederländischen Malerei des 17. Jahrhunderts*, Weimar 2001

Becker, Jochen, Der Blick auf den Betrachter: Mehrdeutigkeit als Gestaltungsprinzip niederländischer Kunst des 17. Jahrhunderts, in: *L'Art et les révolutions*, Section 7, XXVIIe congrès international d'histoire de l'Art, Strassburg 1989, S. 76–92

Becker, Jochen, Are these Girls really so neat? On Kitchen scenes and Method, in: Freedberg / Vries 1991, S. 138–173

Beebee, Thomas O., *Epistolary Fiction in Europe 1500–1850*, Cambridge University Press 1999

Beilmann, Mechthild, *Das Regentenstück in Leiden*, München 1989

Benthien, Claudia / Fleig, Anne / Kasten, Ingrid (Hg.), *Emotionalität. Zur Geschichte der Gefühle*, Köln, Weimar, Wien 2000

Benthien, Claudia / Stephan, Inge (Hg.), *Männlichkeit als Maskerade. Kulturelle Inszenierungen vom Mittelalter bis zur Gegenwart*, Köln, Weimar, Wien 2003

Berger, Harry, Jr., *Fictions of the Pose. Rembrandt against the Italian Renaissance*, Stanford University Press 2000

Bialostocki, Jan, Man and Mirror in Painting, Reality and Transcience, in: *Studies in Honour of Millard Meiss*, New York 1977, S. 61–72

Blankert, Albert, *Kunst als regeringszaak in Amsterdam in de 17e eeuw. Rondom schilderijen van Ferdinand Bol*, Ausstellungskatalog, Königliches Palais Amsterdam 1975

Blankert, Albert, *Johannes Vermeer van Delft*, Utrecht, Antwerpen 1975 (Oxford, New York 1978, Frankfurt a. M. 1980)

Bleyerveld, Yvonne, Chaste, Obedient and Devout: Biblical Women as Patterns of Female Virtue in Netherlandish and German Graphic Art, ca. 1500–1730, in: *Simiolus* 28/4, 2000–2001, S. 219–250

Bock, Gisela / Zimmermann, Margarete (Hg.), *Die europäische Querelle des Femmes: Geschlechterdebatten seit dem 15. Jahrhundert*, Stuttgart u. a. 1997

Boehm, Gottfried (Hg.), *Was ist ein Bild?* München 1994

Böhme, Hartmut, Gefühl, in: Christoph Wulf (Hg.), *Vom Menschen. Handbuch. Historische Anthropologie*, Weinheim, Basel 1997, S. 525–548

Boenke, Michaela, *Körper, spiritus, Geist. Psychologie vor Descartes*, München 2005

Bohn, Volker (Hg.), *Bildlichkeit*, Frankfurt a. M. 1990

Bonjione, Gaila, *Shifting Images: Susanna through the Ages*, Florida State University 1997

Bourdieu, Pierre, Männliche Herrschaft, in: Irene Dölling / Beate Krais (Hg.), *Ein alltägliches Spiel. Geschlechterkonstruktion in der sozialen Praxis*, Frankfurt a. M. 1997, S. 153–217

Braun, Christina von / Stephan, Inge (Hg.), *Gender@Wissen. Ein Handbuch der Gender-Theorien*, Köln 2005

Bray, Bernard, *L'art de la lettre amoureuse. Des manuals aux romans (1550–1700)*, Den Haag, Paris 1967

Bredekamp, Horst / Krämer, Sybille (Hg.), *Bild – Schrift – Zahl*, München 2003

Brederoo, Nicolaas J. u.a. (Hg.), *Oog in oog met de spiegel*, Amsterdam 1988

Brusati, Celeste, *Artifice and Illusion. The Art and Writing of Samuel van Hoogstraten*, The University of Chicago Press 1995

Bryson, Norman, *Vison and Painting. The Logic of the Gaze*, London 1983

Bryson, Norman, Two Narratives of Rape in the Visual Arts: Lucretia and the Sabine Women, in: Tomaselli / Porter 1989, S. 152–173

Bryson, Norman, *Looking at the Overlooked. Four Essays on Still Life Painting*, London 1990

Bunge, Wiep van, Philosophy, in: Frijhoff / Spies 2004, S. 281–346

Busch, Werner, Rembrandts ‚Ledikant' – der Verlorene Sohn im Bett, in: *Oud Holland* 97, 1983, S. 257–265

Busch, Werner, Das keusche und das unkeusche Sehen. Rembrandts Diana, Aktaion und Callisto, in: *Zeitschrift für Kunstgeschichte* 52, 1989, S. 257–277

Campe, Rüdiger, *Affekt und Ausdruck. Zur Umwandlung der literarischen Rede im 17. und 18. Jahrhundert*, Tübingen 1990

Campe, Rüdiger / Schneider, Manfred (Hg.), *Geschichten der Physiognomik. Text, Bild, Wissen*, Freiburg i. Br. 1996

Carroll, Jane L. / Stewart, Alison G. (Hg.), *Saints, Sinners, and Sisters. Gender and Northern Art in Medieval and Early Modern Europe*, Aldershot, Burlington 2003

Cats, Jacob, *Huwelijk (1625)*, hrsg. von Agnes A. Sneller, Amsterdam 1993

Chapman, H. Perry, *Rembrandt's Self-Portraits. A Study in Seventeenth-Century Identity*, Princeton University Press 1990

Chastel, André, Le Tableau dans le tableau, in: *Stil und Überlieferung in der Kunst des Abendlandes. Akten des 21. internationalen Kongresses für Kunstgeschichte in Bonn 1964*, Berlin 1967, Bd. 1, S. 15–29, ebenfalls abgedruckt in: ders., *Fables, Formes, Figures II*, Paris 1978, S. 75–98

Chaytor, Miranda, Husband(ry): Narratives of Rape in the Seventeenth Century, in: *Gender and History*, 7, 3, Nov. 1995, S. 378–407

Chong, Alan / Zell, Michael (Hg.), *Rethinking Rembrandt*, Zwolle 2002

Clark, Kenneth, *Rembrandt and the Italian Renaissance*, London 1966

Connell, Robert W., *Der gemachte Mann. Konstruktion und Krise von Männlichkeiten*, Opladen 1999 (Masculinities, Cambridge 1995)

Courtine, Jean-Jacques / Haroche, Claudine, *Histoire du visage. Exprimer et taire ses émotions (XVIe-début XIXe siècle)*, Paris 1994 (1988)

Cropper, Elizabeth: The Place of Beauty in the High Renaissance and its Displacement in the History of Art, in: Alvin Vos (Hg.), *Place and Displacement in the Renaissance. (Medieval and Renaissance Texts and Studies* Bd. 132) Binghampton und New York: Center for Medieval & Early Renaissance Studies, State University of New York 1995, S. 159–205

Czech, Hans-Jörg, *Im Geleit der Musen. Studien zu Samuel van Hoogstratens Malereitraktat, Inleyding tot de hooge schoole der schilderkonst: anders de zichtbaere werelt*, Münster 2002 (Niederlande-Studien 27)

Czech, Hans-Jörg, Klassizismus mit niederländischem Antlitz. Fundierung und Propagierung im kunsttheoretischen Werk von Samuel van Hoogstraten, in: Mai 2006, S. 97–118

Descartes, René, *Traité sur les passions de l'âme. Die Leidenschaften der Seele*. Französisch-Deutsch, hrsg. und übersetzt von Klaus Hammacher, Hamburg 1996

Dickey, Stephanie S., Rembrandt and Saskia: Art, Commerce, and the Poetics of Portraiture, in: Chong 2002, S. 17–47

Dickhaut, Kirsten / Rieger, Dietmar, (Hg.), *Liebe und Emergenz. Neue Modelle des Affektbegreifens im französischen Kulturgedächtnis um 1700*, Tübingen 2006

Dinges, Martin (Hg.), *Männer-Macht-Körper. Hegemoniale Männlichkeiten vom Mittelalter bis heute*, Frankfurt a. M. 2005

Dirscherl, Klaus (Hg.), *Bild und Text im Dialog*, Passau 1993

Donaldson, Ian, *The Rapes of Lucretia. A Myth and its Transformations*, Oxford 1982

Earle, Rebecca (Hg.), *Epistolary Selves. Letters and Letterwriters, 1600–1945*, Aldershot, Brookfield 1999

Eco, Umberto, *Über Spiegel und andere Phänomene*, München 1990

Eipeldauer, Heike, *„books are different." Holländische Bücherstillleben im 17. Jahrhundert am Beispiel von Jan Davidsz. de Heem: Zum Verhältnis von Bild und Text, Sehsinn und Tastsinn*, Diplomarbeit, Universität Wien 2007

Elias, Norbert, *Über den Prozeß der Zivilisation*, 2 Bde, Bern, München 1969 (1936)

Emmens, Jan A., *Rembrandt en de regels van de kunst*, Utrecht 1968

Engel, Gisela / Hassauer, Friederike / Rang, Brita / Wunder, Heide (Hg.), *Geschlechterstreit am Beginn der europäischen Moderne. Die Querelle des Femmes*, Königstein / Taunus 2004

Erlach, Daniela / Reisenleitner, Markus / Vocelka, Karl (Hg.), *Privatisierung der Triebe? Sexualität in der Frühen Neuzeit*, Frankfurt a. M. u.a. 1994

Faust, Wolfgang Max, *Bilder werden Worte. Zum Verhältnis von bildender Kunst und Literatur. Vom Kubismus bis zur Gegenwart*, Köln 1987 (1977)

Fend, Mechthild / Koos, Marianne (Hg.), *Männlichkeit im Blick. Visuelle Inszenierungen in der Kunst seit der Frühen Neuzeit*, Köln, Weimar, Wien 2004

Follak, Jan, *Lucretia zwischen positiver und negativer Anthropologie. Colluccio Salutatis Declamatio Lucretie und die Menschenbilder im exemplum der Lucretia von der Antike bis in die Neuzeit*, im Internet: http://www.ub.uni-konstanz.de/kops/volltexte/2002/914 (URN: urn:nbn:de:bsz:352-opus-9144)

Foucault, Michel, *Die Ordnung der Dinge*, Frankfurt a. M. 1974 (*Les mots et les choses*, Paris 1966)

Foucault, Michel, *Sexualität und Wahrheit*, 3 Bde, Frankfurt a. M. 1983–1989

Franits, Wayne E., *Paragons of Virtue. Women and Domesticity in Seventeenth-Century Dutch Art*, Cambridge University Press 1993

Franits, Wayne E. (Hg.), *Looking at Seventeenth-Century Dutch Art. Realism Reconsidered*, Cambridge University Press 1997

Franits, Wayne, E. (Hg.), *The Cambridge Companion to Vermeer*, Cambridge University Press 2001

Franits, Wayne, E., *Dutch Seventeenth-Century Genre Painting*, Yale University Press, New Haven, London 2004

Freedberg, David, Johannes Molanus on Provocative Paintings. De historia sanctarum imaginum et picturarum II/42, in: *Journal of the Warburg and Courtauld Institutes* 34, 1971, S. 229–245

Freedberg, David, *The Power of Images*, University of Chicago Press 1989

Freedberg, David / de Vries, Jan (Hg.), *Art in History, History in Art. Studies in Seventeenth-Century Dutch Culture*, Santa Monica 1991

Freedman, Luba / Huber-Rebenich, Gerlinde (Hg.), *Wege zum Mythos*, Berlin 2001

Friedrich, Annegret / Haehnel, Birgit / Schmidt-Linsenhoff, Viktoria / Threuter, Christina (Hg.), *Projektionen. Rassismus und Sexismus in der Visuellen Kultur*, Marburg 1997

Frijhoff, Willem / Spies, Marijke, *1650: Hard-Won Unity. Dutch Culture in a European Perspective*, Bd. I, Assen 2004

Galinsky, Hans, *Der Lucretia-Stoff in der Weltliteratur*, Breslau 1932

Garrard, Mary D., *Artemisia Gentileschi. The Image of the Female Hero in Italian Baroque Art*, Princeton 1989

Gaskell, Ivan, Vermeer, Judgement and Truth, in: *Burlington Magazine*, 126, 1984, S. 557–561

Gaskell, Ivan (Hg.), *Vermeer Studies*, Yale University Press, New Haven, London 1998

Gaskell, Ivan, *Vermeer's Wager. Speculations on Art History, Theory and Art Museums*, London 2000

Gaukroger, Stephen (Hg.), *The Soft Underbelly of Reason: The Passions in the Seventeenth-Century*, London u. a. 1998

Georgel, Pierre / Lecoq, Anne-Marie, *La peinture dans la peinture*, Dijon 1982

Georgen, Theresa, Das magische Dreieck. Über Blickkontakte in Spiegelbild-Darstellungen neuzeitlicher Malerei, in: Judith Conrad / Ursula Konnertz (Hg.), *Weiblichkeit in der Moderne. Ansätze feministischer Vernunftkritik*, Tübingen 1986, S. 244–269

Georgen, Theresa, Lucretias Vergewaltigung. Privatisierung einer Staatsaffäre, in: Lindner u.a. 1989, S. 437–444

Gerson, Horst, *Rembrandt Paintings*, Amsterdam 1986

Gilboa, Anat, *Images of the Feminine in Rembrandt's Work*, Delft 2003

Ginzburg, Carlo, Tizian, Ovid und die erotischen Bilder im Cinquecento, in: ders., *Spurensicherungen. Über verborgene Geschichte, Kunst und soziales Gedächtnis*, München 1988 (1983)

Gludovatz, Karin, *Fährten legen, Spuren lesen. Die Künstlersignatur als poietische Referenz*, München 2009

Goedde, Lawrence Otto, *Tempest and Shipwreck in Dutch and Flemish Art. Convention, Rhetoric, and Interpretation*, University Park and London 1989

Goodman, Nelson, *Sprachen der Kunst. Entwurf einer Symboltheorie*, Frankfurt a. M. 1995

Gössmann, Elisabeth (Hg.), *Ob die Weiber Menschen seyn, oder nicht?* München 1988

Greub, Thierry, *Vermeer oder die Inszenierung der Imagination*, Petersberg 2004

Grimm, Hartmut, Affekt, in: Karl-Heinz Barck u.a. (Hg.), *Ästhetische Grundbegriffe*, Bd. 1, Stuttgart, Weimar 2000, S. 16–49

Grohé, Stefan, *Rembrandts mythologische Historien*, Köln, Weimar, Wien 1996

Groß, Sabine, Schrift-Bild. Die Zeit des Augen-Blicks, in: Christoph Tholen u.a. (Hg.), *Zeit-Zeichen*, Weinheim 1990, S. 231–246

Gudlaugsson, S. J., *Gerard ter Borch*, 2 Bde, Den Haag 1959–60

Haak, Bob, *Group Portraits in the Amsterdam Historical Museum*, 2 Bde. (Bd I: *Civic Guard Portraits*, Bd. II: *Regents, Regentesses and Syndics*) Amsterdam 1986

Haak, Bob, *Das Goldene Zeitalter der holländischen Malerei*, Köln 1996 (1984)

Häslein, Christiane, *Am Anfang war das Wort. Das Ende der „stommen Schilderkonst" am Beispiel Rembrandts*, Weimar 2004

Haks, Donald / Sman, Marie Christine van der (Hg.), *Dutch Society in the Age of Vermeer*, Zwolle 1996

Hammer-Tugendhat, Daniela, Erotik und Geschlechterdifferenz. Aspekte zur Aktmalerei Tizians, in: Erlach u.a. 1994, S. 367–446

Hammer-Tugendhat, Daniela, Judith und ihre Schwestern. Konstanz und Veränderung von Weiblichkeitsbildern, in: Annette Kuhn / Bea Lundt (Hg.), *Lustgarten und Dämonenpein. Konzepte von Weiblichkeit in Mittelalter und früher Neuzeit*, Dortmund 1997, S. 343–385

Hammer-Tugendhat, Daniela, Rembrandt und der bürgerliche Subjektentwurf: Utopie oder Verdrängung? in: Ulrich Bielefeld / Gisela Engel (Hg.), *Bilder der Nation. Kulturelle und politische Konstruktionen des Nationalen am Beginn der europäischen Moderne*, Hamburg 1998, S. 154–178

Hammer-Tugendhat, Daniela, Kunst, Sexualität und Geschlechterkonstruktionen in der abendländischen Kultur, in: Franz. X. Eder / Sabine Frühstück (Hg.), *Neue Geschichten der Sexualität. Beispiele aus Ostasien und Zentraleuropa 1700–2000*, Wien 2000, S. 69–92

Hammer-Tugendhat, Daniela, Kunst der Imagination / Imagination der Kunst. Die Pantoffeln Samuel van Hoogstratens, in: Klaus Krüger / Alessandro Nova (Hg.), *Imagination und Wirklichkeit. Zum Verhältnis von mentalen und realen Bildern in der Kunst der frühen Neuzeit*, Mainz 2000, S. 139–153

Hammer-Tugendhat, Daniela, Liebesbriefe. Plädoyer für eine neues Text-Bild-Verständnis der holländischen Malerei des 17. Jahrhunderts, in: *Kunsthistoriker. Mitteilungen des österreichischen Kunsthistorikerverbandes*, 10. Tagungsband, Wien, 2000, S. 126–133

Hammer-Tugendhat, Daniela, Der unsichtbare Text. Liebesbriefe in der holländischen Malerei des 17. Jahrhunderts, in: Wenzel / Seipel / Wunberg 2001, S. 159–174

Hammer-Tugendhat, Daniela, Kunst / Konstruktionen, in: Lutz Musner / Gotthart Wunberg (Hg.), *Kulturwissenschaften. Forschung – Praxis – Positionen*, Wien 2002, S. 313–338

Hammer-Tugendhat, Daniela, Arcana Cordis. Zur Konstruktion des Intimen in der Malerei von Vermeer, in: Gisela Engel / Brita Rang / Klaus Reichert / Heide Wunder (Hg.), *Das Geheimnis am Beginn der europäischen Moderne. Zeitsprünge, Forschungen zur Frühen Neuzeit*, Bd. 6, 2002, S. 234–256

Hammer-Tugendhat, Daniela, Alterität und Persistenz. Rembrandt und die antiken Geschichten, in: Jan Bloemendal / Agnes Sneller / Mirjam de Baar (Hg.) *Bronnen van inspiratie. Recepties van de klassieken in de vroegmoderne Nederlanden in muziek, literatuur en beeldende kunst*, Hilversum 2007, S. 77–97

Hammer-Tugendhat, Daniela, Gott im Schatten? Zur Bedeutung des Lichts bei Caravaggio und Rembrandt, in: Christina Lechtermann / Haiko Wandhoff (Hg.), *Licht, Glanz, Blendung. Beiträge zu einer Kulturgeschichte des Leuchtenden*, Publikationen zur Zeitschrift für Germanistik, NF, 18, Bern 2008, S. 177–189

Hämmerle, Christa (Hg.), *Briefkulturen und ihr Geschlecht. Zur Geschichte der privaten Korrespondenz vom 16. Jahrhundert bis heute*, Wien 2003 (L'Homme, Schriften 7)

Hämmerle, Christa / Saurer, Edith, Frauenbriefe – Männerbriefe? Überlegungen zu einer Briefgeschichte jenseits von Geschlechterdichotomien, in: Hämmerle 2003, S. 7–32

Hanika, Karin, Lucretia als ‚Damenopfer' patriarchaler Tugendkonzeptionen. Die vier Kupferstiche des Hendrik Goltzius, in: Helga Sciurie / Hans Jürgen Bachorski (Hg.), *Eros – Macht – Askese. Geschlechterspannungen als Dialogstruktur*, Trier 1996, S. 395–422

Hanika, Karin, ‚Eine offene Tür, ein offenes Mieder'. Das Schicksal der Lucretia zwischen Vergewaltigung und Ehebruch, in: Ulrike Gaebel / Erika Kartschoke (Hg.), *Böse Frauen – gute Frauen. Darstellungskonventionen in Texten und Bildern des Mittelalters und der Frühen Neuzeit*, Trier 2001, S. 109–132

Hartlaub, Gustav F., *Zauber des Spiegels. Geschichte und Bedeutung des Spiegels in der Kunst*, München 1951

Haubl, Rolf, *„Unter lauter Spiegelbildern…" Zur Kulturgeschichte des Spiegels*, 2 Bde, Frankfurt a. M. 1991

Haverkamp-Begemann, Egbert, *Rembrandt. The Nigthwatch*, Princeton 1982

Heckscher, William S., Recorded from Dark Recollection, in: Millard Meiss (Hg.), *De Artibus Opuscula XL. Essays in Honour of E. Panofsky*, New York University Press 1961, S. 187–200

Heel, Dudok van, S. A. C., Rembrandt: his Life, his Wife, the Nursemaid and the Servant, in: AK Edinburgh, London 2001, S. 19–27

Heffernan, James A.W., *Museum of Words. The Poetics of Ekphrasis from Homer to Ashbery*, The University of Chicago Press, Chicago, London 1993

Heijden, Manon van der, *Huwelijk in Holland. Stedelijke rechtspraak en kerkelijke tucht, 1550–1700*, Amsterdam 1998

Heijden, Manon van der, Women as Victims of Sexual and Domestic Violence in Seventeenth-Century Holland: Criminal Cases of Rape, Incest and Maltreatment in Rotterdam and Delft, in: *Journal of Social History 33*, 2000, S. 623ff

Hekma, Gert / Roodenburg, Herman, *Soete minne en helsche Bosheit. Seksuele Voorstellingen in Nederland 1300–1850*, Nijmegen 1988

Held, Julius, Das gesprochene Wort bei Rembrandt, in: Otto von Simson / Jan Kelch (Hg.), *Neue Beiträge zur Rembrandt-Forschung*, Berlin 1973, S. 111–125

Henkel, Arthur / Schöne, Albrecht, *Emblemata. Handbuch zur Sinnbildkunst des XVI und XVII Jahrhunderts*, Stuttgart 1967

Hentschel, Linda, *Pornotopische Techniken des Betrachtens. Raumwahrnehmung und Geschlechterordnung in visuellen Apparaten der Moderne*, Studien zur visuellen Kultur 2, Marburg 2001

Herding, Klaus / Stumpfhaus, Bernhard (Hg.), *Pathos, Affekt, Gefühl. Die Emotionen in den Künsten*, Berlin, New York 2004

Herrmann, Michaela, *Vom Schauen als Metapher des Begehrens. Die venezianischen Darstellungen der Susanna im Bade im Cinquecento*, Marburg 1990

Hertel, Christiane, *Vermeer. Reception and Interpretation*, Cambridge University Press 1996

Higgins, Lynn A. / Silver, Brenda R. (Hg.), *Rape and Representation*, Columbia University Press, New York, Oxford 1991

Hoffmann-Curtius, Kathrin / Wenk, Silke, *Mythen von Autorschaft und Weiblichkeit im 20. Jahrhundert*, Marburg 1997

Hollander, Marta, *An Entrance for the Eyes. Space and Meaning in Seventeenth-Century Dutch Art*, Berkeley, University of California Press 2002

Homer, *Odyssee*, hrsg. von Friedrich Georg Jünger, Stuttgart 1981

Honig, Elizabeth Alice, The Space of Gender in Seventeenth-Century Dutch Painting, in: Franits 1997, S. 187–201

Honig, Elizabeth Alice, Desire and Domestic Economy, in: *The Art Bulletin* 83, 2001/2, S. 294–315

Hoogstraten, Samuel van, *Inleyding tot de hooge schoole der schilderkonst*, Rotterdam 1678, Nachdruck 1969

Hornäk, Sara, *Spinoza und Vermeer. Immanenz in Philosophie und Malerei*, Würzburg 2004

Huber-Rebenich, Gerlinde, Die Macht der Tradition. Metamorphosen-Illustrationen im späten 16. und frühen 17. Jahrhundert, in: Gerlinde Huber-Rebenich / Luba Freedman (Hg.), *Wege zum Mythos*, Berlin, 2001, S. 141–161

Huizinga, Johan, *Holländische Kultur des 17. Jahrhunderts. Ihre sozialen Grundlagen und nationale Eigenart*, Jena 1933

Hults, Linda C., Dürer's Lucretia: Speaking the Silence of Women, in: *Signs*, 1991, S. 205–237

Hunt, Lynn, *Die Erfindung der Pornografie. Obszönität und die Ursprünge der Moderne*, Frankfurt a. M. 1994

Israel, Jonathan, *The Dutch Republic: Its Rise, Greatness, and Fall 1477–1806*, 2 Bde, Franeker 1996

Jäger, Ludwig, Sprache als Medium. Über die Sprache als audio-visuelles Dispositiv des Medialen, in: Wenzel / Seipel / Wunberg 2001, S. 19–42

Jäger, Ludwig, Transkriptivität. Zur medialen Logik der kulturellen Semantik, in: Ludwig Jäger / Georg Stanitzek (Hg.), *Transkribieren. Medien / Lektüre*, München 2002, S. 19–41

Jäger, Ludwig, Transkriptive Verhältnisse. Zur Logik intra- und intermedialer Bezugnahmen in ästhetischen Diskursen, in: Gabriele Buschmeier / Ulrich Konrad / Albrecht Riethmüller (Hg.), *Transkription und Fassung in der Musik des 20. Jahrhunderts. Beiträge des Kolloquiums in der Akademie der Wissenschaften und der Literatur*, Mainz 2004, Stuttgart 2007, S. 103–134

Jäger, Ludwig, Text-Bild-Verständnisse, in: *Asymmetrien. Festschrift zu Ehren von Daniela Hammer-Tugendhats 60. Geburtstag*, hrsg. von der Universität für angewandte Kunst Wien, Wien 2008, S. 31–37

Jäger, Ludwig, Transkription. Überlegungen zu einem interdisziplinären Forschungskonzept, in: Walter Bruno Berg / Rolf Kailuweit / Stefan Pfänder (Hg.), *Migrations et transcriptions: Europe et Amerique latine de voies en voix*, Freiburg (im Druck)

Jäger, Stephen / Kasten, Ingrid (Hg.), *Codierungen von Emotionen im Mittelalter / Emotions and Sensibilities in the Middle Ages*, Berlin, New York 2003

James, Susan, *Passion and Action. The Emotions in Seventeenth-Century Philosophy*, Oxford 2003 (1997)

Janicek, Christine, *Rembrandts Bad der Diana mit Aktäon und Kallisto,* Diplomarbeit, Universität Wien 2004

Johannessen, Kåre Landvik, *Zwischen Himmel und Erde. Eine Studie über Joost van den Vondels biblische Tragödien in gattungsgeschichtlicher Perspektive*, Oslo 1963

Jongh, Eddy de, *Zinne-en minnebeelden in de schilderkunst van de zeventiende eeuw*, Amsterdam 1967

Jongh, Eddy de, A Bird's-Eye view of Erotica. Double entendre in a Series of Seventeent-Century Genre Scenes, in: ders., 2000, S. 22–58, Anm. S. 245–259. (Erotika in vogelperspectief: de dubbelzinnigheid van een reeks zeventiende-eeuwse genrevoorstellingen, in: *Simiolus* 3, 1968–69, S. 22–74)

Jongh, Eddy de, Tot leering en vermaak. Betekenissen van Hollandse genrevoorstellingen uit de zeventiende eeuw, in: AK Amsterdam 1976

Jongh, Eddy de, Die „Sprachlichkeit" der niederländischen Malerei im 17. Jahrhundert, in: AK Frankfurt a. M. 1993, S. 23–33

Jongh, Eddy de, Realism and Seeming Realism in Seventeenth-Century Dutch Painting, in: Franits 1997, S. 21–56, (Realisme en schijnrealisme in de Hollandse schilderkunst van de zeventiende eeuw, in: *Rembrandt en zijn tijd,* Ausstellungskatalog, Brüssel 1971, S. 143–194)

Jongh, Eddy de, On Balance, in: Gaskell 1998, S. 351–365

Jongh, Eddy de, *Questions of Meaning. Theme and Motif in Dutch Seventeenth-Century Painting,* Leiden 2000

Jongh, Eddy de, Questions of Understanding, in: AK Den Haag, Washington 2005 / 06, S. 44–61

Jonker, Michiel, Public or Private Portraits: Group Portraits of Amsterdam Regents and Regentesses, in: Wheelock / Seeff 2000, S. 206–226

Kahn, Coppelia, Lucrece: The Sexual Politics of Subjectivity, in: Higgins / Silver 1991, S. 141–159

Kaltenecker, Siegfried / Tillner, Georg, Offensichtlich männlich. Zur aktuellen Kritik der heterosexuellen Männlichkeit, in: *Texte zur Kunst* 17, Februar 1995, S. 37–47

Kapp, Volker, (Hg.), *Die Sprache der Zeichen und Bilder. Rhetorik und nonverbale Kommunikation in der frühen Neuzeit*, Marburg 1990

Kelch, Jan / Simson, Otto von, *Neue Beiträge zur Rembrandt-Forschung*, Berlin 1973

Kelly, Joan, Early Feminist Theory and the Querelle des Femmes, in: *Signs* 8, 1982, S. 4–28

Kemp, Wolfgang (Hg.), *Der Betrachter ist im Bild. Kunstwissenschaft und Rezeptionsästhetik*, Köln 1985

Kemp, Wolfgang, *Rembrandt. Die Heilige Familie oder die Kunst, einen Vorhang zu lüften*, Frankfurt a. M. 1986

Kemp, Wolfgang, Kunstwerk und Betrachter: Der rezeptionsästhetische Ansatz, in: Hans Belting / Heinrich Dilly / Wolfgang Kemp / Willibald Sauerländer, *Kunstgeschichte. Eine Einführung,* Berlin 2003 (1985), S. 247–265

Kettering, Alison McNeil, Gentleman in Satin: Masculine Ideals in Late Seventeenth Dutch Portraiture, in: *Art Journal* 2, 1997, S. 41–47

Kettering, Alison McNeil, Ter Borch's Ladies in Satin, in: Franits 1997, S. 98–115

Kirchner, Thomas, *L'Expression des passions. Ausdruck als Darstellungsproblem in der französischen Kunst und Kunsttheorie des 17. und 18. Jahrhunderts*, Mainz 1991

Kloek, Els / Teeuwen, Nicole / Huisman, Marijke (Hg.), *Women of the Golden Age. An International Debate on Women in Seventeenth-Century Holland, England and Italy*, Hilversum 1994

Koch, Angela, Die Verletzung der Gemeinschaft. Zur Relation der Wort- und Ideengeschichte von „Vergewaltigung", in: *Österreichische Zeitschrift für Geschichtswissenschaften, „Bodies / Politics"*, hrsg. von Johanna Gehmacher / Gabriella Hauch / Maria Mesner, Innsbruck, Wien 2004, S. 37–56

Koch, Elisabeth, *Maior dignitas est in sexu virili. Das weibliche Geschlecht im Normensystem des 16. Jahrhunderts*, Frankfurt a. M. 1991

Koch, Gertrud (Hg.), *Auge und Affekt*, Frankfurt a. M. 1995

Koerner, Joseph Leo, Rembrandt and the Epipahny of the Face, in: *RES* 12, 1986, S. 5–32

Konst, Jan W. H., *Woedende wraakghierigheidt en vruchtelooze weeklachten. De hartstochten in de Nederlandse tragedie van de zeventiende eeuw*, Assen 1993

Konst, Jan W. H., ‚Het goet of quaet te kiezen.' De rol van de vrije wil in Vondels Luzifer, Adam in ballingschap en Noah, in: *Nederlandse letterkunde 2*, 1997, S. 319–337

Konst, Jan W. H., De vrouwelijke personages in het toneel van Vondel, in: *Nederlandica Wratislaviensia 12*, 1999, S. 7–21

Konst, Jan W. H., *Fortuna, Fatum en Providentia Dei in de Nederlandse tragedie 1600–1720*, Hilversum 2003

Koos, Marianne / Reinhold, Bernadette, Zum Bildthema ‚Susanna und die Alten'. (Vergleichende Rezension zu Michaela Herrmann und Mary Garrard) in: *FrauenKunstWissenschaft* 15, Marburg 1993, S. 127–136

Koos, Marianne, *Bildnisse des Begehrens. Das lyrische Männerporträt in der venezianischen Malerei des frühen 16. Jahrhunderts – Giorgione, Tizian und ihr Umkreis*, Emsdetten, Berlin 2006

Koschorke, Albrecht, *Körperströme und Schriftverkehr. Mediologie des 18. Jahrhunderts*, München 1999

Krämer, Sybille, ‚Schriftbildlichkeit' oder: Über eine (fast) vergessene Dimension der Schrift, in: Bredekamp / Krämer 2003, S. 157–176

Krämer, Sybille, Operationsraum Schrift: Über einen Perspektivwechsel in der Betrachtung der Schrift, in: Gernot Grube / Werner Kogge / Sybille Krämer (Hg.), *Schrift. Kulturtechnik zwischen Auge, Hand und Maschine*, München 2005, S. 23–57

Künzel, Christine, Gewalt/Macht, in: Braun / Stephan 2005, S. 117–138

Kunoth-Leifels, Elisabeth, *Über die Darstellungen der „Bathseba im Bade". Studien zur Geschichte des Bildthemas 4. bis 17. Jahrhundert*, Essen 1962

Lacan, Jacques, Das Spiegelstadium als Bildner der Ichfunktion, (Seminar I, 1953–54), in: *Schriften I*, Weinheim, Berlin 1986, S. 61–70

Laferl, Christopher F. / Wagner, Birgit, *Anspruch auf das Wort. Geschlecht, Wissen und Schreiben im 17. Jahrhundert. Suor Maria Celeste und Sor Juana Inés de la Cruz*, Wien 2002

Laqueur, Thomas, *Auf den Leib geschrieben. Die Inszenierung der Geschlechter von der Antike bis Freud*, Frankfurt a. M. 1992

Lawner, Lynne, *I modi: nell'opera di Giulio Romano, Marcantonio Raimondi, Pietro Aretino e Jean Frédéric-Maximilien de Waldeck*, Mailand 1985

Lee, Rensselaer W., Ut pictura poesis: The Humanistic Theory of Painting, in: *The Art Bulletin* 22, 1940, S. 197–269

Lee, Rensselaer W., *Ut Pictura Poesis. The Humanistic Theory of Painting*, New York 1967

Lessing, Gotthold Ephraim, *Laokoon oder über die Grenzen der Malerei und Poesie* (1766), Reclam Ausgabe, Stuttgart 1998

Leuker, Maria-Theresia, Widerspenstige und tugendhafte Gattinnen. Das Bild der Ehefrau in niederländischen Texten aus dem 17. Jahrhundert, in: Bachorski 1991, S. 95–122

Leuker, Maria-Theresia, *‚De last van't huys, de wil des mans...' Frauenbilder und Ehekonzepte im niederländischen Lustspiel des 17. Jahrhunderts*, Niederlande-Studien Bd. 2, Münster 1992

Lindner, Ines / Schade, Sigrid / Wenk, Silke / Werner, Gabriele (Hg.), *Blick-Wechsel. Konstruktionen von Männlichkeit und Weiblichkeit in Kunst und Kunstgeschichte*, Berlin 1989

Loonen, T., De vrouw in het werk van Cats. Erasmiaanse inspiratie. De zeventiende eeuwse discussie, in: *Bulletin van de Koninglijk zeeuwsch genootschap der wetenschappen-workgroep historie en archeologie 28*, 1978, S. 26–46

Luhmann, Niklas, *Liebe als Passion. Zur Codierung von Intimität*, Frankfurt a. M. 1994 (1982)

Lutter, Christina, Geschlecht, Gefühl, Körper – Kategorien einer kulturwissenschaftlichen Mediävistik? in: *L'HOMME. Europäische Zeitschrift für feministische Geschichtswissenschaft*, („*Geschlechtergeschichte, gegenwärtig*") 18. Jg. 2007/2, S. 9–26

Maar, Christa / Burda, Hubert (Hg.), *Iconic Turn. Die neue Macht der Bilder*, Köln 2004

Mai, Ekkehard (Hg.), *Holland nach Rembrandt. Zur niederländischen Kunst zwischen 1670 und 1750*, Köln, Weimar, Wien 2006

Mander, Karel van, *Het schilder-boeck, (Das Lehrgedicht)* hrsg. und übersetzt von Rudolf Hoecker, Quellenschriften zur holländischen Kunstgeschichte, Den Haag 1916

Mander, Karel van, *Den grondt der edel vry schilder-const*, hrsg. von Hessel Miedema, 2 Bde, Utrecht 1973

Mare, Heidi de, Die Grenze des Hauses als ritueller Ort und ihr Bezug zur holländischen Hausfrau des 17. Jahrhunderts, in: *kritische berichte* 1992/4, S. 64–79

Melion, Walter S., *Shaping the Netherlandish Canon. Karel van Manders schilder-boeck*, The University of Chicago Press, Chicago, London 1991

Meyer, Richard, (Hg.), *Representing the Passions. Histories, Bodies, Visions*, Getty Research Institute, Los Angeles 2003

Mijnhardt, Wijnand W., Politik und Pornographie in der Republik der Vereinigten Niederlande während des 17. und 18. Jahrhunderts, in: Hunt 1994, S. 221–242

Millner-Kahr, Madlyn, Danaë: Virtous, Voluptous, Venal Woman, in: *The Art Bulletin 60,* 1978, S. 43–55

Mitchell, W. J. Thomas, *Iconology. Image, Text, Ideology*, The University of Chicago Press 1987

Mitchell, W. J. Thomas, *Picture Theory. Essays on Verbal and Visual Representation*, Chicago 1994

Mitchell, W. J. Thomas, Der Pictorial Turn, in: Christian Kravagna, (Hg.), *Privileg Blick. Kritik der visuellen Kultur*, Berlin 1997, S. 15–40

Möbius, Helga / Olbrich, Harald, *Holländische Malerei des 17. Jahrhunderts*, Leipzig 1990

Montias, John Michael, *Vermeer and his Milieu: A Web of Social History*, Princeton 1989

Muizelaar, Klaske / Phillips, Derek, *Picturing Men and Women in the Dutch Golden Age: Paintings and People in Historical Perspective*, Yale University Press, New Haven, London 2003

Myerowitz, Molly, The Domestication of Desire. Ovid's Parva Tabella and the Theater of Love, in: Richlin 1992, S. 131–157

Naumann, Otto, *Frans van Mieris (1635–1681) The Elder*, 2 Bde, Doornspijk 1981

Nehlsen-Maarten, Britta, *Dirck Hals 1591–1656. Oeuvre und Entwicklung eines Haarlemer Genremalers*, Weimar 2003

Netta, Irena, *Das Phänomen Zeit bei Jan Vermeer van Delft*, Hildesheim, Zürich, New York 1996

Nevitt, H. Rodney, Jr., Vermeer on the Question of Love, in: Franits 2001, S. 89–110

Nevitt, H. Rodney, Jr., *Art and the Culture of Love in Seventeenth-Century Holland*, Cambridge University Press 2003 (Cambridge Studies in Netherlandish Visual Culture)

Oesterley, W.O.E., *An Introduction to the Books of the Apocrypha, Their Origin, Teaching and Contents,* New York 1935

Ovid, *Metamorphosen*. In deutscher Übersetzung, hrsg. von Erich Rösch, München, Zürich 1988

Pächt, Otto, *Rembrandt*, München 1991

Panofsky, Erwin, Der gefesselte Eros. Zur Genealogie von Rembrandts Danaë, in: *Oud Holland* 50, 1933, S. 193–217

Panofsky, Erwin, Erasmus and the Visual Arts, in: *Journal of the Warburg and Courtauld Institute 32,* 1969, S. 200–227

Paster, Gail Kern / Rowe, Katherine / Floyd-Wilson, Mary (Hg.), *Reading the Early Modern Passions. Essays in the Cultural History of Emotion*, University of Pennsylvania Press, Philadelphia 2004

Pleister, Wolfgang / Schild, Wolfgang (Hg.), *Recht und Gerechtigkeit im Spiegel der europäischen Kunst*, Köln 1988

Pigler, A., *Barockthemen*, 3 Bde, Budapest 1974

Pizan, Christine de, *Das Buch von der Stadt der Frauen*, in der Übersetzung von Margarete Zimmermann, Berlin 1986

Popelka, Liselotte, *Susanna Hebrea. Theatrum castitas sive innocentia libertas. Ein Beitrag zur alttestamentarischen Ikonographie, besonders des deutschen und niederländischen Kunstkreises.* (Mitteilungen der Gesellschaft für vergleichende Kunstforschung 16/17,) Wien 1963

Prêtre, Jean-Claude, *Suzanne. Le procès du modèle*, Paris 1990

Pussert, Annette, Auswahlbibliographie: Männerbilder und Männlichkeitskonstruktionen, in: *Zeitschrift für Germanistik,* N.F. 12, 2002, 2, S.358ff

Querelles. Jahrbuch für Frauenforschung Bd 7: Kulturen der Gefühle in Mittelalter und Früher Neuzeit, Göttingen 2002

Renger, Konrad, *Lockere Gesellschaft. Zur Ikonografie des Verlorenen Sohnes und von Wirtshausszenen in der niederländischen Malerei*, Berlin 1970

Richlin, Amy, (Hg.), *Pornography and Representation in Greece and Rome*, Oxford University Press 1992

Riegl, Alois, *Das holländische Gruppenporträt*, Wien 1902

Robertson, Elizabeth / Rose, Christine M., *Representing Rape in Medieval and Early Modern Literature*, New York 2001

Robinson, Franklin W., *Gabriel Metsu, A Study of His Place in Dutch Genre Painting of the Golden Age,* New York 1974

Röske, Thomas, Blicke auf Männerkörper bei Michael Sweerts, in: Fend / Koos 2004, S.121–135

Roodenburg, Herman, On „Swelling" the Hips and Crossing the Legs: Distinguishing Public and Private in Paintings and Prints from the Dutch Golden Age, in: Wheelock 2000, S.64–84

Roodenburg, Herman, *The Eloquence of the Body. Perspectives on Gesture in the Dutch Republic*, Zwolle 2004

Roper, Lyndal, *Das fromme Haus. Frauen und Moral in der Reformation*, Frankfurt a.M. 1995

Rosenwein, Barbara H., Worrying about Emotions in History, in: *The American Historical Review* 107/3, 2002, S.821–845

RRP: *A Corpus of Rembrandt Paintings. Stichting Foundation Rembrandt Research Project*, hrsg. von J. Bruyn / B. Haak / S. H. Levie / P. J. J. van Thiel / E. van de Wetering, 4 Bde, Den Haag, Boston, London 1982, 1986, 1989, 2005

Salomon, Nanette, The Venus Pudica: Uncovering Art History's ‚Hidden Agendas' and Pernicious Pedigrees, in: Ann Olga Koloski-Ostrow / Claire L. Lyons, *Naked Truths. Women, Sexuality and Gender in Classical Art and Archaeology*, London, New York 1997, S.197–219

Salomon, Nanette, Vermeer and the Balance of Destiny, in: dies., *Shifting Priorities. Gender and Genre in Seventeenth-Century Dutch Painting*, Stanford University Press 2004, S.13–18 (*Essays in Northern European Art Presented to Egbert Haverkamp-Begemann*, Doornspijk 1983, S.216–221)

Santore, Cathy, Danaë: The Renaissance Courtesan's Alter Ego, in: *Zeitschrift für Kunstgeschichte 54*, 1991, S. 412–427

Schade, Sigrid / Wagner, Monika / Weigel, Sigrid (Hg.), *Allegorien und Geschlechterdifferenz*, Köln, Weimar, Wien 1994

Schade, Sigrid / Wenk, Silke, Inszenierungen des Sehens. Kunst, Geschichte und Geschlechterdifferenz, in: Hadumond Bussmann / Renate Hof (Hg.), *Genus*, Stuttgart 1997, S. 340–407

Schade, Sigrid, Vom Wunsch der Kunstgeschichte, Leitwissenschaft zu sein. Pirouetten im sogenannten ‚pictorial turn', in: Jürg Albrecht / Kornelia Imesch (Hg.), *Horizonte. Beiträge zu Kunst- und Kunstwissenschaft, 50 Jahre Schweizerisches Institut für Kunstwissenschaft*, Stuttgart 2001, S. 369–378

Schade, Sigrid, What do „Bildwissenschaften" Want? In the Vicious Circle of Iconic and Pictorial Turns, in: Kornelia Imesch / Jennifer John / Daniela Mondini / Sigrid Schade / Nicole Schweizer (Hg.), *Inscriptions / Transgressions. Kunstgeschichte und Gender Studies*, Bern u.a. 2008, S. 31–51

Schama, Simon, Rembrandt and Women, in: *Bulletin of the American Academy of Arts and Sciences* 38, April 1985, S. 21–47

Schama, Simon, *The Embarrassment of Riches: An Interpretation of Dutch Culture in the Golden Age*, New York 1987

Schama, Simon, *Rembrandt's Eyes*, London 1999

Schapiro, Meyer, *Words, Script and Pictures: Semiotics of Visual Language*, New York 1996

Schenkeveld van der Dussen, Maria A., *Dutch Literature in the Age of Rembrandt*, Amsterdam, Philadelphia 1991

Schenkeveld van der Dussen, Maria A., Niederländische Literatur im Goldenen Zeitalter, in: AK Frankfurt a. M. 1993, S. 55–68

Schmitdt-Linsenhoff, Viktoria, Male Alterity in the French Revolution – Two Paintings by Anne-Louis Girodet at the Salon of 1798, in: Ida Blom, Karin Hagemann, Catherine Hall (Hg.), *Gendered Nations. Nationalisms and Gender Order in the Long Nineteenth Century*, Oxford, New York 2000, S. 81–105

Schubert, Dietrich, Halbfigurige Lucretia-Tafeln der 1. Hälfte des 16. Jahrhunderts in den Niederlanden, in: *Jahrbuch des Kunsthistorischen Institutes der Universität Graz* 6, 1971, S. 99–110

Schuler, Carol M., Virtuos Model / Voluptuous Martyr. The Suicide of Lucretia in Northern Renaissance Art and its Relation to Late Medieval Devotional Imagery, in: Carroll / Stewart 2003, S. 7–25

Schwartz, Gary, *Rembrandt. His Life, his Paintings*, New York 1985

Schwartz, Gary, Though Deficient in Beauty. A Documentary History and Interpretation of Rembrandt's 1654 Painting of Bathseba, in: Adams 1998, S. 176–203

Schwarz, Heinrich, The Mirror in Art, in: *The Art Quaterly 15*, 1952, S. 97–118

Shakespeare, William, The Rape of Lucrece (Die Schändung der Lucretia), in: ders., *Sonette / Epen und die kleineren Dichtungen*, zweisprachige Ausgabe, (Winkler, Sämtliche Werke Bd. 4), München 1983

Simmel, Georg, *Rembrandt. Ein kunstphilosophischer Versuch*, München 1925

Sluijter, Eric Jan, *De ‚heydensche fabulen' in de Noordnederlandse Schilderkunst circa 1590–1670. Een proeve van beschrijving en interpretatie van schilderijen met verhalende onderwerpen uit de klassieke mythologie*, Leiden 1986 (2000)

Sluijter, Eric J. „Een volmaekte schildery is als een Spiegel van de natuer": spiegel en spiegelbeeld in de Nederlandse schilderkunst van de zeventiende eeuw, in: Brederoo 1988, S. 146–163

Sluijter, Eric Jan, Didactic and Disguised Meanings? Several Seventeenth-Century Texts on Painting and the Iconological Approach to Dutch Paintings of this Period, in: Freedberg / de Vries 1991, S. 175–207 (Franits 1997, S. 78–87)

Sluijter, Eric Jan, Rembrandt's Bathseba and the Conventions of a Seductive Theme, in: Adams 1998, S. 48–99

Sluijter, Eric Jan, Emulating Sensual Beauty: Representations of Danaë from Gossaert to Rembrandt, in: *Simiolus 27*, 1999, S. 4–45

Sluijter, Eric Jan, Venus, Visus and Pictura, in: ders., *Seductress of Sight. Studies in Dutch Art of the Golden Age*, Zwolle 2000, S. 86–159

Sluijter, Eric Jan, ‚Horrible Nature, Incomparable Art': Rembrandt and the Depiction of the Female Nude, in: AK Edinburgh, London 2001, S. 37–45

Sluijter, Eric Jan, *Rembrandt and the Female Nude*, Amsterdam 2006

Smith, David R., *Masks of Wedlock*, Ann Arbor 1982

Smith, David R., I Janus': Privacy and the Gentleman Ideal in Rembrandt's Portraits of Jan Six, in: *Art History* 11, 1988, S. 42–63

Sneller, Agnes A., Reading Jacob Cats, in: Kloek u.a. 1994, S. 21–34

Sneller, Agnes A., *Met man en macht: analyse en interpretatie van teksten van en over vrouwen in de vroegmoderne tijd*, Kampen 1996

Sneller, Agnes A., ‚If She had Been a Man?' Anna Maria van Schurman in the Social and Literary Life of her Age, in: Baar / Löwensteyn / Monteiro / Sneller 1996, S. 133–149

Sneller, Agnes, A., Jacob Cats' Tooneel van de mannelicke achtbaerheyt (1622), in: W. Abrahamse u.a. (Hg.), *Kort Tijt verdrijf, opstellen over Nederlands toneel. Aangeboden aan Mieke B. Smits-Veldt*, Amsterdam 1996, S. 103–109

Sneller, Agnes A. / Verbiest, Agnes, *Wat woorden doen,* Coutinho 2000

Sneller, Agnes A., Passionate Drama. Coster's Polyxena re-read, in: *Dutch Crossing* 25/1, 2001, S. 78–88

Snow, Edward, *A Study of Vermeer*, University of California Press 1994

Spies, Marijke, Charlotte de Huybert en het gelijk. De geleerde en de werkende vrouw in de zeventiende eeuw, in: *Literatuur* 1986/6, S. 339–350

Spies, Marijke, *Rhetoric, Rethoricians and Poets. Studies in Renaissance Poetry and Poetics,* Amsterdam 1999

Spinoza, Baruch de, *Schriften und Briefe*, hrsg. von Friedrich Bülow, Stuttgart 1955

Spinoza, Baruch de, *Theologisch-politischer Traktat*, in: *Sämtliche Werke in sieben Bänden*, 3. Bd, hrsg. von Günter Gawlik, Hamburg 1976

Spinoza, Baruch de, *Vom Staate (Tractatus politicus)*, hrsg. von Carl Gebhardt, Leipzig 1922

Stechow, Wolfgang, Lucretiae Statua, in: *Beiträge für Georg Swarzenski*, hrsg. von Oswald Goetz, Berlin 1951, S. 114–124

Steiger, Johann Anselm (Hg.), *Passion, Affekt und Leidenschaft in der Frühen Neuzeit, 11. Jahrestreffen des Wolfenbüttler Arbeitskreises für Barockforschung*, Herzog August Bibliothek, Wiesbaden 2005

Stoichita, Victor I., *Das selbstbewusste Bild. Vom Ursprung der Metamalerei*, München 1998

Strauss, Walter L. / van der Meulen, Marjon, *The Rembrandt Documents*, New York 1979

Summers, David, Cogito Embodied: Force and Counterforce in René Descartes's Les passions de l'âme, in: Meyer 2003, S. 13–36

Sumowski, Werner, *Gemälde der Rembrandt-Schüler*, 5 Bde, Landau / Pfalz 1983–1990

Talvacchia, Bette, Figure lascive per trastullo de l'ingegno, in: *Giulio Romano,* Ausstellungskatalog Mailand 1980, S. 277–287

Tolnay, Charles de, The Syndics of the Drapers Guild by Rembrandt, in: *Gazette des Beaux-Arts* 85, 1943, S. 31ff

Tolnay, Charles de, A Note on the Staalmeesters, in: *Oud Holland* 73, 1958, S. 85f

Tomaselli, Sylvana / Porter, Roy, *Rape. An Historical and Cultural Enquiry*, Oxford, New York 1989 (1986)

Tümpel, Christian, Studien zur Ikonographie der Historien Rembrandts. Deutung und Interpretation der Bildinhalte, in: *Nederlands Kunsthistorisch Jaarboek 20,* 1969, S. 107–198

Tümpel, Christian, *Rembrandt. Mythos und Methode*, Königstein im Taunus 1986

Veldman, Ilja M., Lessons for Ladies: A Selection of Sixteenth and Seventeenth-Century Dutch Prints, in: *Simiolus* 16, 1986, 2/3, S. 113–127

Vergara, Lisa, Antiek and Modern in Vermeer's Lady Writing a Letter with her Maid, in: Gaskell 1998, S. 235–255

Vermeir, Koen, Mirror, Mirror on the Wall. Aesthetics and Metaphysics of 17th Century Scientific Artistic Spectacles, in: *kritische berichte „Spiegel und Spiegelungen",* 2004/2, S. 27–38

Waal, Henry van de, De Staalmeesters en hun legende, in: *Oud Holland* 71, 1956, S. 61–105 (englische Zusammenfassung S. 105–107)

Waal, Henry van de, The Mood of the ‚Staalmeesters'. A Note on Mr. De Tolnays Interpretation, in: *Oud Holland* 73, 1958, S. 86–89

Walter, Willi, Gender, Geschlecht und Männerforschung, in: Braun / Stephan 2005, S. 97–115

Warburg, Aby, *Gesammelte Schriften*, hrsg. von Gertrud Bing unter Mitarbeit von Fritz Rougemont, Leipzig, Berlin 1932

Warncke, Carsten-Peter, *Sprechende Bilder – sichtbare Worte. Das Bildverständnis in der frühen Neuzeit*, Wolfenbütteler Forschungen 33, Wiesbaden 1987

Weber, Gregor J. M., „Om te bevestige[n] aen-te-raden, verbreeden ende vercieren". Rhetorische Exempellehre und die Struktur des ‚Bildes im Bild', in: *Studien zur niederländischen Kunst. Festschrift für Justus Müller Hofstede, Wallraf-Richartz-Jahrbuch* 55, 1994, S. 287–314

Weber, Gregor J. M., Vermeer's Use of the Picure-within-a Picture: A New Approach, in: Gaskell 1998, S. 295–307

Weigel, Sigrid, Von der „anderen Rede" zur Rede des Anderen, in: Schade / Wagner / Weigel 1994, S.159–169

Weigel, Sigrid, Pathos – Passion – Gefühl, in: dies., *Literatur als Voraussetzung der Kulturgeschichte. Schauplätze von Shakespeare bis Benjamin,* München, Paderborn 2004, S. 147–172

Welzel, Petra, *Rembrandt's Bathseba – Metapher des Begehrens oder Sinnbild zur Selbsterkenntnis? Eine Bildmonographie*, Europäische Hochschulschriften, Reihe 28, Kunstgeschichte, 204, Frankfurt a. M., Wien u.a. 1994

Wenk, Silke, *Versteinerte Weiblichkeit. Studien zur Allegorie und ihrem Status in der Skulptur der Moderne*, Berlin 1994

Wenzel, Edith, David und Bathseba. Zum Wandel der Weiblichkeit im männlichen Blick, in: *Bulletin des Zentrums für interdisziplinäre Frauenforschung der Humboldt-Universität Berlin* 11, 1995, S. 41–55

Wenzel, Horst, *Hören und Sehen. Schrift und Bild. Kultur und Gedächtnis im Mittelalter*, München 1995

Wenzel, Horst / Seipel, Wilfried / Wunberg, Gotthart (Hg.), *Die Verschriftlichung der Welt. Bild, Text und Zahl in der Kultur des Mittelalters und der Frühen Neuzeit* (Schriften des Kunsthistorischen Museums Wien Bd. 5), Wien 2000

Wenzel, Horst / Seipel, Wilfried / Wunberg, Gotthart (Hg.), *Audiovisualität vor und nach Gutenberg* (Schriften des Kunsthistorischen Museums Wien, Bd. 6), Wien 2001

Wenzel, Horst, *Spiegelungen. Zur Kultur der Visualität im Mittelalter*, Berlin 2009

Westermann, Mariët, *Von Rembrandt zu Vermeer. Niederländische Kunst des 17. Jahrhunderts*, Köln 1996

Weststeijn, Thijs, *De zichtbare Wereld. Samuel van Hoogstratens kunsttheorie en de legitimering van de schilderkunst in de zeventiende eeuw*, 2 Bde, Amsterdam 2006

Wetering, Ernst van de, Het formaat van Rembrandt's Danaë, in: *Met eigen ogen. Opstellen aangeboden door leerlingen en medewerkers aan Hans L.C. Jaffé*, Amsterdam 1984, S. 67–72

Wetering, Ernst van de, *Rembrandt: The Painter at Work*, Amsterdam 1997

Wetering, Ernst van de, Rembrandt's Bathseba: The Object and its Transformations, in: Adams 1998, S. 27–47

Wetering, Ernst van de, Rembrandt's Self-Portraits. Problems of Authenticity and Function, in: RRP Bd. 4, hrsg. von Ernst van de Wetering: *The Self-Portraits* 1625–1669, 2005

Wheelock Jr., Arthur K. / Keyes, George, *Rembrandts Lucretias*, The Minneapolis Institute of Arts, Ausstellungskatalog, Washington 1991

Wheelock Jr., Arthur K., *Dutch Paintings of the Seventeenth Century (The Collection of the National Gallery of Art. Systematic Catalogue)*, Washington, New York, Oxford 1995

Wheelock Jr., Arthur K. / Seeff, Adele, *The Public and the Private in Dutch Culture of the Golden Age*, Newark, London 2000

White, Christopher, *Rembrandt as an Etcher: A Study of the Artist at Work*, 2 Bde, London 1969 (1999)

Wieseman, Marjorie E., *Caspar Netscher and Late Seventeenth-Century Dutch Painting*, Doornspijk 2002

Winkel, Marieke de, The Interpretation of Dress in Vermeer's Paintings, in: Gaskell 1998, S. 327–339

Wittmann, Tibor, *Das Goldene Zeitalter der Niederlande*, Leipzig 1975 (1965)

Wolf, Bryan Jay, *Vermeer and the Invention of Seeing*, The University of Chicago Press, Chicago, London 2001

Wolfthal, Diane, ‚Douleur sur toutes autres.' Revisualizing the Rape Script in the Epistre Othea and the Cité des dames, in: Marilynn Desmond (Hg.), *Christine de Pizan and the Categories of Difference,* University of Minnesota Press, Minneapolis 1998, S. 41–70

Wolfthal, Diane, *Images of Rape. The ‚Heroic' Tradition and its Alternatives,* Cambridge University Press 1999

Wright, Christopher, *Rembrandt*, München 2000

Wunder, Heide / Engel, Gisela (Hg.), *Geschlechterperspektiven. Forschungen zur Frühen Neuzeit*, Königstein / Taunus 1998

Zimmermann, Margarete, Vom Streit der Geschlechter. Die französische und italienische Querelle des Femmes des 15. bis 17. Jahrhunderts, in: AK Düsseldorf 1995, S. 14–33

Ausstellungskataloge

AK Amsterdam 1976: *Tot lering en vermaak. Betekenissen van Hollandse genrevoorstellingen uit de zeventiende eeuw*, hrsg. von Eddy de Jongh, Rijksmuseum Amsterdam

AK Amsterdam 1997: *Mirror of Everyday Life. Genreprints in the Netherlands 1550–1700*, hrsg. von Eddy de Jongh / Ger Luijten, Rijksmuseum Amsterdam

AK Amsterdam, London 2000: *Rembrandt the Printmaker*, hrsg. von Erik Hinterding / Ger Luiten / Martin Royalton Kisch, Rijksmuseum Amsterdam, British Museum London

AK Berlin 1991: *Rembrandt. Der Meister und seine Werkstatt*, hrsg. von Christopher Brown / Jan Kelch / Pieter van Thiel, Gemäldegalerie Berlin

AK Berlin 2006: *Rembrandt. Ein Virtuose der Druckgraphik*, hrsg. von Holm Bevers / Jasper Kettner / Gudula Metze, Berlin, Staatliche Museen, Kupferstichkabinett

AK Berlin 2006: *Rembrandt. Genie auf der Suche*, Idee Ernst van de Wetering / Jan Kelch, Berlin, Staatliche Museen, Gemäldegalerie

AK Berlin 2007: *Das abc der Bilder*, hrsg. von Moritz Wullen in Zusammenarbeit mit Andrea Müller / Anne Schulten / Marc Wilken, Berlin, Staatliche Museen, Gemäldegalerie in Zusammenarbeit mit dem Hermann von Helmholtz-Zentrum für Kulturtechnik Berlin

AK Berlin, London, Philadelphia 1984: *Von Frans Hals bis Vermeer. Meisterwerke Holländischer Genremalerei*, hrsg. von Peter C. Sutton, Berlin, Staatliche Museen, Gemäldegalerie, Royal Academy of Arts, London, Philadelphia Museum of Art, Philadelphia

AK Den Haag, Washington 1995: *Johannes Vermeer*, hrsg. von Arthur K. Wheelock, Mauritshuis, Den Haag, National Gallery of Art, Washington

AK Den Haag, Washington 2005/06: *Frans van Mieris. 1635–1681*, hrsg. von Quentin Buvelot, Mauritshuis, Den Haag, National Gallery of Art, Washington

AK Denver, Newark 2001: *Art and Home. Dutch Interiors in the Age of Rembrandt*, hrsg. von Mariet Westermann, Denver Art Museum, The Newark Museum

AK Dublin, Greenwich 2003: *Love Letters. Dutch Genre Paintings in the Age of Vermeer*, hrsg. von Peter C. Sutton / Lisa Vergara / Ann Jensen Adams unter Mitarbeit von Jennifer Kilian und Marjorie E. Wieseman, Bruce Museum of Arts and Science, Greenwich, National Gallery of Ireland, Dublin

AK Düsseldorf 1995: *Die Galerie der Starken Frauen. Die Heldin in der französischen und italienischen Kunst des 17. Jahrhunderts*, bearb. von Bettina Baumgärtel / Silvia Neysters, Kunstmuseum Düsseldorf, Hessisches Landesmuseum Darmstadt

AK Edinburgh, London 2001: *Rembrandt's Women*, hrsg. von Julia Lloyd Williams, National Gallery of Scotland, Edinburgh, Royal Academy of Arts London, München, London, New York

AK Frankfurt a. M. 1993: *Leselust. Niederländische Malerei von Rembrandt bis Vermeer*, hrsg. von Sabine Schulze, Schirn Kunsthalle, Frankfurt a. M.

AK Frankfurt a. M. 1998: *Innenleben. Die Kunst des Interieurs. Vermeer bis Kabakov*, Städelsches Kunstinstitut, Frankfurt a. M.

AK Haarlem 1988: *Schutters in Holland: Kracht en zenuwen van de stad*, hrsg. von M. Carasso-Kok / J. Levy-van Halm, Frans Hals Museum, Haarlem

AK London, Den Haag 1999: *Rembrandt by Himself*, hrsg. von Christopher White / Quentin Buvelot, National Gallery, London, Royal Cabinet of Paintings, Den Haag

AK Melbourne, Canberra 1997–1998: *Rembrandt. A Genius and his Impact*, hrsg. von Albert Blankert, National Gallery of Victoria, Melbourne, National Gallery of Australia, Canberra

AK Minneapolis, Washington 1991: *Rembrandt's Lucretias*, hrsg. von Arthur K. Wheelock Jr. / George Keyes, The Minneapolis Institute of Arts, National Gallery of Art, Washington

AK Münster 1974: *Gerard Ter Borch, Zwolle 1617 – Deventer 1681*, Landesmuseum Münster

AK Nijmegen 1985: *Tussen heks en heilige. Het vrouwbeeld op de drempel van de moderne tijd, 15de / 16de eeuw*, hrsg. von Petty Bange, Nijmeegs Museum Commanderie van Sint-Jan, Nijmegen

AK Tokyo, Hamburg: *Rhetorik der Leidenschaft: Zur Bildsprache der Kunst im Abendland. Meisterwerke aus der Graphischen Sammlung Albertina und aus der Portraitsammlung der Österreichischen Nationalbibliothek*, hrsg. von Ilsebill Barta Fliedl / Kokuritsu-Seiyō-Bijutsukan, National Museum of Western Art, Tokyo, Museum für Kunst und Gewerbe, Hamburg

AK Washington, New York 2005: *Gerard ter Borch*, hrsg. von Arhtur K. Wheelock, National Gallery of Washington, American Federation of Arts, New York

AK Wien 1992: *Die Beredsamkeit des Leibes. Zur Körpersprache in der Kunst*, hrsg. von Ilsebill Barta Fliedl / Christoph Geissmar, Albertina Wien, Salzburg, Wien

AK Wien 2004: *Rembrandt*, hrsg. von Klaus Albrecht Schröder / Marian Bisanz-Prakken, Albertina, Wien

Sammlungskataloge

SK München 2006: *Alte Pinakothek. Holländische und deutsche Malerei des 17. Jahrhunderts*, Text von Marcus Dekiert, hrsg. von den Bayerischen Staatsgemäldesammlungen München

SK Washington 1995: *Dutch Paintings of the Seventeenth Century, (The Collection of the National Gallery of Art. Systematic Catalogue)*, hrsg. von Arthur Wheelock, National Gallery of Art, Washington

Abbildungsverzeichnis

Abb. 10: Pieter Lastman, Tobias und Sarah, 1611, Öl/Holz, 41,2/57,8 cm, Juliana Cheney Edwards Collection, Boston, Museum of Fine Arts
Abb. 11: Rembrandt, Mädchen am Fenster, 1645, Öl/Leinwand, 81,6/66 cm, London, Dulwich Picture Gallery
Abb. 12: Samuel van Hoogstraten, Junge Frau an einer Tür, um 1645, Öl/Leinwand, 102,5/85,1 cm, Chicago, Art Institute
Abb. 13: Gerrit van Honthorst, Violinspieler mit Glas, 1623, Öl/Leinwand, 108/89 cm, Amsterdam, Rijksmuseum
Abb. 14: Rembrandt, Die Heilige Familie, 1646, Öl/Holz, 46,8/68,4 cm, Kassel, Schloss Wilhelmshöhe, Gemäldegalerie Alte Meister und Antikensammlung
Abb. 15: Francesco Colonna, Hypnerotomachia Poliphili: Nymphe und Satyr, Venedig 1499, Holzschnitt
Abb. 16: Pablo Picasso, Faun, eine schlafende Frau aufdeckend, 1936, Lithographie/Aquatinta, 31,7/41,7 cm, Canberra, National Gallery of Australia
Abb. 17: Lorenzo Lotto, Susanna und die beiden Alten, 1517, Öl/Holz, 50/66 cm, Florenz, Uffizien
Abb. 18: Kapitolinische Venus, Röm. Kopie nach griech. Original, Rom, Museo Capitolino
Abb. 19: Tintoretto, Susanna und die beiden Alten, um 1555–1556, Öl/Leinwand, 146/193,6 cm, Wien, Kunsthistorisches Museum
Abb. 20: Govert Flinck, Susanna und die beiden Alten, um 1640, Öl/Holz, 47/35 cm, Berlin, Staatliche Museen, Gemäldegalerie
Abb. 21: Pieter Lastman, Susanna und die beiden Alten, 1614, Öl/Holz, 47,2/38,6 cm, Berlin, Staatliche Museen, Gemäldegalerie
Abb. 22: Jan Jorisz. van Vliet nach Jan Lievens, Susanna im Bade, um 1629, Radierung, 57,4/45,2 cm
Abb. 23: Jan van Neck, Susanna und die beiden Alten, Öl/Leinwand, 123/167 cm, Kopenhagen, Staatliches Kunstmuseum
Abb. 24: Cavaliere d'Arpino, Susanna und die beiden Alten, um 1607, Öl/Holz, 53/37 cm, Siena, Pinakothek
Abb. 25: Jan van Noordt, Susanna und die beiden Alten, um 1670, Öl/Leinwand, 124,5/89,3 cm, San Francisco, Fine Arts Museums – Legion of Honor Museum
Abb. 26: Lucas van Leyden, Susanna und die beiden Alten, 1505–1508, Kupferstich, 19,8/14,8 cm, Amsterdam, Rijksmuseum
Abb. 27: Marcantonio Raimondi (nach Raffael), Lucretia, um 1510/11, Kupferstich, 21,2/13 cm, Amsterdam, Rijksmuseum
Abb. 28: Joos van Cleve, Lucretia, um 1520/25, Öl/Holz, 76/54 cm, Wien, Kunsthistorisches Museum
Abb. 29: Lucas Cranach d. Ä., Lucretia, 1533, Öl/Holz, 37/24 cm, Berlin, Staatliche Museen, Gemäldegalerie
Abb. 30: Lucas Cranach d. Ä., Venus, 1532, Öl/Holz, 37,9/24,6 cm, Frankfurt a. M., Städelsches Kunstinstitut
Abb. 31: Pieter Coecke van Aelst, Lucretia, 1. Hälfte 16. Jahrhundert, Öl/Holz, 68,58/50,80 cm, Lindau, Privatsammlung
Abb. 32: Paolo Veronese, Lucretia, um 1580–83, Öl/Leinwand, 109/90,5 cm, Wien, Kunsthistorisches Museum
Abb. 33: Caravaggio, David mit dem Haupt des Goliath, 1609/10, Öl/Leinwand, 125/101 cm, Rom, Galleria Borghese
Abb. 34: Jan Muller, Lucretia, Anfang 17. Jahrhundert, Kupferstich, 18/22,5 cm, Dresden, Staatliche Kunstsammlungen, Kupferstich-Kabinett
Abb. 35: Correggio, Jupiter und Io, um 1530, Öl/Leinwand, 162/73,5 cm, Wien, KHM

Abb. 63: Govert Flinck, Marcus Curius Dentatus weigert sich, die Geschenke der Samniter anzunehmen, 1656, Öl/Leinwand, 485/377 cm, ehem. Rathaus, Amsterdam, Königlicher Palast
Abb. 64: Johannes Eyssenhuth, Danaë, 1471, Holzschnitt aus dem Regensburger Druck
Abb. 65: Meister L.D. (Leon Davent), Stich nach Primaticcio, Danaë, um 1540–50, Kupferstich, 21,7/29,5, Wien, Albertina
Abb. 66: Tizian, Danaë, 1553/1554, Öl/Leinwand, 129/180 cm, Madrid, Prado
Abb. 67: Orazio Gentileschi, Danaë, um 1621/1622, Öl/Leinwand, 162/228,5 cm, Cleveland, The Cleveland Museum of Art
Abb. 68: Giulio Bonasone, Danaë, Kupferstich, 16,5/11 cm, Wien, Albertina
Abb. 69: I Modi, Holzschnitt nach Stichen von Marcantonio Raimondi von 1527 (nach Zeichnungen von Giulio Romano)
Abb. 70: Gian Giacomo Caraglio (nach Perino del Vaga), Merkur und Herse, 21,7/13,3 cm, aus: Götterlieben, 1527, Kupferstich, Hamburg, Kunsthalle
Abb. 71: Gian Giacomo Caraglio, Pan und Diana, aus: Götterlieben, 1527, Kupferstich, 21,7/13,5 cm
Abb. 72: Ein Liebesakt, 1. Jahrhundert n. Chr., Wandmalerei, Pompeji, Casa del Centenario IX 8,3 (Cubiculum 43)
Abb. 73: Rembrandt, Ledikant (Das französische Bett), 1646, Radierung, 12,5/22,4 cm, Paris, Bibliothèque nationale de France
Abb. 74: Rembrandt, Der Mönch im Kornfeld, um 1646, Radierung, 4,8/6,5 cm, Paris, Bibliothèque nationale de France
Abb. 75: Rembrandt, Jupiter und Antiope, 1631, Radierung, 8,4/11,4 cm, London, British Museum
Abb. 76: Rembrandt, Jupiter und Antiope, 1659, Radierung, 13,8/20,5 cm, Cambridge, Fitzwilliam Museum
Abb. 77: Correggio, Jupiter und Antiope, um 1528, Öl/Leinwand, 188,5/125,5 cm, Paris, Louvre
Abb. 78: Heinrich Aldegrever, Mönch und Nonne, Anfang 16. Jahrhundert, Kupferstich, ca. 11/8 cm, Amsterdam, Rijksmuseum
Abb. 79: Rembrandt, Der Flötenspieler, 1642, Radierung, 11,6/14,3 cm, London, British Museum
Abb. 80: Gerrit Dou, Junge Frau bei der Toilette, 1667, Öl/Holz, 75,5/58 cm, Rotterdam, Museum Boijmans van Beuningen
Abb. 81: Jan Vermeer, Die Musikstunde, um 1662–1664, Öl/Leinwand, 74/64,5 cm, London, The Royal Collection Her Majesty Queen Elizabeth II
Abb. 82: Hieronymus Bosch, Superbia (Detail aus dem Tisch mit den sieben Todsünden), um 1485, Öl/Holz, Madrid, Prado
Abb. 83: Paulus Moreelse, Junge Frau mit Spiegel, 1627, Öl/Leinwand, 105,5/83 cm, Cambridge, Fitzwilliam Museum
Abb. 84: Leonardo da Vinci, Mona Lisa, 1503–05, Öl/Holz, 76,8/53 cm, Paris, Louvre
Abb. 85: Edouard Manet, Bar aux Folies-Bergère, 1881/82, Öl/Leinwand, 96/130 cm, London, Courtauld Institute Galleries
Abb. 86: Frans van Mieris d. Ä., Der Kavalier im Verkaufsladen, 1660, Öl/Holz, 54,5/42,7 cm, Wien, Kunsthistorisches Museum
Abb. 87: Petrus Christus, Hl. Eligius, 1449, Öl/Holz, 98/85 cm, New York, Metropolitan Museum of Art
Abb. 88: Quinten Massys, Der Pfandleiher und seine Frau, um 1514, Öl/Holz, 71/68 cm, Paris, Louvre
Abb. 89: Pieter de Hooch, Eine Frau, die Gold wiegt, um 1664, Öl/Leinwand, 61/53 cm, Berlin, Staatliche Museen, Gemäldegalerie
Abb. 90: Jan Vermeer, Junge Dame mit Perlenhalsband, um 1664, Öl/Leinwand, 51,2/45,1 cm, Berlin, Staatliche Museen, Gemäldegalerie

Abb. 117: Johann Leonhard Frisch, Berliner Bär, 1700
Abb. 118: Guillaume Apollinaire, Pferd, 1917
Abb. 119: Claus Bremer, Taube, 1968
Abb. 120: Paul Klee, Legende vom Nil, 1937, Pastellfarben/Baumwolle/Jute, 69/61cm, Bern, Kunstmuseum
Abb. 121: Rembrandt, Porträt des Mennonitenpredigers Cornelis Claesz. Anslo, 1641, Radierung/Kaltnadel, 18,7/15,8 cm
Abb. 122: Rembrandt, Der Mennonitenprediger Cornelis Claesz. Anslo und seine Frau Aeltje, 1641, Öl/Leinwand, 176/210 cm, Berlin, Staatliche Museen, Gemäldegalerie
Abb. 123: Gerard Ter Borch, Offizier, einen Brief schreibend, um 1658/59, Öl/Leinwand, 56,8/43,8 cm, Philadelphia, Museum of Art
Abb. 124: Gerard Ter Borch, Offizier, einen Brief lesend, um 1657/58, Öl/Leinwand, 37,5/28,5 cm, Dresden, Staatliche Kunstsammlungen, Gemäldegalerie
Abb. 125: Caspar Netscher, Mann, einen Brief schreibend, 1664, Öl/Holz, 27/18,5 cm, Dresden, Staatliche Kunstsammlungen, Gemäldegalerie
Abb. 126: Gerard Ter Borch, Frau, einen Brief versiegelnd, 1658/59, Öl/Leinwand, 56,5/43,8 cm, New York, Privatsammlung
Abb. 127: Gabriel Metsu, Mann, einen Brief schreibend, 1665–67, Öl/Leinwand, 52,5/40,2 cm, Dublin, National Gallery of Ireland
Abb. 128: Titelblatt von Jean Puget de la Serre's Secretaris d'A le Mode door de Heer van der Serre, Amsterdam 1652, Den Haag, Königliche Bibliothek
Abb. 129: Dirck Hals, Frau einen Brief zerreißend, 1631, Öl/Holz, 45/55 cm, Mainz, Mittelrheinisches Landesmuseum
Abb. 130: Dirck Hals, Sitzende Frau mit Brief, 1633, Öl/Holz, 34,2/28,3 cm, Philadelphia, Museum of Art
Abb. 131: Rembrandt, Hamans Schmach, um 1665, Öl/Leinwand, 127/117 cm, St. Petersburg, Eremitage
Abb. 132: Rembrandt, Selbstbildnis mit aufgerissenen Augen, 1630, Radierung, 5,1/4,5 cm, Wien, Albertina
Abb. 133: Rembrandt, Das kleine Selbstbildnis, um 1657, Öl/Holz, 49,2/41 cm, Wien, Kunsthistorisches Museum
Abb. 134: Rembrandt, Judas bringt die Silberlinge zurück, 1629, Öl/Holz, 79/102,3 cm, England, Privatsammlung
Abb. 135: Gerard Ter Borch, Die Neugier, um 1660, Öl/Leinwand, 76,2/62,2 cm, New York, The Metropolitan Museum of Art
Abb. 136a: Jan Vermeer, Briefleserin am offenen Fenster, um 1657, Öl/Leinwand, 83/64,5 cm, Dresden, Staatliche Kunstsammlungen, Gemäldegalerie
Abb. 136b: Jan Vermeer, Briefleserin am offenen Fenster (Röntgenbild)
Abb. 137: Gerard Ter Borch, Galante Konversation (Väterliche Ermahnung), um 1654, Öl/Leinwand, 71/73 cm, Amsterdam, Rijksmuseum
Abb. 138: Caspar Netscher, Frau, einen Liebesbrief lesend (Paraphrase nach Ter Borch), nach 1655, Aufbewahrungsort unbekannt
Abb. 139: Samuel van Hoogstraten, Die Pantoffeln, Detail, (siehe Tafel 14) Paris, Louvre
Abb. 140: Pieter Codde, Frau mit einem Brief, am Virginal sitzend, frühe 1630er Jahre, Öl/Holz, 40,3/31,7 cm, Boston, Privatsammlung
Abb. 141: Willem Duyster, Frau mit einem Brief und einem Mann, frühe 1630er Jahre, Öl/Holz, 58/45 cm, Kopenhagen, Staatliches Kunstmuseum
Abb. 142: Charles Le Brun, Conférence sur l'expression générale et particulière des passions, 1687

Abbildungsnachweis

Farbtafeln:

S. 161: Wien, Kunsthistorisches Museum; 1, 9: bpk Bildarchiv Preußischer Kulturbesitz; 2: Edinburgh, National Gallery of Scotland, Foto: Antonia Reeve; 3, 7, 8, 11, 13: akg-images; 4: Anholt, Sammlung des Fürsten zu Salm-Salm, Museum Wasserburg; 6: Minneapolis, Institute of Arts, The William Hood Dunwoody Fund; 10: Widener Collection, Washington, National Gallery of Art; 12, 14: akg-images/ Erich Lessing

Textabbildungen:

1: Haag, Herbert / Kirchberger, Joe H. / Sölle, Dorothee, Große Frauen der Bibel in Bild und Text, Freiburg / Basel / Wien 1993, S. 187; 2: Andrews, Keith, Adam Elsheimer, München 2006, o.S., Abb. 33; 3, 7, 8, 9, 20, 23: Sluijter 2006, S. 62, Abb. 326; S. 63, Abb. 338; S. 70, Abb. 361; S. 71, Abb. 363; S. 35, Abb. 88; S. 139, Abb. 90; 4: Mielke, Hans / Winner, Matthias, Peter Paul Rubens, Kritischer Katalog der Zeichnungen. Originale – Umkreis – Kopien, Staatliche Museen Preußischer Kulturbesitz, Berlin 1977, Abb. 18r; 5: AK Los Angeles 2003, Illuminating the Renaissance, Paul Getty Trust; 6, 47: Marx, Harald (Hg.), Gemäldegalerie Alte Meister Dresden. Die Ausgestellten Werke, Bd. 1, Köln 2006, S. 463; S. 453; 10, 11, 21, 38, 75, 76, 79: AK Edinburgh, London 2001, S. 182, Abb. 135; S. 189, Abb. 104; S. 40, Abb. 43; S. 106, Abb. 95; S. 80, Abb. 13; S. 231, Abb. 134; S. 178, Abb. 97; Taf. 5, 12, 14, 37, 44, 48, 73, 74: Wright 2000, S. 81, Abb. 66, S. 268, Abb. 266; S. 157, Abb. 140; S. 91, Abb. 37; S. 319, Abb. 323; S. 326, Abb. 334; S. 275, Abb. 274; S. 274, Abb. 272; 13: Sutton, Peter, Von Frans Hals bis Vermeer, Berlin 1984, S. 182; 15, 52: Seipel, Wilfried (Hg.), Bellini, Giorgione, Tizian und die Renaissance der venezianischen Malerei, Washington Gallery of Art, Wien Kunsthistorisches Museum 2006, S. 23; S. 225; 16: Geiser, Bernhard/ Bolliger, Hans (Hg.), Picasso. Das graphische Werk, Teufen 1955, S. 93; 17: Berti, Luciano, Die Uffizien, Florenz, 1993, S. 75; 18: Johannsen, Rolf H., Skulpturen von der Antike bis ins 19. Jahrhundert, Hildesheim 2005, S. 44; 19, 32, 97: Bauer, Rotraut / Otto, Udo, Das Kunsthistorische Museum in Wien, Salzburg/Wien 1978, S. 193; S. 201; S. 271; 22: Sumowski 1983, Bd. 3, S. 1822, Abb. 1183; Bd. 1, S. 176; 24: Musner, Lutz / Wunberg, Gotthard (Hg.), Kulturwissenschaften. Forschung – Praxis – Positionen, Wien 2002, S. 313–338, Abb. 1; 25: Foto: Molly Eyres; 26: Lavalleye, Jacques, Lucas van Leyden, Pieter Bruegel d. Ä., Das gesamte graphische Werk, Wien 1966, o.S., Abb. 8; 27, 34, 40, 65, 71: Strauss, Walter (Hg.), The illustrated Bartsch, Bd. 26, S. 188, Abb. 192-I; Bd. 4, S. 451, Abb. 8; Bd. 15, S. 45, Abb. 13-[I]; Bd. 33, S. 192, Abb. 40; Bd. 28 (Komm.), S. 210, Abb. 069 S2; 28, 39: Garrard 1989, S. 225, Abb. 190; o.S., Abb. 11; 29: Marx, Harald / Mössinger, Ingrid (Hg.), Cranach, Dresden 2005, S. 79, Taf. 30; 30: Schade, Werner (Hg.), Lucas Cranach. Glaube, Mythos und Moderne, Ostfildern-Ruit 2003, S. 71; 31: Jahrbuch des Kunsthistorischen Institutes der Universität Graz, Graz 1971, S. LV, Abb. 16; 33: Harten, Jürgen, Caravaggio. Originale und Kopien im Spiegel der Forschung, Ostfildern 2006, S. 186; 35, 77: Ekserdjian, David, Correggio, New Haven (Conn.) 1997, S. 285; S. 273; 36, 67: Christiansen, Keith / Mann, Judith W., Orazio and Artemisia Gentileschi, New Haven (Conn.) 2001, S. 363, Abb. 67; S. 195; 41: Walther, Ingo F., Sämtliche Miniaturen der Manesse-Liederhandschrift, Stuttgart 1981, Tafel 20; 42: Wenzelsbibel – König Wenzels Prachthandschriften der deutschen Bibel (Faksimile), Dortmund 1990, S. 163 ; 43: Foto privat; 45, 46, 53: Aikema, Bernard (Hg.), Renaissance Venice and the North. Crosscurrents in the time of Bellini, Dürer and Titian, Mailand 1999, S. 207; S. 235; S. 229; 49: Suckale, Robert, Malerei der Welt, Bd. 1, Von der Gotik zum Klassizismus, Köln 1995, S. 154; 50: AK Wien 2004, S. 69, Abb. 8; 51: Anzelewsky, Fedja, Albrecht Dürer. Das malerische Werk, Bd. 2, Tafelband, Berlin 1991, S. 43; 54: Pächt 1991, S. 60, Abb. 23; 55: AK Melbourne, Canberra 1997–1998, S. 37, Abb. 8; 56: AK Berlin 2006, S. 120, Abb. 67 ; 57, 59: Haak 1996, S. 104, Abb. 183; S. 111, Abb. 198; 58: Möbius u.a. 1990, o.S., Abb. 34; 60, 122: Guillaud, Jacqueline und Maurice, Rembrandt. Das Bild des Menschen, Paris 1986, S. 315; S. 315; 61: Haak 1986, Abb. 1; 62: AK Haarlem 1988; 63: Frijhoff u.a., 2004, S. 436; 64: Panofsky 1933, S. 207, Abb. 16; 66: Pedrocco, Filippo, Tizian, Florenz 1993, S. 54, Abb. 77; 68: Grohé 1996, S. 252, Abb. 70; 69: Lawner 1985, S. 71; 70: Sluijter 2000, S. 157, Abb. 125; 72: Dierichs, Angelika, Erotik in der Römischen Kunst, Mainz am Rhein 1997, S. 66, Abb. 76a; 78: The New Hollstein, German Engravings, Etchings and Woodcuts 1400–1700, Rotterdam 1998, S. 140, Abb. 179; 80: AK Zwolle 1988, Leidse Fijnschilders van Gerrit Dou tot Frans van Mieris de Jonge, 1630–1760, hrsg. von Eric Jan Sluijter u.a., S. 114; 81, 90, 91, 95, 96, 136a, 136b: AK Den Haag, Washington 1995, S. 129, Abb. 8; S. 153, Abb. 12; S. 109, Abb. 5; S. 197, Abb. 21; S. 115, Abb. 6; S. 73, Abb. 11; S. 73, Abb. 10; 82: Marijnissen, Roger H., Hieronymus Bosch. Das vollständige Werk, Weinheim 1988, S. 338; 83: Les Vanités dans la peinture au XVIIe siècle, Ausstellungskatalog Musée des Beaux-Arts de Caen, Paris 1990, Kat. Nr. 41, S. 175; 84: Kemp, Martin, Leonardo da Vinci, Bd. 3, New Haven 1989, S. 7; 85: Bataille, Georges, Manet, Genf 1988, S. 106; 86: Wien, Kunsthistorisches Museum; 87: Pächt, Otto, Altniederländische Malerei von Rogier van der Weyden bis Gerard David, hrsg. von Monika Rosenauer, München, 1994, S. 64; 88: Gardner, Helen / Kleiner, Fred /

Mamiya, Christin, Gardner's art through the ages. Belmont (Cal.) / London 2005, S. 680, Abb. 23–17; 89: AK Dulwich Picture Gallery, New Haven / London 1998, Pieter de Hooch, hrsg. von Peter C. Sutton, S. 55, Abb. 56; 92: Härting, Ursula, Frans Francken d. J., Flämische Maler im Umkreis der großen Meister, Bd. 2, Freren 1989, S. 276, Abb. 174; 93: Balis, Arnout, Flämische Malerei im Kunsthistorischen Museum Wien, Zürich 1989, S. 61; 94: Ortiz, Antonio Domínguez (Hg.), Velázquez, Ausstellungskatalog Prado, Madrid 1990, S. 63, Abb.2; 98, 102: Wenzel u.a. 2001, S. 161, Abb. 2; S. 164, Abb. 5; 99, 100, 129, 135: Franits, Wayne, Dutch Seventeenth-Century Genre Painting, New Haven/London 2004, S. 176, Abb. 159; S. 32, Abb. 23; S. 32, Abb. 23; S. 105, Abb. 93; 101, 103, 123, 124, 125, 126, 127, 128, 130, 140, 141: AK Dublin, Greenwich 2003, S. 83, Abb. 2; S. 82, Abb. 1; S. 100, Abb. 8; S. 95, Abb. 6; S. 109, Abb. 11; S. 101, Abb. 9; S. 128, Abb. 18; S. 72, Abb. 67; S. 83, Abb. 2; S. 85, Abb. 3; S. 89, Abb. 4; 104: Giltaij, Jeroen / Kelch, Jan, Lof der Zeevaart: De Hollandse zeeschilders van de 17e eeuw, Rotterdam 1997, S. 408, Abb. 96/1; 105: Brown, Peter, Das Evangeliar von Kells. Ein Meisterwerk frühirischer Buchmalerei, Freiburg im Breisgau 1980, Abb. 19; 106, 107: Wenzel u.a. 2000, S. 71, Abb. 10; S. 26, Abb. 12; 108: Schapiro, Meyer: Words, script, and pictures. Semiotics of visual language, New York 1996, S. 166, Abb. 30; 109: Janson, Horst, History of Art the Western tradition, Upper Saddle River (NJ) 2004, S. 196; 110: DeVos, Dirk, Hans Memling. Das Gesamtwerk, Zürich 1994, S. 106; 111: Urbach, Susanne, Frühniederländische Tafelbilder, Budapest 1971, Abb. 1; 112: König, Eberhard, Michelangelo Merisi da Caravaggio 1571–1610, Köln 1997, S. 96; 113: Pächt, Otto, Buchmalerei des Mittelalters, München 1984, Abb. 80, S. 62; 114: Lissitzky-Küppers, Sophie, El Lissitzky. Maler, Architekt, Typograf, Fotograf, Erinnerungen, Briefe, Schriften, Dresden 1967, o.S., Abb. 150; 115, 116: Ernst, Ulrich, Carmen figuratum, Geschichte des Figurengedichts von den antiken Ursprüngen bis zum Ausgang des Mittelalters, Köln / Weimar / Wien 1991, S. 67, Abb. 19; S. 600, Abb. 216; 117, 118, 119: Dencker, Klaus Peter, Text-Bilder, Visuelle Poesie international. Von der Antike bis zur Gegenwart, Köln 1972, S. 49; S. 59; S. 99; 120: Glaesemer, Jürgen, Paul Klee. Die farbigen Werke im Kunstmuseum Bern. Gemälde, farbige Blätter, Hinterglasbilder und Plastiken, Bern 1976, S. 380, Abb. 203; 121, 132: AK Berlin 2006, S. 87; S. 45, Abb. 1; 131, 133, 134: Pächt 1991, o.S., Abb. 43; o.S., Abb. 5; o.S., Abb. 52; 137: AK Washington, New York 2005, Kat. Nr. 27, Abb. S. 115; 138, 139: Yalçin, Fatma, Anwesende Abwesenheit, München/ Berlin 2004, S. 121, Abb. 80; S. 66, Farbtafel II; 142: Borrmann Norbert, Kunst und Physiognomik, Köln 1994, S. 70, Abb. 36.

Daniela Hammer-Tugendhat

Professorin für Kunstgeschichte an der Universität für angewandte Kunst Wien.
1946 in Caracas, Venezuela geboren. Studium der Kunstgeschichte und Archäologie an den Universitäten Bern und Wien. Promotion 1975 über Hieronymus Bosch und die Bildtradition, Habilitation 1993 zu Studien der Geschlechterbeziehungen in der Kunst der Frühen Neuzeit.
Forschungsschwerpunkte: Malerei der Frühen Neuzeit, Gender-Studien, Text-Bildbeziehungen, Kunstgeschichte als Kulturwissenschaft.

böhlau

EKKEHARD MAI (HG.)

HOLLAND NACH REMBRANDT

ZUR NIEDERLÄNDISCHEN KUNST
ZWISCHEN 1670 UND 1750

Bis heute steht die Kunst der nördlichen Niederlande im Zeichen ihres »Goldenen Zeitalters« – einer Epoche, in der das Land trotz kriegerischer Auseinandersetzungen eine enorme politische, wirtschaftliche und kulturelle Blüte erlebte. Frans Hals, Jan Vermeer und Rembrandt gelten als deren künstlerische Höhepunkte. Was aber kam danach? Noch immer hält sich hartnäckig das Urteil der unmittelbar Nachgeborenen vom Abstieg und Verfall der eigenen Epoche, das wider besseres Wissen auch auf die Künstler nach dem Tode Rembrandts übertragen wurde. Dieses gilt es zu hinterfragen und zu korrigieren. In den Beiträgen dieses Bandes wird dem Geschmackswandel um 1700 nachgespürt unter Berücksichtigung der höfischen, klassizistischen Internationalisierung in Stil und Thema der Malerei sowie der Theoriebildung und nicht zuletzt den Mechanismen von Markt und Sammlertum.

2006. X, 262 S. MIT 101 S/W-ABB. U. 26 FARB. ABB. AUF 16 TAF. GB.
170 X 240 MM.
ISBN 978-3-412-07006-9

URSULA BRANDSTÄTTER
GRUNDFRAGEN DER ÄSTHETIK
BILD – MUSIK – SPRACHE – KÖRPER
(UTB FÜR WISSENSCHAFT 3084 S)
2008. 200 S. BR.
ISBN 978-3-8252-3084-5

Die Vielfalt der Erscheinungsformen von Kunst provoziert Fragen nach dem Wesen und den Besonderheiten der Künste: Was zeichnet Kunst gegenüber anderen Umgangsweisen mit der Welt und mit uns selbst aus? Was unterscheidet den künstlerischen Zugang zur Wirklichkeit vom wissenschaftlichen? Aus welchen unterschiedlichen Perspektiven kann Kunst beschrieben und verstanden werden? Wie unterscheiden sich die verschiedenen Kunstformen voneinander? Welche Rolle spielen die Medien, die in künstlerischen Arbeiten zum Einsatz kommen? Wie beeinflussen die verschiedenen künstlerischen Ausdrucks- und Darstellungsmedien einander wechselseitig? Eine Einführung in diese Grundfragen der Ästhetik aus Perspektive der Kunstwissenschaften bietet dieses Studienbuch. Verständlich geschrieben, gibt es einen Überblick über Themen und Fragestellungen, mit denen sich die Ästhetik als wissenschaftliche Disziplin befasst und führt in die aktuelle ästhetische Diskussion ein.